CRITIQUE DE LA FACULTÉ DE JUGER

EMMANUEL KANT

CRITIQUE DE LA FACULTÉ DE JUGER

Traduction, présentation,
bibliographie et chronologie
par
Alain RENAUT

*Traduit avec le concours
du Centre national du Livre*

GF Flammarion

PRÉSENTATION

Longtemps sous-évaluée dans la tradition exégétique [1], la *Critique de la faculté de juger* réapparaît aujourd'hui, à travers le libre dialogue entretenu avec elle par une série de philosophes contemporains [2], pour ce qu'elle est vraiment : le couronnement de la pensée de Kant, en même temps que l'un des plus profonds – le plus profond peut-être – des grands ouvrages auxquels la réflexion philosophique, au fil de son histoire relativement brève, a su donner naissance. À la faveur de cette réévaluation, qui est directement solidaire d'une interprétation renouvelée de l'économie générale du criticisme, la référence kantienne que pratique aujourd'hui, en modes multiples, la philosophie, retrouve au demeurant une appréhension de l'ouvrage que le plus éminent disciple de Kant avait exprimée dès 1794. Quatre ans à peine après la parution de la troisième Critique, Fichte lui rendait en effet, dans la préface de son propre écrit programmatique *Sur le concept de la doctrine de la science*, cet hommage singulièrement appuyé :

« L'auteur est jusqu'à maintenant intimement convaincu qu'aucun entendement humain ne peut s'avancer au-delà de la limite à laquelle s'est arrêté Kant, particulièrement dans sa *Critique de la faculté de juger*, mais qu'il ne nous a jamais déterminée précisément, et qu'il a présentée comme la limite ultime du savoir fini [3]. »

---

1. À une exception près, notable il est vrai : celle de E. Cassirer, suivi en France par A. Philonenko.
2. Ainsi H. Arendt, *Lectures on Kant's Political Philosophy*, The University of Chicago Press Chicago, 1982, traduction M. Revault d'Allones, in : *Juger. Sur la philosophie politique de Kant*, Seuil, 1991. Plus généralement, pour l'importance de la *Critique de la faculté de juger* dans la philosophie politique contemporaine, chez Habermas ou Apel aussi bien que dans la philosophie anglo-saxonne ou dans la philosophie française, voir J. Lenoble et A. Berten, *Dire la norme*, LGDJ, Bruxelles, 1990.
3. Fichte, *Essais philosophiques choisis*, traduction L. Ferry et A. Renaut, Vrin, 1984, p. 20.

Il ne saurait être question ici d'examiner le rôle qu'a pu jouer la lecture de la *Critique de la faculté de juger* dans la genèse de la *Doctrine de la science*[4]. À prendre au sérieux l'hommage ainsi rendu en 1794, force est cependant d'en convenir : si, comme sa correspondance en témoigne, Fichte a résolu, au moins depuis 1790 (l'année même – est-ce vraiment un hasard ? – où paraissait la dernière des Critiques) de consacrer ses efforts à une explicitation et à une popularisation des principes du kantisme[5], c'est avant tout la portée véritable des thèses atteintes dans la *Critique de la faculté de juger* qu'il s'est ainsi agi, à ses propres yeux, de faire ressortir. À preuve, au demeurant, le commentaire du livre de Kant que Fichte entreprit dès septembre 1790 – interrompant brusquement pour cela, à la découverte de cette nouvelle Critique, une explication cursive qu'il avait entamée de la « Logique transcendantale » de la *Critique de la raison pure* : le projet, certes, a été abandonné après une analyse de l'introduction et des seize premiers paragraphes de la *Critique de la faculté de juger esthétique*[6], mais du moins l'étonnant document dont nous disposons, où Fichte tente d'expliquer, et d'abord de s'expliquer à lui-même, l'entreprise de Kant, témoigne-t-il que

4. L'importance de ce rôle, qu'avait minimisée M. Gueroult (*L'Évolution et la structure de la doctrine de la science chez Fichte*, Publications de la faculté des lettres de l'université de Strasbourg, 1930, I, p. 48, 50, 257), ne fait plus guère de doute aujourd'hui : il faut saluer sur ce point les contributions convergentes de R. Lauth (voir, par exemple, « Genèse du Fondement de la doctrine de la science », *Archives de philosophie*, 1971), d'A. Philonenko (*La Liberté humaine dans la philosophie de Fichte*, Vrin, 1966, p. 38 *sq.*), ainsi que de l'école de L. Pareyson (*cf.*, par exemple, F. Moiso, *Natura e cultura nel primo Fichte*, Mursia, 1979).

5. Il faut rappeler ici la déclaration d'intention formulée dans la lettre à J. Rahn du 5 septembre 1790 : « Mon projet est de ne faire rien d'autre que de rendre les principes populaires et de chercher, par mon éloquence, à les rendre efficaces sur les cœurs (*Fichte'Leben*, I, 1, 3, p. 83) ; de même à Achelis (I, 1, 4, p. 109) : « Si je trouve le temps et la tranquillité nécessaires, je les consacrerai entièrement à la philosophie de Kant. »

6. Pour ce commentaire, dont on citera dans cette présentation les passages les plus éclairants, voir J. G. Fichte, *Gesamtausgabe* (*GA*), II, 1, p. 325-373 (le commentaire de la « Logique transcendantale » figure dans le même volume, p. 295-323). Cette « explication » de la *Critique de la faculté de juger* s'est d'ailleurs prolongée dans les années suivantes, puisque, pour une large part, le manuscrit de Fichte intitulé *Philosophie pratique*, daté aujourd'hui des premiers mois de 1794 (*GA*, II, 3, p. 181 *sq.*), apparaît comme un débat avec la *Critique de la faculté de juger*, notamment avec la théorie du jugement esthétique.

le futur auteur de la *Doctrine de la science* avait été le premier sans doute à s'être convaincu que, si la Critique était grande, la *Critique de la faculté de juger* avait quelque chose de grandiose qu'il appartenait aux tâches du philosophe, parallèlement à la construction de sa philosophie propre, de mettre en évidence. Puis-je dire que, deux siècles après, cette conviction de Fichte est aussi la mienne ?

À bien des égards, la dernière des Critiques kantiennes reste une œuvre mystérieuse, qui continue d'adresser à l'exégèse savante un certain nombre de défis particulièrement difficiles à relever. Le premier de ces défis concerne la *genèse* même de l'œuvre, et nous conduit directement à un deuxième défi, qui porte sur ce que l'on pourrait désigner comme la question de l'*unité externe* d'un tel ouvrage : quelle place est-il venu occuper au juste dans l'édifice de la philosophie transcendantale ? Enfin, la *Critique de la faculté de juger* semble défier par sa facture même ses lecteurs et interprètes, en ce sens que – et c'est là une question qui n'a cessé de traverser l'histoire de l'exégèse – l'on perçoit mal de prime abord comment s'articulent les uns aux autres les divers problèmes abordés successivement par un ouvrage dont l'*unité interne* est donc rien moins qu'évidente.

Sans vouloir développer pour elles-mêmes ces ingrates, mais inévitables questions d'exégèse, il me semble néanmoins possible de suggérer à leur endroit, sinon une réponse, du moins une méthode dont la mise en œuvre éclairerait sans doute, de façon non négligeable, les débats interprétatifs : tout indique en effet que la question de l'unité interne de la troisième Critique serait beaucoup moins énigmatique si s'était d'abord trouvée affrontée celle de l'unité externe. Du moins est-ce à partir de cette interrogation sur la ou les fonctions remplies par la *Critique de la faculté de juger* dans le développement et dans la logique de la philosophie transcendantale que je voudrais ici mettre en évidence quelques-unes des richesses en vertu desquelles un tel ouvrage peut rester présent dans la réflexion contemporaine.

I

PENSER L'IRRATIONNEL

La genèse de la *Critique de la faculté de juger*

Concernant la genèse même de l'œuvre, il faudrait, si l'on voulait être exhaustif, retracer l'évolution de Kant à partir de ses *Observations sur le sentiment du beau et du sublime*[7] – opuscule de 1764 qui constituait sa première contribution en matière d'esthétique, sous la forme d'une réflexion très influencée par Rousseau et l'école anglaise, notamment par E. Burke. À la suite de ce texte inaugural, Kant semble avoir eu, dans un premier temps, l'intention de consacrer à ce domaine un ouvrage dans un avenir relativement proche, comme en témoigne sa correspondance, notamment les lettres à Marcus Herz de juin 1771, et surtout de février 1772. Cette dernière (qui est connue comme la fameuse « Lettre à Marcus Herz », où se trouve posé le problème de la représentation) annonce en effet, en même temps que l'écriture prochaine d'une « Critique de la raison pure », la mise en chantier d'une « esquisse de ce qui constitue la nature de la doctrine du goût » : première amorce, donc, de ce qui deviendra dix-huit ans plus tard la « Critique de la faculté de juger esthétique ». L'annonce est cependant restée lettre morte – et cela pour bien plus longtemps encore que ce ne fut le cas pour la « Critique de la raison pure » : Kant, il est vrai, est l'homme des réalisations différées[8], mais l'ampleur du délai qu'il dut ou sut ici s'accorder invite à s'interroger sur les raisons qui, au-delà même du retard imposé par les difficultés rencontrées pour mener à bien la première Critique, expliquent ce qui, au moins objectivement, s'apparente à la disparition prolongée d'un projet. Interrogation d'autant plus légitime que, tout au contraire, quand le projet resurgira, à savoir dans les lettres à Reinhold de mars 1788, qui annoncent une « critique du goût », et de

---

7. *Kants Gesammelte Schriften*, Königliche Preussische Akademie der Wissenschaften (désormais : AK), 1902-1910, II, traduction M. David-Ménard, GF-Flammarion, 1990.
8. Voir sur ce point la présentation de notre traduction de la *Métaphysique des mœurs*, t. I, GF-Flammarion, 1994.

mai 1789, où est évoquée pour la première fois la perspective
d'une « Critique de la faculté de juger [9] », la réalisation de ce
que la philosophie critique inscrivait à nouveau à son ordre
du jour s'inscrira singulièrement sous le régime de l'urgence
– puisque l'ouvrage paraîtra à peine plus d'un an après avoir
reçu son intitulé. Bref : pourquoi, de 1772 à 1788, le projet
disparaît-il ? – mais aussi : pourquoi, de 1788 à 1790, sa
réapparition s'est-elle effectuée sur un mode tel que, soudain,
la plume pouvait ou devait, si j'ose dire, courir sur le papier ?

Les années de disparition ne correspondent pas, en l'occurrence, à une simple période d'incubation. Bien plutôt s'est-il
agi, au moins pour un temps, d'un renoncement, tant il est
vrai qu'une fois élaboré (à travers l'écriture de la *Critique de
la raison pure*) le cadre global du criticisme, Kant a durablement pensé (comme, au demeurant, ce fut le cas aussi pour
le projet d'une « critique de la raison pratique ») qu'une étude
du jugement de goût ne saurait faire pleinement partie de la
philosophie transcendantale : en témoigne, dans l'Esthétique
transcendantale de la *Critique de la raison pure*, la fameuse
note qui, à propos de l'utilisation récente (que Kant ne fait
pas sienne) du terme d'« esthétique » pour désigner la « critique
du goût », salue la tentative courageuse, mais malheureuse,
de Baumgarten pour « faire entrer l'appréciation critique du
beau sous des principes rationnels », là où les règles et critères du goût sont, « quant à leurs principales sources, seulement empiriques et ne peuvent donc jamais servir de lois a
priori précisément déterminées sur lesquelles notre jugement
de goût aurait à s'aligner [10] ». À partir d'une telle conviction,
largement induite par la représentation du goût que Kant avait
développée lui-même en 1764 sous l'influence des théoriciens
empiristes, il allait de soi que, la philosophie transcendantale
se donnant pour objet « l'appréciation complète de la
connaissance synthétique a priori [11] », le goût, de même (à
l'époque) que la moralité et, plus largement, tout ce qui rele-
vait des sentiments de plaisir et de peine, ne pouvait que
se trouver exclu de l'interrogation spécifiquement philoso-

9. Tous ces documents sont accessibles dans le recueil *Mate-
rialen zu Kants Kritik der Urteilskraft,* éd. J. Kulenkampf, Frankfurt,
Suhrkamp, 1974.
10. *Critique de la raison pure,* A 21, B 35, AK, III, 51, traduction
Alain Renaut, Bibliothèque philosophique, Aubier, Paris, 1997, p. 118
(édition désormais citée : Renaut).
11. A 14, B 28, AK, III, 45, traduction citée, Renaut, p. 113.

phique : « Comment des jugements synthétiques a priori sont-ils possibles ? »

Or, il n'est pas douteux qu'après la *Critique de la raison pure*, sur ce point précis (est-il possible ou non d'intégrer la question du goût à la problématique de la synthèse a priori ?), Kant a transformé radicalement sa position. Il suffira, pour s'en convaincre, de se reporter ici au paragraphe 36 de la troisième Critique, où Kant revient sur la relation entre synthèse a priori et jugement de goût, mais cette fois pour montrer qu'« il est facile de voir que les jugements de goût sont synthétiques » : ce sont, n'hésite-t-il pas à écrire, des « jugements synthétiques a priori ». L'argumentation complexe, mais décisive, qui sous-tend cette appréciation (argumentation décisive, puisque d'elle dépend la possibilité d'une troisième Critique dont le jugement de goût soit au moins l'un des objets [12]), mérite d'être explicitée.

Le jugement de goût est *synthétique*, tout d'abord, parce qu'il ne se déduit pas du simple concept de son objet : on voit mal en effet comment le prédicat du jugement de goût (c'est-à-dire le sentiment de plaisir ou de peine [13] éprouvé face à l'objet esthétique) pourrait être contenu dans ce concept, puisque, si tel était le cas (si le plaisir ou la peine étaient compris dans la définition objective de ce à propos de quoi le jugement de goût est émis), l'expérience esthétique ne mettrait nullement en jeu la sensibilité des sujets (pas plus qu'elle ne

12. Et même, à vrai dire, l'objet principal, de l'aveu de Kant, qui (AK, V, 193) présente la « critique de la faculté de juger esthétique » comme « la partie essentielle ».

13. On peut se demander à quoi correspond la mention insistante de la « peine » dans les descriptions kantiennes de l'expérience esthétique. Contrairement à ce qu'une première approximation pourrait laisser penser, ce n'est pas l'expérience du laid qui se trouve ici visée, telle qu'elle pourrait faire pendant à celle du beau : en fait, l'esthétique kantienne ne ménage nulle place au laid, dans l'exacte mesure où, si le beau, comme toute l'Analytique du goût le démontre, est ce qui produit un accord de nos facultés, il n'y a, parmi les phénomènes, que des objets beaux (suscitant cet accord) ou non beaux (ne le suscitant pas) : ce qui ne produit pas cet accord (le non-beau) n'engendre pas de plaisir esthétique, mais il n'engendre pas pour autant (fort heureusement !) de la peine. La référence au sentiment de peine renvoie donc bien plutôt à l'expérience du sublime : on verra en effet, notamment dans les développements consacrés par Kant au sublime mathématique, que l'expérience esthétique consiste ici en un effort de l'imagination pour saisir en totalité un objet qui, par sa grandeur, dépasse ses possibilités ; or, c'est cet échec de l'imagination qui produit le sentiment de peine, composante de l'expérience du sublime.

donnerait matière, entre les sujets, à discussion sur la légitimité de leur plaisir). Reste que, si quelque chose se trouve donc *ajouté*, dans le jugement esthétique, à la sphère du concept, le jugement ne se déduit pas non plus de la simple intuition de l'objet : c'est là en effet ce qui le distingue du jugement sur l'agréable – lequel, bien qu'étant lui aussi un jugement synthétique (puisqu'on ne tire pas analytiquement le prédicat « agréable » du concept de « vin des Canaries »), se tient néanmoins tout entier dans la sphère de la sensation et ne dépasse donc pas l'intuition : le jugement de goût, en revanche, mobilise ce que Kant appelle les « pouvoirs supérieurs » de l'esprit humain.

Synthétique, le jugement esthétique est en outre a priori : car, bien qu'il s'agisse toujours d'un jugement singulier [14] et qu'il soit par conséquent empirique (puisque lié à la représentation d'un objet singulier), il contient cependant une dimension d'a priori en ceci qu'à la différence du jugement sur l'agréable, il est prononcé avec une connotation d'universalité : *comme si* chacun, nécessairement, devait éprouver le même plaisir que nous devant l'objet que nous trouvons beau, et cela sans que nous ayons à faire l'expérience de l'effectivité d'un tel *consensus* (qui, de fait, n'existe pas). Or, de cette caractéristique d'universalité ou de nécessité, la *Critique de la raison pure* avait fait précisément la marque même de l'a priori : en ce sens, il *doit* donc y avoir de l'a priori au principe du jugement esthétique.

Je n'évoquerai pas davantage cet important paragraphe 36, où doit être lue avec une attention particulière la détermination que, sur la base de cette argumentation, Kant opère de l'a priori esthétique : du moins est-il d'ores et déjà clair que le jugement de goût va fonctionner en quelque sorte, en tant que synthétique et a priori, comme un *analogon* du jugement scientifique sur l'objectivité définie comme synthèse a priori de représentations. C'est au demeurant la raison pour laquelle la *Critique de la faculté de juger* devra s'acquitter, vis-à-vis du jugement de goût, d'une *déduction* entendue au sens (comme c'était le cas, dans la première Critique, de la « déduction transcendantale » des catégories) d'une légitimation : bien évidemment, la relation entre les deux types de jugement (esthétique, scientifique) n'est qu'analogique, puisque le juge-

14. Ce pourquoi Kant précise qu'un jugement du type : « Les roses sont belles » n'est pas vraiment un jugement de goût, mais un jugement d'expérience induit de plusieurs jugements esthétiques singuliers (paragraphe 8).

ment de goût, tout en s'effectuant sur fond d'universalité, n'est que subjectif ; du moins l'analogie suffit-elle à fonder la transposition, vis-à-vis de la sphère de l'esthétique, d'interrogations et de démarches (notamment celle de la déduction) élaborées à propos de la sphère de la connaissance scientifique.

Ainsi, à la faveur d'une telle argumentation et de l'évolution incontestable qu'elle exprime par rapport à ce que suggérait Kant, en 1781, à propos du goût, devenait-il possible d'intégrer une nouvelle critique dans la philosophie transcendantale : une « critique de la faculté de juger » (esthétique) apparaissait *possible* ; pourquoi, cependant, cette nouvelle critique, certes possible, se révélait-elle en outre *nécessaire*, au point qu'à partir de 1788 [15] l'écriture allait en découler avec une intensité et une rapidité déconcertantes pour un ouvrage aussi complexe [16] ? C'est en vue de tenter d'apporter sur cette étrange périodisation (et surtout, si je puis dire, sur son rythme) un élément d'éclairage qu'il me semble requis de prolonger ces considérations génétiques par une réflexion sur ce que j'appelais plus haut l'unité de la *Critique de la faculté de juger*, à savoir son mode d'intégration au sein du système de la philosophie transcendantale (unité externe), et le mode d'intégration en son propre sein de problématiques apparemment hétérogènes (unité interne).

Quelle nécessité impérieuse, inhérente à la logique de ce que tentait Kant depuis 1781, est en effet venue rendre

15. À partir de 1788, me crois-je autorisé à écrire, puisque, même si Kant a réinvesti ici (comme cela avait déjà été le cas pour la *Critique de la raison pure*) des matériaux antérieurs, non seulement il n'a reformulé le projet de l'ouvrage qu'à partir des lettres déjà citées à Reinhold (1787-1788), mais, en outre, en rééditant (avec les réaménagements que l'on sait) la *Critique de la raison pure*, il n'éprouvait, *en 1787 encore*, aucunement le besoin de modifier décisivement la note du paragraphe 1 de l'Esthétique transcendantale, qui excluait de la philosophie critique la doctrine du goût : tout au plus Kant ajoute-t-il un mot pour indiquer que c'est « dans leurs *principales* sources » (*ihren* vornehmsten *Quellen*) que les règles et critères du goût sont empiriques – ajout certes significatif, mais qui n'infirme pas encore le décret d'exclusion prononcé à l'endroit de la doctrine du goût.

16. Une évolution parallèle concerne évidemment la « critique de la moralité » : elle aussi récusée dans la *Critique de la raison pure* et pour les mêmes raisons, elle fut rétablie plus rapidement dans ses droits, puisque, dès la *Fondation de la métaphysique des mœurs* (1785), les jugements exprimant l'impératif catégorique révèlent leur dimension d'a priori, en tant qu'il leur faut lier a priori la volonté à la loi, sans considération des mobiles ni des conséquences de l'acte moral.

nécessaires les réaménagements qui viennent d'être évoqués et imposer de leur faire porter aussi rapidement leurs fruits ? Concernant la question de l'unité externe, il me semble possible de reconnaître à la *Critique de la faculté de juger* deux fonctions essentielles qui, chacune à sa manière, la rendaient nécessaire dans la logique même de l'édifice critique. La première fonction engage l'*histoire* des débats dont le criticisme s'est alors trouvé partie prenante. La seconde fonction engage la *systématicité* globale de la philosophie critique. Au demeurant, la *fonction historique* est sans doute celle qui a eu le plus de retentissement sur la façon dont l'œuvre s'est structurée en rassemblant en elle des problématiques qu'on a souvent jugées disparates – précisément parce qu'on a rarement perçu la fonction que Kant faisait jouer, dans le débat capital qu'était alors la querelle du panthéisme, à leur rassemblement. Ce pourquoi, disais-je, la question de la fonction de l'œuvre ou de son unité externe retentit sur celle de l'unité interne.

L'irrationnel, objet de la troisième Critique

De fait, trois problématiques sont successivement développées par la *Critique de la faculté de juger* : celle du goût (Première partie) et celle des êtres organisés ou, si l'on préfère, des individualités biologiques (Deuxième partie), mais aussi (c'est moins évident) la problématique de la finalité ou de la systématicité de la nature (Introduction, paragraphes IV-VIII) – entendre : la question de savoir si, et comment, « la nature dans sa diversité », à travers la multiplicité de ses lois, se laisse cependant « représenter » comme une « unité », « comme si un entendement contenait le fondement de l'unité de la diversité de ses lois empiriques [17] », donc comme si la diversité des lois faisait malgré tout système, renvoyant ainsi à l'idée que la « constitution des choses » n'aurait été possible que « d'après des fins » et d'après un projet d'organiser cette diversité. Assurément perçoit-on, à la lecture de la *Critique de la faculté de juger*, que ces trois problématiques ont quelque chose à voir avec la finalité, mais il n'en demeure pas moins qu'à s'en tenir là leur rapprochement peut apparaître formel, voire, comme on l'a souvent dit, artificiel, et que sa véritable et profonde signification échappe – précisément parce

17. AK, V, 180-181.

qu'on n'aperçoit pas quelle logique globale du criticisme rendait leur rapprochement significatif, sous cette forme et à ce moment.

C'est sans doute A. Bäumler qui, quoi que l'on doive par ailleurs penser du personnage, a identifié de la manière la plus pertinente le point de rencontre entre deux des trois problématiques développées par l'ouvrage de 1790, celle de la beauté et celle des êtres organisés : ce serait, selon lui, l'émergence du problème de l'irrationnel, telle qu'elle caractériserait tout le mouvement philosophique du XVIIIe siècle, et la volonté kantienne de prendre en compte ce problème qui permettraient de cerner l'unité interne de l'œuvre [18]. Il était, de fait, fort compréhensible que ce fût après l'identification par Leibniz du possible (c'est-à-dire du non-contradictoire, donc du rationnel) et du réel dans le cadre du premier grand système dogmatique produit par la raison des Modernes que commençât à se faire sentir (ou, du moins, recommençât à se faire sentir avec une vigueur renouvelée) la résistance de dimensions apparemment extrarationnelles du réel à leur intégration supposée dans la rationalité : cette résistance, qui pouvait conduire à penser qu'une dimension du réel était en soi soustraite à toute pénétration logique et constituait un « irrationnel » absolu, se révélait particulièrement forte là où la réalité prenait la figure de l'individualité – non pas seulement parce que l'individuel s'était affirmé traditionnellement comme la limite du concept en tant que notion générale, mais précisément parce que, chez Leibniz, le modèle monadologique invitait, à rebours de cette limitation traditionnelle, à voir au contraire dans l'autoaffirmation des individualités monadiques la modalité même du déploiement de l'ordre rationnel de l'univers [19]. En ce sens, si résistance de l'irrationnel il devait y avoir, comment ne se fût-elle point cristallisée autour de l'individuel, et notamment autour de ces figures emblématiques de l'individualité

18. A. Bäumler, *Kants Kritik der Urteilskraft, Ihre Geschichte und Systematik*, Niemeyer, 1923, t. I (seul paru) : *Das Irrationalitätsproblem in der Ästhetik und Logik der 18. Jahrhunderts bis zur Kritik der Urteilskraft*. Il est confondant que toutes les tentatives pour rendre possible la traduction de ce grand livre aient jusqu'à ce jour échoué : que Bäumler ait été, dix ans plus tard, l'un des plus abjects idéologues du nazisme ne devrait pas interdire l'accès à la partie de ses travaux qui est la moins soupçonnable, et pour cause (1923), d'imprégnation idéologique ; en tout état de cause, seule la publication permettrait ici la discussion.

19. Sur cette intégration monadologique de l'individuel dans le rationnel, voir A. Renaut, *L'Ère de l'individu*, Gallimard, 1989.

que sont les œuvres d'art (toujours irréductibles, dans leur dimension esthétique, à une quelconque vérité conceptuelle qu'elles exprimeraient [20]) et les vivants (toujours irréductibles, dans leur originalité singulière, aux formules générales constitutives de leur espèce, voire de leur genre) ? Et, dès lors, si Kant écrit un ouvrage articulant à une réflexion sur les phénomènes esthétiques une interrogation sur les êtres organisés (individualités biologiques), avec pour objectif, dans les deux cas, de cerner les conditions spécifiques selon lesquelles nous pouvons malgré tout les penser (c'est-à-dire – puisque « penser, c'est juger » – prononcer sur eux des *jugements*), comment ne pas y voir la plus puissante contribution du criticisme à la prise en charge de ce problème de l'irrationnel qui, à l'époque même des Lumières, faisait vaciller la toute-puissance de la raison ?

L'hypothèse, sous cette forme (celle que lui donna Bäumler), est déjà séduisante. Encore faut-il, pour qu'elle ait une chance de convaincre pleinement, lui apporter deux compléments, d'une part quant à l'unité interne qu'elle fait apercevoir dans la troisième Critique, d'autre part quant à l'unité externe qu'elle lui assure vis-à-vis de la logique globale du criticisme.

La systématicité de la nature

Un premier complément, au bénéfice d'une meilleure appréhension de l'unité interne de l'œuvre, consiste à faire apparaître la troisième problématique traitée par la *Critique de la faculté de juger*, à savoir celle de la systématicité de la nature (que Bäumler ne prend pas en compte), comme s'inscrivant elle aussi dans une réflexion organisée autour de la question de l'irrationnel. Car le paradoxe d'une telle inscription (comment l'interrogation sur la systématicité, donc sur la rationalité de la nature, s'intégrerait-elle dans une enquête sur l'irrationnel ?) n'est ici qu'apparent : sous les yeux du savant (ou de la communauté scientifique), les phénomènes se rangent bien, de

---

20. C'est cette irréductibilité des œuvres à une quelconque « vérité » (ne serait-ce qu'à celle des « règles » dont elles seraient l'application) qui donne naissance à cette puissante manifestation du problème de l'irrationnel que fut, à la fin du XVIIe siècle et au début du siècle suivant, la crise de l'esthétique classique, analysée avec une grande netteté par Bäumler (pour une reprise et une discussion des lignes de force de cette analyse, voir L. Ferry, *Homo Aestheticus*, Grasset, 1990).

fait, sous des lois qui, elles-mêmes, à mesure que se déploie le progrès des connaissances, viennent se subsumer, là encore, de fait, sous des lois plus amples, et ainsi de suite, selon un mouvement dont l'idée même de progrès impose que nous nous la représentions comme infinie, c'est-à-dire comme manifestant à l'infini dans le divers phénoménal un ordre, donc une rationalité toujours croissante ; reste que cette systématicité de la nature n'est pas et ne sera jamais elle-même objet d'une connaissance (loi) scientifique (ne serait-ce que parce qu'« il n'y a pas d'expérience de la totalité des objets de l'expérience »), mais qu'il s'agit en quelque sorte d'une *rationalité de fait*. Il faut même ajouter (et le point est véritablement décisif) que cette *rationalité de fait* est indéductible de la structure de notre propre rationalité (c'est-à-dire de ce que Kant appelle le « système des principes de l'entendement pur ») – puisque, en partant des concepts a priori, nous pouvons bien déterminer à l'avance la forme des phénomènes (à savoir qu'ils posséderont tous des déterminations quantitatives et qualitatives, ou qu'ils seront en relation avec d'autres phénomènes), mais non point déduire le contenu même des phénomènes, donc les lois auxquelles ce contenu obéira, ni bien sûr, a fortiori, l'ordre rationnel susceptible de s'établir entre ces lois (c'est-à-dire la rationalité de la nature). Et l'impossibilité d'une telle déduction s'enracine directement dans l'écart infranchissable, que la première Critique enregistrait en son Esthétique transcendantale, entre le concept et l'intuition – ouvrant ainsi dans le réel phénoménal une dimension d'indéductibilité (donc, en ce sens, d'irrationalité) dont le problème posé par la rationalité *de fait* de la nature est, dans l'Introduction à la troisième Critique, le contrecoup. Bref, la rationalité *de fait* (la systématicité de la nature) est indéductible de la *rationalité de droit* (le système des principes de l'entendement pur, lui-même déduit, selon le mouvement de la première *Critique*, des catégories) – et en ce sens, vis-à-vis de cette rationalité des principes et des catégories, la rationalité manifestée par la nature semble, puisque indéductible, devoir être pensée comme irrationnelle.

Où l'on voit par conséquent en quel sens, là encore, il y va, à travers la problématique de l'Introduction, d'une interrogation sur les limites de la rationalité, donc d'une prise en compte du problème de l'irrationnel. Et tout le travail de l'Introduction, tel qu'il réinvestit en grande partie, comme on va le voir, les acquis de l'Appendice à la Dialectique transcendantale de la *Critique de la raison pure*, vise précisément à conférer malgré tout un statut (donc une pensabilité) à cette rationalité de fait, en établissant que si la diversité des lois de la nature se peut penser comme s'organisant selon la cohérence d'un ordre rationnel, cette unité systématique, à quoi certes rien ne se trouve obligé de correspondre dans la réalité, est cependant une exigence nécessaire de notre réflexion, c'est-à-dire un idéal régulateur dont la postulation est indispensable au fonctionnement de nos pouvoirs de connaissance, et notamment au travail scientifique. Ainsi les trois problématiques travaillées successivement par la *Critique de la faculté de juger* s'intègrent-elles donc bien dans l'interrogation globale sur l'irrationnel – interrogation qui assure, en ce sens, l'unité interne de l'œuvre.

Pour achever de rendre opératoire ce principe de lecture, un second complément doit toutefois être apporté encore à ce qu'avait esquissé Bäumler. Le complément, cette fois, procède d'une prise en compte du problème de l'unité externe : car, si le rassemblement de ces trois problématiques était donc, autour de la question de l'irrationnel, *possible*, pourquoi est-il apparu *nécessaire* à Kant vers 1788, au point même de l'inciter à reprendre dans son Introduction, vis-à-vis de la problématique de la systématicité de la nature, des thèses qu'il avait déjà formulées dans l'Appendice à la Dialectique transcendantale de la *Critique de la raison pure* et dont on perçoit mal, de prime abord, ce qui pouvait en imposer la répétition, sous forme d'ouverture à des développements incontestablement plus neufs sur la dimension esthétique et sur les êtres organisés ? Mesurons en effet, avant de tenter une réponse, l'ampleur de la reprise.

De la première à la troisième *Critique*

Si l'on cherche le point d'ancrage de ce que développe Kant, en 1790, dans ce qu'avait élaboré, dès 1781, la *Critique de la raison pure*, il n'est guère difficile, de fait, d'apercevoir que celui-ci se situe, de façon peu contestable, dans la manière dont s'y était déjà énoncée la thèse proprement kantienne sur la question du système. Une thèse qui, au demeurant, avait déjà porté certaines de ses conséquences entre 1781 et 1790, notamment en 1784, dans l'opuscule intitulé *Idée d'une histoire universelle d'un point de vue cosmopolitique* : dans le commentaire de la proposition IX [21], Kant y écrivait en effet

21. AK, VIII, 29, traduction L. Ferry, in Pléiade, II, p. 203.

que l'Idée grâce à laquelle l'« historien philosophe » (l'historien réfléchissant sur la rationalité éventuelle du cours de l'histoire) peut mettre le divers historique en perspective « pourrait nous servir de fil conducteur pour présenter, du moins dans l'ensemble, comme un *système* ce qui, sans cela, resterait un *agrégat* d'actions humaines dépourvu de plan ». Indication qui fait d'ailleurs écho, dans l'*Idée d'une histoire universelle*, aux premières lignes de l'opuscule, où s'était déjà trouvé formulé le projet de découvrir le « fil conducteur » (*Leitfaden*) permettant de se représenter, au-delà de l'apparente confusion, voire de l'apparente absurdité qui caractérise le cours des choses humaines, une histoire structurée « selon un plan déterminé de la nature » : cette histoire structurée selon un plan de la nature, il s'agit donc de la penser comme un système, tout comme Kepler et Newton avaient, en ramenant sous des lois le cours des planètes (Kepler) et en expliquant (Newton) ces lois « en vertu d'une cause naturelle universelle » (à savoir l'attraction), permis de présenter sous une forme systématique l'ensemble des orbites planétaires.

Préparant à bien des égards (certes à travers sa restriction à l'histoire) la thématique, pleinement développée en 1790, de la rationalité globale de la nature, ces passages du texte de 1784, en eux-mêmes clairs, ne sauraient toutefois être appréciés dans leur véritable portée si l'on ne voyait qu'ils sont très rigoureusement et très techniquement adossés au traitement de la question du système dont s'était acquittée la *Critique de la raison pure* et dont les *Prolégomènes à toute métaphysique future* venaient, en 1783, de souligner fortement l'esprit.

En fait, et plus précisément, ce qu'il faut apercevoir ici, c'est comment, de ce point de vue, une telle préparation, dont s'acquitte l'*Idée*, s'enracine dans la manière dont s'articulent chez Kant deux thèses sur la question du système.

Une première thèse consiste dans l'affirmation selon laquelle l'achèvement du projet de système est impossible. Ainsi lit-on au paragraphe 40 des *Prolégomènes* : « La totalité de toute expérience possible (le système) n'est pas elle-même une expérience. » Dit autrement : en raison de la radicalité de notre finitude, nous ne pouvons avoir une expérience de la totalité du réel – en termes plus précisément kantiens : nous ne pouvons avoir une expérience de la totalité des objets d'une expérience possible, et, en conséquence, comme nos concepts, sans intuitions capables de leur fournir une matière, sont des formes vides, les concepts que nous pouvons nous forger de

la totalité des objets sont des « Idées » qui, si elles sont
susceptibles d'être pensées, ne sauraient du moins donner lieu
à une connaissance. En d'autres termes encore, et cette fois
directement à partir de la *Critique de la raison pure* :

— Le système se définit comme « unité des diverses connaissances sous une Idée [22] ».

— Or, pour des raisons qu'on va rappeler, Kant définit l'Idée
comme « un concept nécessaire de la raison *auquel aucun objet
qui lui corresponde ne peut être donné dans les sens* [23] ».

— Donc, si l'on ne retient pour l'instant que la fin (soulignée
par moi) de cette définition de l'Idée, on peut en déduire que
l'unification du divers des connaissances sous une Idée (leur
constitution en un système) n'aura jamais elle-même le statut
d'une connaissance, puisqu'il n'y a pas d'expérience possible
susceptible de venir remplir l'Idée en donnant à cette *forme*
de l'unité qu'est l'Idée une *matière* ou un *contenu*. Bref, la
systématisation est un travail infini, qui ne s'achèvera jamais
à travers l'apparition d'un savoir qui serait alors, puisque
savoir de la totalité des objets (ou de leurs connaissances),
Savoir absolu.

Où l'on verrait donc poindre la perspective chère aux
kantismes contemporains selon laquelle le criticisme est intrinsèquement posthégélien — ou selon laquelle Kant constitue, si
l'on peut dire, le plus grand critique de Hegel, non pas bien
sûr chronologiquement, mais logiquement (ce qui pose au
demeurant un problème philosophiquement passionnant, mais
que l'on ne peut ici que croiser — celui de déterminer comment
il a pu se faire qu'après Kant l'hégélianisme ait été possible,
ou du moins ait pu se croire possible).

Quoi qu'il en soit, au-delà de cette première thèse de Kant
sur le système — qui se fonde par conséquent dans le statut
des Idées de la raison comme principes d'unité du système
(comme principes de systématisation), c'est-à-dire dans la
Dialectique transcendantale de la *Critique de la raison pure* —,
la réflexion sur cette problématique se complète d'une seconde
thèse sans laquelle ni l'*Idée d'une histoire universelle d'un
point de vue cosmopolitique* ni l'Introduction de la *Critique
de la faculté de juger* n'eussent vu le jour. Reprenons en effet
le texte du paragraphe 40 des *Prolégomènes* : « La totalité de
toute expérience possible n'est pas elle-même, écrit donc Kant,
une expérience » (première thèse), mais elle est cependant

22. A 832 / B 860, AK, III, 538, traduction citée, p. 674.
23. A 327 / B 383, AK, III, 254, traduction citée, p. 350.

pour la raison, ajoute-t-il (et là s'inscrit la seconde thèse), « un problème (une tâche, *Aufgabe*) nécessaire, dont la simple représentation exige des concepts tout différents des concepts purs de l'entendement ». Donc, bien que ne pouvant donner lieu à un savoir, la recherche d'une totalisation des connaissances (système) est une tâche nécessaire – et le lecteur de l'Appendice à la Dialectique transcendantale, dans la *Critique de la raison pure*, voit parfaitement pourquoi : face à la diversité des connaissances acquises, il faut bien en effet, à chaque époque, chercher à la fois à les organiser et à les accroître – ce qui définit très précisément la visée de la totalité et fait de cette visée le moteur même du progrès scientifique. Or, pour l'accomplissement infini de cette tâche (infini, puisqu'en vertu de la première thèse le système achevé est impossible), il faut déterminer quels sont les concepts unificateurs, les *foyers* sous lesquels nous pouvons nous *imaginer* ranger la diversité des connaissances. Par là s'introduit la notion qui va cerner les Idées du point de vue de leur fonction – savoir que chaque Idée est un « foyer imaginaire », un *focus imaginarius*, par référence auquel du divers, dans nos connaissances, peut se laisser ordonner comme à partir d'un principe d'unité :

    « Si nous parcourons du regard nos connaissances d'entendement dans toute leur étendue, nous trouvons que ce qui s'y trouve à la charge propre de la raison et qu'elle cherche à mener à bien, c'est la *dimension systématique* de la connaissance, c'est-à-dire son articulation à partir d'un principe. Cette unité de la raison présuppose toujours une Idée, à savoir celle de la forme d'un tout de la connaissance précédant la connaissance déterminée des parties et contenant les conditions requises pour déterminer a priori à chaque partie sa place et son rapport avec toutes les autres [24]. »

    De tels concepts (les Idées) sont donc bien « tout différents des concepts purs de l'entendement », puisque les concepts purs de l'entendement (les catégories) sont (en vertu de la Déduction transcendantale) des « catégories de l'expérience » : ils ont été établis comme des formes intellectuelles que vient remplir la matière de l'expérience possible. En revanche, les concepts dont nous avons besoin pour nous représenter l'unification du divers des connaissances, premièrement sont bien des concepts (en ce sens que, comme tous les concepts (Kant entendant étymologiquement le *Begriff* comme activité de synthèse), ils sont des facteurs d'unité par rapport à un divers ;

---

24. A 645 / B 673, AK, III, 428, traduction citée, p. 561.

mais, deuxièmement, ce ne sont pas des concepts de l'entendement, puisqu'ils n'entretiennent pas de relation à une expérience possible : ce sont donc des concepts de la raison, ce que Kant appelle des Idées.

Pour achever de cerner cette théorie des Idées, qui est intégralement à l'œuvre dans la *Critique de la faculté de juger* (à commencer par son Introduction), il faut apercevoir qu'il y a deux différences décisives entre Idée et concept :

– Il n'y a pas, *stricto sensu*, de déduction transcendantale des Idées : car, puisqu'il n'y a pas d'expérience possible de la totalité de l'expérience, il n'y a pas à légitimer la prétention des concepts de la totalité à s'appliquer à l'expérience [25].

– Les concepts de l'entendement synthétisent le divers de l'intuition, et produisent ainsi des connaissances ; les Idées de la raison tentent de synthétiser le divers des connaissances produites par l'entendement. Les concepts mettent donc en jeu la relation entre entendement et sensibilité (laquelle relation, pour être pensée, requiert la théorie du schématisme) ; les Idées mettent en jeu la relation entre raison et entendement – c'est-à-dire au fond la relation de l'entendement avec lui-même, puisque la raison n'est en fait que l'entendement poursuivant son travail d'unification en pensant pouvoir y parvenir sous la forme d'une connaissance par simples concepts, autrement dit : l'entendement croyant pouvoir se passer de la sensibilité. Dans le vocabulaire de Kant, cette relation entre raison et entendement apparaît d'ailleurs bel et bien comme relation de l'entendement avec lui-même, puisque Kant appelle « entendement pur » l'entendement de la métaphysique, celui qui croit pouvoir se passer de l'expérience (voir, par exemple, dans le paragraphe III de l'Introduction à la *Critique de la raison pure*, le fameux texte sur la colombe légère qui, emportée par « son libre vol », se perd « dans le vide de l'entendement pur »), par opposition à l'entendement de la synthèse a priori, qui est l'entendement de la science.

Donc, si l'on reprend l'argumentation qui sous-tend cette seconde thèse de Kant sur le système : pour prendre en charge l'exigence de totalisation (le système comme tâche infinie),

25. Kant parle bien (A 671 / B 699, AK, III, 443, traduction citée, p. 576) d'une « déduction transcendantale de toutes les idées de la raison spéculative », mais il s'agit de les déduire comme méthodes, comme – on va rencontrer cette expression dans un instant – principes régulateurs, et non pas comme principes constitutifs de l'expérience.

l'esprit humain (ici, la raison) utilise des concepts qui sont
des foyers d'unité totale, c'est-à-dire des *représentations de la
totalité*, auxquelles ne correspond aucune expérience possible.
Or, la thèse établie par Kant dans l'extraordinaire Appendice
à la Dialectique transcendantale consiste à soutenir que ces
représentations de la totalité vont être *strictement les mêmes*
(quant à leur contenu) que celles dont la métaphysique dogmatique croyait pouvoir faire des objets de connaissance –
soit : les trois Idées de la Raison métaphysique (l'Âme, le
Monde et Dieu), mais qui, à condition qu'on sache ne pas en
faire des objets réels (les objets d'un savoir), à condition de
ne pas les *réifier* ou les *objectiver* (là est précisément l'illusion
de la métaphysique), peuvent avoir un « usage régulateur »
pour l'organisation et l'accroissement du divers des connaissances.

On n'insistera pas davantage, dans ce cadre, sur ce qui
sépare l'usage régulateur des Idées de la raison comme foyers
imaginaires d'unité et leur version métaphysique – à savoir,
justement, la réification par l'illusion transcendantale de ce
qui n'est qu'une simple exigence subjective d'unité, c'est-à-
dire une méthode de l'esprit humain. Si l'on souhaitait être
plus complet, il faudrait sur ce point se reporter, dans l'Appendice à la Dialectique transcendantale sur « l'usage régulateur des Idées de la Raison pure », à la distinction qu'établit
Kant entre un « usage apodictique » des Idées et un « usage
hypothétique ». Pour l'essentiel :

1. Kant explique que « l'usage hypothétique de la raison
[...] se fonde sur des Idées admises en tant que concepts
problématiques » et qu'il s'agit là d'un usage qui n'est pas
« constitutif », en ce sens qu'« il n'est pas tel qu'à juger en
toute rigueur, en résulte la vérité de la règle générale adoptée
comme hypothèse » : comprendre que le principe n'est ici
qu'une règle ou une méthode, non une affirmation pouvant
prétendre posséder une valeur de vérité. Bref, la « vérité » des
règles, si l'on veut parler ici de vérité, c'est au fond leur
fécondité dans la production d'unité – cette unité qui, lisons-
nous, « est la pierre de touche de la vérité des règles [26] ».

2. La suite du passage clarifie alors la différence entre
« usage constitutif » et « usage régulateur » des Idées, à savoir
que, prise en son usage régulateur, l'Idée est seulement un
« fil conducteur » *(Leitfaden)* pour introduire de l'unité systématique dans le divers des connaissances, en reliant au fil

conducteur tous les phénomènes « comme si » on pouvait les en dériver exhaustivement [27].

Ces distinctions sont à l'évidence d'une importance capitale : elles nourrissent directement ce que l'on a présenté ici comme la deuxième thèse sur le système et, corrélativement, sur les Idées, en vertu de laquelle la définition des Idées n'est pas seulement négative – mais les Idées sont aussi (selon l'expression des *Prolégomènes*) des « concepts nécessaires de la raison ». Où il faut entendre la nécessité en deux sens :

– D'une part, ces concepts sont inévitables, inscrits qu'ils sont dans la structure même de l'esprit humain comme pouvoir de connaître (voir ici, dans la *Critique de la raison pure*, la déduction des trois Idées, au livre I de la Dialectique transcendantale, à partir des figures du syllogisme) : la raison, au sens kantien du terme, n'est pas une monstruosité, une excroissance monstrueuse de l'entendement, mais elle fait partie de la vie même de l'esprit humain, comme recherche toujours plus poussée d'une unité du divers. On comprendra qu'en ce sens ni Kant ni un kantien ne pourraient en aucun cas écrire, comme Heidegger, que « la raison est l'ennemi le plus acharné de la pensée » – et qu'il y a là un écart considérable entre les deux plus grandes critiques de la métaphysique et de la raison que la philosophie ait sans doute produites.

– D'autre part, les Idées sont aussi des concepts nécessaires, au sens où ils sont indispensables comme principes régulateurs de l'activité et du progrès de la connaissance [28], qui poussent l'esprit à aller toujours au-delà des connaissances acquises.

C'est donc cette seconde thèse sur le système (et la définition des Idées, qui en est solidaire, comme principes régulateurs ou – selon la terminologie que Kant adopte en 1790 – comme « principes de la réflexion ») qui, mise en place dès la première Critique, a été appliquée à la question de la connaissance historique dans l'*Idée d'une histoire universelle d'un point de vue cosmopolitique* de 1784, avant de retrouver en 1790, dans l'Introduction à la *Critique de la faculté de juger*, un plein développement. Et ce n'est pas faire injure à la troisième Critique que de constater que, de ce point de vue, le contenu de ce qu'elle énonce n'est pas d'une originalité flagrante vis-à-vis de l'Appendice à la *Dialectique transcen-*

---

27. Voir A 671 / B 700, AK, III, 443, traduction citée, p. 576.
28. L'usage régulateur, écrit Kant (A 644/B 672, AK, III, 428, traduction citée, p. 561), est « indispensablement nécessaire ».

dantale – constatation qui, toutefois, ne peut que conduire
à s'interroger sur les raisons qui ont pu conduire Kant à
intégrer dans son ouvrage cette réflexion, déjà travaillée par
lui, sur le statut de la systématicité de la nature. Or, c'est
ici précisément que, comme je le suggérais plus haut, la
question de l'unité interne ne pourrait être pleinement résolue
sans que soit prise en compte celle de l'unité externe, c'est-
à-dire celle de la fonction de la troisième Critique dans la
logique du criticisme.

La querelle du panthéisme, arrière-plan de la *Critique de la faculté de juger*

La première fonction qu'est venu remplir l'ouvrage de 1790
dans le cadre global du criticisme fait moins référence à la
logique de la pensée kantienne qu'aux sollicitations venues
des débats du temps : il s'est agi en effet de mieux mettre en
relief la teneur spécifique de la philosophie critique et, ainsi,
d'en assurer la défense contre les tentatives d'amalgame, puis
les assauts développés par Jacobi lors de ce qu'il est convenu
d'appeler la « querelle du panthéisme ». Au point que – c'est
là, à mon sens, une piste que les interprètes de la *Critique de
la faculté de juger* ont trop rarement ou trop rapidement
explorée – il n'est pas interdit de voir dans ce livre complexe
la vraie et plus complète réponse de Kant à ce qui, à travers
Jacobi, constitua alors, sinon la première critique moderne de
la raison, du moins la première critique de la raison qui, chez
les Modernes, se fût développée avec tant d'ampleur et de
radicalité.

On se bornera ici à rappeler que cette « querelle du panthéisme » ou du « spinozisme » (*Pantheismusstreit, Spinozas-
treit*) opposa, à partir de 1785, Mendelssohn et Jacobi autour
des conséquences du rationalisme des Lumières. Dans ses
Lettres à Mendelssohn sur la doctrine de Spinoza
(octobre 1785), Jacobi s'était efforcé de montrer que toute
philosophie rationaliste se réduisait en sa vérité au spinozisme
(au déterminisme), et que le spinozisme lui-même était une
philosophie athée, incapable de fonder l'éthique (puisque niant
la liberté) et de saisir vraiment l'être en dépassant la représentation vers la racine inconditionnée de toutes choses (parce
que la raison part toujours d'une réalité conditionnée dont elle
recherche la condition, ou la cause, en rapportant cette condi-

tion à son tour, en vertu de sa loi de la causalité, à une condition plus haute, et ainsi de suite, à l'infini). En conséquence, il fallait, selon Jacobi, abandonner la connaissance rationnelle au profit de la croyance immédiate :

« La conviction due à des preuves, écrivait-il, est une certitude de seconde main, elle repose sur une comparaison et ne peut jamais être sûre et parfaite. Si tout sentiment qui ne naît pas de motifs rationnels est *foi*, il faut que la conviction pour motifs rationnels vienne elle-même de la foi et reçoive d'elle seule sa force. C'est par la foi que nous savons que nous avons un corps et qu'il y a en dehors de nous d'autres corps et d'autres êtres pensants [29]. »

En cet appel au dépassement de la raison vers la foi, le conflit avec les défenseurs de l'*Aufklärung* ne pouvait être plus frontal. En même temps, Kant allait se trouver directement impliqué dans un tel conflit, puisque Jacobi, quand il sera attaqué par Mendelssohn sur cet appel à l'abandon de la raison, n'hésitera pas à se réclamer de Kant en présentant son appel à la foi comme une interprétation de la célèbre formule de la *Critique de la raison pure* selon laquelle il faut limiter le savoir pour ménager une place à la croyance : ainsi sa *Réponse aux accusations de Mendelssohn* indique-t-elle aux *Aufklärer*, en avril 1786, que s'ils venaient à refuser sa propre thèse, ils devraient a fortiori récuser celle de la *Critique de la raison pure*. En sorte que la philosophie critique se trouvait prise dans une alternative : ou bien elle rejoignait le camp des *Aufklärer* et, risquant la confusion avec le rationalisme dogmatique (de provenance leibnizienne) d'un Mendelssohn, elle s'exposait elle-même à l'accusation de spinozisme, donc d'amoralisme et d'athéisme ; ou bien elle acceptait de se voir assimiler à l'antirationalisme préromantique de Jacobi. Bien évidemment, l'alternative supposait qu'il n'y eût pas de troisième position ou de troisième modèle qui fût concevable entre le rationalisme dogmatique et la foi – ce que précisément tout le criticisme entendait démentir. Reste que le piège était redoutable, et que Kant, s'il différa le plus longtemps possible son entrée en scène, finit par céder aux demandes des *Aufklärer* en prenant clairement position dans l'opuscule qu'il publie en octobre 1786 sous le titre : *Qu'est-ce que s'orienter dans la pensée ?*

29. F. H. Jacobi, *Lettres à Mendelssohn sur la doctrine de Spinoza*, traduction M. Anstett, in : *Œuvres philosophiques de Jacobi*, Aubier, 1946, p. 187.

Je n'ai pas à analyser ici la teneur de l'intervention kantienne [30], devenue inévitable dès lors que Jacobi, soutenant que Kant enseignait la même chose que lui depuis 1781 sans se voir accuser de porter préjudice à la raison, compromettait gravement la philosophie critique en l'attirant du côté de la *Schwärmerei* — cette « exaltation de l'esprit » qui, délaissant le terrain du concept, cédait au mirage d'une « autre » pensée que la pensée rationnelle. Pour autant, en consentant à cette intervention ferme, mais somme toute succincte, dans le débat, Kant en avait-il fini avec la brèche ouverte par Jacobi ? La tradition interprétative a en général considéré qu'effectivement l'opuscule d'octobre 1786 constituait l'ultime contribution de l'auteur de la *Critique de la raison pure* à la défense de la raison. Appréciation à vrai dire déconcertante, dans la mesure où, en octobre 1786, l'assaut lancé par Jacobi n'avait en vérité pas encore pris toute son ampleur, laquelle ne devait véritablement se laisser apercevoir qu'avec la publication par celui-ci, en 1787, de son *David Hume* [31] — où la stratégie change : puisque, depuis la prise de position de Kant, l'assaut lancé contre la raison ne peut plus guère se réclamer de lui, on tentera de montrer que, au-delà du paravent humien, Leibniz lui-même — lui qui, pour la première fois si hautement, avait proclamé la valeur absolue du principe de raison — peut servir de caution à la démarche [32]. Le sens de l'opération est simple : montrer qu'en fait la fidélité bien comprise à l'auteur de la *Monadologie* impose de concevoir pour la raison d'étroites limites hors desquelles l'approche du réel doit relever d'une tout autre instance, ce serait prendre le rationalisme dans un nouveau piège. Les modalités du traquenard sont plus complexes, et consistent pour l'essentiel à extraire de l'idée monadologique défendue par Leibniz deux armes antirationalistes :

– si, comme l'avait défendu Leibniz, « toutes les choses vraiment réelles sont des individus ou des choses individuées, et, comme telles, des êtres vivants [33] », comment le concept,

---

30. On se reportera ici à l'excellent commentaire qu'A. Philonenko a joint à sa traduction de l'opuscule (Vrin).
31. Jacobi, *David Hume ou la croyance, idéalisme et réalisme*, traduction L. Guillermit, in : *Le Réalisme de Jacobi*, Publications de l'université de Provence, 1982.
32. *Op. cit.*, p. 332 : « Je ne vois guère de penseur qui ait été plus clairement vigilant que notre Leibniz », et même, précise Jacobi, « je suis attaché de toute mon âme à la théorie des monades ».
33. *Op. cit.*, p. 342. Sur la pensée leibnizienne de la « matière » comme « vie », *cf. Monadologie*, paragraphe 63 *sq.*

en sa généralité, pourrait-il ne pas oublier l'individualité au profit d'un universel vide et pétrifier la vie en abstractions mortes ?

– si, comme l'établit aussi, en un sens, la *Monadologie*, c'est en étant unie à un corps que l'âme se représente l'univers, « en exacte conformité à la nature et à l'organisation de ce corps [34] », on ne peut concevoir la raison comme une faculté capable, par elle seule, de nous donner accès à une quelconque vérité : « L'activité qui lui est propre est une activité de simple médiation entre le sens, l'entendement et le cœur, dont elle a à administrer l'économie commune [35]. » Bref, il faut, contre le rationalisme, élargir le concept de raison de façon qu'il puisse inclure en lui cette ouverture immédiate à l'existence que Jacobi nomme « révélation », « sentiment » ou « croyance », et qui suppose l'intervention, non pas seulement de la raison comme capacité de démontrer et de déduire, mais de tout notre être.

C'est désormais, en 1787, fort de cette lecture paradoxale de Leibniz que Jacobi continue à défier les défenseurs de la raison : soutenir que l'univers est entièrement rationnel, c'est se condamner à manquer doublement le réel – d'une part dans ce qu'il a de toujours individué (car la raison fait du réel un système de relations universelles pour lesquelles l'individuel n'est rien), d'autre part en tant que devenir (car la raison construit un système semblable à celui des mathématiques, où les termes et leurs relations sont éternels et immuables). Autrement dit : poussé jusqu'à ses ultimes conséquences, le rationalisme serait incapable par définition de penser l'histoire, si tant est que l'histoire est bien ce champ où des individualités tissent un devenir – champ inaccessible par définition à la seule pensée causale et que Jacobi lui oppose en la désignant par la catégorie de « Vie ».

On ne saurait surestimer l'importance que devait avoir, dans l'histoire de la philosophie allemande, la menace constituée par cette exploitation jacobienne de Leibniz contre l'idée même de la raison. Lancée depuis 1785, la querelle révélait en 1787 seulement, c'est-à-dire un an après *Qu'est-ce que s'orienter dans la pensée ?*, ce qu'elle avait de plus menaçant, aussi bien pour la raison en général que pour la raison critique – puisque, désormais, Jacobi n'avait plus à ménager le criti-

---

34. *Op. cit.*, p. 335. Jacobi s'appuie sur le paragraphe 62 de la *Monadologie*.
35. Cité par L. Guillermit, *op. cit.*, p. 92.

cisme (du moins l'opuscule d'octobre 1786 avait-il rendu cette
stratégie impossible), mais pouvait s'en prendre directement
à lui pour dénoncer (autour de la question de la chose en soi)
ses difficultés internes [36] : c'est donc avec une audace encore
accrue que se trouvait réaffirmée la conviction selon laquelle,
décidément, nulle forme de rationalisme n'était à même d'avoir
assez de cohérence et de consistance pour résister à l'évidence
selon laquelle le réel ne se peut entièrement mettre et soumettre à la raison [37]. L'ampleur de la rupture ainsi recherchée
avec l'un des projets constitutifs de la philosophie moderne,
et notamment des Lumières, explique pour une large part
qu'au-delà même de 1787 certains des plus éminents défenseurs de la raison aient intégré dans leurs plaidoyers une prise
en compte attentive des arguments de Jacobi.

Le fait est bien connu pour Hegel, dont on sait qu'il s'efforça
de situer avant tout au plan de la philosophie de l'histoire sa
défense de l'héritage leibnizien contre sa captation antirationaliste : en prolongeant une historicisation du modèle monadologique qu'avait déjà entreprise Herder, en montrant que
« la Raison est la matière infinie de toute vie naturelle ou
spirituelle [38] », Hegel répond directement à Jacobi et manifeste
que, contrairement aux allégations du David Hume, il n'existe
nulle antinomie entre concept et vie (ou histoire). Dans son
principe, la parade hégélienne consiste en effet à répliquer
que la vie n'est pas l'« extérieur » au Concept, car le Concept
a la structure même de la Vie, celle de l'autodéploiement
d'une identité qui se pose dans ses différences et les ramène
à elle. Puissance infinie de produire sa matière, le concept

36. Le David Hume se clôt sur un Appendice intitulé « De l'idéalisme transcendantal » (Jacobis Werke, II, 291-310), entièrement
consacré à montrer que, sans la présupposition de la chose en soi, il
est impossible d'« entrer dans le système » de Kant, et qu'avec la
chose en soi on ne saurait « y rester ». Ce texte, où A. Philonenko
voit la première « critique intelligente de la philosophie kantienne »
(introd. à : Qu'est-ce que s'orienter dans la pensée ?, p. 22), est
traduit, non seulement par L. Guillermit, op. cit., mais aussi par
S. Stephens dans les Cahiers philosophiques, nº 3, avril 1980.
    37. Par là, Jacobi ouvrait une véritable brèche dans les valeurs de
la modernité : en témoignerait aussi, au-delà de cette critique du
rationalisme philosophique, sa critique du rationalisme juridico-
politique de la Révolution française. Sur son important brouillon de
lettre à La Harpe (daté du 5 mai 1790), où il dénonce la volonté
révolutionnaire de découvrir « une manière fixe d'être gouverné par
la seule raison » (Werke, II, p. 513-544), voir A. Renaut et L. Sosoé,
Philosophie du droit, PUF, 1991, p. 309 sq.
    38. La Raison dans l'histoire, traduction Papaioannou, Plon, p. 47.

n'est pas une forme vide, le particulier n'est donc pas extérieur à l'universel, mais l'universel n'est que se déployant, se concrétisant dans le particulier [39].

Je n'ai pas à exposer ici la manière dont Hegel a entrepris de donner à sa réponse la fondation spéculative qu'elle méritait [40] : à sa manière, cette réplique à Jacobi, qui coïncide avec la production par Hegel de son propre système, met un terme à la « querelle du panthéisme [41] ». Plus important me semble-t-il de faire apparaître qu'à sa manière aussi Kant s'efforça, après *Qu'est-ce que s'orienter dans la pensée ?*, de prendre en compte les objections jacobiennes à leur plus haut niveau de radicalité (telles qu'exposées dans le *David Hume*), et de leur opposer une parade bien différente de celle que devait tenter ensuite Hegel : la *Critique de la faculté de juger* me semble en effet pouvoir et devoir être lue comme constituant précisément une telle parade.

Car comment Kant n'eût-il pas perçu, avec une acuité renouvelée à la suite du *David Hume* [42], quels risques courait la raison, y compris la raison critique, si, après l'ouverture d'une dimension de non-rationalité au sein de l'expérience par l'Esthétique transcendantale (la dimension de l'intuition comme celle d'un « hors-concept »), après la mise en évidence par la Dialectique transcendantale des illusions (métaphysiques) auxquelles la raison est susceptible de donner naissance, la légitimité d'une référence maintenue à la raison dans le processus de connaissance ne s'en trouvait malgré tout consolidée ? D'une façon générale, les commentateurs de la *Critique de la faculté de juger* n'ont pas assez souligné que l'ouvrage répond pré-

---

39. Sur l'Esprit comme Vie, voir par exemple *La Raison dans l'histoire*, p. 78 *sq.*

40. Du moins est-il clair que cette fondation passait par une reprise approfondie de la conception dynamique de la substance qu'avait forgée Leibniz, comme forme autoproduisant son contenu ou comme force autoproduisant ses déterminations – conception monadique de la substance à laquelle rend hommage à sa manière la formule célèbre de la Préface de la *Phénoménologie de l'esprit* : « Tout repose sur le fait de saisir et d'exprimer le vrai non pas comme substance, mais tout aussi résolument comme sujet », c'est-à-dire comme « substance vivante ».

41. Comme querelle de la raison, elle reprendra néanmoins, sous une forme renouvelée, à travers les destructions successives de la rationalité dont s'acquittera la philosophie posthégélienne – et ce jusqu'à l'époque contemporaine.

42. Dont on ne peut penser, ne serait-ce qu'en raison de son Appendice sur l'idéalisme transcendantal, qu'il ait pu en ignorer la teneur.

cisément à cette exigence antijacobienne de consolidation – et cela de deux manières.

Si l'on mesure l'impact de la « querelle du panthéisme » sur toute la philosophie de l'époque, il est en effet difficile de ne pas identifier tout d'abord comme une réponse à Jacobi la façon dont la « Critique de la faculté de juger téléologique » montre que, pour penser la Vie, il faut certes recourir à un concept différent des autres, à savoir celui de finalité (qui n'est pas une catégorie de l'entendement), mais qu'à l'aide de ce concept l'esprit humain peut bel et bien (dans certaines conditions qu'il s'agit précisément d'élaborer) énoncer des jugements obéissant à des règles – et non pas s'abandonner au délire de la *Schwärmerei*. En d'autres termes : établir qu'il y a une rationalité (en un sens élargi) du discours sur la Vie, même si ce n'est pas celle de la rationalité scientifique qu'étudie la *Critique de la raison pure*, et manifester de quel type de rationalité il s'agit, tel est le premier élément de réponse que Kant apporte à la *Lebensphilosophie* que Jacobi inaugurait.

Un second élément de réponse, pour consolider la raison, consistait aussi à reprendre et à développer l'argumentation esquissée par l'Appendice à la Dialectique transcendantale afin de manifester quelle fécondité (régulatrice) la raison et ses Idées étaient malgré tout susceptibles de conserver. De ce point de vue, comment n'eût-il pas été nécessaire, après la fracture jacobienne, de préciser en quel sens et selon quelles modalités la nature, bien que le contenu ne s'en pût laisser déduire de nos concepts, se devait et pouvait penser pourtant selon un idéal de rationalité seul à même de guider et réguler nos efforts pour la connaître ?

Idées régulatrices et principes de la réflexion

Car assurément, je l'ai dit, tout ce que va énoncer à cet égard l'Introduction de la troisième Critique était déjà présent dans l'Appendice à la Dialectique transcendantale, notamment ceci que, pour que l'expérience possible elle-même fût concevable, il fallait que pussent être formés des concepts empiriques emboîtables – exigence qui requérait de postuler la systématicité de la nature en pensant cette dernière selon des règles que Kant formulait avec une grande précision dès 1781 [43] : bref, on sait déjà, depuis la *Critique de la raison*

_____

43. Selon l'Appendice, ces règles sont celles de l'homogénéité (il faut postuler que, dans la nature, il y a des phénomènes susceptibles

pure, que le fonctionnement de la connaissance décrit dans l'Analytique présuppose l'usage régulateur de la raison évoqué par l'Appendice de la Dialectique. Reste que la première Critique s'en tenait là, mais que, pour la formation ne serait-ce que des concepts empiriques, l'ouvrage se bornait à renvoyer à ce que Kant appelle l'entendement naturel ou l'entendement sain, sans jamais en thématiser l'opération : la nécessité d'une telle opération se trouvait certes indiquée (car si le divers sensible ne se laissait pas homogénéiser sous un concept empirique possible, nulle pensée, même la plus rudimentaire, ne serait envisageable), sans que soit jamais théorisée l'opération elle-même – laquelle devra au demeurant attendre la *Critique de la faculté de juger* pour recevoir jusqu'à son nom, à savoir celui de *réflexion*.

Bref, il est permis de considérer que, de la première à la troisième Critique, ce qui se transforme dans la problématique de la systématicité de la nature, c'est à la fois le degré de thématisation et l'élaboration d'une théorie de la réflexion – instrument indispensable pour penser toutes les activités où l'esprit subsume une diversité de phénomènes sous un concept ou sous une loi, voire une diversité de lois sous l'Idée d'une rationalité totale de la nature. Et si cette critique de la réflexion que va être (comme « critique de la faculté de juger réfléchissante ») la troisième Critique devient alors, précisément vers 1787-1788, nécessaire, c'est avant tout, dans le contexte polémique créé par l'assaut de Jacobi contre les Lumières et la raison en général, pour spécifier le traitement criticiste du problème de l'irrationnel : or, de ce traitement, l'examen passe justement par une théorie de la réflexion, puisque, chez Kant, la faculté qui se rapporte à l'irrationnel pour le penser n'est nullement mystérieuse, mais se trouve désignée (on va voir pourquoi dans un instant) comme étant la réflexion. Renvoyer au simple entendement commun, comme le faisait la *Critique de la raison pure* pour la formation des concepts empiriques, le rapport à l'irrationnel (en l'occurrence, au divers sensible), c'était risquer d'en faire manquer la teneur spécifique, à savoir

d'être comparés les uns aux autres, permettant ainsi de classer la diversité), de la spécification (l'homogène se laisse diviser en espèces inférieures) et de la continuité ou de l'affinité de tous les concepts (on peut passer sans saut d'une espèce à l'autre, et nulle case ne reste vide dans la logicité de la nature – règle sans doute la plus importante, puisque c'est elle, écrit Kant, qui permet vraiment de postuler « ce qu'il y a de systématique dans la connaissance de la nature »).

qu'il s'agit là, aux yeux de Kant, non pas d'une ouverture extatique à une dimension énigmatique du réel, mais bel et bien d'une *pensée* : en ce sens, comme *pensée*, la relation de l'esprit à l'irrationnel, loin de toute *Schwärmerei*, s'inscrit dans le registre du jugement (puisque penser équivaut à juger) – cette pensée de l'irrationnel par référence à une rationalité régulatrice (rationalité du *comme si*) prenant la forme de ce que Kant va analyser sous le nom de jugement réfléchissant.

La reprise de la théorie des Idées régulatrices sous la forme d'une théorie de la réflexion et des principes de la réflexion s'éclaire donc en grande partie par un contexte de discussion qui était imprévisible en 1781 et qui, à partir de 1787, est venu renforcer considérablement la portée de la problématique de la systématicité de la nature : ainsi me semble-t-il utile d'apporter d'ores et déjà un élément important de réponse à la question de l'unité externe de l'œuvre, en voyant comment la troisième Critique est venue s'inscrire dans la logique du criticisme pour faire ressortir la spécificité de la position critique dans ce débat sur la raison qui, ouvert par la querelle du panthéisme, allait depuis lors demeurer au centre de toute la philosophie contemporaine.

Transformation de la raison

J'ajouterai au demeurant qu'il n'est pas interdit (en une sorte de retombée du problème de l'unité externe sur celui de l'unité interne) de considérer que, si la troisième Critique, au-delà de son Introduction, juxtapose une critique du goût et une réflexion sur les êtres organisés, ce n'est sans doute pas non plus sans rapport avec la querelle du panthéisme : d'une part, la crise de l'esthétique classique comme esthétique du rationnel (centrée sur l'identification du beau et du vrai) avait ouvert la voie à un empirisme esthétique qui, subjectivisant le Beau, faisait s'effondrer, notamment chez Hume, toute notion d'une objectivité du jugement de goût et tendait à faire de l'expérience du Beau une épreuve de l'irrationnel pur ; d'autre part, Jacobi, en plaçant précisément sa réflexion, dans son ouvrage de 1787, sous l'invocation de Hume, inaugurait la *Lebensphilosophie*, à travers la désignation de la vie comme le symbole de cette extériorité radicale de la réalité à l'égard de la raison et du concept. Tant et si bien que, s'il s'agissait, pour le Kant de 1790, de réaffirmer les droits d'une raison transformée (postmétaphysique) sur ce qui semble lui échapper (à commencer par cette systématicité de la nature qu'elle peut et doit postuler, mais qu'elle ne peut pas connaître), comment ne pas être tenté de montrer la fécondité d'une telle transformation de la raison – et cela précisément vis-à-vis de ces dimensions d'irrationalité qui semblent les plus rebelles à toute emprise de la raison, à savoir le domaine du goût et la sphère du vivant ?

Ce pourquoi, me semble-t-il, l'appréhension de ce qu'a tenté Kant dans la *Critique de la faculté de juger* gagnerait beaucoup en netteté si l'ouvrage était considéré tout entier comme la réponse de Kant à Jacobi, ou, si l'on préfère : la réponse de la raison critique à l'irrationalisme. Face au débat, trop souvent binaire, entre la raison et ses critiques, cette réponse fait au fond apercevoir qu'il est, non pas deux, mais trois positions possibles vis-à-vis du problème de l'irrationnel :

– La position du rationalisme dogmatique ou, si l'on préfère, de la « métaphysique » comme psychologie, cosmologie, théologie rationnelles, consiste en une négation pure et simple de l'irrationnel : par ignorance ou mise entre parenthèses de l'Esthétique transcendantale, l'illusion s'engendre d'une connaissance du particulier par concepts, et ce jusque dans son existence spatio-temporellement située.

– La position antithétique est celle de l'irrationalisme (ou de la *Lebensphilosophie*) : comme si le point de vue de l'Esthétique transcendantale n'était pas le produit d'une abstraction (consistant à séparer méthodiquement sensibilité et entendement), mais pouvait correspondre à un rapport effectif au monde, on écarte le savoir pour faire de la place à la croyance, au sens où Jacobi feint d'entendre cette formule de Kant ; en d'autres termes, on recherche une simple ouverture extatique au surgissement, ici et maintenant, de l'existence singulière [44].

– Or, cette position, si elle est celle de Jacobi et ouvre une tradition qui pousse ses ramifications jusque dans les courants post-rationalistes de la philosophie contemporaine, n'est en rien celle de Kant. Celui-ci dessine bien plutôt la voie d'une

---

44. On *recherche* une telle posture, car, comme le souligne parfaitement Cassirer dans le chapitre des *Systèmes postkantiens* qu'il consacre à Jacobi, s'il se peut voir sans peine *pourquoi*, dans cette perspective, on critique toute pensée déductive ou démonstrative (toutes les médiations), il est beaucoup plus malaisé de percevoir *comment* y substituer effectivement une « autre » pensée – laquelle, comme ce sera le cas chez Heidegger et ses successeurs, demeure éternellement « à venir » (au sens où cela seul que nous pensons, c'est que nous ne « pensons » pas encore).

raison transformée, par laquelle cet irrationnel (ou, si l'on préfère, cet extra-rationnel) dégagé par l'*Esthétique transcendantale* se pourrait *penser* sans pour autant se trouver détruit comme tel – et ce à l'aide des seules facultés dont nous nous sachions détenteurs : tel est au fond l'objectif qui, par lui-même, rendait déjà nécessaire une *Critique de la faculté de juger* (comme Critique de la réflexion) et suffisait à lui conférer une indiscutable originalité [45].

Reste que cet objectif (penser l'irrationnel) n'est pas le seul à prendre en compte si l'on souhaite cerner les fonctions remplies par un tel ouvrage dans l'économie générale de la philosophie transcendantale. À lire l'Introduction, il est clair en effet qu'au-delà des paragraphes consacrés à la systématicité de la nature, une autre exigence s'y fait jour que celle de la réponse à Jacobi et vient se combiner avec cette dernière pour requérir, elle aussi, une théorie de la réflexion : énoncée dans les trois premiers paragraphes de l'Introduction, cette seconde exigence procède au fond, non plus d'une confrontation du criticisme avec une autre pensée, mais d'un retour du criticisme sur lui-même et sur son propre développement.

II

PENSER L'UNITÉ DE LA PHILOSOPHIE

Philosophie théorique et philosophie pratique : le paradigme de la communication esthétique

Comme il revint à E. Cassirer de le montrer avec une netteté parfaite [46], la troisième Critique tire aussi sa profondeur d'une

---

45. C'est au fond cette originalité que manque sans cesse, malgré son intérêt, l'étude déjà citée de Bäumler, qui fait du kantisme un simple maillon historique entre rationalisme moderne et irrationalisme contemporain, conduisant en quelque sorte de Leibniz à la *Lebensphilosophie* qui constituerait sa vérité ; en conséquence, son analyse de la *Critique de la raison pure* accentue de manière unilatérale ce par quoi Kant contribuerait à une destruction de la raison – la troisième Critique se trouvant alors comprise comme un effort pour parachever la destruction, là où, en fait, tout l'ouvrage vise bien plutôt à conférer une pensabilité à l'irrationnel que l'Esthétique transcendantale a fait surgir.

46. Voir notamment l'introduction du *Problème de la connaissance*, t. III, traduite à l'initiative du Collège de Philosophie sous le titre : *Les Systèmes postkantiens*, Presses universitaires de Lille, 1983, p. 21 *sq.*

problématique qui la requiert comme un moment *logiquement* indispensable de l'édifice construit depuis 1781 : comment, en effet, articuler entre elles les deux premières Critiques et garantir ainsi l'unité, rien moins qu'évidente, de la philosophie transcendantale ?

Or, la réponse kantienne à cette nouvelle exigence de systématicité (cette fois, celle de la philosophie) consiste – d'éminents interprètes l'ont souligné – à produire une articulation *esthétique* de la philosophie théorique et de la philosophie pratique. Il est toutefois bien des manières d'expliciter cette fonction systématique de l'esthétique dans la pensée de Kant. En allant au plus simple, on peut certes se borner à montrer comment, dans l'expérience (privilégiée par Kant) de la beauté naturelle [47], la nature (objet de la philosophie théorique) présente, à travers ses belles formes, une cohésion structurée selon des lois (une « légalité ») : cette cohésion, d'une part, évoque l'Idée de causalité intentionnelle, donc l'Idée de liberté (objet de la philosophie pratique), sans que l'on puisse au demeurant indiquer l'intention à laquelle cette cohésion correspondrait (la finalité restant en ce sens « sans fin » et la légalité demeurant donc « libre ») ; elle figure, d'autre part, l'idéal de cohérence ou de systématicité qui définit l'objectivité pratique [48] : une dimension de la nature vient ainsi symboliser l'objet même de la philosophie pratique, à savoir le Bien [49].

Pour décrire plus profondément les modalités de cette synthèse esthétique, on peut aussi, comme l'a esquissé à plusieurs reprises A. Philonenko, partir d'une indication fournie par Fichte dans la *Doctrine de la science nova methodo* et estimer que, si Kant tente une articulation esthétique entre les deux absolus de la raison théorique et de la raison pratique, c'est dans la mesure où l'esthétique constitue l'espace privilégié de la communication ou de l'intersubjectivité [50] : au

47. Sur ce privilège, on se reportera notamment au paragraphe 16, à la Remarque générale sur la première section de l'Analytique, aux paragraphes 23 et 42. Voir aussi, sur ce point, A. Philonenko ; *L'Œuvre de Kant*, Vrin, t. II, 1972, p. 184 *sq.* ; B. Rousset, *La Doctrine kantienne de l'objectivité*, Vrin, 1967, p. 431 *sq.*

48. Sur cette définition de l'objectivité pratique, *cf.* B. Rousset, *op. cit.*, p. 499 *sq.* Le texte clé est ici *Critique de la raison pratique*, Première partie, livre I, chapitre II : « Du concept d'un objet de la raison pure pratique » : une fin est objective (et donc morale) quand elle ne met pas le sujet en contradiction avec lui-même (ce qui est le cas, en revanche, quand le sujet se donne pour fin le bonheur).

49. Voir ici les paragraphes 42 et 59.

50. On se reportera sur ce point à l'introduction d'A. Philonenko

principe du jugement esthétique, il y a en effet, comme Kant l'explique à partir du paragraphe 18, la postulation ou la « présupposition » d'une « communicabilité universelle » et directe (sans concept, donc immédiate) du sentiment de plaisir ; or, cette communication esthétique médiatise les deux autres sphères, théorique et pratique, où se réalise la communication entre les hommes :

– liée au sensible, la communication esthétique partage en effet cet enracinement dans la sensibilité avec la communication théorique, c'est-à-dire avec l'échange de connaissances (de la nature) dont la *Critique de la raison pure* a montré comment elles commencent avec l'expérience et supposent la sensibilité ;

– mais, ouvrant sur le suprasensible (puisque le Beau est le symbole du Bien), l'intersubjectivité esthétique prépare aussi et figure déjà la communication éthique entre les consciences par l'intermédiaire de la loi morale.

Bref, les modalités théoriques et pratiques de la communication entretenant ainsi des relations symétriques avec la communication esthétique, la *Critique de la faculté de juger* fournit, avant tout dans sa première partie, une clé en vue d'une articulation possible entre les deux versants de la philosophie. Au demeurant est-ce à cette éventualité d'une synthèse esthétique (dans le cadre d'une réflexion sur les différents espaces où s'effectue la communication) qu'il faudrait rattacher les espoirs placés par le jeune Fichte dans un tel ouvrage : résolu qu'il est, au début des années 1790, à donner du kantisme la présentation la plus convaincante, donc la plus systématique possible, il est tout naturellement porté à s'efforcer d'expliquer cette fonction systématique de l'esthétique – ainsi qu'en témoigne son commentaire du début de la troisième Critique [51].

à sa traduction de la *Critique de la faculté de juger*, Vrin, 1993, ainsi qu'à *La Liberté humaine dans la philosophie de Fichte*, Vrin, 1966, p. 38 *sq.*, ou à *L'Œuvre de Kant*, II, p. 191 *sq.* Dans son ouvrage de 1798 (*G.A.*, IV, 2, p. 142, traduction I. Radrizzani, *Doctrine de la science nova methodo*, Lausanne, L'Âge d'homme, 1989, p. 195-196), Fichte écrivait : « Sur ce point – comment puis-je en venir à admettre des êtres raisonnables en dehors de moi ? – Kant ne s'est jamais expliqué, donc son système critique n'est pas achevé (...). Dans la *Critique de la faculté de juger*, où il parle des lois de la réflexion de notre entendement, il était proche de ce point. » Fichte voit donc dans l'analyse du jugement esthétique l'avancée extrême de Kant vers la solution du problème de l'intersubjectivité.

51. *Cf.* notamment *GA*, II, 1, p. 345-347. En 1794 encore, dans

Incontestable selon l'esprit du kantisme, cette interprétation de la fonction systématique (ou, si l'on préfère, systémique) de l'esthétique a en outre l'intérêt, aujourd'hui, de faire apercevoir à quel point c'est, en dépit de quelques apparences, dans une étroite proximité avec Kant que s'est développé, chez des auteurs comme K.O. Apel et J. Habermas, le projet de substituer, dans le cadre d'une transformation de la philosophie transcendantale, le paradigme de la communication à celui de la conscience : délibérée (stratégique) ou non, la réduction de la philosophie kantienne du sujet à une configuration intellectuelle éculée (parce que virtuellement solipsiste) est à l'évidence abusive vis-à-vis de ce que le criticisme élabore en 1790 comme le moment central du système (critique) de la philosophie ; que l'affectation d'une telle prise de distance ait pu faciliter, pour ce qui s'est donné le nom d'« éthique de la discussion », sa réception par un public souvent plus avide de renouvellement que de continuité ou de fidélité, ne saurait dans ces conditions interdire au lecteur réfléchi de replacer la tentative dans le cadre de ce qu'il faut bien, malgré qu'on en ait, identifier comme une tradition de la philosophie critique. Ainsi s'explique, en tout cas, une des modalités selon lesquelles la *Critique de la faculté de juger* reste présente, je le notais en commençant, dans le débat philosophique contemporain.

Cela posé (et pesé), je voudrais pour ma part reprendre ici la problématique kantienne de l'unité de la philosophie en m'efforçant de faire paraître plus directement à partir de la troisième Critique elle-même, et selon sa lettre (plutôt qu'à l'aide des indications fournies ultérieurement par Fichte et selon l'esprit) quelle réponse exacte Kant y apportait à l'exigence d'une synthèse entre nature (philosophie théorique) et liberté (philosophie pratique). À considérer attentivement cette réponse complexe, telle qu'elle s'énonce seulement dans les paragraphes 83-84, non seulement il est possible, me semble-t-il, de cerner avec davantage de rigueur en quoi la solution proposée est de type esthétique, mais l'unité externe de l'œuvre,

son écrit programmatique *Sur le concept de la Doctrine de la science*, lorsqu'il énoncera la structure de son propre système, Fichte confiera aux doctrines relevant de la *Critique de la faculté de juger esthétique* la transition entre la philosophie théorique et la philosophie pratique proprement dite (droit naturel et éthique). J'ai expliqué ailleurs selon quelle logique Fichte s'est ensuite éloigné de ce modèle, pour recentrer le système de la philosophie autour de ce qui allait lui apparaître comme la clé du problème de l'intersubjectivité, à savoir l'analyse de la relation juridique.

à savoir la fonction remplie par la *Critique de la faculté de juger* dans un système critique dont elle se présente comme le centre, se peut encore, par là, considérablement préciser.

Nature et liberté

La problématique de l'unité de la philosophie procède directement, dans sa version kantienne, de la succession de la *Critique de la raison pure* et de la *Critique de la raison pratique* – succession que cette dernière n'interroge pas thématiquement dans ce qu'elle a de plus énigmatique.

La première Critique avait établi que, dans la nature, tout est conditionné. Plus précisément, la deuxième analogie de l'expérience, dans l'Analytique des principes, faisait ressortir que, dans le temps, « tous les changements se produisent suivant la loi de la liaison de la cause et de l'effet ». Apparemment, la révolution copernicienne laissait donc intacte la thèse leibnizienne, que Kant avait faite sienne dans la *Nova Dilucidatio* de 1755, selon laquelle « le principe de raison embrasse l'universalité de toutes les choses possibles [52] ». Il faut rappeler d'ailleurs que c'est précisément cette conception « déterministe » de l'objectivité théorique qui avait valu à Kant de se voir finalement impliquer, nous avons vu comment, dans la querelle du panthéisme, et que, face à l'argumentation antirationaliste de Jacobi, le jeune Fichte rencontra, sinon une « crise de désespoir [53] », du moins de sérieux doutes [54].

Or, dans l'été 1790, Fichte découvre, avec retard [55], la *Critique de la raison pratique*, parue depuis déjà deux ans.

52. Voir *Nouvelle explication des premiers principes de la connaissance métaphysique*, traduction J. Ferrari, in *Œuvres philosophiques de Kant*, Pléiade, I, p. 217. On peut se reporter aussi à : M. Gueroult, *L'Évolution et la structure de la Doctrine de la science*, I, Introduction, notamment p. 35 *sq.*, où l'auteur replace utilement les textes de Kant dans le contexte du déterminisme souvent peu subtil de l'*Aufklärung*. Je laisse évidemment de côté ici, en évoquant cette apparence de continuité entre le jeune Kant et celui de 1781, la réélaboration critique du statut du principe de raison.

53. C'est l'expression utilisée par M. Gueroult, *op. cit.*, p. 35.

54. De fait, les *Aphorismes sur la religion et le déisme* (1790) témoignent d'un évident embarras : si le monde s'ensuit avec nécessité de l'existence d'un être lui-même nécessaire, les prétendus péchés commis par tel ou tel sont les conséquences nécessaires de sa condition, aussi nécessaires que l'existence de la divinité elle-même (*SW*, éd. I. H. Fichte, V, p. 6-7).

55. Sur l'occasion de cette lecture tardive, voir X. Léon, *Fichte et son temps*, A. Colin, rééd. 1954, I, p. 85 *sq.*

On sait par sa correspondance à quel point fut enthousiaste sa réaction, qui témoigne significativement des états pour le moins contrastés par lesquels la simple succession des deux premières Critiques faisait passer leurs lecteurs les plus passionnés : « J'ai vécu mes jours les plus heureux », écrit-il à sa fiancée le 5 septembre 1790, sans redouter un instant de froisser sa susceptibilité, mais non sans préciser pourquoi la lecture qu'il vient d'achever l'exalte à ce point : « J'en suis maintenant absolument convaincu, la volonté humaine est libre. » Une lettre à Weisshuhn explicite plus largement cette conviction nouvelle : « Je vis dans un nouveau monde depuis que j'ai lu la *Critique de la raison pratique* : elle ruine des propositions que je croyais irréfutables, prouve des choses que je croyais indémontrables, comme le concept de la liberté absolue, de devoir, etc., et de tout cela je me sens plus heureux. Avant la *Critique*, il n'y avait d'autre système pour moi que celui de la nécessité. Maintenant, on peut de nouveau écrire le mot de *morale*, qu'auparavant il fallait rayer de tous les dictionnaires [56]. »

Dans son principe, sans doute peut-on comprendre l'enthousiasme de Fichte : un « autre monde », certes, s'ouvrait, puisque, là où la *Critique de la raison pure* donnait à penser l'univers (phénoménal) comme intégralement conditionné, la *Critique de la raison pratique* développe une analytique de la moralité qui montre que l'expérience morale ne se peut penser sans introduire la notion d'un inconditionné, sous la forme d'une causalité absolue entendue comme spontanéité autonome.

Pour autant, quand il se disait « maintenant absolument convaincu » que « la volonté humaine est libre », Fichte avait bien de la chance ! Car, dès lors que la réflexion succédait à l'enthousiasme, la pure confrontation des deux premières Critiques plaçait en fait le philosophe devant un redoutable problème, celui de la coexistence de deux conceptions de l'objectivité, autrement dit de deux ontologies : une *ontologie théorique* et une *ontologie pratique*, qu'il faudrait nécessairement parvenir à articuler – ne serait-ce (mais ce n'est évidemment pas rien) qu'en vue d'élaborer une conception vraiment satisfaisante de la liberté.

En aucune manière l'ontologie théorique (dans la nature, tout phénomène qui survient est conditionné et soumis à la règle du déterminisme) et l'ontologie pratique (ce qui est objectivement pratique, à savoir une fin morale, n'est conce-

56. *Fichte's Leben und Briefe*, p. 110.

vable que par référence à cet inconditionné qui définit la
liberté) ne pouvaient en effet être simplement juxtaposées,
comme si elles cernaient deux sphères de l'objectivité parfaitement extérieures l'une à l'autre. Cette distribution, qui
correspond au fond à la solution de la troisième antinomie –
solution déjà délicate, j'y reviendrai, dans la *Critique de la
raison pure* –, ne saurait, de fait, subsister simplement comme
telle après la *Critique de la raison pratique* : car distinguer
le déterminisme des phénomènes (nature) et l'existence nouménale d'une liberté, c'est laisser de côté la question décisive
de savoir comment la liberté peut inscrire ses effets dans une
nature qui lui est hétérogène, comment la spontanéité de
l'action libre peut imprimer une trace dans le déterminisme
de la nature. Or, cette question de l'inscription de la liberté
dans la nature ouvre, on le voit sans peine, un vaste champ
d'interrogation, puisqu'il y va du domaine même de ce que
nous appelons l'*histoire* : par définition, l'événement historique
intervient en effet dans le champ des phénomènes, soumis
qu'il est aux conditions de l'espace et du temps (comme tel,
il relève de la *nature*), et cependant, en tant qu'il s'agit d'un
acte que l'on peut juger moralement (ne serait-ce que pour
désigner les responsabilités des acteurs), ce phénomène renvoie
aussi à l'Idée de *liberté*. Ainsi est-il un domaine, celui de
l'histoire, où les deux sphères de l'objectivité, au moins partiellement, se chevauchent ; et l'histoire, c'est-à-dire l'inscription de la liberté dans la nature, est requise au nom même
de la *Critique de la raison pratique*, puisque, si la liberté
n'avait pas des effets dans le monde sensible, la morale serait
une absurdité : l'impératif catégorique ne pourrait jamais se
réaliser, et la soumission à la loi morale, bien qu'impérative,
ne serait qu'un mot. Au demeurant est-ce très précisément
pour cette raison que Fichte ne cessera d'exiger du kantisme,
comme on le verra, une démonstration irréfutable du fait que
la liberté se présente effectivement dans le monde sensible,
faute de quoi, écrira-t-il à Reinhold le 29 août 1795, l'impératif
catégorique n'a rigoureusement aucun sens. Est-il besoin
d'ajouter que c'est aussi pour ce motif qu'après la *Critique
de la raison pratique* le problème de l'accord entre nature et
liberté exige d'être repris sur de nouveaux frais ? Reprise qui
équivaut à affronter sous une forme particulière la problématique du système, puisque accorder nature et liberté équivaudrait à trouver une unité entre philosophie théorique et
philosophie pratique, donc à penser le système de la philosophie.

De 1784 à 1790

Si la *Critique de la faculté de juger* doit dès lors apparaître, à bien des égards, comme la contribution majeure de Kant à cette version (restreinte) de la problématique (générale) du système, la délicate question de la genèse de la troisième Critique reçoit ainsi, du même coup, un nouvel élément de réponse. Contribution majeure de Kant à l'interrogation sur l'unité systématique de la philosophie, l'ouvrage de 1790 ne s'avance pourtant pas, de ce point de vue, sur un terrain totalement inexploré par les travaux antérieurs. Car c'est sous une forme déjà très déterminée qu'une telle interrogation parvient à la *Critique de la faculté de juger* : s'il est vrai, en effet, que la *Critique de la raison pratique* a rendu indispensable une prise en compte directe et explicite de la question de l'articulation entre Nature et Liberté, il n'en demeure pas moins que cette question avait déjà suscité, entre les deux premières Critiques, une réflexion riche et profonde, à la faveur de laquelle la difficulté s'était trouvée mise en forme d'une manière très spécifique, et que c'est sous cette forme que la *Critique de la faculté de juger* la reprend pour élaborer pleinement ce que Kant en a estimé être la solution. Sous ce rapport, on ne saurait assez insister, de fait, sur l'importance de l'opuscule de 1784 intitulé *Idée d'une histoire universelle d'un point de vue cosmopolitique*.

De fait, en 1784, traitant de l'histoire, Kant aborde déjà le problème des effets de la liberté dans la nature. On a trop rarement attiré l'attention, de ce point de vue, sur la superbe première phrase de ce bref article : « Quel que soit le concept que, du point de vue métaphysique, on puisse se faire de la *liberté du vouloir*, il reste que les *manifestations phénoménales* de ce vouloir, les actions humaines, sont déterminées selon des lois universelles de la nature, exactement au même titre que tout autre événement naturel [57]. »

Et la phrase suivante indique que « l'histoire se propose de raconter ces manifestations phénoménales » : on ne saurait donc mieux souligner que, ces phénoménalisations de la liberté dans la nature constituant l'objet même de l'historien, les faits

---

57. AK, VIII, 17, traduction L. Ferry, Pléiade, II, p. 187. « Manifestations phénoménales » traduit *Erscheinungen* : littéralement, les actions humaines sont donc désignées comme des « phénomènes » de la liberté.

historiques se définissent comme ceux des événements naturels
où la liberté a paradoxalement des « effets » dans une nature
cependant soumise au déterminisme. Cela dit, quels peuvent
être ces « effets » ? L'ensemble de l'opuscule [58] était alors
consacré à montrer qu'ils ne sauraient consister dans l'effec-
tuation d'un progrès *moral* – car, si tel était le cas, la liberté
se produirait elle-même, comme volonté bonne, dans le monde
sensible, ce qui n'a aucun sens pour Kant (ne serait-ce que
dans la mesure où, si la volonté bonne apparaissait dans le
monde sensible, la distinction entre phénomènes et noumènes
n'aurait plus lieu d'être) : la seule trace de la liberté dans la
nature, expliquait en fait Kant, doit être recherchée dans
l'idée (*stricto sensu* : l'Idée) d'un progrès du *droit*, c'est-à-
dire dans la postulation qu'au fil de l'histoire les actions
humaines conformes au devoir sont de plus en plus nombreuses, même si elles ne sont pas accomplies par devoir. Le
problème des effets de la liberté dans la nature prenait ainsi
la forme, dès 1784, du problème de la réalisation du droit
dans l'histoire, c'est-à-dire de l'avènement historique d'une
société où les hommes, en se soumettant aux lois, agissent
d'une manière extérieurement conforme à la loi morale. À sa
manière, Kant faisait dès lors de la solution du problème de
la réalisation du droit (c'est-à-dire de la philosophie du droit
entendue comme philosophie politique de l'État de droit) la
condition de l'articulation entre philosophie théorique (Nature)
et philosophie pratique (Liberté).

À sa manière, faut-il préciser – tant il est vrai que tout
l'effort de Fichte, reprenant le principe d'une telle solution,
sera pour contester cette façon kantienne de penser la réalisation du droit [59]. Je n'ai pas à revenir ici sur cette insatisfaction fichtéenne. Simplement soulignera-t-on ce qu'était à cet
égard l'axe majeur de l'opuscule de 1784 [60] : pour articuler
nature et liberté autour d'une pensée de la réalisation histo-

58. Pour une analyse plus complète, voir L. Ferry, *Philosophie
politique*, II, PUF, 1984, p. 148-154 ; A. Renaut, *Le Système du
droit*, p. 64-78.

59. Je ne peux que renvoyer ici à mon étude du *Fondement du
droit naturel* de 1796, *op. cit.*, notamment p. 99 *sq.*

60. J'entends par « axe majeur » celui autour duquel s'organisent
les propositions I à V, puis VII à IX de l'*Idée d'une histoire
universelle* : je laisse donc de côté, dans le présent développement,
le problème philologique et philosophique posé par la proposition VI,
qui suggère un tout autre modèle – lequel ne réapparaît pas, en
1790, dans la *Critique de la faculté de juger* (ce pourquoi j'en fais
abstraction ici).

rique du droit, Kant appelait à considérer que par leur *nature*, donc en obéissant à leur inclination la plus immédiate, les hommes en viennent à soumettre cette même *nature* à des lois et qu'à la faveur de cette soumission progressive leurs actions, devenant de plus en plus « légales », apparaissent extérieurement conformes à la loi morale, donc extérieurement semblables à ce que seraient des actions *libres* (accomplies par devoir). Bref : par nature, la nature – tel est ce qu'il s'agirait de penser pour fonder un système critique de la philosophie – vient se subsumer sous des fins qui seraient celles de la liberté.

Pour donner un contenu à cette solution, dont je viens seulement d'énoncer la structure formelle, l'*Idée d'une histoire universelle* appliquait alors à l'histoire un modèle physique hérité de Leibniz – celui de la composition des forces dans un parallélogramme : les volontés des hommes, prises isolément, ne sont guère qu'un « tissu de folie » et de « vanité infantile », tant il est vrai qu'ils ne font que poursuivre, chacun séparément, leurs propres fins égoïstes, qui, comme telles, sont nécessairement particulières et contradictoires entre elles ; pour croire à un quelconque progrès s'accomplissant au cours de l'histoire, il ne saurait donc être question de faire fonds sur la volonté bonne des êtres humains (sur leur moralité), mais il faut faire l'hypothèse méthodique d'une finalité inscrite dans cet apparent désordre et d'un projet de la nature qui se réaliserait comme la résultante de cette infinité de forces constituées par les volontés particulières :

« Étant donné qu'il (le philosophe) ne peut supposer dans l'ensemble chez les hommes et dans leur jeu aucun *dessein personnel* raisonnable, il lui faut chercher s'il ne peut découvrir dans la marche absurde des choses humaines un *dessein de la nature* à partir duquel serait du moins possible, à propos de créatures qui procèdent sans plan personnel, une histoire selon un plan déterminé de la nature [61]. »

Par le biais de cette hypothèse prise comme « fil conducteur » (*Leitfaden*) [62], l'histoire apparaît dès lors comme soumise à ce que, par analogie avec la théorie hégélienne de la « ruse de la raison », on peut bien désigner comme une « ruse

61. AK, VIII, 18 ; traduction citée, p. 188.
62. Le recours à ce terme de *Leitfaden* (VIII, 17-18, traduction citée, p. 188-189), que nous avons déjà rencontré en évoquant l'Appendice à la Dialectique transcendantale, atteste que Kant identifie clairement sa réflexion sur l'histoire comme une application de sa théorie générale des Idées.

de la nature » [63] en laquelle l'activité de l'homme n'est jamais *consciemment* et *volontairement* le moteur du devenir, mais seulement à titre de force composante et, en tant que telle, aveugle. Et c'est cette perspective d'une « ruse » ou, comme dit Kant, d'un « dessein de la nature » (*Naturabsicht*) qu'explicite, dans les propositions IV et V, le concept d'« insociable sociabilité », qui permet de résoudre la « difficile question » de la réalisation d'une constitution républicaine : « C'est la détresse qui force l'homme, si épris par ailleurs de liberté sans frein, à entrer dans cet état de contrainte ; et, à vrai dire, c'est la plus grande des détresses, à savoir celle que les hommes s'infligent eux-mêmes les uns aux autres, leurs inclinations ne leur permettant pas de subsister longtemps les uns à côté des autres à l'état de liberté sauvage. Seulement, dans cet enclos que constitue l'association civile, ces mêmes inclinations produisent précisément par la suite le meilleur effet. Ainsi, dans une forêt, les arbres, justement parce que chacun essaie de ravir à l'autre l'air et le soleil, se contraignent réciproquement à chercher l'un et l'autre au-dessus d'eux, et par suite ils poussent beaux et droits [...] [64]. »

Modèle bien connu, mais qu'il fallait rappeler, à la fois pour la fonction, trop rarement soulignée, qu'il remplit d'ores et déjà en 1784 (permettre de penser une phénoménalisation de la liberté dans la nature, donc une unité de la philosophie théorique et de la philosophie pratique) et pour la manière dont il introduit, à travers le thème du « dessein de la nature », la perspective, qui sera bien sûr centrale en 1790, d'une finalité supposée (hypothétique ou méthodique) de cette nature. Au point qu'à certains égards (notamment quant à la problématique de l'unité de la philosophie) la troisième Critique doit apparaître comme une vaste explicitation de ce qui était suggéré dans ce bref article de 1784. Encore faut-il se demander alors pourquoi l'explicitation de ce modèle du « dessein de la nature » requérait une « critique de la faculté de juger réfléchissante ».

63. Comme toute analogie, celle-ci fait abstraction d'une différence entre les termes qu'elle rapproche : ne retenant que la *structure* des représentations de l'histoire, elle laisse de côté leurs *statuts*, évidemment différents, puisqu'il s'agit chez Kant d'une Idée, et non d'un concept, ou, si l'on préfère : d'une *pensée*, non d'une *connaissance*.
64. AK, VIII, 22 ; traduction citée, p. 194.

Une critique de la réflexion

La question est clairement traitée dans la Première Introduction, ainsi que, sous une forme plus ramassée, dans les trois premiers paragraphes de l'Introduction définitive. Kant y rappelle qu'il y a deux parties de la philosophie : la philosophie théorique, comme philosophie de la nature, montre comment les « concepts de la nature » (les catégories de l'entendement pur) rendent possible une connaissance théorique a priori ; la philosophie pratique, comme philosophie morale, montre comment le concept ou l'Idée de liberté sert de principe pour la détermination de la volonté, c'est-à-dire pour la construction de l'objectivité pratique. Il s'agit donc bien de deux législations a priori sur l'objectivité, qui au demeurant semblent s'exclure, surtout quant à leur rapport au monde sensible : l'ontologie théorique pense les objets comme simples phénomènes, alors que l'ontologie pratique conduit à mettre au fondement de l'objectivité l'Idée de liberté, qu'on ne peut se représenter dans l'intuition, autrement dit : une « chose en soi [65] ». En sorte que – et l'on retrouve clairement le problème posé dans la première phrase de l'opuscule de 1784 – il semble difficile de se représenter un quelconque effet de la liberté dans le monde sensible : il faudrait pour cela se représenter la causalité de la chose en soi dans les phénomènes – ce qui, pour de multiples raisons, paraît exclu. (1. On ne peut se représenter la chose en soi. 2. On ne peut, en droit, lui attribuer le statut de cause, puisque la causalité – comme les autres catégories de l'entendement – est, on le sait depuis la Déduction transcendantale, une catégorie de l'expérience.) À l'issue du paragraphe II de l'Introduction, la division de la philosophie semble donc telle que nulle relation entre ses deux parties n'est envisageable : entre nature et liberté, « nul passage n'est possible, tout à fait comme s'il s'agissait de mondes différents », aucun effet de la liberté sur la nature ne paraît représentable – et néanmoins, ajoute aussitôt Kant, le monde de la liberté « *doit* avoir une influence » sur la nature : « Autrement dit, le concept de la liberté doit rendre effectif dans le monde sensible la fin indiquée par ses lois [66]. » Bref, la liberté *doit* (*soll*) exercer

65. AK, V, 175.
66. AK, V, 176.

une influence sur la nature – et Fichte, qui, dans son commentaire, réécrit le texte de Kant en le développant largement, ne manque pas d'y insister : « Bien qu'assurément un incommensurable abîme se trouve établi entre le domaine du concept de la nature, le sensible, et le domaine du concept de liberté, le suprasensible, la causalité de ce dernier *doit* (*soll*) pourtant réaliser dans le monde sensible une fin posée par ses lois, toutefois sans qu'il y ait à l'imposer aux lois du monde sensible, mais en accord avec les lois propres de celui-ci [67]. »

Sans revenir sur les raisons (éthiques) pour lesquelles l'« abîme » *doit* être franchi, on notera toutefois quel problème considérable se dissimule derrière cette reconnaissance qu'il est *moralement* nécessaire que la liberté inscrive ses effets dans le monde sensible – à savoir, le commentaire fichtéen le met en relief avec beaucoup de vigueur, le problème des *conséquences* : il est impossible pour la liberté, souligne Fichte, d'être indifférente aux « conséquences que la détermination du vouloir peut avoir dans le monde sensible ». Pour le dire dans les termes de Max Weber : il n'est pas d'éthique de la pure conviction, mais toute éthique est éthique de la responsabilité. Kant a-t-il perçu qu'à développer pleinement cette problématique du passage entre liberté et nature il s'exposait à devoir réaménager sur un point central la philosophie morale qu'il construisait depuis la *Fondation de la métaphysique des mœurs* ? Rien, à vrai dire, ne l'indique, et c'est bien plutôt à Fichte qu'il reviendra, dans son *Système de l'éthique*, de dégager en 1798 les implications morales de ce que son commentaire de la *Critique de la faculté de juger* avait déjà entrevu.

Quoi qu'il en soit, la troisième Critique s'ouvrait par l'exigence d'un « passage » entre liberté et nature qui à la fois « n'est pas possible » et « doit être » – bref : un passage impossible doit être trouvé. Or, c'est pour penser cet impossible passage que le paragraphe III présente alors comme nécessaire le recours à la faculté de juger (réfléchissante) et pose que, s'il y a deux parties de la philosophie (parce qu'il n'y a que deux types d'objets, et par conséquent deux ontologies), il devra donc y avoir trois Critiques : il faut en effet soumettre à examen cette faculté de juger réfléchissante, cette réflexion, qui (comme elle s'en était acquittée, *de facto*, dans l'opuscule de 1784) va seule accomplir la prouesse

---

67. Fichte, *GA*, I, 2, p. 329.

d'unir en « un tout » les deux parties de la philosophie et de faire de la philosophie un système. On le perçoit immédiatement, le « système de la philosophie » aura dès lors, chez Kant, un statut très particulier : faire de la faculté de juger le moyen terme du système, c'est dire que la systématicité est pour ainsi dire conférée *après coup* aux deux parties de la philosophie, de l'extérieur, par la réflexion du philosophe sur la dualité du philosophique. Je reviendrai, au terme de cette analyse, sur ce point capital : pour en mesurer convenablement la portée, encore faut-il d'abord comprendre très précisément en quoi c'est le recours au jugement réfléchissant qui permet d'expliciter et d'élaborer la solution du problème de l'unité de la philosophie.

Au paragraphe III de son Introduction, Kant se borne avant tout à souligner que, parmi les facultés, la faculté de juger sert de « moyen terme entre entendement et raison ». Dans son commentaire, Fichte recopie, à peu de chose près, le texte kantien, non sans préciser que cette médiation s'entend entre l'entendement, « qui, grâce à sa législation, rend possible une connaissance de la *nature* », et la raison *pratique*, « qui, grâce à sa propre législation, rend possible la détermination pratique du pouvoir de désirer par la *liberté* [68] » : ainsi l'enjeu de la médiation reste-t-il clairement présent. Cela étant, pourquoi cette médiation entre entendement et raison pratique (nature et liberté) passe-t-elle par la faculté de juger (réfléchissante) ? Quelques rappels ici s'imposent, si l'on veut cerner avec précision le statut de la médiation.

La faculté de juger est celle qui permet de subsumer une intuition (le particulier) sous un concept (l'universel) : son opération met donc en présence le *conditionné* (l'intuition), ce qui en constitue la *condition* (le concept), et, en principe, un troisième terme, à savoir le *critère* en vertu duquel il est possible de rapporter le conditionné à sa condition. Dans ce que Kant appelle un jugement déterminant (dont la théorie se trouve faite par la *Critique de la raison pure*), la condition contient elle-même la règle ou le critère de son application : comme l'a montré l'Analytique des Principes, le sujet qui juge possède la condition (les catégories) et le critère de son application à l'intuition, c'est-à-dire le « principe », et la faculté de juger intervient simplement comme un juge qui applique une règle générale [69], la condition au

---

68. *Ibid.*, p. 330.
69. De là la suggestion d'É. Weil, qui proposait de traduire

conditionné [70]. L'usage déterminant de la faculté de juger ne fait donc plus problème après la *Critique de la raison pure*, puisqu'il a été établi qu'en cet usage le sujet qui juge possède a priori à la fois l'universel (la catégorie) et le critère de son application au particulier. En revanche, il y a, dans le vocabulaire de Kant, jugement réfléchissant quand il s'agit de subsumer le particulier (le conditionné) sous l'universel (la condition), mais sans que le sujet possède au préalable une représentation de la condition – ce qui intervient dans deux cas :

– soit parce que le sujet ne possède *pas encore* le concept que le jugement réfléchissant va former : c'est le cas de la genèse des concepts empiriques (d'une diversité d'intuitions, j'infère par abstraction le concept de « chien ») – le jugement réfléchissant intervenant ici comme moyen terme entre la sensibilité et l'entendement (entre l'intuition et le concept);

– soit parce que l'universel n'est pas un concept de l'entendement, mais un concept de la raison, autrement dit : une Idée, laquelle, par définition, n'est pas représentable (schématisable) et ne contient donc pas en elle le critère de son application [71] ; ainsi en est-il dans l'Appendice à la Dialectique transcendantale lorsque l'entendement est présenté, nous l'avons vu, comme cherchant à introduire une unité toujours plus grande dans la diversité de ses connaissances, par leur subsomption sous l'Idée de système prise comme « idéal régulateur » : le jugement réfléchissant intervient cette fois entre l'entendement et la raison (théorique) (entre le concept et l'Idée).

Or, c'est évidemment ce deuxième cas qui présente à la fois le plus d'intérêt et le plus de difficultés : l'usage régulateur des Idées – c'est-à-dire le maintien d'une référence à la raison après sa critique, originalité même du criticisme et principe

---

Urteilskraft par la « faculté judiciaire », voire par la « judiciaire » (*Problèmes kantiens*, Vrin, 1970, p. 62).

70. Par exemple, l'Analytique des Principes montre comment la condition qu'est la catégorie universelle de causalité ne se peut appliquer au conditionné (le phénomène particulier) que parce qu'elle contient en elle la règle de son application, c'est-à-dire le *principe* de causalité, qui donne le critère de l'application (à savoir la succession irréversible). La possession du critère suppose donc la schématisation (temporalisation) possible de la catégorie : elle devient alors représentable, donc applicable.

71. Sur la différence, à cet égard, entre concepts d'entendement et concepts de raison (Idées), voir le beau texte des *Progrès de la métaphysique depuis Leibniz et Wolff*, traduction L. Guillermit, Vrin, p. 35 *sq.*

de sa fécondité – est l'enjeu direct de son analyse. Lorsque, dans la première Critique, Kant avait abordé brièvement l'usage régulateur des Idées, il montrait qu'en un tel usage les Idées constituent, vis-à-vis de l'entendement, un point de fuite *irreprésentable* (car « placé hors des bornes de l'expérience possible ») pour tous ses concepts, mais que les convergences qui, *de fait*, surgissent entre les connaissances de l'entendement évoquent pourtant l'Idée de système, en en offrant pour ainsi dire la « trace », c'est-à-dire une présentation incomplète. Puisque ici les termes à relier (concept et Idée) doivent l'être sans que la condition (l'Idée) soit représentable (schématisable *stricto sensu*), et donc sans qu'elle contienne en elle-même le critère de son application, il va bien falloir expliciter les conditions de possibilité de la mise en relation pourtant requise pour l'usage régulateur : il faudra donc développer une « critique de la faculté de juger réfléchissante », et plus précisément, puisqu'il n'est pas besoin d'une « critique de la faculté de juger déterminante », la troisième Critique sera une critique de la réflexion.

Le principe de l'unité de la philosophie

Ces rappels permettent de comprendre aisément pourquoi c'est aussi de cette analyse du jugement réfléchissant que va se trouver dépendre la solution du problème de l'unité de la philosophie et pourquoi le paragraphe III de l'Introduction peut faire de la « critique de la faculté de juger » le « moyen d'unir en un tout les deux parties de la philosophie ».

On peut en effet reposer désormais le problème du rapport entre les deux premières Critiques dans les termes d'une subsomption recherchée entre un *conditionné* – la nature phénoménale telle que l'entendement lui applique ses concepts – et une *condition* – l'Idée de liberté que la raison pratique exige de penser. Or, il est clair que, s'il faut subsumer les connaissances de la nature phénoménale sous l'Idée de liberté, ce ne peut être par un jugement déterminant : c'est même d'un tel « passage » du conditionné à la condition que Kant peut décréter l'impossibilité, puisque, pour déterminer la nature par les fins de la liberté, il faudrait que la liberté soit un concept d'entendement et que ce concept soit représentable – ce qui est évidemment absurde. Cela étant, il s'agit pourtant bien là d'un problème qui relève de la faculté de juger : si je me demande comment je puis penser un événement du monde phénoménal comme l'effet d'une cause libre, je m'efforce, comme dans chaque usage de la faculté de juger, de penser du particulier sous des lois universelles qui le conditionnent, en l'occurrence celles de la liberté, et cela alors même que les deux termes ne peuvent entretenir aucun rapport de détermination : « Le concept de liberté ne détermine rien en ce qui concerne la connaissance théorique de la nature ; de même, le concept de nature ne détermine rien en ce qui concerne les lois pratiques de la liberté, et *en ce sens* il n'est pas possible de jeter un pont d'un domaine à l'autre [72]. »

Reste donc que la solution, puisque la moralité et aussi l'unité de la philosophie imposent de jeter un tel pont, soit confiée à la faculté de juger réfléchissante : formellement, la solution est sinon produite, du moins *située* quant à ses conditions de possibilité et quant à sa structure (celle de la *réflexion*) dès la fin de l'Introduction : « La faculté de juger [...] fournit le concept médiateur entre les concepts de la nature et celui de la liberté qui, dans la notion d'une finalité de la nature, rend possible le passage de la raison pure théorique à la raison pure pratique, de la légalité selon la première à la fin finale selon la dernière – car ainsi est reconnue la possibilité de la fin finale, qui peut se réaliser seulement dans la nature et en accord avec ses lois [73]. »

Exclu, mais exigé au paragraphe II, le « passage » (*Übergang*) qui garantit l'unité de la philosophie est donc trouvé, du moins formellement ou dans son principe, au neuvième et dernier paragraphe de l'Introduction. Le contenu de cette médiation formellement posée et confiée à la réflexion ne sera toutefois explicité que dans l'Appendice à la deuxième partie (« Méthodologie de la faculté de juger téléologique »), aux paragraphes 83 et 84 – ainsi que l'indique indiscutablement la réapparition de la notion de « fin finale » dans le titre du paragraphe 84 : « De la fin finale de l'existence d'un monde, c'est-à-dire de la création elle-même. » Au demeurant n'est-il guère difficile de percevoir pourquoi la médiation ne sera ainsi développée qu'au terme de l'ouvrage : si le concept médiateur, comme le pose programmatiquement le paragraphe IX de l'Introduction, est bien celui d'une « finalité de la nature » (ce qu'avait déjà suggéré l'opuscule de 1784), l'analyse du jugement téléologique, donc la deuxième partie de la *Critique de la faculté de juger*, constitue

72. AK, V, 195. C'est moi qui souligne. Cf. Fichte, *GA*, I, 2, p. 345.
73. AK, V, 196.

le préalable indispensable à une éventuelle utilisation légitime et réglée de ce concept par la réflexion pour penser l'unité de la philosophie. Cela clarifié, l'essentiel, pour préparer la lecture, est de cerner le contenu qui est alors donné, aux paragraphes 83 et 84, à la solution réfléchissante du problème de l'accord entre la nature et la liberté.

La reprise approfondie du modèle de 1784

Ce qui apparaît d'emblée, c'est qu'à travers ces paragraphes décisifs Kant reprend et complète la structure mise en place dès 1784 dans la théorie du « dessein de la nature ». L'argument du paragraphe 83 prolonge en effet directement ce qu'avait esquissé l'opuscule sur l'histoire : au-delà de l' « incohérence » des dispositions naturelles des hommes – incohérence qui, du fait des conflits des penchants, les plonge dans les pires « tourments » (notamment dans la « barbarie des guerres ») –, on peut *penser* que la nature, en ce qu'il faut bien alors appeler une ruse, poursuit ainsi la réalisation de sa « fin dernière (*letzter Zweck*) par rapport à l'espèce humaine », à savoir « le progrès de la culture » comme développement en l'homme de l'aptitude à dépasser la simple séduction des penchants et à se proposer des « fins qui lui plaisent » (des « libres fins »). C'est dans ce processus de culture qu'il faut alors replacer l'avènement du droit, en le *pensant* comme une étape centrale : « La condition formelle sous laquelle seule la nature peut atteindre ce dessein final (*Endabsicht*) qui est le sien est cette constitution dans le rapport des hommes les uns avec les autres où, au préjudice que se portent les libertés en conflit, s'oppose une puissance légale dans un tout qui s'appelle société civile ; c'est, en effet, seulement en cette dernière que le plus grand développement des dispositions naturelles peut s'effectuer [74]. »

En vue de la réalisation de cette « condition » (le droit comme ce dont la nature se sert pour accomplir ses fins à elle, c'est-à-dire le dépassement en l'homme des penchants animaux vers des « fins libres ») [75], tout se passe donc *comme si* la nature

---

74. AK, V, 433. Je traduis *Endabsicht* par « dessein final » en raison de l'écho perceptible entre ce terme et celui de « dessein de la nature » (*Naturabsicht*) qui désignait en 1784 rigoureusement le même contenu.

75. Où l'on perçoit déjà que le droit va bien fonctionner comme le terme synthétique : la constitution républicaine est au centre d'un

utilisait l'antagonisme des libertés en vue de faire paraître la soumission à la loi (et par conséquent la « discipline des penchants ») comme le seul moyen pour les hommes d'éviter les maux résultant de la poursuite anarchique du bonheur. Ainsi retrouve-t-on en filigrane, comme dans les propositions I à V de l'opuscule de 1784, la thèse politiquement « libérale » selon laquelle l'égoïsme intelligent conduit à l'autolimitation des libertés – avec, là aussi, l'élargissement de la perspective, qui sera explicité en 1795 dans le *Projet de paix perpétuelle*, au plan des relations interétatiques, où c'est la guerre qui, cette fois, sert d'instrument à la ruse de la nature : « Quand bien même les hommes seraient assez intelligents pour la [la constitution républicaine] trouver et assez sages pour se soumettre volontairement à sa contrainte, serait requis en outre un tout *cosmopolite*, c'est-à-dire un système de tous les États qui courent le risque de se nuire réciproquement. En l'absence d'un tel système [...], la guerre [...] est inévitable : celle-ci, de même qu'elle est une tentative inintentionnelle des hommes (suscitée par des passions sans frein), constitue pourtant une tentative profondément mystérieuse, peut-être intentionnelle, de la sagesse suprême, sinon pour installer, du moins pour préparer une légalité qui soit compatible avec la liberté des États et par là une unité d'un système des États qui soit moralement fondé [76]. »

La reprise du modèle de la « ruse de la nature » mis en place en 1784 est donc patente : la nature, en utilisant le conflit des volontés particulières, donne naissance à un système légal (la constitution républicaine) qui pourra être alors subsumé sous les catégories de la liberté, en d'autres termes : qui pourra être pensé comme s'il avait été l'effet de la liberté. En quoi, cependant, la *Critique de la faculté de juger* approfondit-elle ce modèle déjà ancien ? Il faut d'abord mettre en avant le fait qu'en 1790, dans la mesure même où l'Introduction a insisté sur l'absence de toute détermination d'un domaine (le mécanisme naturel) par l'autre (la liberté), le statut réfléchissant de l'accord entre nature et liberté est plus explicite : il s'agit à l'évidence d'un accord au fond *contingent*, où il se trouve que la nature (la diversité incohérente des penchants) produit par elle-même des effets que la réflexion du sujet peut subsumer sous l'Idée de liberté. On comprend alors que le concept utilisé en 1784 : « dessein de la nature », était en

processus où la *nature* semble agir comme si elle voulait son dépassement, en l'homme, vers la *liberté*.

76. AK, V, 432-433.

réalité la version en quelque sorte « fétichisée » de cette subsomption : par elle-même, la nature n'a bien sûr nul dessein, mais en tant que je la pense *comme si* le produit du mécanisme advenait par liberté, je me représente comme un « dessein de la nature » – lequel dessein est donc seulement le produit de ma réflexion. Rapportant la notion de « dessein de la nature » à son mode de production intellectuel, la *Critique de la faculté de juger* en opère donc la « défétichisation » et en interdit toute réification : le « dessein de la nature » n'est que le résultat de l'activité réfléchissante du sujet subsumant le conditionné (l'événement du monde sensible) sous l'Idée de liberté (comme sa condition) grâce à la notion purement subjective d'une « finalité de la nature ». L'élaboration du statut, de la fonction et des diverses modalités de la notion de finalité, tâche propre de la troisième Critique, permet donc déjà de préciser et de fonder un usage qui précède largement l'ouvrage lui-même.

L'apport de la *Critique de la faculté de juger* ne s'arrête pourtant pas là. Car, à réduire la solution du problème de l'accord entre nature et liberté à ce que le paragraphe 83 reprend, en aidant à en préciser le mode de production intellectuel, à l'opuscule de 1784, on manquerait l'essentiel de ce par quoi Kant a enrichi son modèle initial et a conféré à sa solution de la question de l'unité de la philosophie une subtilité nouvelle. Il faut en effet percevoir, en analysant avec soin la succession du paragraphe 83 et du paragraphe 84, que la solution kantienne articule en fait deux jugements réfléchissants à l'intérieur de chacun desquels l'homme fonctionne comme fin.

Fin dernière et fin finale

Un premier jugement réfléchissant correspond, ainsi que nous venons de le voir, au paragraphe 83, tel qu'il constitue une reprise de la théorie du « dessein de la nature ». Je me borne à préciser, pour que la distinction avec le second jugement soit claire, comment la ruse de la nature ainsi décrite constitue en fait une structure à trois termes :

– *la fin* dont il s'agit est la « fin dernière » (*letzter Zweck*) de la nature, à savoir : développer les dispositions naturelles des espèces et notamment de l'homme comme terme dernier de la chaîne des espèces ;

– *le moyen* (dont use la nature), c'est bien sûr le conflit des libertés ;

– *l'effet* ainsi produit réside, on l'a vu, dans le règne de la puissance légale au sein de la « société civile » (soit, selon le vocabulaire qui est encore celui de Kant : dans le cadre de l'État) : à travers cet effet, se réalise déjà la fin de la nature, puisque l'acceptation volontaire de la contrainte légale suppose l'intelligence. À l'intérieur de ce qui constitue donc un premier jugement réfléchissant, l'homme est par conséquent pensé comme s'il était la fin dernière de la nature : se trouve ainsi mise en œuvre une première Idée de l'humanité, définissable par référence à ce processus par lequel « l'intraitable égoïsme » s'élève à l'« intelligence » de son intérêt [77]. Il importe enfin de noter que cette première Idée de l'humanité n'a de sens que sous la supposition d'une finalité *interne* de la nature : en visant l'épanouissement des dispositions naturelles de l'espèce humaine, la nature comme Tout vise le développement d'un de ses éléments.

Le paragraphe 84, en traitant « De la fin finale (*Endzweck*) [78] de l'existence d'un monde, c'est-à-dire de la création elle-même », articule alors à ce premier jugement un second jugement réfléchissant qui fait apparaître bien au contraire une finalité *externe* de la nature et, corrélativement, une autre Idée de l'humanité. La nature, si l'on considère l'effet de sa ruse à l'égard des volontés particulières (à savoir les progrès de la légalité), semble en fait elle-même être l'objet d'une *ruse de la liberté* (ou d'une Providence pensée comme souveraine Liberté) : car, à travers cet effet (la soumission des penchants à la loi), il se dégage *comme* un excès par rapport à ce que visait le dessein de la nature – excès qui n'est plus « pensable » par référence à la ruse de la nature, mais suppose le projet d'une libre Providence. L'argument du paragraphe 84, bref et dense, peut être explicité ainsi : dans une société civile où la puissance légale fait régner la « discipline des pen-

---

77. Voir AK, V, 431 : « Si l'on considère celle-ci (la nature) comme un système téléologique, il (l'homme) est, quant à sa destination, la fin dernière de la nature ; mais cela n'intervient toujours que de façon conditionnelle, sous la condition qu'il le comprenne et qu'il ait la volonté d'établir, entre la nature et lui-même, une relation finale telle qu'elle puisse se suffire à elle-même indépendamment de la nature et constituer une fin qui soit finale, mais ne doive nullement être recherchée dans la nature. » On ne saurait dire plus clairement que la représentation de l'homme comme « seigneur de la nature » n'est qu'une Idée régulatrice, que l'homme n'apparaît tel qu'à l'homme lui-même s'il considère la nature d'un point de vue téléologique et s'il veut *se penser* au sein de ce système finalisé : il s'agit donc d'une *pensée*, non d'une *connaissance* – et par conséquent d'une *exigence* (ou d'une *destination*) et non d'une *nature humaine*.

78. Je reviendrai plus loin sur cette traduction.

chants », l'homme devient capable de résister aux inclinations naturelles et de se proposer des « fins libres » ; or, en tant qu'être capable de se proposer des fins dont la loi d'après laquelle il se les propose doit être représentée « comme inconditionnée et indépendante de conditions naturelles [79] », l'homme ne peut plus être pensé comme fin dernière de la *nature* (puisqu'il apparaît désormais comme développant en lui la faculté de désirer des fins pour l'adoption desquelles il ne peut « se tenir comme soumis à une quelconque influence de la nature ») : il lui faut donc se penser comme la fin finale de la *création* elle-même, c'est-à-dire se penser par référence à la sagesse d'une Providence qui, elle-même cause inconditionnée (suprême liberté), a fait de l'homme comme seul être naturel capable de liberté la « fin finale à laquelle la nature tout entière est téléologiquement subordonnée [80] ».

L'articulation entre les deux jugements réfléchissants [81] s'opère donc à partir de la considération du droit : effet de la ruse de la nature, le progrès du droit s'accompagne d'une « éducation morale du peuple [82] » – éducation sans contrainte de l'homme à la moralité (à la liberté comme autonomie de la volonté) dont il faut alors repenser le processus à partir d'une ruse de la liberté. Bref : l'effet de la ruse de la nature (le droit) est repensé,

79. AK, V, 435.
80. AK, V, 436. À la différence de ce qu'avait établi le paragraphe 83, la finalité de la nature est donc bien, cette fois, explicitement présentée comme *externe* : la nature est téléologiquement pensée par référence à son autre, à savoir la liberté comme « pouvoir suprasensible ».
81. Dans ses *Problèmes kantiens* (Vrin, seconde édition, 1970), E. Weil a bien repéré en ces paragraphes ce qu'il nomme lui-même « une sorte de ruse de la nature » (p. 118), mais n'a pas distingué suffisamment les *deux* jugements – ce qui le conduit à quelques formules imprécises. *Cf.* par exemple p. 118 : « C'est donc une sorte de ruse de la nature – ou de la Providence – qui fait que l'homme accède, malgré lui, à la liberté morale... La nature veut la liberté. » En fait, bien loin que la nature veuille la liberté, le fait qu'elle produise un résultat (à partir de son dessein propre, à savoir le développement des dispositions naturelles de l'espèce humaine) qui ouvre à l'homme la voie de la liberté est précisément ce qui conduit à repenser la « ruse de la nature » comme prise elle-même dans une « ruse de la Providence » – les deux ruses ne se *superposant* nullement, mais *s'articulant* comme s'articulent les paragraphes 83 et 84.
82. Selon la formule célèbre du *Projet de paix perpétuelle*, Deuxième section, Premier supplément : « Ce n'est pas à la moralité qu'il faut demander la bonne constitution de l'État, c'est plutôt de cette bonne constitution elle-même qu'on doit attendre la bonne éducation morale d'un peuple. »

à travers ses propres effets (l'éducation à la moralité), comme
le moyen d'une ruse de la liberté. De là un second jugement
réfléchissant, où les trois termes se déplacent :

– la *fin* est désormais celle de la libre Providence, à savoir
la soumission de la nature à la loi de la liberté (donc : la
volonté bonne comme « fin finale » de l'« existence du
monde ») [83] ;

– le *moyen* apparaît maintenant à situer dans la réalisation
du droit (qui était, dans le premier jugement, l'effet de la
ruse de la nature) ;

– l'*effet* (des progrès de la légalité) se laisse alors penser,
dans ce second jugement, comme un processus infini de mora-
lisation de l'humanité, au fil duquel s'accomplit la fin de la
création, puisqu'en se moralisant l'homme soumet « la nature
tout entière » à la liberté.

Développant pleinement la logique d'un modèle déjà présent
dans l'*Idée d'une histoire universelle* [84], les paragraphes 83-
84 donnent donc au problème de l'unité de la philosophie une
solution qui peut se schématiser ainsi :

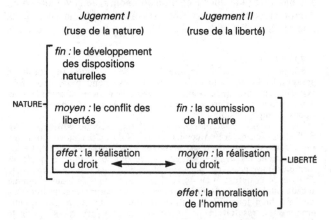

83. AK, V, p. 443.
84. L'apport du paragraphe 84 est indéniable. Il reste qu'en 1784
déjà certaines formules en laissaient entrevoir la possibilité : la
proposition IV indiquait en effet qu'« un accord pathologiquement
extorqué en vue de l'établissement d'une société peut finalement se
transformer en un tout *moral* » ; de même, la proposition VII inscrit
l'éveil de l'« Idée de moralité » dans le processus de culture. Il fallait
toutefois réinterpréter cette apparition de l'horizon moral comme un
excès par rapport au dessein de la nature.

Droit et esthétique

À partir de ce schéma, où l'on voit clairement comment s'articulent sans se superposer les deux ruses et comment s'accomplit le passage de la nature à la liberté, il convient de s'interroger sur la teneur précise de la solution kantienne. Car, certes, le « passage » recherché entre nature et liberté s'effectue par la médiation du droit et de la réflexion sur le moment juridique de l'humanité. En ce sens, l'avènement de la philosophie comme philosophie du droit (et comme philosophie politique de la réalisation de l'État de droit) représentait incontestablement un héritage possible de la contribution kantienne à la problématique du système, et c'est assurément chez Kant que Fichte, lecteur attentif de la troisième *Critique*, a découvert la fonction systémique de la réflexion sur le droit.

Reste que, si c'est autour de la question de la réalisation du droit que la philosophie de la nature et celle de la liberté s'articulent en un système, cette question n'est elle-même traitée par Kant que d'un point de vue qu'on peut désigner en fait comme *esthétique* – en sorte que la réflexion sur l'avènement du droit n'apparaît que comme un point d'application de l'analyse du jugement esthétique, et qu'en définitive, si l'on peut dire, l'esthétique englobe le droit. Selon le modèle issu de l'opuscule de 1784, c'est en effet l'histoire, pensée à partir de la nature, qui, d'elle-même (par le mécanisme de l'insociable sociabilité), réalise progressivement une harmonisation des libertés. Or, cette harmonisation des intérêts, qui définit la fonction du droit, invite à penser le droit lui-même comme un système – ainsi que le fera expressément, en 1797, la *Doctrine du droit* : « L'ensemble de lois qui ont besoin d'une proclamation universelle pour produire un état juridique constitue le droit public. Celui-ci est donc un système de lois destiné à un peuple, c'est-à-dire à une multiplicité d'hommes, ou à une multiplicité de peuples, qui, se trouvant en des relations d'influence réciproque les uns vis-à-vis des autres, ont besoin de l'état juridique, sous une volonté qui les unifie, autrement dit d'une constitution, pour recevoir leur part de ce qui est de droit [85]. »

85. Kant, *Doctrine du droit*, paragraphe 43, traduction A. Renaut, in : Kant, *Métaphysique des Mœurs*, II, GF-Flammarion, 1994, p. 125.

Bref, le droit est un système de lois qui assure l'unité d'une multiplicité d'hommes en un État. L'apparition de la notion de système est à vrai dire, dans le registre d'une réflexion juridico-politique, fort banale et aussi ancienne que la philosophie politique elle-même. On peut souligner, malgré tout, que Kant enrichit de deux manières cet usage très traditionnel :

– d'une part, il précise l'usage, en faisant de la république la forme de gouvernement la plus conforme au concept de droit. La république se définit en effet par référence directe à l'Idée de système : 1) en tant qu'elle a pour principe une séparation des pouvoirs qui impose leur « coordination » ou leur « union » selon une articulation claire et rationnelle ; 2) en tant qu'elle est intrinsèquement liée au « système représentatif » – lequel est bien un système *stricto sensu*, puisqu'il assure « l'union de tous les citoyens au moyen de leurs délégués », et cela selon des principes établis par la constitution [86] ;

– d'autre part, la réalisation pleine et entière du concept de droit ne saurait être pensée, on l'a déjà noté, sans la référence à l'horizon d'un « tout cosmopolite », c'est-à-dire d'un système de tous les États qui « courent le risque de se nuire réciproquement » – la guerre devant à cet égard être tenue pour un moyen dont se sert la « sagesse suprême » pour préparer l'unité d'un système de tous les États [87].

Lorsque Kant pense la fin de l'histoire comme réalisation du droit, il pense donc aussi cet horizon en termes de *système*. Cette précision a d'importantes conséquences, car si l'histoire réalise progressivement le droit comme système (du moins si telle est l'Idée qu'il faut prendre comme « fil conducteur » pour en considérer le cours), chaque progrès accompli dans l'ordre du droit va apparaître comme une présentation sensible de l'Idée de système : il sera donc l'occasion d'une expérience esthétique, telle que cette expérience se trouve explicitée dans

86. Sur l'union dans la séparation, voir *Doctrine du droit*, paragraphes 48-49 ; sur républicanisme et système représentatif, voir le paragraphe 53 ; de même que *Projet de paix perpétuelle*, Deuxième section, Premier article définitif : « À la forme du gouvernement, si elle doit être conforme au concept de droit, appartient le système représentatif (*das repräsentative System*), dans le cadre duquel seulement est possible un gouvernement républicain, sans quoi le gouvernement (quelle que soit la constitution) est despotique et fondé sur la violence. »

87. AK, V, 432-433. Tout ce développement du paragraphe 83 insiste sur la dimension « systématique » du cosmopolitisme.

la Première partie de la *Critique de la faculté de juger*, et la *bonne réforme* aura dès lors le statut d'une *belle œuvre*.

De cette considération *esthétique* des progrès historiques du droit on pourrait fournir bien des exemples – à commencer, dès 1784, par la dernière phrase de la proposition V de l'*Idée d'une histoire universelle* où, énumérant les « fruits de l'insociabilité », Kant mentionne, avec une précision d'écriture qui étonne trop rarement ses commentateurs : « Toute culture et tout art dont se pare l'humanité, ainsi que l'ordre social le plus beau (*die schönste gesellschaftliche Ordnung*) [...]. » Mais l'exemple le plus limpide est sans conteste fourni par le fameux texte du *Conflit des facultés* où Kant évoque le spectacle de la Révolution française comme l'objet d'une émotion esthétique devant un progrès manifeste vers la constitution républicaine : « La révolution d'un peuple spirituellement riche, que nous avons vu se produire de nos jours, peut bien réussir ou échouer ; elle peut bien être remplie de misères et d'atrocités au point qu'un homme réfléchi, s'il pouvait, en l'entreprenant pour la seconde fois, espérer l'accomplir avec succès, ne se déciderait cependant jamais à tenter l'expérience à un tel prix ; cette révolution, dis-je, trouve cependant dans les esprits de tous les spectateurs (qui n'ont pas eux-mêmes été impliqués dans ce jeu) une *sympathie*, au niveau de ses souhaits, qui confine à l'enthousiasme, et dont l'extériorisation même mettait en danger, sympathie qui ne peut avoir d'autre cause qu'une disposition morale dans l'espèce humaine [88]. »

Tout, ici, vient corroborer la thèse selon laquelle la réflexion kantienne sur les progrès du droit dans l'histoire se situe en une perspective esthétique. Je me bornerai à mettre en relief trois points qui soulignent, en retrouvant les grandes lignes de l'analytique du jugement de goût développée en 1790, cette nature *esthétique* de la relation aux progrès du droit :

– l'insistance de Kant sur la *dimension intersubjective* de l'expérience : la Révolution éveille de la « sympathie » (*Theilnehmung*) parmi « tous les spectateurs », bref : elle est l'objet d'une communication potentiellement universelle – où l'on voit réapparaître les déterminations du jugement esthétique envisagé du point de vue de la quantité (savoir que le beau « est ce qui est représenté sans concept comme objet d'une satisfaction universelle ») ;

– la caractérisation du jugement des spectateurs comme *désintéressé* : la Révolution suscite un enthousiasme dange-

88. AK, VII, 85 ; traduction A. Renaut, Pléiade, III, p. 894.

reux pour ceux qui se laisseraient aller à l'exprimer trop ouvertement ; leur jugement manifeste donc – j'emprunte l'expression aux lignes qui précèdent celles que j'ai citées – une « sympathie universelle et en tout cas désintéressée » pour la cause de la Révolution : on reconnaît là ce qui caractérise le jugement de goût du point de vue de la qualité (« la satisfaction qui détermine le jugement de goût est désintéressée ») ;

– la mise en relation du jugement des spectateurs avec une « disposition morale » de l'humanité : c'est en effet une « cause morale » qui, sans qu'ils s'en rendent compte [89], incite les spectateurs à l'enthousiasme, car la constitution républicaine vers laquelle la Révolution achemine les hommes est non seulement « conforme au droit », mais aussi « moralement bonne » (elle prépare à la moralité) ; en conséquence, comme dans tout jugement esthétique, le beau (ici, le droit) est symbole du bien : la légalité présente de façon incomplète (ce par quoi il s'agit d'une symbolisation) la moralité (de façon incomplète, puisqu'elle ne fait que la préparer), et c'est donc la disposition morale des spectateurs qui trouve une satisfaction indirecte dans un tel progrès du droit et qui suscite leur sympathie.

C'est par conséquent comme objet d'une expérience esthétique que le droit (à travers ses progrès historiques) permet de penser un passage de la nature à la liberté. 1) Chaque progrès de la légalité, qui se laisse penser à partir du dessein de la *nature*, fait signe, comme s'il était l'œuvre d'un mystérieux génie, vers l'Idée d'un système du droit (constitution républicaine, système de tous les États). 2) L'« ordre social le plus beau » qu'il évoque (et qu'il contribue à engendrer) est lui-même, en tant que systématique, symbole de l'autonomie de la volonté qui définit le Bien moral, autrement dit de la *liberté* [90] : l'« ordre social le plus beau » figure la « belle totalité morale dans toute sa perfection » qui définit le règne

89. Où l'on retrouverait la caractérisation de la beauté comme finalité sans fin (qui, dans l'Analytique du goût, correspond au point de vue de la relation) : les spectateurs de la Révolution s'enthousiasment en effet malgré les atrocités et les meurtres commis – l'événement présentant donc un *effet de sens* (si l'on veut : une finalité) sans que les spectateurs puissent énoncer ce sens (sans fin).

90. Le principe de la réflexion esthétique, à savoir l'Idée de système, contient en lui la notion de cohésion interne et celle d'autosuffisance (le système n'a pas d'extérieur) qui appartiennent aussi à la liberté comme raison pratique et comme autonomie de la volonté.

des fins [91]. La médiation entre nature et liberté (ou : entre les deux jugements réfléchissants des paragraphes 83 et 84) est donc, si l'on souhaite la cerner avec rigueur, procurée par une réflexion sur le droit qui a le statut d'un jugement esthétique sur les beaux et grands moments du progrès historique vers la constitution républicaine [92]. Dans ces conditions, la solution kantienne du problème de l'unité de la philosophie peut alors être rassemblée et située par quatre propositions :

I. Le droit est, en un sens seulement, le centre du système : il est l'objet d'une réflexion qui assure le passage de la nature à la liberté.

II. Cette réflexion sur le droit mobilise la problématique de la communication ou de l'intersubjectivité.

III. La dimension de l'intersubjectivité ainsi mobilisée se réduit à celle de la communication esthétique autour du plaisir procuré par les progrès historiques du droit.

IV. La réponse kantienne à la question des effets de la liberté dans la nature consiste à référer à l'Idée de liberté de simples effets de sens : de même qu'en la beauté naturelle ou artistique la légalisation du contingent fait signe vers une fin sans pouvoir être imputée réellement à nulle cause finale, de même les progrès historiques du droit présentent à qui les contemple un spectacle qui paraît avoir pour sens (ce pour quoi je parle d'« effets de sens ») d'être l'œuvre d'une libre Providence soumettant le mécanisme de la nature à ses fins propres ; il ne s'agit là toutefois que d'un *jugement esthétique* du spectateur, qui éprouve le sentiment d'une intervention de la liberté dans la nature : comme tout jugement esthétique, il renvoie donc non à une quelconque connaissance, mais seulement au sentiment de plaisir et de peine éprouvé par le sujet ; or, le rapport de représentations au sentiment de plaisir et de peine « ne désigne rien dans l'objet », et le sujet se borne à y sentir « comment il est affecté par la représentation » [93]. L'accord entre nature et liberté n'a, en ce sens, nulle valeur constitutive : nature et liberté ne se lient que dans l'expérience subjective du philosophe réfléchissant son sentiment de plaisir

---

91. AK, VI, 457, traduction A. Renaut, in : Kant, *Métaphysique des mœurs*, t. II, *Doctrine de la Vertu*, p. 326.

92. Dans la troisième Critique (AK, V, 184), Kant mentionne lui-même le plaisir procuré par des progrès historiques d'un autre type, ceux de la connaissance : dans les deux cas (la belle découverte, la belle réforme), il y a évocation de l'Idée de système (comme achèvement du savoir, comme réalisation de l'ordre social parfait).

93. AK, V, 204.

face aux progrès historiques du droit. Au cœur du « système de la philosophie », c'est donc bien le philosophe lui-même qui surgit et qui assure une médiation *sans valeur objective*. Schelling et la plupart des postkantiens, y compris Fichte, trouveront insuffisante cette systématicité et tenteront, avec des fortunes diverses, d'élaborer une systématicité véritablement interne (déductive), en montrant comment les parties de la philosophie s'engendrent à partir d'un principe unique, point de départ qui les contient déjà virtuellement. Il n'entre certes pas dans le cadre de cette présentation d'analyser de telles critiques et, moins encore, les tentatives qu'elles engendrèrent : il est clair toutefois que, partant dans la *Critique de la raison pure* de la mise en évidence des structures de la finitude, toute la philosophie transcendantale s'enracine en la reconnaissance d'un donné spatio-temporel indéductible conceptuellement et irréductible à l'activité de l'entendement ; en ce sens, le projet même de reconstruire systématiquement l'idéalisme transcendantal, au sens où il s'agirait de lui conférer une démarche réellement et exhaustivement déductive, équivaudrait à tenter de conférer à une philosophie une *forme* contradictoire avec son *contenu*. L'absence de clôture du système, son élaboration par et pour la réflexion ne sauraient dès lors apparaître ici pour des lacunes ou des insuffisances : dans le cadre du criticisme, il est clair en effet que ces caractéristiques sont, non pas *résiduelles* (le résultat d'un échec), mais *principielles*.

En tout état de cause, et quoi que l'on doive penser de la portée d'une telle solution du problème du « passage » entre nature et liberté, force est de convenir qu'un tel « passage » a aussi pour signification celui d'une première à une seconde Idée de l'homme. Du jugement I au jugement II, on passe en effet d'une Idée de l'homme comme fin dernière de la nature à celle de l'homme comme « être moral », donc comme fin de la Création. Il n'est à vrai dire pas étonnant qu'en son centre (là où se joue en elle le passage entre philosophie théorique et philosophie pratique), une philosophie aussi consciente que toutes ses interrogations se laissent ramener à la question : « Qu'est-ce que l'homme ? » » [94] construise, à travers cet approfondissement de l'Idée d'humanité, une réponse à une telle question. Encore faut-il toutefois ne pas se méprendre sur la teneur la plus profonde de cette réponse.

94. Je renvoie le lecteur, sur ce point, à ma présentation de . Kant, *Anthropologie d'un point de vue pragmatique*, GF-Flammarion. 1993, p. 5 *sq.* : « La question de l'homme, centre du système. »

Qu'est-ce que l'homme ?

À ce propos, je voudrais évoquer un point de traduction qui engage la compréhension de la solution kantienne. Voilà trente ans, dans sa traduction de la troisième *Critique*, A. Philonenko avait transcrit les titres des paragraphes 83 et 84 de la façon suivante : « De la fin dernière de la nature en tant que système téléologique », « De la fin dernière de l'existence d'un monde, c'est-à-dire de la création elle-même ». La plupart des interprètes français qui, depuis cette traduction (1965), ont traité de ces paragraphes n'ont pas manqué de souligner que l'utilisation de la même expression de « fin dernière » pour transcrire les deux titres efface ce qui les distingue dans le texte allemand : dans le premier cas, nous l'avons vu, Kant parle de l'homme comme *letzter Zweck*, tandis que, dans le second, il évoque l'homme comme *Endzweck* ; gommer cette différence terminologique, ce serait estomper tout ce qui oppose l'homme comme être naturel et l'homme comme noumène [95]. Je crois bien avoir été le seul à argumenter, sinon en faveur de la traduction proposée par Philonenko, du moins à rebours de ce qui animait de telles objections [96]. Tant il est vrai, me semble-t-il, que cette querelle de traduction engage, si l'on n'y prend garde, l'interprétation même de la *Critique de la faculté de juger* dans ce qu'elle a de plus original.

Assurément, il n'est guère difficile d'arbitrer le point de traduction envisagé simplement comme tel. De fait, mieux vaut tenter de rendre deux termes différents par deux équivalents plutôt que par un seul [97]. Il n'en demeure pas moins

---

95. *Cf.* par exemple G. Lebrun, *Kant et la fin de la métaphysique*, A. Colin, 1970 ; F. Marty, *La Naissance de la métaphysique chez Kant*, Beauchesne, 1980, p. 400.
96. Voir mon *Système du droit*, PUF, 1986, p. 92, note 82. J'en reprends et en explicite ici la teneur.
97. Ce pourquoi, dans la traduction qu'on va lire, j'ai réservé « fin dernière » pour rendre *letzter Zweck* et ai proposé « fin finale » pour rendre *Endzweck*. Le choix de « fin finale » plutôt que de « but final » s'explique par le souci : 1. De prendre en compte que, dans *Endzweck* comme dans *letzter Zweck*, c'est le même radical (*Zweck*) qui se trouve déterminé de deux façons (ce qu'efface la traduction, souvent proposée, par « but final ») ; 2. De ne pas effacer (en rendant par exemple le couple par « but dernier » et « but final ») qu'il y va encore, dans cette réflexion, de l'interrogation sur la notion de « fin »

que, littéralement entendus, les termes utilisés par Kant sont synonymes et que, le lecteur doit le savoir, nulle constance n'est repérable dans l'emploi kantien des deux termes [98]. Estimer que leur utilisation dans les titres des paragraphes 83-84 a une signification particulière relève donc de l'interprétation. Or, cette interprétation, qui est en réalité celle d'É. Weil [99], me paraît manquer très précisément ce qui constitue la spécificité de la troisième Critique : si l'on souligne en effet l'écart infranchissable entre la destination naturelle de l'homme et sa destination morale, on en revient purement et simplement à la solution de la troisième antinomie, qui, dans la *Critique de la raison pure*, laissait le lecteur aux prises avec le face-à-face de l'homme comme phénomène et de l'homme comme noumène – et comment ne pas voir que se trouve alors manqué tout le sens de l'effort accompli par la *Critique de la faculté de juger* ? La tentative de Kant, en 1790, réside entièrement, nous l'avons suffisamment perçu, dans la recherche d'un *passage* de la nature à la liberté, ou, si l'on veut, du phénoménal au nouménal : dans ces conditions, opposer les points de vue du paragraphe 83 et du paragraphe 84, c'est, non seulement annuler tout le travail de la réflexion, mais régresser en deçà de la problématique qui, de 1781 à 1790, s'est progressivement édifiée chez Kant et a rendu nécessaire la *Critique de la faculté de juger*. Il serait paradoxal que la fascination des interprètes (notamment des interprètes français) pour la première Critique – ainsi que, il faut en convenir, leur plus grande familiarité avec cet ouvrage qu'avec celui de 1790 – en vînt à rendre inaccessible ce par quoi la distinction « dualiste » de l'homme comme phénomène et de l'homme comme

(*Zweck*), telle qu'elle traverse toute la troisième Critique. Je me suis donc résolu à parler, pour *End-zweck*, de « fin finale », au sens de « final » qui est d'ailleurs le plus usuel en français (au sens, par exemple, de la « lutte finale »). Dans la dernière version, révisée, de sa traduction (Vrin, 1993), Philonenko, sans doute de guerre lasse, s'est rallié au couple « fin dernière »/« but final » – uniquement, il est vrai, dans les titres des paragraphes 83-84, mais non point dans le corps du texte : ce qui, convenons-en, ne facilite pas la lecture et risque d'induire bien des confusions !

98. J'ai attiré l'attention, dans les notes de ma traduction, sur les cas où Kant déroge visiblement au dédoublement conceptuel qu'il est supposé avoir produit : ainsi, par exemple, au paragraphe 67, *Endzweck* apparaît-il dans l'expression *Endzweck (scopus) der Natur* (traduira-t-on par « but final de la nature » ?).

99. Voir É. Weil, *Problèmes kantiens*, p. 82, où l'auteur insiste sur l'écart entre l'homme comme « fin dernière de la nature » et l'homme comme « fin ultime ».

noumène ne constitue pas le dernier mot (ni, si j'ose dire, le plus profond) de Kant sur la question : « Qu'est-ce que l'homme ? »

Car ce qu'invite à penser la *Critique de la faculté de juger*, et qu'exploite la philosophie juridico-politique de Kant, c'est précisément, contre les versions scolaires et banalisées de ce dualisme, qu'en devenant, au fil du processus de culture, sujet de droit dans l'espace politique de la cité visant la réalisation de l'Idée républicaine, le propre de l'homme est, non d'opposer, mais d'articuler en lui la nature et la liberté : plus précisément, à travers la médiation que constitue le droit, la nature, par sa soumission seulement extérieure à la loi, s'achemine vers la liberté en préparant la moralité. Par là se conquiert, à la question « Qu'est-ce que l'homme ? », une réponse dont Fichte donnera, en 1796, dans le *Fondement du droit naturel*, une version sans doute plus radicale dans sa lettre, mais néanmoins fidèle à l'esprit de la troisième Critique, en définissant l'humanité (ce que l'humanisme valorise dans l'homme) en termes avant tout juridiques, à savoir par la « possibilité d'acquérir des droits ».

Ainsi le problème de l'unité de la philosophie communique-t-il si directement avec la question de l'homme, et plus spécifiquement avec celle de l'humain comme phénoménalisation de la liberté, qu'il n'est pas interdit de voir aussi dans la *Critique de la faculté de juger* – telle est du moins la dernière piste de lecture que je voudrais ici suggérer – l'un des principaux moments fondateurs de la réflexion sur ce que nous appelons aujourd'hui « science(s) de l'homme ».

III

PENSER LES SIGNES DE L'HUMAIN

La perspective d'appliquer aux sciences de la réalité historique et sociale, telles qu'elles se développèrent au fil du XIXᵉ siècle, la question transcendantale de leurs conditions de possibilité s'est assurément mise en place bien après Kant, dans une tradition, celle de la « critique de la raison historique », qui, apparue avec Dilthey et son *Introduction aux sciences de l'esprit* (1883), prolongée par Rickert, Simmel ou Weber, fut acclimatée en France par les premiers ouvrages de R. Aron [100]. Cette tradition, celle des « philosophies critiques de l'histoire », a volontiers revendiqué pour elle-même, à partir de Dilthey, le mot d'ordre d'une « critique de la raison historique », en s'efforçant de transposer dans le domaine des sciences humaines les exigences que la *Critique de la raison pure* avait fait valoir à l'égard des sciences de la nature. Or, pour des raisons multiples [101], il est permis de se demander si l'héritage kantien qui se pouvait le plus légitimement mobiliser en vue d'une fondation des sciences de l'esprit n'était pas à rechercher bien davantage du côté de la troisième Critique – au point que ce serait, non pas cette « critique de la raison historique » vainement poursuivie par Dilthey et ses successeurs, mais la *Critique de la faculté de juger* elle-même qui, à beaucoup d'égards, ouvrirait la voie d'une « critique des sciences humaines ».

Les exigences d'une fondation des sciences humaines

Il n'est guère difficile d'apercevoir en quoi la fondation même des sciences de l'homme, dans leur prétention à une validité objective, requiert une réponse à ce problème de la phénoménalisation de l'humain dont nous avons vu pour quelles raisons internes à la logique du criticisme elle se trouve au cœur de l'ouvrage de 1790. Pour que de telles sciences soient simplement *possibles* comme des entreprises autonomes, revendiquant, contre la « naturalisation » positiviste de tous les champs du savoir, leurs méthodes propres, il faut en effet que, dans le monde des phénomènes, l'humain se distingue à certains *signes* qui permettent de l'identifier comme tel et imposent d'en confier l'étude à des disciplines spécifiques – bref, si l'on convient que l'apparition de l'humain a quelque chose à voir avec l'irruption de la liberté : il faut que se produise une manifestation sensible (donc une phénoménalisation) de la liberté. C'est alors pour prendre en compte une

100. R. Aron, *Introduction à la philosophie de l'histoire* (1938), rééd. critique par S. Mesure, Gallimard, 1986 ; *Philosophie critique de l'histoire. Essai sur une théorie allemande de l'histoire* (1938), rééd. critique par S. Mesure, Julliard, 1987.
101. Voir S. Mesure, *Dilthey et la fondation des sciences historiques*, PUF, 1990, notamment p. 252 *sq.* Cette perspective est aussi celle qui anime l'ouvrage de l'éminent spécialiste de Dilthey qu'est R. A. Makkreel, *Imagination and Interpretation in Kant. The Hermeneutical Import of the Critique of Judgment*, The University of Chicago Press, Chicago and London, 1990.

telle phénoménalisation que le projet même des sciences humaines se peut élaborer comme supposant une autre idée de la science que celle qui définit les sciences de la nature, lesquelles travaillent en effet à produire l'intelligibilité de phénomènes dont la *Critique de la raison pure* avait établi qu'ils se succèdent suivant la loi de la liaison nécessaire (non libre) de la cause et de l'effet. Avec les sciences humaines apparaît donc comme constitutive de l'*objet* même de certaines disciplines l'exigence que certains phénomènes ne soient pas (ou ne soient pas seulement) déterminés selon la loi de la causalité, mais qu'ils possèdent aussi un sens, c'est-à-dire qu'ils soient interprétables comme les signes d'une liberté. En d'autres termes : il faut qu'il soit inconcevable de traiter les faits humains « comme des choses ». Plus précisément : certes, le fait humain peut bien lui aussi, en tant qu'il se situe dans l'espace et dans le temps, être (comme un fait naturel) soumis à l'explication causale (à la loi du déterminisme), mais il doit apparaître comme ne pouvant être *seulement* l'objet d'une approche causale. On sait comment Dilthey et ses successeurs, de même qu'ultérieurement, en son domaine (celui de la science du droit), H. Kelsen, soulignèrent en ce sens fort clairement que le fait humain (ou, si l'on préfère, le fait social) n'est pas réductible à une existence causalement déterminée (c'est-à-dire succédant nécessairement à telle ou telle cause, ou à tel ou tel ensemble causal), mais qu'il possède une *signification*, autrement dit, qu'il est le signe d'une décision ou d'un projet, qu'il fait sens en manifestant une causalité intentionnelle, c'est-à-dire une *liberté* – ce pourquoi les sciences de l'homme apparaîtront comme devant être, non pas seulement *explicatives*, mais aussi *herméneutiques* ou *interprétatives*, si l'on préfère : *compréhensives*.

Exigences aujourd'hui bien connues et même, tout en continuant d'être discutées (notamment à travers les résurgences successives du positivisme), reconnues. Il ne faut pas ignorer pourtant les difficultés que supposait, pour des lecteurs de la *Critique de la raison pure* comme les « philosophes critiques de l'histoire », l'intégration de ces exigences dans la conception du discours scientifique.

Insuffisances épistémologiques de la solution de la troisième antinomie

En effet, puisqu'il s'agissait, pour fonder la spécificité de disciplines s'autonomisant à l'égard des sciences de la nature, de tenter à la fois d'affirmer le règne de la *nécessité* (selon le principe de la seconde analogie de l'expérience) et d'accorder cependant une place à la *liberté*, on pouvait être tenté de se tourner, là encore, vers la solution de la troisième antinomie, laquelle, dans la *Critique de la raison pure*, posait bien le problème de savoir s'il est possible ou non d'admettre dans le monde une causalité libre : si l'antithèse de l'antinomie, adoptant pour ainsi dire le point de vue des sciences de la nature, pose que « tout arrive dans le monde uniquement suivant des lois de la nature », la thèse consiste, de fait, à affirmer que « la causalité suivant les lois de la nature n'est pas la seule dont puissent être dérivés tous les phénomènes du monde » et qu'il « est encore nécessaire d'admettre une causalité libre pour l'explication de ces phénomènes ». On pouvait donc être porté à croire que le problème posé par la spécificité des sciences de l'homme (l'exigence d'un phénomène de la liberté) s'inscrivait dans le cadre qui est celui de la troisième antinomie kantienne et qu'au fond l'autonomisation de la science du droit par rapport à la science de la nature mobilisait le point de vue de la thèse de cette antinomie. Or (et c'est ici que la difficulté apparaît dans toute son acuité) la façon dont Kant a traité ce problème dans l'examen de la troisième antinomie exclut précisément ces perspectives tentantes – et cela pour deux raisons :

1. La *thèse* n'est pas la *solution* : c'est là, je le concède, un truisme redoutable, mais il faut pourtant bien rappeler que la thèse de la troisième antinomie relève de l'illusion transcendantale, c'est-à-dire qu'elle est *dialectique*. Je n'ai pas à entrer ici dans l'exposé des motifs de cette condamnation de la thèse, mais on sait que, comme c'est le cas dans les quatre antinomies, la thèse de la troisième est « dogmatique » et qu'elle pose donc au fondement de la série des phénomènes l'existence en soi de ce que Kant appelle un « principe intellectuel » (dont il n'y a pas d'expérience possible) – principe certes « commode », mais « de la possibilité duquel [on] ne s'inquiète guère ». Il est donc hors de question de trouver dans une position du type de la thèse de la troisième antinomie le soubassement nécessaire à la fondation des sciences humaines.

2. Mais, d'autre part, et c'est une observation beaucoup plus embarrassante, la *solution* kantienne de cette antinomie ne peut davantage aider à résoudre le problème que pose une telle fondation. Car cette solution, qui reste difficile à interpréter, a pour principe, en tout état de cause, une présentation de l'opposition entre la thèse et l'antithèse comme opposition

seulement apparente, dans la mesure où, ne prenant pas le sujet de l'énoncé (le monde) dans le même sens, elles sont en réalité toutes les deux vraies à leurs niveaux respectifs – la thèse au niveau du monde comme noumène, l'antithèse au niveau du monde comme phénomène. Or, une telle solution, pour un lecteur qui entendrait fonder des disciplines requérant l'apparition phénoménale de la liberté, soulève pour le moins deux ordres de difficultés.

La solution de la troisième antinomie repose, tout d'abord, sur l'idée que le monde que nous *connaissons* (le monde de la science) est soumis sans faille à la loi du déterminisme, et que c'est seulement au plan nouménal qu'il se pourrait trouver une place pour la liberté. C'est là ce qu'exprime un passage célèbre, souvent commenté, de la *Critique de la raison pratique* :

« On peut accorder que, s'il nous était possible de pénétrer la façon de penser d'un homme, telle qu'elle se révèle par des actes aussi bien internes qu'externes, assez profondément pour connaître chacun de ses mobiles, même le moindre, en même temps que toutes les occasions extérieures qui peuvent agir sur eux, nous pourrions calculer la conduite future de cet homme avec autant de certitude qu'une éclipse de Lune ou de Soleil, tout en continuant de déclarer que l'homme est libre [102]. »

Comprendre, bien sûr : qu'il est libre comme noumène. Laissons de côté cette affirmation de la liberté nouménale : le problème posé par ce texte est évidemment qu'*au plan des phénomènes*, même si, en fait (pour nous, êtres finis), le calcul de la conduite future d'un homme reste impossible, en droit (du point de vue d'un Dieu omniscient) ce même calcul doit être considéré comme possible – conséquence inévitable de l'affirmation de la validité universelle du déterminisme au sein des phénomènes. Comment, dès lors, ne pas juger un tel texte, selon la formule d'A. Philonenko, « terrifiant pour la doctrine kantienne de la liberté » ? Effroi, ou du moins inquiétude, que ne peut alors que renforcer la perception d'une seconde difficulté découlant de la première.

Car, si le déterminisme régit intégralement le monde des phénomènes, il devient logiquement impossible d'y distinguer le monde humain et le monde de la nature : difficulté qui retentit évidemment sur la fondation des sciences de l'homme,

102. AK, V, 99, traduction par L. Ferry et H. Wismann, Pléiade, II, p. 728.

laquelle suppose, on l'a vu, la possibilité de reconnaître l'humain (la liberté) à quelque signe distinctif. C'est très précisément ce problème que Fichte, à partir de 1794, soulèvera dans une série de textes qui mériteraient d'être analysés de près [103], mais dont le plus célèbre reste le début de la deuxième des *Conférences sur la destination du savant*, où se trouvent repérées les questions préalables qu'il faut résoudre si une science du droit doit être possible. Parmi ces questions, celle-ci : « Comment l'homme en vient-il à admettre et à reconnaître des êtres raisonnables de son espèce en dehors de lui ? » On ne saurait signifier plus clairement qu'il est indispensable d'aller au-delà de la solution de la troisième antinomie : dans le cadre de la réflexion développée par Fichte, c'est évidemment le fait juridique qui le requiert, puisque, comme limitation réciproque des libertés, le droit suppose bien que les libertés se reconnaissent comme telles, autrement dit qu'« il existe des marques distinctives (*Merkmale*) qui nous permettent de distinguer ceux-ci [les êtres raisonnables] de tous les autres êtres qui ne sont pas raisonnables et par conséquent n'appartiennent pas à la communauté [104] » : reste qu'au-delà même du droit, et plus généralement, il serait tout aussi vrai d'estimer aujourd'hui que de tels signes de l'humanité se trouvent requis pour la possibilité même de sciences de l'homme entendant ne pas traiter les faits humains uniquement « comme des choses ». Si quelque philosophe ambitieux se décidait un jour à écrire une Critique des sciences de l'homme, force lui serait bien en effet de poser à la distinction entre sciences humaines et sciences naturelles la question *quid juris ?* ; or, si l'ensemble du monde phénoménal, naturel aussi bien qu'historique, est régi par le déterminisme, plus rien ne distingue l'humain (l'historique) et le naturel – et donc les deux types de sciences deviennent identiques. Dit autrement : l'autonomie des sciences humaines est suspendue à la possibilité d'élaborer une « critériologie d'autrui », ou, si l'on préfère : une phénoménologie de la liberté – ce qui suppose à l'évidence que soit en quelque sorte introduite, *au niveau même des phénomènes*, une brèche dans l'application universelle du principe de causalité, c'est-à-dire dans le mécanisme. Et à cet égard, il faut en convenir, la première Critique n'est plus d'aucun secours. Toute la question est alors de savoir si, en raison de la place

---

103. Voir mon *Système du droit*, p. 196 *sq.*
104. *Ibid.*

qu'elle accorde à la problématique du « passage », la *Critique de la faculté de juger* a quelque chance d'être ici plus féconde.

L'apport de l'antinomie de la faculté de juger téléologique

C'est la seconde partie de l'ouvrage, nous avons vu dans quels termes en évoquant les paragraphes 83-84, qui permet de penser le « passage ». Or, cette pensée du « passage » entre nature et liberté est rendue possible par la solution de l'antinomie autour de laquelle se structure toute cette seconde partie – à savoir l'antinomie de la faculté de juger téléologique. Comment, dans ces conditions, ne pas se demander ce que peut apporter cette antinomie – dont on sait qu'elle est très particulière dans l'œuvre de Kant [105] – à la recherche d'une solution du problème de la distinction, au sein même des phénomènes, entre monde humain et monde naturel, entre liberté et déterminisme ? En fait, c'est un double intérêt que présente à cet égard l'analyse kantienne de l'antinomie téléologique :

– en premier lieu, elle va conduire à montrer qu'en réalité le point de vue mécaniste n'est pas le seul possible sur le monde phénoménal, puisqu'il faut, dans certains cas particuliers, recourir, sur un mode que Kant précise, au point de vue de la finalité ;

– mais, d'autre part, il est clair que la finalité présente une analogie avec l'idée de liberté : l'idée de finalité renvoie en effet toujours à celle d'action intentionnelle, au sens, par exemple, où l'organisme biologique, lorsqu'il s'adapte à son milieu, agit comme s'il était doué d'intelligence, comme s'il agissait librement (par décision consciente). Là où il faut recourir à la notion de finalité, il se présente donc, au minimum, comme une analogie avec une action libre.

L'enjeu de l'antinomie du jugement téléologique ne peut dès lors qu'apparaître décisif dans le contexte de l'interrogation sur les conditions de possibilité d'une reconnaissance de la liberté : si l'on parvient en effet à établir : a) que le finalisme n'est pas exclu par le mécanisme, donc que la causalité efficiente n'est pas le seul principe régissant le monde des phénomènes ; b) que les phénomènes qui relèvent de la finalité présentent (au minimum) une analogie avec des êtres libres,

105. Je renvoie sur ce point à l'analyse qu'en donne A. Philonenko, « L'antinomie du jugement téléologique », *Revue de métaphysique et de morale*, 1978 (repris in *Études kantiennes*, Vrin, p. 135 *sq.*).

un pas décisif est accompli dans le projet de distinguer au niveau des phénomènes la nature et la liberté. Bref, l'antinomie de la faculté de juger téléologique vient réintroduire une distinction dans ce champ des phénomènes que la solution de la troisième antinomie avait, de façon homogène, abandonné intégralement à l'emprise du déterminisme. Cela dit, la solution complète du problème de la phénoménalisation de la liberté ne sera véritablement fournie (et, avec elle, la fondation des sciences humaines ne sera pleinement menée à bien) que s'il devenait possible de distinguer aussi, *parmi les phénomènes relevant de la maxime finaliste*, ceux qui sont naturels (car la nature elle-même produit des êtres finalisés, notamment ces « êtres organisés » dont traite précisément la deuxième partie de la *Critique de la faculté de juger*) et ceux qui sont proprement humains, c'est-à-dire ceux qui sont effectivement capables de certaines actions libres. C'est au niveau de cette nouvelle et ultime distinction que Fichte estimera insuffisante la *Critique de la faculté de juger* elle-même et entreprendra, notamment dans la deuxième section du *Fondement du droit naturel* de 1796, d'enrichir l'apport kantien en faisant faire à la phénoménologie de la liberté un nouveau pas.

On n'examinera pas ici ce complément fichtéen. Je me bornerai à rappeler brièvement ce qui constitue l'apport propre de Kant. Par rapport à la solution de la troisième antinomie, l'antinomie téléologique apporte en fait trois éléments nouveaux :

1. La thèse (qui affirme le mécanisme) et l'antithèse (qui soutient le point de vue finaliste) portent toutes deux, je le répète, sur des objets visibles, c'est-à-dire sur des phénomènes. Il n'est, pour s'en convaincre, que d'être attentif à l'énoncé des deux thèses par le paragraphe 70 : « Toute production d'*objets matériels* est possible par le mécanisme », « Quelques productions de la *nature matérielle* ne sont pas possibles par le simple mécanisme, mais exigent le point de vue finaliste ». En conséquence, une solution du type de celle de la troisième antinomie, consistant à soutenir qu'un principe vaut pour l'en-soi et l'autre pour les phénomènes, est par définition exclue. Techniquement dit : il ne s'agit pas ici de *subcontraires*, le sujet des deux propositions étant pris dans le même sens. À la différence des troisième et quatrième antinomies de la *Critique de la raison pure*, l'affrontement de la thèse et de l'antithèse donne donc lieu cette fois à une véritable contradiction. Il faut souligner aussi – mais c'est une évidence – que l'on ne se trouve pas non plus, formellement, face à un

cas semblable à celui des deux premières antinomies de la raison pure, où la thèse et l'antithèse se révélaient en fin de compte toutes les deux fausses (ainsi, par exemple, pour la première antinomie : le monde n'est ni fini, ni infini, mais il est indéfini) : cette figure (celle d'une opposition de *contraires*) ne saurait convenir ici, puisque la thèse, qui reprend le point de vue de la seconde analogie de l'expérience, ne saurait manifestement être fausse. L'antinomie téléologique a donc une structure particulière – observation assurément banale, mais importante, dans la mesure où cette spécificité structurale se répercute sur la nature de la solution elle-même, qui sera elle aussi d'un type unique.

2. Cette singulière antinomie introduit, d'autre part, l'idée qu'il est nécessaire, pour connaître les phénomènes, d'accorder une place au point de vue finaliste, alors que, partout ailleurs (et notamment dans la solution de la troisième antinomie), Kant avait posé le principe de causalité comme valant universellement pour les phénomènes et avait donc identifié l'acte de connaissance et l'explication causale. L'apport est bien sûr décisif, rétrospectivement, pour la définition de disciplines qui, comme les sciences humaines, doivent recourir, pour penser leur objet, à l'Idée de liberté : reste que l'on comprend mal, à première vue, comment un tel apport est même simplement possible, c'est-à-dire compatible avec l'affirmation du mécanisme comme valant universellement pour les phénomènes. Le problème est d'ailleurs d'autant plus sérieux que, comme beaucoup de commentateurs l'ont noté, Kant ne donne aucune démonstration de la nécessité d'admettre le point de vue finaliste : fait unique, là encore, dans toutes les antinomies kantiennes, il n'y a pas ici de démonstration, ni directe, ni apagogique, de la thèse et de l'antithèse. Cette constatation ne surprend pas pour la thèse mécaniste, puisque cette thèse a déjà été démontrée dans la première Critique (seconde analogie de l'expérience). C'est, en revanche, apparemment plus étonnant pour l'antithèse. Mais, à y réfléchir, on s'aperçoit sans peine que l'antithèse finaliste ne peut recevoir de démonstration, puisqu'il ne pourrait s'agir, comme dans les antinomies de la raison pure, que d'une démonstration apagogique – ce qui équivaudrait à montrer l'absurdité de la thèse : or, la vérité du mécanisme ayant été établie dans l'Analytique transcendantale, il est par définition exclu d'en établir l'absurdité. Il n'en demeure pas moins que, dans ces conditions, l'on ne voit pas ce qui rend nécessaire d'admettre le point de vue finaliste, ni d'ailleurs sur quel mode l'admettre – étant entendu

en effet qu'admettre ce point de vue ne doit pas entrer en un conflit non maîtrisable avec le fait que la légitimité du point de vue mécaniste a d'ores et déjà été établie. Difficultés sérieuses, il faut l'accorder, mais qui doivent pouvoir être résolues, faute de quoi l'apport de l'antinomie téléologique par rapport à la *Critique de la raison pure* s'annulerait de lui-même – et avec lui l'introduction du finalisme dans le processus de la connaissance phénoménale.

La résolution de ces difficultés se peut accomplir en trois moments.

Pour admettre la finalité (en supposant que nous ayons besoin de l'admettre), il faut évidemment limiter le mécanisme, et cela au niveau même des phénomènes, ce qui semble incompatible avec les acquis de la première Critique. La contradiction est cependant évitable (donc, la limitation du mécanisme est possible) si l'on perçoit que certes le mécanisme est valable absolument, mais comme *méthode de construction* des objets scientifiques dans le temps (si l'on veut : comme schème), et non pas comme *principe ontologique*. En termes plus techniquement kantiens : il vaut pour la forme de l'expérience, mais non pas pour la totalité du réel – ou encore : le principe de causalité est déterminant ou constructif au niveau de l'expérience possible, mais il est réfléchissant ou régulateur au niveau de l'expérience réelle – bref : c'est, *stricto sensu*, un *principe*. Observation qui est d'ailleurs de pur bon sens : car, si la démonstration de la validité universelle du mécanisme prétendait en fonder la validité ontologique pour la totalité de l'être, il faudrait pouvoir affirmer que tous les êtres sont *en soi*, de toute éternité, soumis à la loi de la causalité – ce qui supposerait l'adoption possible, sur le monde, du point de vue de Dieu ou, comme dit Kant, du Soleil. De cette précision, il résulte en tout cas que la limitation du mécanisme devient concevable : la limitation porte en fait sur son *statut*, et non pas sur son *contenu* – ce qui signifie que ce principe a bien une validité universelle, mais comme méthode, et non pas comme vérité ontologique.

En conséquence, si l'on rencontre dans l'expérience réelle des phénomènes dont la production est infiniment improbable par le simple mécanisme (les êtres organisés, mais aussi, pour nous, les faits sociaux), il sera possible d'adopter à leur endroit un point de vue autre que le mécanisme, pour cette simple raison que, face à eux, le mécanisme s'avère *de facto* (et non *de jure*) insuffisant. Il va de soi que la finalité ainsi mobilisée ne sera pas, elle non plus, posée comme valant en soi, mais seulement à titre de point de vue.

Il n'y aura donc pas de démonstration de la validité du point de vue finaliste (ce qui donne à l'antinomie son aspect étonnant), puisque la nécessité du recours à la finalité est seulement un *fait*. Comme telle, cette nécessité ne peut être démontrée : il suffit qu'elle soit *constatée* et que le recours au point de vue finaliste ait été rendu légitime par la mise en évidence qu'il est possible de limiter le mécanisme. Au demeurant, à l'inverse, pour démontrer l'illégitimité de ce recours, il faudrait commettre l'erreur dogmatique qui consisterait à poser la causalité comme un principe valant pour la totalité de l'être.

Les difficultés qui risquaient d'annuler le deuxième apport de l'analyse du jugement téléologique (apport qui consiste en ce que le point de vue finaliste apparaît comme ne pouvant être évacué, vis-à-vis des phénomènes, sauf à se placer du point de vue de Dieu) peuvent donc être considérées comme levées. Reste alors à expliciter une troisième et dernière dimension de cet apport kantien à la phénoménologie de la liberté.

3. Cet ultime apport est constitué par la façon dont la solution de l'antinomie des deux points de vue (paragraphes 71-78) ne consistera pas, dès lors, à *supprimer* leur contradiction, mais bien plutôt à la *situer* avec précision quant à son véritable statut. Sur cette solution, je serai ici délibérément très bref, car elle a souvent été fort correctement analysée [106] : au demeurant, l'essentiel s'en trouve préparé par ce qui précède. La suppression de la contradiction ne peut nullement, en effet, être même envisagée, puisque les deux points de vue, je l'ai souligné, portent sur le même objet (les phénomènes). La solution de l'antinomie se bornera donc à *désontologiser* les deux thèses, c'est-à-dire à les transformer en maximes pour le travail scientifique : au lieu de dire que toute production de chose matérielle *est possible* par le mécanisme (ce qui supposerait, pour être vérifié, que l'on se place d'un point de vue omniscient), on dira seulement que toute production de chose matérielle *doit être jugée possible* par le mécanisme ; au lieu de dire que quelques objets *ne sont pas possibles* par le mécanisme, on dira qu'ils *ne peuvent être jugés possibles* d'après de simples lois mécaniques. La contradiction entre les

106. A. Philonenko, art. cité, in *Études kantiennes*, p. 156-157 ; L. Ferry, *Philosophie politique*, t. II, PUF, 1984.

deux principes est ainsi renvoyée du niveau ontologique à celui de la *réflexion*, dont elle est en quelque sorte constitutive – puisque, pour la supprimer (comme Hegel ou Schelling en feront ultérieurement la tentative), il faudrait se placer du point de vue de Dieu et voir comment, *en soi*, le mécanisme n'est qu'un moment du déploiement de la finalité, ou inversement. Autrement dit : la dualité des deux points de vue nécessaires à la connaissance des phénomènes est le signe indépassable de la finitude humaine.

L'apport de Kant, à travers l'antinomie du jugement téléologique et sa solution, à une phénoménologie de la liberté (et, du même coup, à la définition de sciences dont le modèle ne peut être celui des sciences de la nature), se trouve ainsi, certes non pas entièrement mis en lumière, mais du moins suffisamment cerné : il suppose la transformation du mécanisme et du finalisme en maximes pour la réflexion, l'Idée de système et l'Idée de liberté fonctionnant alors comme des principes de la réflexion, c'est-à-dire comme des *horizons de sens*. Apport qu'on peut trouver limité par rapport à la pratique effective des sciences humaines (mais encore faudrait-il, pour justifier une telle appréciation, examiner attentivement la passionnante « méthodologie », rarement analysée, qui succède à la solution de l'antinomie). Apport qu'on peut aussi trouver contestable – tant la solution de l'antinomie téléologique soulève de difficultés.

Certaines de ces difficultés seront relevées par Schelling en 1797 dans les *Idées pour une philosophie de la nature* : elles sont plus proprement spéculatives et, dans la mesure où elles n'engagent pas la problématique des signes de l'humain, je les laisserai ici de côté [107]. Les premières réserves, en fait, vinrent de Fichte et concernèrent, comme je l'ai déjà suggéré, le problème d'une distinction possible, au sein même de la finalité, entre ce qui est libre (les actions humaines) et ce qui, bien que finalisé, ne constitue pas un phénomène de la liberté et renvoie seulement à la nature (les êtres organisés, plus généralement : les effets de finalité qui sont produits par la nature elle-même). Ce problème est bien évidemment capital pour la fondation des sciences de l'homme, puisque, faute de pouvoir préciser encore, à ce niveau, le critère de distinction entre l'humain et le naturel, c'est la perspective même de pouvoir distinguer entre des sciences de la nature et ce que

107. Pour une analyse et une réfutation parfaites de l'objection de Schelling, voir L. Ferry, *op. cit.*, p. 227-232.

nous appelons aujourd'hui des « sciences humaines » qui s'estompe.

Limites de l'apport kantien

La difficulté est soulevée dès la deuxième des *Conférences sur la destination du savant*. Après avoir soulevé la question des « marques distinctives qui nous permettent de distinguer les êtres raisonnables », Fichte précise, en songeant évidemment à la solution kantienne : « Le premier trait qui s'offre à nous ne caractérise que négativement la rationalité : c'est le fait d'avoir une action d'après des concepts, une activité d'après des fins. Ce qui a le caractère de la finalité peut avoir un auteur raisonnable ; ce à quoi le concept de finalité ne peut se rapporter n'a certainement pas un auteur raisonnable [108]. »

La référence implicite est ici, évidemment, le paragraphe 64 de la *Critique de la faculté de juger*, où Kant expliquait, à partir du célèbre exemple de l'hexagone régulier découvert, tracé dans le sable, au bord de la mer, que, rencontrant un tel objet, *vestigium hominis video* : la finalité était ainsi posée comme le signe ou la trace de la liberté. Or, Fichte souligne que cette marque distinctive est insuffisante : là où il n'y a pas finalité, assurément il n'y a pas d'auteur raisonnable (libre), mais là où il y a finalité, il est certes possible, mais non certain, que l'auteur soit libre. En d'autres termes : « Cette marque distinctive est ambiguë : l'accord du divers résultant dans une unité caractérise la finalité ; mais il y a plusieurs espèces de cet accord qui peuvent être expliquées à partir de simples lois de la *nature* – assurément pas des lois *mécaniques*, mais des lois *organiques* ; nous avons donc encore besoin d'une marque distinctive pour pouvoir conclure avec certitude d'une certaine expérience à une cause raisonnable de cette expérience. »

Or, c'est là, très précisément, le problème des sciences de l'homme : à quoi reconnaître « avec certitude » qu'un événement est le résultat des initiatives d'un individu ou d'un groupe d'individus ? Soit : quel est le signe de la responsabilité ? De là cette demande supplémentaire, que formule parfaitement Fichte : comment doit-on distinguer, « quand ils sont également donnés dans l'expérience », l'effet

---

108. *SW*, VI, p. 304 ; traduction citée, p. 47.

de finalité « produit par la nécessité » de l'effet de finalité « produit par la liberté [109] » ?

La tentative que Fichte lui-même a développée, notamment dans le *Fondement du droit naturel*, pour compléter dans cette direction l'apport de la *Critique de la faculté de juger* n'a pas à être analysée ici. Simplement faut-il observer, pour apprécier à leur juste valeur et cet apport et, éventuellement, ce complément, que la recherche ainsi entreprise d'un critère permettant de définir avec rigueur le champ des sciences de l'homme n'a évidemment pas la moindre fonction opératoire pour la pratique de ces sciences. Assurément, les sciences humaines n'ont eu nul besoin d'un tel critère pour se distinguer des sciences de la nature. Constatation qui, pour autant, n'annule pas la fécondité de la démarche critique, ni la contribution qu'elle reste susceptible d'apporter aujourd'hui à une philosophie des sciences sociales.

Pour une philosophie (critique) des sciences sociales

Comme en toute démarche de type criticiste, il ne s'agit ici, en réalité, que de discerner les conditions de possibilité (pensabilité) d'un fait. En l'occurrence, le fait consiste en ce que, depuis l'apparition de l'histoire comme science, et surtout depuis le dernier tiers du XIXᵉ siècle, un certain nombre de disciplines ont revendiqué leur autonomie par rapport aux sciences de la nature. Or, si l'on veut *légitimer cette prétention*, il faut déterminer avec rigueur ce qui rend à la fois possible et nécessaire cette autonomisation. De ce point de vue, l'apport de la *Critique de la faculté de juger* était d'ores et déjà capital : le modèle mécaniste (dont cependant, après Kant, le positivisme revendiquera encore l'universalisation) apparaissait comme n'étant pas épistémologiquement généralisable, dans la mesure où se trouvaient désignés des phénomènes relevant non pas seulement de l'explication mécaniste, mais aussi de la compréhension par référence à l'idée de causalité intentionnelle. Il n'en demeure pas moins vrai que, pour Kant, ces phénomènes appartenaient d'abord et avant tout à ce qu'on a appelé depuis la biologie, et qui n'est après tout qu'une science *naturelle* ; et même si, de l'opuscule de 1784 aux paragraphes de la *Critique de la faculté de juger* sur le

---

109. Pour un texte parallèle, voir Fichte, *Fondement du droit naturel*, traduction A. Renaut, PUF, 1985, p. 52 (voir aussi p. 92, 106).

processus de culture, la transposition de ces acquis dans le domaine de l'histoire était clairement envisagée, la légitimité d'une autonomisation des sciences prenant pour objet les faits *humains* restait largement à expliciter, et même à approfondir. Dans ce processus d'approfondissement, qui passait avant tout par l'indication d'un critère de distinction absolue permettant de discerner, parmi les phénomènes, l'humain et le naturel, c'est sans doute Fichte qui accomplit le premier pas, avant que la question ne soit reprise par les « philosophies critiques de l'histoire ». Signe que la *Critique de la faculté de juger* inaugurait ainsi une tradition dont la logique allait moins être, au-delà des « retours » proclamés à Kant, celle de la répétition que celle de la fidélité à un style d'interrogation : la présence de cet ouvrage vieux de plus de deux siècles dans certains de nos débats les plus contemporains n'est sans doute pas sans rapport avec cette spécificité de la tradition critique.

ALAIN RENAUT

NOTE SUR LA PRÉSENTE ÉDITION

L'édition allemande dont on a ici suivi le texte est celle de l'Académie de Berlin, dont il existe une reproduction photomécanique aux Éd. Walter de Gruyter & Co. (Berlin, 1968) : la *Kritik der Urteilskraft* figure dans le tome V (*Kants Gesammelte Schriften*, Königliche Preussische Akademie der Wissenschaften, 1908, p. 165-485), et correspond au texte de la deuxième édition de l'ouvrage (1793) ; la « Première Introduction » (*Erste Einleitung in die Kritik der Urteilskraft*) figure dans le tome XX (1942, p. 193-251). C'est la pagination de cette édition de l'Académie qui se trouve indiquée entre parenthèses et en italiques dans le corps de la traduction. Seules figurent en bas de pages les notes de Kant lui-même, appelées par des astérisques. Nos propres notes, reportées en fin de volume, sont appelées en exposant. Concernant cette annotation, il faut signaler qu'elle contient, outre des observations sur le contenu de l'ouvrage, l'examen de divers points de traduction : certaines décisions, plus importantes ou moins évidentes que d'autres, ont été explicitées, et surtout nous avons souhaité confronter notre propre version, quand les écarts étaient particulièrement nets ou procédaient de choix offerts à la discussion, avec les versions françaises antérieures de la troisième Critique. La traduction des plus grands textes de l'histoire de la philosophie n'est jamais close : ce n'est pas faire injure, mais c'est au contraire rendre hommage à nos devanciers que d'indiquer sur quelques points significatifs comment nos efforts se sont développés à travers une libre discussion de ce qu'avaient été leurs options. Nulle traduction ne saurait se prétendre définitive, celle-ci pas davantage que les précédentes : comme elles et parce qu'elle leur succède, elle ménage vers l'œuvre un passage qui, tel celui de la nature à la liberté (dont, au demeurant, il participe), constitue une tâche infinie.

A.R.

PREMIÈRE INTRODUCTION
À LA CRITIQUE DE LA FACULTÉ DE JUGER [1]

I

DE LA PHILOSOPHIE COMME SYSTÈME

(*XX, 195*) Si la philosophie est le *système* de la connaissance rationnelle par concepts, cela la distingue déjà d'une critique de la raison pure, dans la mesure où cette dernière contient certes une recherche philosophique portant sur la possibilité d'une telle connaissance, mais n'appartient pas à un tel système comme sa partie constitutive : en vérité, c'est au contraire elle qui en ébauche avant tout l'idée et la soumet à examen [2].

La division du système peut ne consister tout d'abord qu'en celle qui distingue sa partie formelle et sa partie matérielle : la première (la logique) s'occupe seulement de saisir la forme de la pensée en un système de règles ; la seconde (partie réelle) prend systématiquement en considération les objets sur lesquels s'exerce la pensée, pour autant qu'une connaissance rationnelle procédant de concepts en est possible.

Cela dit, ce système réel de la philosophie ne peut lui-même être divisé autrement que d'après la différence originaire des objets philosophiques et d'après la diversité essentielle, reposant sur cette différence, des principes d'une science qui les contient – soit : en philosophie *théorique* et philosophie *pratique* ; en conséquence, l'une des parties doit être la philosophie de la nature, l'autre celle des mœurs, et parmi elles la première peut contenir aussi des principes empiriques, tandis que la seconde (puisque la liberté ne peut absolument pas être un objet de l'expérience) ne peut jamais comporter d'autres principes que de purs principes a priori [3].

Il règne toutefois un grand malentendu, très dommageable à la façon même de traiter la science, portant sur ce que l'on doit tenir pour *pratique* si le terme doit avoir une signification telle qu'il mérite d'être appliqué à une *philosophie pratique* [4].

On a cru pouvoir ranger dans la philosophie pratique l'habileté politique et l'économie politique, les règles de l'économie domestique en même temps que celles des relations entre les personnes, les préceptes de la santé et (*196*) de la diététique, aussi bien pour l'âme que pour le corps (pourquoi pas tous les métiers et tous les arts ?) – cela, parce qu'ils contiennent tous, pour le moins, un ensemble de propositions pratiques. Simplement, des propositions pratiques se distinguent certes par le mode de représentation des propositions théoriques qui contiennent la possibilité des choses et leurs déterminations, mais non point pour autant par le contenu : seules s'en distinguent à cet égard celles qui considèrent la *liberté* sous des lois. Les autres, dans leur ensemble, ne sont rien de plus que la théorie de ce qui appartient à la nature des choses, avec pour seule particularité qu'elle se trouve appliquée à la manière dont les choses peuvent être produites par nous d'après un principe, c'est-à-dire que la possibilité s'y trouve représentée qu'elles soient le produit d'une action de l'arbitre [5] (laquelle appartient tout aussi bien aux causes naturelles). Ainsi la solution du problème de la mécanique : pour une force donnée qui doit venir équilibrer un poids donné, trouver le rapport des bras de levier respectifs, est-elle assurément exprimée comme une formule pratique, mais elle ne contient rien de plus que la proposition théorique selon laquelle la longueur de ces derniers est en raison inverse des premiers quand ils sont en équilibre ; simplement, ce rapport est représenté comme possible, quant à sa production, par une cause dont le principe déterminant est la *représentation* de ce rapport (notre arbitre). De même en va-t-il exactement avec toutes les propositions pratiques qui concernent uniquement la production des objets. Si l'on fournit des préceptes pour se procurer le bonheur et, par exemple, s'il n'est question que de ce que l'on a à faire, quant à sa propre personne, pour être à même de recevoir le bonheur, seules se trouvent représentées les conditions internes de sa possibilité, pour ce qui touche à la tempérance, à la modération des inclinations (de manière qu'elles ne se transforment pas en passions) [6], etc., comme appartenant à la nature du sujet ; et nous nous représentons simplement en même temps le mode de production de cet équilibre comme correspondant à une causalité qui est possible par nous-mêmes : par suite, tout est représenté comme une conséquence immédiate découlant de la théorie de l'objet mise en relation à la théorie de notre propre nature (nous instituant nous-mêmes comme causes). Il en résulte qu'ici le précepte pratique se distingue certes d'un précepte théorique selon la formule, mais non pas selon le contenu, et il n'y a donc pas besoin d'une (*197*) espèce particulière de philosophie pour apercevoir cette connexion des principes et de leurs conséquences. En un mot : toutes les propositions pratiques qui dérivent de l'arbitre considéré comme cause ce que la nature peut contenir appartiennent dans leur globalité à la philosophie théorique comme connaissance de la nature ; seules s'en distinguent spécifiquement quant au contenu celles qui donnent la loi à la liberté. Des premières, on peut dire qu'elles constituent la partie pratique d'une *philosophie de la nature* ; des secondes, qu'elles seules fondent une *philosophie pratique* particulière.

Remarque

Il est fort important de déterminer exactement quelles sont les parties de la philosophie et, à cette fin, de ne pas inscrire parmi les membres de sa division comme système ce qui n'en constitue qu'une conséquence ou une application à des cas donnés, sans requérir pour cela des principes particuliers.

Les propositions pratiques se laissent distinguer des propositions théoriques soit du point de vue des principes, soit du point de vue des conséquences. Dans le dernier cas, elles ne forment pas une partie particulière de la science, mais elles appartiennent à la partie théorique, comme une espèce particulière des conséquences qui en résultent. Or, la possibilité des choses d'après des lois de la nature se distingue essentiellement, dans ses principes, de la possibilité des choses d'après des lois de la liberté. Mais cette différence ne consiste pas en ce que, pour ces dernières, la cause est située dans une volonté, alors que, pour les premières, elle est située en dehors de celle-ci, dans les choses mêmes. Car, si la volonté n'obéit pas à d'autres principes qu'à ceux à l'aide desquels l'entendement aperçoit que l'objet est possible d'après eux, en tant que simples lois de la nature, assurément peut-on continuer à désigner comme une proposition pratique la proposition qui contient la possibilité de l'objet par la causalité de l'arbitre : reste qu'elle ne se distingue cependant en rien, quant au principe, des propositions théoriques qui concernent la nature des choses ; bien plutôt lui faut-il emprunter à celles-ci son principe (*198*) pour présenter dans l'effectivité la représentation d'un objet.

En conséquence, des propositions pratiques qui, quant à leur contenu, concernent simplement la possibilité d'un objet représenté (par une action de l'arbitre) constituent uniquement des applications d'une connaissance théorique complète et ne peuvent former une partie spéciale d'une science. Une géométrie pratique comme science séparée est un non-sens, quand bien même se trouvent contenues dans cette science pure un si grand nombre de propositions pratiques dont la plupart requièrent, en tant que problèmes, une méthode spécifique de résolution. Le problème suivant : construire un carré avec une ligne droite donnée et un angle droit donné, est une proposition pratique, mais correspond à une pure conséquence de la théorie. De même aussi l'arpentage (*agrimensoria*) [7] ne peut aucunement revendiquer pour lui-même le nom d'une *géométrie* pratique ni se désigner comme une partie spéciale de la géométrie en général, mais il relève bien plutôt des scholies de cette dernière, en l'occurrence de l'utilisation de cette science pour des opérations commerciales *.

Même dans une science de la nature, en tant qu'elle repose sur des principes empiriques, comme c'est le cas de la physique proprement dite, les dispositifs pratiques utilisés pour découvrir des lois cachées de la nature ne peuvent rendre légitime de parler d'une physique pratique (laquelle est tout autant un non-sens) comme constituant une partie de la philosophie de la nature (*199*). Car les principes en vertu desquels nous engageons nos tentatives doivent toujours, nécessairement, être eux-mêmes empruntés à la connaissance de la nature, par conséquent à la théorie. Cela vaut également pour les préceptes pratiques qui concernent en nous la production, à la faveur d'une décision de notre arbitre, d'un certain état d'esprit (par exemple, celui qui met en mouvement l'imagination ou qui la soumet à une discipline, celui qui assouvit ou qui affaiblit les

---

* Cette science pure et, pour cela même, sublime semble perdre quelque chose de sa dignité quand elle avoue que, comme géométrie élémentaire, elle utilise pour construire ses concepts des *instruments*, même s'il n'en y a que deux, à savoir le compas et la règle : elle désigne cette construction comme uniquement géométrique, en nommant en revanche mécanique celle de la géométrie supérieure, parce que cette dernière exige, pour la construction de ses concepts, des machines plus complexes. Simplement, quand on mentionne le compas et la règle, on n'entend pas non plus par là les instruments réels (*circinus et regula*), lesquels ne pourraient jamais produire ces figures avec une précision mathématique ; ils ne doivent au contraire signifier que les modes de présentation les plus simples de l'imagination a priori, avec laquelle nul instrument ne peut rivaliser.

inclinations). Il n'y a pas de *psychologie* pratique comme partie spéciale de la philosophie portant sur la nature humaine. Car les principes de la possibilité d'engendrer artificiellement son état doivent inévitablement être empruntés à ceux en vertu desquels la possibilité de nos déterminations procède de la constitution de notre nature, et, bien que ces principes consistent en propositions pratiques, ils ne forment pourtant nullement une partie pratique de la psychologie empirique, parce qu'ils ne correspondent pas à des principes particuliers, mais appartiennent simplement aux scholies de cette psychologie.

D'une manière générale, les propositions pratiques (aussi bien pures a priori qu'empiriques), quand elles énoncent immédiatement la possibilité d'un objet par notre arbitre, appartiennent toujours à la connaissance de la nature et à la partie théorique de la philosophie. Seules celles qui présentent directement comme nécessaire la détermination d'une action uniquement par la représentation de leur forme (selon des lois en général), sans considération pour les moyens qu'exige la réalisation de l'objet ainsi imposé, peuvent et doivent avoir leurs principes propres (dans l'Idée de la liberté), et, bien qu'elles fondent précisément sur ces principes le concept d'un objet du vouloir (le souverain Bien), cet objet ne relève cependant que d'une façon indirecte, comme conséquence, de la prescription pratique (laquelle se nomme dès lors morale). Aussi sa possibilité ne peut-elle être aperçue par la connaissance de la nature (théorie). Seules ces propositions appartiennent donc à une partie spéciale d'un système des connaissances rationnelles, sous le nom de philosophie pratique.

Toutes les autres propositions de la pratique, quelle que puisse être la science à laquelle elles se rattachent, peuvent, si l'on redoute quelque ambiguïté (*200*), être nommées des propositions, non pas pratiques, mais *techniques*. Car elles appartiennent à l'art de mettre en œuvre ce qu'on veut voir advenir – lequel art, dans une théorie complète, est toujours, pour une quelconque forme d'instruction, une sorte de conséquence, et nullement une partie consistante par elle-même. De cette façon, tous les préceptes de l'habileté appartiennent à la *technique* *, et par conséquent à la connaissance théorique

---

* C'est ici le lieu de rectifier une faute que j'ai commise dans la *Fondation de la métaphysique des mœurs* [8]. En effet, après que j'eus dit des impératifs de l'habileté qu'ils ne commandaient que de façon conditionnée, plus précisément : sous la condition de fins simplement possibles, c'est-à-dire *problématiques*, j'ai nommé de tels préceptes pratiques impératifs problématiques, selon une expression dans laquelle

de la nature, en tant que conséquences de celle-ci. Mais désormais nous utiliserons aussi le terme de technique quand il se trouve, comme parfois, que l'on se borne purement et simplement à *juger* des objets de la nature *comme si* leur possibilité reposait sur l'art – auquel cas les jugements ne sont ni théoriques ni pratiques (dans le sens que l'on a indiqué ci-dessus) (*201*), puisqu'ils ne déterminent rien quant à la constitution de l'objet, ni quant à la façon de le produire : l'on s'y contente en fait de juger de la nature elle-même, mais uniquement selon l'analogie avec un art, et cela dans le rapport subjectif à notre pouvoir de connaître, et non dans le rapport objectif aux objets *. Ici, à vrai dire, ce ne sont pas les jugements eux-mêmes que nous désignons comme techniques, mais c'est en fait la faculté de juger, sur les lois de laquelle les jugements se fondent, ainsi que la nature dans sa conformité avec cette faculté : cette technique, dans la mesure où elle ne contient aucune proposition objectivement déterminante, ne constitue pas non plus une partie de la philosophie doctrinale, mais seulement une partie de la critique de notre pouvoir de connaître [9].

---

figure à vrai dire une contradiction. J'aurais dû les appeler impératifs *techniques*, c'est-à-dire impératifs de l'art. Les impératifs *pragmatiques*, ou règles de la prudence, qui commandent sous la condition d'une fin *effective* et en ce sens subjectivement nécessaire, sont certes eux aussi au nombre des impératifs techniques (car qu'est-ce que la prudence, si ce n'est l'habileté à pouvoir mettre au service de ses desseins des hommes libres, et cela en utilisant chez eux même leurs dispositions naturelles et les inclinations ?). Simplement, le fait que la fin à laquelle nous nous soumettons nous-mêmes et nous soumettons les autres, à savoir le bonheur personnel, n'appartienne pas aux fins purement arbitraires, justifie une dénomination particulière de ces impératifs techniques – parce que le problème n'exige pas uniquement ici, comme pour les impératifs techniques, de découvrir la manière de réaliser une fin, mais il requiert aussi la détermination de ce qui constitue cette fin elle-même (le bonheur) – ce qui doit être supposé connu quand il s'agit des impératifs techniques en général.

* *Annotation marginale de Kant* : Dans la mesure où de tels jugements ne sont nullement des jugements de connaissance, on peut voir d'où vient que le concept des jugements techniques peut se situer totalement en dehors du champ de la division logique (en jugements théoriques et jugements pratiques) et ne trouver place que dans une critique de l'origine de notre connaissance.

II

DU SYSTÈME DES POUVOIRS
SUPÉRIEURS DE CONNAÎTRE QUI EST AU FONDEMENT
DE LA PHILOSOPHIE

Quand il s'agit de diviser non pas une *philosophie*, mais notre *pouvoir* (supérieur) *de connaître a priori par concepts* [10], c'est-à-dire quand il s'agit d'une critique de la raison pure ne considérant celle-ci que dans son pouvoir de penser (où le mode pur de l'intuition ne se trouve pas pris en considération), la représentation systématique du pouvoir de penser prend la forme d'une tripartition : la division distingue, premièrement, le pouvoir de connaître l'*universel* (les règles), l'*entendement* ; deuxièmement, le pouvoir de *subsumer le particulier* sous l'universel, la *faculté de juger* ; et, troisièmement, le pouvoir de *déterminer* le particulier par l'universel (de dériver à partir de principes), c'est-à-dire la *raison.*

(*202*) La critique de la raison pure *théorique*, qui était consacrée aux sources de toute connaissance a priori (par conséquent aussi aux sources de ce qui, en elle, appartient à l'intuition), fournissait les lois de la *nature*, la critique de la raison *pratique* fournissait la loi de la *liberté* – et ainsi semblait-il que l'on eût d'ores et déjà traité complètement des principes a priori pour la philosophie tout entière.

Cependant, si l'entendement fournit a priori des lois de la nature, alors que la raison fournit des lois de la liberté, on peut s'attendre, par analogie, à ce que la faculté de juger, qui constitue la médiation permettant de relier ces deux pouvoirs, fournisse elle aussi, tout comme ces derniers, ses propres principes a priori et fonde peut-être une partie spéciale de la philosophie – cela, quand bien même celle-ci, en tant que système, ne peut avoir que deux parties.

Simplement, la faculté de juger est un pouvoir de connaître si particulier, tellement dépourvu d'autonomie, qu'il ne fournit pas de concepts, comme l'entendement, ni d'Idées, comme la raison, d'un quelconque objet, parce que c'est un pouvoir qui n'est à même que de subsumer sous des concepts donnés par ailleurs. S'il devait donc y avoir un concept ou une règle procédant originairement de la faculté de juger, ce devrait être un concept des choses de la *nature, en tant que celle-ci se conforme à notre faculté de juger*, et donc un concept d'une constitution de la nature telle que l'on ne pourrait aucunement la concevoir, sauf à considérer qu'elle conforme son organisation à notre pouvoir de subsumer les lois particulières qui sont données sous des lois plus générales qui, pour leur part, ne sont pas encore données ; en d'autres termes, il devrait s'agir du concept d'une finalité de la nature vis-à-vis de notre pouvoir de la connaître, dans la mesure où il est exigé pour cela que nous puissions juger le particulier comme compris sous l'universel (*203*) et le subsumer sous le concept d'une nature.

Or, un tel concept est celui d'une expérience *en tant que système donné selon des lois empiriques*. Car, bien que cette expérience constitue un système ordonné selon des lois *transcendantales* qui contiennent la condition de possibilité de l'expérience en général, il peut cependant se trouver une *diversité si infinie* des lois empiriques et une *si grande hétérogénéité des formes* de la nature qui appartiendraient à l'expérience particulière, que le concept d'un système ordonné selon ces lois (empiriques) doit être totalement étranger à l'entendement et que ni la possibilité, ni encore moins la nécessité, d'un tout de ce genre ne se peuvent concevoir. Néanmoins, l'expérience particulière, dont la structuration [11] est entièrement assurée selon des principes constants, requiert aussi cette structuration systématique des lois empiriques, afin qu'il devienne possible pour la faculté de juger de subsumer le particulier sous l'universel, quelque empirique qu'il demeure et continue d'être jusqu'aux lois empiriques les plus élevées et aux formes de la nature qui s'ordonnent d'après elles, et par conséquent qu'il devienne possible de considérer l'*agrégat* des expériences particulières comme un *système* de celles-ci ; car, sans cette présupposition, nulle structuration * complète

* La possibilité d'une expérience en général est la possibilité de connaissances empiriques en tant que jugements synthétiques. Elle ne peut donc être tirée analytiquement d'une simple comparaison de perceptions (comme on le croit communément), car la liaison de deux perceptions différentes dans le concept d'un objet (en vue de la connaissance de celui-ci) est une *synthèse* qui rend possible une *connaissance* empirique, c'est-à-dire une expérience, uniquement d'après des principes de l'unité synthétique des phénomènes, c'est-à-dire d'après des propositions fondamentales à travers lesquelles ils sont ramenés sous les catégories [12]. Or, ces connaissances empiriques constituent, à travers ce qu'elles ont nécessairement en commun (*204*) (à savoir ces lois transcendantales de la nature), une unité analytique

selon des lois, c'est-à-dire nulle unité empirique de ces expériences, ne peut intervenir.

(*204*) Cette légalité, contingente en soi (d'après tous les concepts de l'entendement), que la faculté de juger (uniquement en sa propre faveur) présume de la nature et présuppose en elle, est une finalité formelle de la nature que purement et simplement nous *admettons* en elle ; même si par là ne se trouvent fondés ni une connaissance théorique de la nature ni un principe de la liberté, reste néanmoins qu'est donné pour l'appréciation et l'exploration de la nature un principe afin de rechercher, par rapport aux expériences particulières, les lois universelles d'après lesquelles nous avons à les organiser afin de produire cette connexion systématique qui est nécessaire à une expérience cohérente et que nous avons des raisons d'admettre a priori.

Le concept qui procède originairement de la faculté de juger et qui lui est propre est donc celui de la nature comme *art* – en d'autres termes : celui de la *technique de la nature* à l'égard de ses lois particulières, lequel concept ne fonde aucune théorie et contient tout aussi peu que la logique une connaissance des objets et de leur constitution, mais donne simplement un principe pour progresser d'après les lois de l'expérience et par conséquent pour explorer (*205*) la nature. Certes, la connaissance de la nature ne s'enrichit de ce fait d'aucune loi objective particulière, mais simplement une maxime se trouve fondée pour la faculté de juger, lui permettant d'observer de semblables lois et de faire paraître une cohérence entre les formes de la nature.

* Cela dit, la philosophie, comme système doctrinal de la connaissance de la nature aussi bien que de la liberté, n'acquiert par ce biais aucune partie nouvelle ; car la représen-

---

de toute expérience, mais non point cette unité synthétique de l'expérience comme formant un système qui relie aussi sous un principe les lois empiriques à travers ce qu'elles ont de différent (et là où leur diversité peut aller jusqu'à l'infini). Ce qu'est la catégorie à l'égard de chaque expérience particulière, telle est ce qu'est maintenant la finalité ou convenance de la nature (même du point de vue de ses lois particulières) vis-à-vis de notre pouvoir de la faculté de juger, d'après lequel elle est représentée non seulement comme mécanique, mais aussi comme technique : il s'agit là d'un concept qui, assurément, ne détermine pas objectivement, comme le fait la catégorie, l'unité synthétique, mais fournit pourtant, subjectivement, des principes qui servent de fil conducteur à l'exploration de la nature.

* *Paragraphe rayé par Kant* : La philosophie, comme *système* réel (*reales*) de la *connaissance de la nature* a priori par concepts,

tation de la nature en tant qu'art est une simple Idée qui sert de principe à notre exploration de celle-ci, par conséquent simplement au sujet, pour introduire dans l'agrégat des lois empiriques en tant que telles, quand c'est possible, une structuration semblable à celle qui règne dans un système, dans la mesure où nous attribuons à la nature une relation à ce besoin, qui est nôtre, d'une telle structuration. En revanche, notre concept d'une technique de la nature, en tant qu'il constitue un principe heuristique pour les jugements que nous portons sur celle-ci, relèvera de la critique de notre pouvoir de connaître, laquelle montre ce qui nous fournit l'occasion de nous faire de la nature une telle représentation, quelle est l'origine de cette Idée et si elle se peut repérer dans une source a priori, de même qu'elle indique quelles sont l'extension et les limites de l'usage d'une telle Idée ; en un mot, une semblable recherche appartiendra comme l'une de ses parties au système de la critique de la raison pure, mais non pas à la philosophie doctrinale.

III

DU SYSTÈME DE TOUS LES POUVOIRS
DE L'ESPRIT HUMAIN

Nous pouvons ramener tous les pouvoirs de l'esprit [13] humain sans exception aux trois suivants : le *pouvoir de connaître*, (206) le *sentiment de plaisir et de déplaisir* et le *pouvoir de désirer*. Assurément, des philosophes qui étaient au reste dignes de tout éloge pour la profondeur de leur mode de penser ont cherché à déclarer cette diversité simplement apparente et à rapporter tous les pouvoirs au seul pouvoir de connaître. Reste que l'on peut très aisément montrer et que l'on a même déjà perçu depuis quelque temps que cette tentative pour introduire de l'unité dans cette diversité des

---

n'acquiert donc par ce biais aucune partie nouvelle : car cette considération appartient à la partie théorique de celle-ci. Mais la critique de la faculté pure de connaître l'intègre assurément en elle comme une partie très nécessaire, par laquelle, premièrement, des *jugements* sur la nature dont le principe de détermination pourrait aisément être mis au nombre des jugements empiriques sont isolés de ceux-ci et, deuxièmement...

pouvoirs, quand bien même elle a pu être entreprise dans un esprit authentiquement philosophique, est vaine. Car il y a toujours une grande différence entre, d'une part, des représentations qui, simplement rapportées à l'objet et à l'unité de la conscience que nous avons d'elles, relèvent de la connaissance – ou encore : entre ce rapport objectif, lorsque, considérées en même temps comme causes de l'effectivité de cet objet, elles sont mises au compte du pouvoir de désirer – et, d'autre part, leur relation pure et simple avec le sujet, lorsqu'elles constituent par elles-mêmes des raisons de simplement maintenir leur propre existence dans ce même sujet et en tant qu'elles sont considérées en relation avec le sentiment de plaisir – lequel n'est absolument pas une connaissance, ni n'en procure aucune, bien qu'il puisse en supposer une au principe de sa détermination.

La connexion entre la connaissance d'un objet et le sentiment de plaisir et de déplaisir pris à l'existence de cet objet, ou la détermination du pouvoir de désirer à le produire, peut certes être connue empiriquement de façon suffisante ; mais, dans la mesure où cette conjonction n'est fondée a priori sur nul principe, les facultés de l'esprit ne constituent dans ces conditions qu'un agrégat, et non pas un système. Certes, il se trouve qu'entre le sentiment de plaisir et les deux autres pouvoirs une connexion se laisse mettre en évidence a priori et que, quand nous relions une connaissance a priori, à savoir le concept rationnel de la liberté, avec le pouvoir de désirer comme principe déterminant de ce dernier, l'on peut, dans cette détermination objective (*207*), rencontrer en même temps subjectivement un sentiment de plaisir contenu dans la détermination du vouloir. Mais de cette façon le pouvoir de connaître n'est pas lié au pouvoir de désirer par la *médiation* du plaisir ou du déplaisir ; car le plaisir ne précède pas le pouvoir de désirer, mais, au contraire, ou bien il est le premier à venir après la détermination de celui-ci, ou bien peut-être n'est-il rien d'autre que la sensation de cette déterminabilité du vouloir par la raison elle-même, et par conséquent il ne s'agit nullement d'un sentiment spécial et d'une capacité d'éprouver quelque chose [14] de spécifique qui exigerait une division particulière parmi les propriétés de l'esprit. Or, puisque, dans l'analyse des pouvoirs de l'esprit en général, se trouve irréfutablement donné un sentiment de plaisir qui, en toute indépendance par rapport à la détermination du pouvoir de désirer, bien plutôt peut fournir à celui-ci un principe de détermination, mais que, pour la connexion de ce sentiment

avec les deux autres pouvoirs en un système, il est requis que
ce sentiment de plaisir, tout autant que les deux autres
pouvoirs, repose, non sur des fondements simplement empiriques, mais sur des principes a priori, il en découle que l'Idée
de la philosophie en tant que constituant un système requiert
elle aussi (bien qu'il ne s'agisse pas d'une doctrine) une *critique
du sentiment de plaisir et de déplaisir*, en tant qu'il n'est pas
fondé empiriquement.

Or, le *pouvoir de connaître* d'après des concepts a ses
principes a priori dans l'entendement pur (dans son concept
de la nature), le *pouvoir de désirer* a le sien dans la raison
pure (dans son concept de la liberté) ; dans ces conditions,
reste encore, parmi les propriétés de l'esprit en général, un
pouvoir intermédiaire ou capacité d'éprouver quelque chose,
à savoir le *sentiment de plaisir et de déplaisir*, tout comme
il reste parmi les pouvoirs supérieurs de connaître un pouvoir
intermédiaire : la faculté de juger. Qu'y a-t-il de plus naturel
(*208*) que de faire l'hypothèse que celle-ci contiendra également des principes a priori pour celui-là ?

Sans rien déterminer encore concernant la possibilité de
cette connexion, il y a pourtant déjà ici une certaine convenance de la faculté de juger au sentiment de plaisir, pour lui
servir de principe de détermination ou pour trouver ce dernier
en elle : point qu'on ne saurait méconnaître, étant donné que
si, dans la *division du pouvoir de connaître par concepts*,
l'entendement et la raison rapportent leurs représentations à
des objets pour en obtenir des concepts, la faculté de juger
se rapporte pour sa part exclusivement au sujet et ne produit
par elle-même aucun concept d'objets. De même, si, dans la
division universelle des *facultés de l'esprit en général*, le
pouvoir de connaître aussi bien que le pouvoir de désirer
contiennent une relation *objective* des représentations, le sentiment de plaisir et de déplaisir n'est en revanche que la
capacité à éprouver une détermination du sujet, tant et si bien
que, si la faculté de juger doit partout déterminer quelque
chose par elle seule, ce pourrait fort bien n'être rien d'autre
que le sentiment de plaisir et, inversement, si ce sentiment
doit partout avoir un principe a priori, c'est uniquement dans
la faculté de juger qu'il sera à trouver.

IV

DE L'EXPÉRIENCE COMME CONSTITUANT UN SYSTÈME
POUR LA FACULTÉ DE JUGER

Nous avons vu dans la *Critique de la raison pure* que la nature dans sa globalité, comme ensemble de tous les objets de l'expérience, constituait un système d'après des lois transcendantales, c'est-à-dire des lois telles que l'entendement lui-même les fournit a priori (à savoir pour des phénomènes, en tant que, liés dans une conscience, ils doivent constituer une expérience) [15]. C'est précisément la raison pour laquelle l'expérience, elle aussi, dès que, considérée objectivement en général, elle est possible (en Idée), doit nécessairement constituer un système de connaissances empiriques possibles. Car c'est là ce qu'exige l'unité de la nature, d'après un principe de la liaison intégrale de tout ce qui est contenu dans cet ensemble de tous les phénomènes (*209*). Ainsi est-ce dans cette mesure que l'expérience en général doit être considérée, d'après les lois transcendantales de l'entendement, comme un système et non pas comme un simple agrégat.

Il n'en résulte pas que la nature constitue aussi d'après des *lois empiriques* un système susceptible d'être *saisi* par le pouvoir humain de connaître, ni que soit possible pour les hommes la structuration systématique intégrale de ses phénomènes en une expérience, par conséquent que cette dernière elle-même soit possible comme système. Car il se pourrait que la diversité et l'hétérogénéité des lois empiriques soient si grandes qu'il nous serait certes partiellement possible de relier des perceptions en une expérience d'après des lois particulières découvertes de façon occasionnelle, mais qu'il nous soit à jamais impossible de ramener ces lois empiriques elles-mêmes à l'unité correspondant à leur affinité sous un principe commun – ce qui serait le cas si, comme c'est cependant en soi possible (du moins pour autant que l'entendement puisse en décider a priori), la diversité et l'hétérogénéité de ces lois, en même temps que celles des formes de la nature qui leur sont soumises, étaient infiniment grandes et nous y présentaient un agrégat chaotique brut, sans nous indiquer la moindre trace d'un système, bien qu'il nous faille en supposer un d'après des lois transcendantales.

Car *l'unité de la nature dans le temps et l'espace* et l'unité de l'expérience pour nous possible, c'est tout un, parce que la nature est un ensemble de simples phénomènes (modes de représentation) qui ne peut avoir sa réalité objective qu'exclusivement dans l'expérience, laquelle doit être possible elle-même comme système d'après des lois empiriques si (ce qui doit être le cas) on pense la nature comme un système. C'est donc une *supposition* transcendantale subjectivement nécessaire que de considérer que cette inquiétante disparité sans bornes des lois empiriques et cette hétérogénéité des formes naturelles ne sont pas appropriées à la nature, et que celle-ci, à travers l'affinité des lois particulières sous des lois plus générales, possède bien plutôt les qualités requises pour constituer une expérience en tant que système empirique.

Or, cette supposition est le principe transcendantal de la faculté de juger. Car cette dernière n'est pas seulement un pouvoir de subsumer le particulier sous l'universel (dont le concept est donné), mais (*210*) elle est aussi, à l'inverse, pouvoir de trouver pour le particulier l'universel. L'entendement, de son côté, fait abstraction, dans sa *législation* transcendantale de la nature, de toute la diversité des lois empiriques possibles ; il ne prend en considération dans cette législation que les conditions de possibilité d'une expérience en général selon sa forme. Ce n'est donc pas en lui qu'on peut rencontrer ce principe de l'affinité entre les lois particulières de la nature. Toutefois, la faculté de juger, à laquelle il incombe de ramener les lois particulières, même quant à ce qui vient les différencier parmi les lois générales de la nature, sous des lois plus élevées, toujours empiriques cependant, doit nécessairement fonder sa démarche sur un tel principe. Car, si la faculté de juger, procédant par tâtonnement parmi les formes de la nature, considérait pourtant comme totalement contingente la manière dont elles viennent à s'accorder entre elles sous des lois empiriques communes, mais de niveau supérieur, il serait encore plus contingent que des *perceptions particulières* puissent jamais, par chance, se prêter à une loi empirique ; mais ce serait à nouveau bien davantage le cas si des lois empiriques diverses s'accordaient *dans leur structuration complète* à l'unité systématique de la connaissance de la nature en une expérience possible sans qu'il faille supposer, par l'intermédiaire d'un principe a priori, une telle forme dans la nature.

Toutes ces formules qui sont en vogue : « La nature prend la voie la plus courte » ; « Elle ne fait rien en vain » ; « Elle ne procède à aucun saut dans la diversité des formes *(continuum formarum)* » ; « Elle est riche en espèces, mais en même temps, en revanche, économe dans les genres », et d'autres du même type [16], ne sont rien d'autre que la façon même que la faculté de juger a de se manifester transcendantalement en se donnant un principe pour constituer l'expérience comme un système et par conséquent pour satisfaire son propre besoin. Ni l'entendement ni la raison ne peuvent fonder a priori une telle loi de la nature. Car, que la nature, dans ses lois simplement formelles (par quoi elle est objet de l'expérience en général) se règle sur notre entendement, cela se perçoit aisément, mais vis-à-vis des lois particulières, de leur diversité et de leur hétérogénéité, elle est libre de toutes les limitations de notre pouvoir de connaître dans sa dimension législatrice, et ce qui fonde ce principe, c'est une simple supposition de la faculté de juger, en vue de son propre usage pour, dans chaque cas, s'élever du particulier empirique à un terme *(211)* également empirique, mais plus général, cela en vue de procéder à l'unification de lois empiriques. On ne peut pas davantage mettre un tel principe au compte de l'expérience, dans la mesure où c'est seulement en le supposant qu'il est possible d'organiser systématiquement les expériences.

V

DE LA FACULTÉ DE JUGER RÉFLÉCHISSANTE

La faculté de juger peut être considérée soit comme un simple pouvoir de *réfléchir* suivant un certain principe sur une représentation donnée, dans le but de rendre possible par là un concept, soit comme un pouvoir de *déterminer*, à l'aide d'une représentation empirique donnée, un concept pris comme sujet du jugement. Dans le premier cas, il s'agit de la *faculté de juger réfléchissante*, dans le second, de la *faculté de juger déterminante*. Or, *réfléchir* (examiner par la réflexion) [17], c'est comparer et tenir ensemble des représentations données, soit avec d'autres, soit avec son pouvoir de connaître, en relation avec un concept rendu par là possible. La faculté de juger réfléchissante est celle que l'on appelle aussi le pouvoir de porter des jugements appréciatifs (*facultas dijudicandi*).

L'*acte de réfléchir* (qui se manifeste même chez des animaux, bien que ce ne soit que de manière instinctive, c'est-à-dire en relation, non pas à un concept qui se pourrait obtenir par ce moyen, mais à une inclination qui se trouve à déterminer par là) requiert pour nous tout autant un principe que l'acte de déterminer, dans lequel le concept de l'objet qui est pris pour sujet du jugement prescrit la règle à la faculté de juger et joue donc le rôle du principe.

Le principe de la réflexion sur les objets donnés de la nature est celui-ci : pour toutes les choses de la nature se peuvent trouver des *concepts* empiriquement déterminés *, ce qui signifie également que l'on peut toujours supposer dans ses (*212*) produits une forme qui est possible selon des lois générales que nous pouvons connaître. Car, si nous ne pouvions procéder à cette supposition et si nous n'établissions pas ce principe à la base de notre façon de traiter des représentations empi-

* Ce principe n'a nullement, en première apparence, l'allure d'une proposition synthétique et transcendantale, mais au contraire il semble plutôt être tautologique et relever de la simple logique. Car celle-ci apprend comment on peut comparer une représentation donnée avec d'autres et se forger un concept en dégageant ce qu'elle a de commun avec d'autres qui sont différentes, comme constituant un caractère, pour en faire un usage général. Simplement, pour savoir si, concernant chaque objet, la nature en a aussi beaucoup d'autres à proposer qui puissent servir d'objets de comparaison et qui aient avec (*212*) lui maint élément commun dans la forme, la logique n'apprend rien ; bien plutôt, cette condition de possibilité de l'application de la logique à la nature est un principe de la représentation de la nature comme système pour notre faculté de juger, dans lequel le divers, divisé en genres et espèces, rend possible de ramener toutes les formes de la nature qui se présentent, par comparaison, à des concepts (d'une généralité plus ou moins grande). Or, certes, l'entendement pur enseigne déjà (mais c'est aussi grâce à des principes synthétiques) à penser toutes les choses de la nature comme contenues dans un *système* transcendantal d'après des *concepts a priori* (les catégories) ; simplement, la faculté de juger qui (faculté de juger réfléchissante) cherche aussi des concepts pour des représentations empiriques en tant que telles doit à cet usage admettre en outre que la nature, dans sa diversité sans limites, est parvenue à une division de cette diversité en genres et espèces telle qu'elle donne à notre faculté de juger la possibilité de trouver de l'harmonie dans la comparaison des formes de la nature et de parvenir à des concepts empiriques et à leur structuration en un ensemble, par élévation à des concepts plus généraux qui soient également empiriques : ce qui revient à dire que la faculté de juger suppose un système de la nature également d'après des lois empiriques, et cela a priori, par conséquent à l'aide d'un principe transcendantal.

riques, tout acte de réflexion interviendrait seulement de manière aventureuse et aveugle, sans que par conséquent se puisse raisonnablement attendre un accord de cette réflexion avec la nature.

Pour ce qui concerne les concepts universels de la nature, sous la condition desquels en général un concept d'expérience (sans détermination empirique particulière) devient possible, la réflexion trouve déjà ce qui la guide dans le concept d'une nature en général, c'est-à-dire dans l'entendement, et la faculté de juger ne requiert nul principe particulier de la réflexion ; au contraire, c'est elle qui *schématise a priori* et applique à chaque synthèse empirique ces schèmes sans lesquels nul jugement d'expérience ne serait possible. La faculté de juger est ici, dans sa réflexion, en même temps déterminante et le schématisme transcendantal de la réflexion lui sert en même temps de règle sous laquelle sont subsumées des intuitions empiriques données.

(213) Mais, pour ce qui est des concepts qu'il faut d'abord trouver pour des intuitions empiriques données et qui supposent une loi particulière de la nature, d'après laquelle seulement l'expérience *particulière* est possible, la faculté de juger requiert à destination de sa réflexion un principe spécifique, également transcendantal, et on ne peut pas la renvoyer une fois encore à des lois empiriques déjà connues, ni non plus transformer la réflexion en une simple comparaison avec des formes empiriques pour lesquelles on possède déjà des concepts. Car la question se pose * de savoir comment l'on pourrait espérer, par la comparaison des perceptions, arriver à des concepts empiriques de ce qui est commun aux diverses formes de la nature si la nature (comme il est cependant possible de le penser) y avait disposé, du fait de la grande diversité de ses lois empiriques, une si grande hétérogénéité que toute comparaison, ou du moins dans la plupart des cas, serait vaine pour chercher à dégager parmi ces formes une harmonie et un ordre hiérarchisé des espèces et des genres. Toute comparaison de représentations empiriques pour recon-

* *Texte original* : [La question se pose] tout aussi légitimement à propos de ces concepts de savoir comment et par l'intermédiaire de quelle réflexion nous sommes parvenus jusqu'à eux en tant que formes légales de la nature. Au demeurant, des lois ne se peuvent percevoir si l'on n'a pas supposé des principes d'après lesquels des perceptions doivent être comparées, mais qui, quand c'est uniquement d'après eux que l'expérience est possible, sont des principes transcendantaux.

naître dans les choses de la nature des lois empiriques et des formes *spécifiques* se soumettant à ces lois, mais aussi *s'accordant génériquement*, à la lumière de leur comparaison, avec d'autres, présuppose en tout cas que la nature a observé, même vis-à-vis de ses lois empiriques, une certaine économie adaptée à notre faculté de juger et une uniformité que nous sommes à même de saisir, et cette présupposition doit, comme principe de la faculté de juger a priori, précéder toute comparaison.

La faculté de juger réfléchissante procède donc à l'égard de phénomènes donnés, pour les ramener sous des concepts empiriques de choses naturelles déterminées, non pas schématiquement, mais *techniquement*, non pas pour ainsi dire de manière simplement (*214*) mécanique, comme un instrument, sous la direction de l'entendement et des sens, mais *sur le mode de l'art*, en se conformant au principe universel, mais en même temps indéterminé, d'un agencement finalisé de la nature en un système, en quelque sorte au bénéfice de notre faculté de juger, dans l'appropriation de ses lois particulières (dont l'entendement ne dit rien) à la possibilité de l'expérience comme constituant un système – supposition sans laquelle nous ne pourrions espérer nous y reconnaître dans le labyrinthe des lois particulières possibles en leur diversité. La faculté de juger se donne donc à elle-même a priori la *technique de la nature* pour principe de sa réflexion, sans toutefois pouvoir expliquer cette technique ni la déterminer plus précisément, ou sans disposer pour cela d'un fondement objectif de détermination des concepts universels de la nature (dérivant d'une connaissance des choses en elles-mêmes), mais au contraire elle se procure ce principe uniquement pour pouvoir réfléchir selon ses propres lois subjectives, selon son besoin, mais cependant, en même temps, en accord avec des lois de la nature en général.

Cela dit, le principe de la faculté de juger réfléchissante, grâce auquel la nature est pensée comme système d'après des lois empiriques, est seulement un principe *pour l'usage logique de la faculté de juger* : il s'agit certes d'un principe transcendantal quant à son origine, mais uniquement en vue de considérer a priori la nature comme possédant les qualités nécessaires à la constitution d'un *système logique* de sa diversité sous des lois empiriques.

La forme logique d'un système consiste simplement dans la division de concepts universels donnés (tel qu'est ici celui d'une nature en général), à la faveur de laquelle on pense selon un certain principe le particulier (ici, l'empirique), avec sa diversité, comme contenu sous l'universel. En relèvent, si on procède empiriquement et si on s'élève du particulier à l'universel, une *classification* du divers, c'est-à-dire une comparaison entre plusieurs classes dont chacune se range sous un concept déterminé et, quand elles sont complètes selon le caractère commun, leur subsomption sous des classes supérieures (les genres), jusqu'à ce que l'on arrive au concept qui contient en lui le principe de la classification tout entière (et constitue le genre suprême). Si l'on part au contraire du concept universel pour descendre jusqu'au particulier à la faveur d'une division complète, *(215)* la manière dont on procède s'appelle la *spécification* du divers sous un concept donné, étant donné que l'on progresse du genre suprême aux genres inférieurs (sous-genres ou espèces) et des espèces aux sous-espèces. On s'exprime avec plus d'exactitude si, au lieu de dire (comme dans l'usage ordinaire de la langue) : il faut spécifier le particulier qui est subsumé sous un universel, on dit de préférence : *on spécifie le concept universel* en ramenant le divers sous lui. Car le genre (considéré logiquement) est en quelque sorte la matière ou le substrat brut que la nature, par détermination plus poussée, élabore en espèces et sous-espèces particulières, et ainsi peut-on dire que *la nature se spécifie elle-même* selon un certain principe (autrement dit, l'Idée d'un système), par analogie avec l'usage de ce terme chez les juristes, quand ils parlent de la spécification de certaines matières brutes *.

Or, il est clair que la faculté de juger réfléchissante ne pourrait entreprendre, d'après sa nature propre, de *classifier* la nature tout entière selon ses diversités empiriques, si elle ne présupposait pas que la nature *spécifie* elle-même ses lois transcendantales en suivant quelque principe. Cela étant, ce principe ne peut être autre que celui de l'adaptation au pouvoir que possède la faculté de juger elle-même de rencontrer dans l'incommensurable diversité des choses, d'après des lois empiriques possibles, une affinité entre elles qui soit suffisante pour que l'on puisse les inscrire sous des concepts empiriques (classes), inscrire ceux-ci sous des lois plus générales (genres supérieurs) et parvenir ainsi à un système empirique de la nature. Or, de même qu'une semblable classification n'est pas une connaissance d'expérience commune, mais constitue une

---

* L'école aristotélicienne elle aussi appelait le *genre* matière, tandis qu'elle nommait forme la *différence spécifique*.

connaissance de l'ordre de l'art, de même la nature, en tant qu'on la pense comme se spécifiant d'après un tel principe, est elle aussi considérée comme *art*, et la faculté de juger mobilise donc avec elle, a priori, un principe de la *technique* de la nature, qui est distinct de la *nomothétique* de cette nature selon des lois transcendantales de l'entendement en ceci que cette dernière peut faire valoir son principe comme loi, alors que la technique ne peut faire valoir le sien que comme supposition nécessaire *.

(*216*) Le principe propre de la faculté de juger est donc le suivant : *La nature spécifie ses lois universelles en lois empiriques, conformément à la forme d'un système logique, à destination de la faculté de juger.*

Or, c'est ici que surgit le concept d'une *finalité* de la nature, et assurément sous la forme d'un concept propre de la faculté de juger réfléchissante, mais non pas de la raison, étant donné que la fin n'est nullement située dans l'objet, mais uniquement dans le sujet, plus précisément dans le simple pouvoir de réfléchir qui est le sien. Car nous nommons final ce dont l'existence semble supposer une représentation de cette même chose ; or, les lois de la nature, dont la constitution et les relations qu'elles entretiennent se présentent comme si la faculté de juger en avait dessiné les contours pour son propre besoin, évoquent la possibilité de choses qui supposent une représentation de ces choses à leur fondement. La faculté de juger se forge donc, grâce à son principe, la pensée d'une finalité de la nature dans la spécification de ses formes par des lois empiriques.

Mais, dans ce cas, ce ne sont pas ces formes elles-mêmes qui sont pensées comme finales, mais uniquement le rapport qu'elles entretiennent les unes avec les autres et leur aptitude à s'intégrer, dans leur grande diversité, à un système logique de concepts empiriques. Or, quand bien même la nature ne nous montrerait rien de plus que cette finalité logique, nous aurions déjà là matière à l'admirer, dans la mesure où, d'après les lois universelles de l'entendement, nous ne connaissons

---

* Linné [18] aurait-il pu espérer produire l'esquisse d'un système de la nature s'il (*216*) avait dû se soucier du fait que, quand il trouvait une pierre qu'il nommait granit, celle-ci pouvait bien être distinguée d'après ses qualités intrinsèques de toute autre pierre qui, pourtant, se présentait de la même manière, et si par conséquent il n'avait pu espérer que rencontrer toujours des choses singulières, en quelque sorte isolées pour l'entendement, mais jamais une classe de ces choses qui puissent être inscrites sous des concepts de genre et d'espèce ?

aucune raison qui puisse en être indiquée ; simplement serait-il difficile que quelqu'un d'autre qu'un philosophe transcendantal pût éprouver cette admiration, et même celui-ci ne pourrait cependant désigner nul cas précis où cette finalité se démontrât *in concreto* : en fait, c'est uniquement au plan général qu'il lui faudrait la penser.

VI

DE LA FINALITÉ DES FORMES DE LA NATURE CONSIDÉRÉES COMME AUTANT DE SYSTÈMES PARTICULIERS

(*217*) Si la nature se spécifie elle-même dans ses lois empiriques, sur le mode requis pour une expérience possible capable de se présenter comme *un système* de connaissance empirique, une telle forme de la nature contient une finalité logique, à savoir celle de son accord avec les conditions subjectives de la faculté de juger du point de vue de la structuration possible des concepts empiriques dans le tout d'une expérience. Mais, en fait, cela n'a aucune conséquence sur son aptitude à faire preuve d'une finalité réelle dans ses produits, c'est-à-dire à donner naissance à des choses singulières possédant la forme de systèmes. Car ces choses pourraient toujours être, selon l'intuition, de simples agrégats et cependant être possibles d'après des lois empiriques se structurant avec d'autres dans un système de *division logique*, sans que, pour leur possibilité particulière, il soit besoin d'admettre un concept institué spécifiquement pour cela, en tant que condition de cette possibilité, par conséquent une finalité de la nature établie au fondement de celle-ci. C'est de cette manière que nous voyons les terres, les pierres, les minéraux, et autres choses de ce type dépourvues de toute forme finale, comme de simples agrégats, et pourtant, selon leurs caractères intrinsèques et les fondements cognitifs de leur possibilité, manifester une affinité telle qu'ils se prêtent, sous des lois empiriques, à la classification des choses en un système sans toutefois montrer *en eux-mêmes* une forme systématique.

De là vient que, par *finalité absolue* des formes de la nature, j'entends leur configuration extérieure ou bien encore leur constitution intérieure, qui sont telles qu'au fondement de leur possibilité doit être placée, dans notre faculté de juger,

une Idée de ces formes. Car la finalité est une légalité du
contingent comme tel. La nature procède, vis-à-vis de ses
produits comme agrégats, *de façon mécanique*, comme *simple
nature* ; mais, vis-à-vis de ces mêmes produits considérés
comme *systèmes*, par exemple des cristallisations, les configurations diverses des fleurs ou la constitution interne des
végétaux et des animaux, elle procède *techniquement*, c'est-
à-dire en même temps comme *art*. La (*218*) différence entre
ces deux manières de porter un jugement sur les êtres naturels
est uniquement le fait de la faculté de juger *réfléchissante*,
laquelle peut parfaitement, et peut-être aussi doit nécessairement, admettre ce que la faculté de juger *déterminante*
(soumise aux principes de la raison) ne lui concéderait pas,
eu égard à la possibilité des objets eux-mêmes, et qu'éventuellement elle pourrait connaître intégralement en le rapportant au type d'explication mécanique ; car il est intégralement
compatible que l'*explication* d'un phénomène, affaire de la
raison selon des principes objectifs, soit *mécanique*, mais que
la règle du *jugement*, à propos du même objet, selon des
principes subjectifs de la réflexion sur le même objet, soit
technique.

Or, bien qu'assurément le principe de la faculté de juger,
à propos de la finalité de la nature dans la spécification de
ses lois générales, ne s'étende aucunement assez loin pour que
l'on puisse en conclure à la production de *formes de la nature
en elles-mêmes finales* (parce que, même sans elles, le système
de la nature d'après des lois empiriques – seul système que
la faculté de juger ait des raisons de postuler – est possible),
et bien que ces formes ne doivent être données qu'exclusivement par l'expérience, il n'en reste pas moins toujours *possible*
et permis, dans la mesure où nous avons une raison de supposer
à la nature dans ses lois particulières un principe de finalité,
d'attribuer ces formes au même fondement sur lequel la
première [19] peut reposer.

Quand bien même ce fondement, à son tour, résiderait alors
dans le suprasensible et serait repoussé au-delà de la sphère
de ce que notre intelligence peut saisir de la nature, nous
avons cependant d'ores et déjà gagné quelque chose dans la
mesure où, pour la finalité des formes naturelles susceptible
d'être trouvée dans l'expérience, nous avons à notre disposition
dans la faculté de juger un principe transcendantal de la
finalité de la nature, lequel, bien qu'il ne soit pas suffisant
pour expliquer la possibilité de telles formes, permet pourtant
du moins d'appliquer à la nature et à sa légalité un concept

aussi particulier que peut l'être celui de la finalité, même s'il ne peut assurément être un concept objectif de la nature, mais est simplement tiré du rapport subjectif de cette dernière à un pouvoir de l'esprit.

VII

DE LA TECHNIQUE DE LA FACULTÉ DE JUGER COMME FONDEMENT DE L'IDÉE D'UNE TECHNIQUE DE LA NATURE

(*219*) La faculté de juger, ainsi qu'on l'a montré plus haut, rend avant tout possible, voire nécessaire, de penser, outre la nécessité mécanique de la nature, une finalité inscrite aussi en elle : si l'on ne supposait pas une telle finalité, l'unité systématique dans la *classification* complète des formes particulières selon des lois empiriques ne serait pas possible. On a commencé par montrer que ce principe de la finalité, dans la mesure où il n'est qu'un principe subjectif de la division et de la spécification de la nature, ne détermine rien en ce qui concerne les formes des produits de la nature. En ce sens, cette finalité demeurerait donc uniquement dans les concepts, et certes l'usage logique de la faculté de juger dans l'expérience supposerait une maxime de l'unité de la nature suivant ses lois empiriques, pour permettre l'emploi de la raison concernant ses objets, mais de cette espèce particulière d'unité systématique, à savoir celle qui se rattache à la représentation d'une fin, ne serait donné dans la nature aucun objet qui constituât un produit correspondant à cette forme. Or, la causalité de la nature, du point de vue de la forme de ses produits comme fins, je la nommerais volontiers la *technique* de la nature. Elle s'oppose à la mécanique de la nature, qui consiste en sa causalité par la liaison du divers sans qu'intervienne un concept fondant le type d'unification qu'elle opère, à peu près comme nous appellerons certes machines, mais non pas œuvres de l'art, certains appareils élévateurs qui peuvent produire leur effet orienté vers une fin même sans qu'une **Idée** soit placée au fondement de celle-ci, comme c'est le cas par exemple d'un levier, d'un plan incliné, dans la mesure où l'on peut certes les utiliser en vue de fins, sans que toutefois ils ne soient possibles qu'en relation à ces fins.

La première question qui se pose est dès lors celle-ci : comment se peut *percevoir* la technique de la nature en ses produits ? Le concept de finalité n'est nullement un concept constitutif de l'expérience, nullement une détermination d'un (*220*) phénomène appartenant à un *concept* empirique de l'objet ; car il n'est nullement une catégorie. C'est dans notre faculté de juger que nous percevons la finalité, pour autant qu'elle réfléchit seulement sur un objet donné, que ce soit sur l'intuition empirique de cet objet, pour la ramener à quelque concept (sans que soit déterminé de quel concept il s'agit), ou que ce soit sur le concept d'expérience lui-même, pour ramener les lois empiriques qu'il contient à des principes communs. Donc, c'est *la faculté de juger* qui, proprement, est technique ; la nature n'est que représentée comme technique, pour autant qu'elle s'accorde avec ce procédé de la faculté de juger et le rend nécessaire. Nous allons montrer tout de suite de quelle manière le concept de la faculté réfléchissante, lequel rend possible la perception interne d'une finalité des représentations, peut aussi être appliqué à la représentation de l'objet, en tant qu'il est contenu sous lui *.

À chaque concept empirique correspondent ainsi trois actes du pouvoir spontané de connaître : 1. L'*appréhension* (*apprehensio*) du divers de l'intuition. 2. La *compréhension*, c'est-à-dire l'unité synthétique de la conscience de ce divers dans le concept d'un objet (*apperceptio comprehensiva*). 3. La *présentation* (*exhibitio*) de l'objet correspondant à ce concept dans l'intuition. Pour le premier acte se trouve requise l'imagination, pour le second l'entendement, pour le troisième la faculté de juger, qui, s'il s'agissait d'un concept empirique, serait la faculté de juger déterminante.

Mais, parce que, dans la simple réflexion sur une perception, il s'agit de réfléchir, non pas à un concept déterminé, mais en général seulement à la règle concernant une perception à destination de l'entendement comme pouvoir des concepts, on voit bien que, dans un jugement simplement réfléchissant, l'imagination et l'entendement sont considérés dans la relation où ils doivent se trouver d'une manière générale l'un vis-à-vis de l'autre dans la faculté de juger, comparée à la relation où ils se trouvent effectivement à l'occasion d'une perception donnée.

---

* Nous introduisons, dit-on, les causes finales dans les choses et nous ne les dégageons pas, pour ainsi dire, de la perception que nous en avons.

Si, en effet, la forme d'un objet donné dans l'intuition empirique est de nature telle que l'*appréhension* du divers (*221*) de cet objet dans l'imagination vient s'accorder avec la *présentation* d'un concept de l'entendement (sans que soit déterminé le concept dont il s'agit), entendement et imagination s'accordent réciproquement dans la simple réflexion pour favoriser leur fonction, et l'objet n'est perçu comme final que pour la faculté de juger : par conséquent, la finalité elle-même est considérée uniquement comme subjective ; en tout état de cause, aucun concept déterminé de l'objet ne se trouve requis pour cela ni n'est produit par là, et le jugement lui-même n'est pas un jugement de connaissance. Un tel jugement se nomme un *jugement esthétique de réflexion*.

Au contraire, si des concepts empiriques et des lois qui sont également de ce type sont déjà donnés conformément au mécanisme de la nature, et si la faculté de juger compare un tel concept de l'entendement à la raison et à son principe de la possibilité d'un système, dans ce cas, quand cette forme est rencontrée dans l'objet, le jugement porté sur la finalité est *objectif*, et la chose s'appelle une *fin naturelle*, dans la mesure où, antérieurement, seules des choses étaient jugées comme des *formes naturelles* finales de façon indéterminée. Le jugement sur la finalité objective de la nature s'appelle *téléologique*. C'est un *jugement de connaissance*, mais ne relevant cependant que de la faculté de juger réfléchissante et non pas de la faculté de juger déterminante. Car, en général, la technique de la nature, qu'elle soit simplement *formelle* ou qu'elle soit *réelle*, est uniquement un rapport des choses à notre faculté de juger, dans laquelle seulement on peut rencontrer l'idée d'une finalité de la nature ; et celle-ci n'est attribuée à la nature que relativement à cette faculté.

VIII

DE L'ESTHÉTIQUE DU POUVOIR DE PORTER
DES JUGEMENTS APPRÉCIATIFS

L'expression qui désigne un *mode* esthétique de *représentation* est totalement exempte d'équivoque si l'on entend par là le rapport de la représentation à un objet, en tant que phénomène, en vue de sa connaissance ; car, dans ce cas, l'expression d'*esthétique* signifie que la forme de la sensibilité (la façon dont le sujet est affecté) est nécessairement attachée à une telle représentation et qu'en conséquence elle est inévitablement transférée à l'objet (mais seulement en tant que phénomène). De là vient qu'il pouvait y avoir une esthétique transcendantale, comme science se rapportant au pouvoir de connaître. (*222*) Mais, depuis longtemps, l'habitude s'est forgée de nommer esthétique, c'est-à-dire sensible, un mode de représentation en entendant aussi par là la relation d'une représentation, non pas au pouvoir de connaître, mais au sentiment de plaisir et de déplaisir. Or, bien que nous soyons accoutumés à nommer ce sentiment (conformément à sa dénomination) également un sens (modification de notre état), cela parce qu'une autre expression nous fait défaut, il ne constitue pour autant nullement un sens objectif, dont la détermination servirait à la *connaissance* d'un objet (car intuitionner, voire connaître quelque chose avec plaisir, n'est pas une simple relation de la représentation à l'objet, mais une capacité du sujet à éprouver quelque chose) : ce sens, bien au contraire, ne contribue en rien à la connaissance des objets. C'est précisément parce que toutes les déterminations du sentiment n'ont de signification que subjective qu'il ne peut y avoir une esthétique du sentiment en tant que science, comme il y a une esthétique du pouvoir de connaître. Il demeure donc toujours une inévitable équivoque dans l'expression de mode esthétique de représentation, si l'on entend par là tantôt celui qui fait surgir le sentiment de plaisir et de déplaisir, tantôt celui qui concerne simplement le pouvoir de connaître, pour autant que l'on y rencontre l'intuition sensible qui nous fait connaître les objets seulement comme phénomènes.

Cette équivoque peut cependant être surmontée si l'on n'utilise l'expression « esthétique » ni pour l'intuition ni, encore moins, pour des représentations de l'entendement, mais uniquement pour des actes de la *faculté de juger*. Un *jugement esthétique*, si l'on voulait employer cette expression pour la détermination objective, serait si visiblement contradictoire que l'on se trouve suffisamment assuré par cette expression même contre une méprise. Car des intuitions peuvent certes être sensibles, mais *juger* relève exclusivement de l'entendement (pris au sens large), et *juger* esthétiquement ou de façon sensible, pour autant que cela doive être connaissance d'un objet, est même, dans ces conditions, une contradiction dès lors que la sensibilité vient s'immiscer dans ce dont s'occupe l'entendement et (par un *vitium subreptionis*) donne à l'entendement une fausse orientation ; le jugement *objectif* est toujours prononcé, bien plutôt, par l'entendement, et en tant que tel il ne peut être nommé esthétique. *(223)* Raison pour laquelle notre esthétique transcendantale du pouvoir de connaître a sans doute pu parler d'intuitions sensibles, mais nullement de jugements esthétiques, cela parce que, dans la mesure où elle n'a affaire qu'à des jugements de connaissance qui déterminent l'objet, tous ses jugements pris globalement doivent nécessairement être logiques. Par la dénomination de jugement esthétique énoncé sur un objet on indique donc aussitôt qu'une représentation donnée est certes rapportée à un objet, mais que, dans le jugement, ce n'est pas la détermination de l'objet que l'on entend : c'est au contraire celle du sujet et de son sentiment. Car, dans la faculté de juger, entendement et imagination sont considérés dans leur relation réciproque, et celle-ci peut assurément être d'abord prise en considération dans le registre objectif, comme appartenant à la connaissance (ainsi que c'était le cas dans le schématisme transcendantal de la faculté de juger) ; mais on peut pourtant aussi considérer dans le registre uniquement subjectif cette même relation des deux pouvoirs de connaître, en tant que l'un favorise ou entrave l'autre dans la même représentation et affecte ainsi l'*état de l'esprit* : dans ce cas, on la considère comme une relation qui *peut être éprouvée* (cas qui n'intervient pour l'usage isolé d'aucun autre pouvoir de connaître). Or, bien que la sensation ainsi éprouvée ne soit pas représentation sensible d'un objet, elle peut toutefois, dans la mesure où elle est liée subjectivement à l'activité qui consiste à rendre sensibles les concepts de l'entendement par la faculté de juger, être mise au compte de la sensibilité en tant qu'elle constitue une représentation sensible de l'état du sujet qui est affecté par un acte de ce pouvoir, et elle peut être désignée comme un jugement esthétique, c'est-à-dire sensible (d'après l'effet subjectif, et non pas d'après ce qui, fondamentalement, la détermine), quand bien même juger (entendre : juger objectivement) est un acte de l'entendement (comme pouvoir supérieur de connaître en général), et non pas de la sensibilité.

Tout jugement *déterminant* est *logique*, parce que le prédicat en est un concept objectif donné. Un jugement simplement *réfléchissant* sur un objet singulier donné peut en revanche être esthétique, si (avant même que l'on songe à la comparaison de cet objet avec d'autres) la faculté de juger, qui ne tient prêt aucun concept pour l'intuition donnée, confronte l'imagination (dans la simple appréhension de cet objet) avec l'entendement (dans la présentation d'un concept en général), et perçoit un rapport des deux pouvoirs de connaître qui définit, de manière générale, la condition subjective, simplement susceptible d'être éprouvée, de l'usage objectif de la (*224*) faculté de juger (à savoir l'accord mutuel de ces pouvoirs). Mais un jugement esthétique du sens est aussi possible quand le prédicat du jugement *ne peut aucunement être* le concept d'un objet, dans la mesure où il n'appartient nullement au pouvoir de connaître – par exemple : « Le vin est agréable », étant donné en effet qu'ici le prédicat exprime la relation d'une représentation directement au sentiment de plaisir, et non pas au pouvoir de connaître.

Un jugement esthétique en général peut donc être défini comme celui dont le prédicat ne peut jamais être une connaissance (un concept d'un objet), bien qu'il puisse contenir les conditions subjectives pour une connaissance en général. Dans un tel jugement, le principe de détermination est la sensation. Or, il n'y a qu'une seule sensation digne de ce nom qui ne peut jamais devenir concept d'un objet, et c'est le sentiment de plaisir ou de déplaisir. Celle-ci est uniquement subjective, tandis qu'au contraire toute autre sensation peut être utilisée en vue d'acquérir une connaissance. Donc un jugement esthétique est celui dont le principe de détermination réside dans une sensation qui est reliée immédiatement avec le sentiment de plaisir ou de déplaisir. Dans le jugement esthétique du sens, cela correspond à la sensation qui est immédiatement causée par l'intuition empirique de l'objet, alors que, dans le jugement esthétique de réflexion, c'est la sensation que le jeu harmonieux des deux pouvoirs de connaître de la faculté de juger, imagination et entendement, produit dans le sujet, en ceci que, dans la représentation donnée, le pouvoir d'appréhension de l'une et le pouvoir de présentation de l'autre se favorisent mutuellement : relation qui, dans un tel cas, produit à la faveur de cette simple forme une sensation qui est le principe de détermination d'un jugement, lequel se nomme pour cela esthétique et se trouve, en tant que finalité subjective (sans concept) lié au sentiment de plaisir.

Le jugement esthétique du sens contient une finalité matérielle, tandis que le jugement esthétique de réflexion contient une finalité formelle. Cela dit, dans la mesure où le premier ne se rapporte nullement au pouvoir de connaître, mais immédiatement, à travers le sens, au sentiment, il n'y a que le second qui doive être considéré comme fondé sur des principes spécifiques de la faculté de juger. Dit autrement : quand la réflexion sur une représentation donnée précède le sentiment de plaisir (comme principe de détermination du jugement), la finalité subjective est *pensée* avant d'être *éprouvée* dans son effet, (225) et le jugement esthétique relève en cette mesure, à savoir dans ses principes, du pouvoir supérieur de connaître, et, plus précisément, de la faculté de juger : c'est sous les conditions subjectives et cependant, en même temps, universelles de cette faculté que la représentation de l'objet est subsumée. Étant donné toutefois qu'une condition simplement subjective d'un jugement ne permet nul concept déterminé de ce qui en est le principe de détermination, ce principe ne peut être donné que dans le sentiment de plaisir, de telle manière pourtant que le jugement esthétique soit toujours un jugement de réflexion : en revanche, un jugement qui ne suppose nulle comparaison de la représentation avec les pouvoirs de connaître qui coopèrent dans la faculté de juger est un jugement esthétique des sens qui rapporte aussi une représentation donnée au sentiment de plaisir (mais sans que ce soit par l'intermédiaire de la faculté de juger et de son principe). La marque distinctive nécessaire pour décider sur cette différence ne peut être indiquée que dans le traité lui-même, et consiste dans la prétention du jugement à une validité universelle et à une nécessité ; car, si le jugement esthétique comporte de tels aspects, il prétend aussi à ce que son principe de détermination *ne doive pas résider uniquement dans le sentiment* de plaisir et de déplaisir considéré uniquement en lui-même, mais *en même temps dans une règle* des pouvoirs supérieurs de connaître, en l'occurrence, nommément, dans celle de la faculté de juger — laquelle est donc, vis-à-vis des conditions de la réflexion, législatrice a priori et fait preuve d'*autonomie* ; mais cette autonomie n'est pas objective (comme l'est celle de l'entendement vis-à-vis des lois théoriques de la nature, ou celle de la raison dans les lois pratiques de la liberté), c'est-à-dire qu'elle n'intervient pas par des concepts de choses ou d'actions possibles, mais elle est simplement subjective, elle ne vaut que pour le jugement procédant du sentiment, lequel, quand il peut élever une prétention à la validité universelle, fait la preuve que son origine est fondée sur des principes a priori. Cette législation devrait être nommée proprement *héautonomie*, puisque la faculté de juger ne donne la loi ni à la nature ni à la liberté, mais exclusivement à elle-même, et qu'elle n'est pas un pouvoir de produire des concepts d'objets [20], mais seulement un pouvoir de comparer des cas qui se rencontrent avec ceux qui lui sont donnés par ailleurs et d'indiquer a priori les conditions subjectives de la possibilité de la liaison qui s'établit ainsi.

L'on peut justement comprendre ainsi pourquoi c'est dans une action qu'elle exerce pour elle-même sa fonction (sans avoir à son fondement un concept de l'objet), comme faculté de juger simplement réfléchissante plutôt que dans une mise en relation de la représentation donnée avec sa propre règle accompagnée de conscience, (226) – pourquoi c'est sur ce mode qu'elle rapporte immédiatement la réflexion uniquement à la sensation (ce qui ne se produit pour aucun des autres pouvoirs supérieurs de connaître), laquelle sensation, comme toutes les autres, est toujours accompagnée de plaisir ou de déplaisir : l'explication en est que la règle elle-même n'est que subjective et que l'accord avec elle ne peut être connu qu'à la faveur de ce qui n'exprime également qu'une relation au sujet, à savoir la sensation, comme marque distinctive et principe de détermination du jugement ; de là vient aussi que ce jugement se nomme esthétique, et que par conséquent tous nos jugements peuvent être divisés, d'après l'ordre des pouvoirs supérieurs de connaître, en jugements *théoriques*, *esthétiques* et *pratiques* – où, par jugements esthétiques, on entend seulement les jugements de réflexion, qui se rapportent uniquement à un principe de la faculté de juger comme pouvoir supérieur de connaître, tandis qu'en revanche les jugements esthétiques des sens n'ont affaire immédiatement qu'au rapport des représentations avec le sens interne en tant que ce dernier est sentiment.

Remarque

Ici, il est prioritairement nécessaire d'éclairer la définition du plaisir comme représentation sensible de la *perfection* d'un objet. D'après cette définition, un jugement esthétique des sens ou de la réflexion serait toujours un jugement de connaissance porté sur l'objet ; car la perception est une détermination qui suppose un concept de l'objet – d'où il s'ensuit donc que le jugement qui attribue la perfection à l'objet n'est aucunement distinct des autres jugements logiques, sauf éventuellement, comme on le prétend, par la confusion qui s'attache au concept (confusion que l'on a la prétention d'appeler sensibilité), mais qui ne peut absolument pas constituer entre les jugements une différence spécifique. En effet, si tel n'était pas le cas, il y aurait une quantité infinie de jugements, non seulement d'entendement, mais même de raison, qui devraient aussi être appelés esthétiques, parce qu'un objet s'y trouve déterminé par un concept qui est confus, comme par exemple les jugements sur le droit et sur ce qui est contraire au droit – car combien rares sont les hommes (voire les philosophes) qui possèdent un concept clair de ce qu'est le droit * ! Parler d'une représentation sensible de la perfection, c'est (227) une contradiction explicite, et si l'accord du divers en une unité doit s'appeler perfection, il faut que cet accord soit représenté par un concept, sans quoi il ne peut porter le nom de perfection. Si l'on veut que plaisir et déplaisir ne soient rien que de simples connaissances des choses par l'entendement (à cette réserve près qu'il ne serait pas conscient de ses concepts) et qu'ils nous semblent être uniquement de simples sensations, il faudrait alors désigner le jugement appréciatif porté grâce à eux sur les choses, non pas comme esthétique (sensible), mais comme intellectuel à tous égards, et les sens ne seraient au fond rien qu'un entendement qui juge (bien que ce soit sans une conscience suffisante de ses propres actes) : le mode de représentation esthétique ne serait pas spécifiquement différent du mode de représentation logique et, dans la mesure où l'on ne pourrait tracer de manière précise la ligne de partage entre les deux, cette différence dans la dénomination serait totalement inutile (pour ne rien dire ici de ce mode

* On peut dire d'une façon générale que les choses ne doivent jamais être tenues pour *distinguées de manière spécifique* par une qualité qui se transforme en toute autre par la simple augmentation ou la simple diminution de son degré. Or, c'est là ce qui arrive avec cette différence entre la distinction et la confusion des concepts qui est située purement et simplement dans le degré de la conscience des marques distinctives, selon la mesure de l'attention qu'on y porte (228) : par conséquent, un mode de représentation n'est pas pour autant spécifiquement distingué de l'autre. Mais, pour leur part, intuition et concept se différencient spécifiquement l'un de l'autre : car ils ne passent pas l'un dans l'autre, et cela que la conscience de l'un et de l'autre, ainsi que de leurs marques distinctives, s'accroissent ou diminuent. En effet, la plus grande indistinction d'un mode de représentation par concepts (comme par exemple celui du droit) laisse pourtant toujours en place la différence spécifique de ceux-ci du point de vue de leur origine dans l'entendement, et la plus grande distinction de l'intuition ne la rapproche pas le moins du monde des concepts, parce que ce dernier mode de représentation a son siège dans la sensibilité. La distinction logique est même considérablement différente de la distinction esthétique, et cette dernière intervient alors même que nous ne nous représentons nullement l'objet par concepts, c'est-à-dire bien que la représentation, comme intuition, soit sensible.

mystique de représentation des choses du monde qui n'admet comme sensible aucune intuition distincte des concepts en général, ce qui ferait alors qu'il ne resterait plus rien, pour le mode de représentation esthétique [21], qu'un entendement intuitif).

On pourrait encore poser cette question : notre concept d'une finalité de la nature ne signifie-t-il pas exactement la même chose que ce que dit le concept de *perfection*, et, en conséquence la conscience empirique de la finalité subjective, autrement dit le sentiment de plaisir pris à certains objets, n'est-elle pas l'intuition sensible d'une perfection, comme certains prétendent connaître la définition du plaisir en général ?

Je réponds : la *perfection*, comme simple complétude du multiple en tant que, pris ensemble, il constitue une unité, est un concept ontologique qui ne fait qu'un avec celui de la totalité d'un composé (par coordination du divers en un agrégat, ou en même temps par la subordination de ce divers, sous la forme de fondements et de conséquences, dans une série), et qui n'a pas la moindre chose à voir avec le sentiment de plaisir ou de déplaisir. *La* perfection d'une chose dans la relation de son divers avec un concept de cette chose est uniquement formelle. Mais si je parle d'*une* perfection (il peut y en avoir plusieurs dans une chose sous le même concept de cette chose), il y a dans ce cas, au fondement, toujours le concept de quelque chose comme constituant une fin – à quoi se trouve appliqué ce concept ontologique de l'accord du divers en une unité. Cela dit, cette fin n'a pas toujours besoin d'être une fin pratique qui suppose ou implique un plaisir pris à l'existence de l'objet, mais elle peut aussi appartenir à la technique : dans ce cas, elle concerne simplement la possibilité des choses et elle est *la légalité d'une liaison, en soi contingente, du divers* en cette même fin [22]. Peut servir d'exemple la finalité que l'on pense nécessairement à propos d'un hexagone régulier, considéré dans sa possibilité, dans la mesure où il est totalement contingent que six lignes égales dans un plan viennent se rencontrer précisément en ne formant que des angles égaux, car cette liaison conforme à une loi suppose un concept qui, en tant que principe, la rend possible. Or, une telle finalité objective, observée à propos des choses de la nature (notamment dans les êtres organisés) est pensée comme objective et matérielle, et elle véhicule nécessairement avec elle le concept d'une fin de la nature (fin réelle ou fin qu'on lui prête), eu égard à laquelle nous attribuons aussi de la perfection aux choses : le jugement porté sur une finalité de

ce type se nomme téléologique, et ne comporte aucun sentiment de plaisir, de même que, d'une manière générale, ce
plaisir ne peut nullement être recherché dans le jugement
portant sur la simple liaison causale.

En général, le concept de perfection comme finalité objective
n'a donc absolument rien à voir avec le sentiment de plaisir,
tout comme celui-ci n'a absolument rien à voir avec celui-là.
Au jugement qui porte une appréciation sur ce concept de
perfection appartient nécessairement un *concept* de l'objet,
lequel en revanche n'est nullement nécessaire au jugement
porté par l'intermédiaire du sentiment de plaisir – et une
simple intuition empirique suffit à le produire. Au contraire,
la représentation d'une finalité subjective d'un objet va jusqu'à
s'identifier avec le sentiment de plaisir (sans que soit précisément requis pour cela un concept abstrait d'une relation de
finalité), et entre cette représentation et le jugement sur la
perfection (*229*) il y a un très vaste abîme. Car, pour savoir
si ce qui est subjectivement final l'est aussi de manière objective, se trouve exigée une recherche fort étendue dans la
plupart des cas, relevant non pas seulement de la philosophie
pratique, mais aussi de la technique, que ce soit celle de la
nature ou celle de l'art : en d'autres termes, ce qui est exigé
pour découvrir de la perfection à une chose, c'est la raison,
tandis que, pour y trouver de l'agrément, seul le sens est
requis, et pour y rencontrer de la beauté, rien d'autre que la
simple réflexion (sans aucun concept) sur une représentation
donnée.

Le pouvoir esthétique de réflexion juge donc uniquement
de la finalité subjective de l'objet (et non pas de sa perfection),
et la question se pose, dans ces conditions, de savoir s'il juge
simplement *par l'intermédiaire* du sentiment de plaisir ou de
déplaisir ressenti à ce propos, ou si c'est même *sur* ce plaisir
ou ce déplaisir qu'il porte ses jugements, de manière telle que
le jugement détermine en même temps qu'à la représentation
de l'objet du plaisir ou du déplaisir *doit* être associé.

Cette question, comme on l'a déjà mentionné plus haut, ne
peut encore être tranchée ici de façon suffisante. Il faut
auparavant que l'exposition de ce type de jugements dans le
traité révèle s'ils comportent une universalité et une nécessité
qui les qualifient pour donner matière à une déduction à partir
d'un principe de détermination a priori. Dans ce cas, le
jugement déterminerait certes quelque chose a priori au moyen
du pouvoir de connaître (nommément : la faculté de juger)
par l'intermédiaire de la sensation de plaisir ou de déplaisir,

mais cependant en même temps sur l'universalité de la règle en vue de la lier à une représentation donnée. Si le jugement ne devait au contraire rien contenir que la relation de la représentation au sentiment (sans la médiation d'un principe de connaissance), comme c'est le cas pour le jugement esthétique du sens (lequel n'est ni un jugement de connaissance ni un jugement de réflexion), tous les jugements esthétiques appartiendraient au domaine purement empirique.

De manière provisoire, on peut encore faire cette remarque : de la connaissance au sentiment de plaisir et de déplaisir, il ne se peut trouver aucun passage *au moyen de concepts* des objets (en tant que ces concepts doivent être en relation avec ce sentiment), et on ne peut donc s'attendre à déterminer a priori l'influence qu'une représentation donnée exerce sur l'esprit, tout comme nous remarquions précédemment dans la *Critique de la raison pratique* [23] que la représentation d'une légalité universelle du vouloir devait en même temps être déterminante pour la volonté et capable d'éveiller aussi par là le sentiment du respect, en tant que loi contenue, et plus précisément contenue a priori, dans notre jugement moral, alors même que cependant nous pouvions d'autant moins dériver ce sentiment de concepts (230). De la même manière le jugement esthétique de réflexion nous présentera, lors de son analyse, le concept contenu en lui, et qui repose sur un principe a priori de la finalité formelle, mais subjective, des objets, lequel concept ne fait au fond qu'un avec le sentiment de plaisir, mais qui ne peut être dérivé d'autres concepts, à la possibilité desquels en général participe pourtant la faculté de représentation quand elle affecte l'esprit dans la réflexion sur un objet.

Une définition de ce sentiment considéré en général, *sans que l'on ait en vue la différence qui s'introduit selon qu'il accompagne la sensation du sens, la réflexion ou la détermination du vouloir*, doit être transcendantale *. Elle peut

---

* Il est utile de rechercher, pour des concepts que l'on utilise comme principes empiriques, une définition transcendantale quand on a des raisons de conjecturer qu'ils ont une affinité avec le pur pouvoir de connaître a priori. On procède alors comme le mathématicien qui facilite fortement la solution de son problème en laissant indéterminées les données empiriques de celui-ci et en en rapportant la simple synthèse aux formules de l'arithmétique pure. Cependant, on m'a adressé, concernant une définition de ce type proposée à propos du pouvoir de désirer (*Critique de la raison pratique*, Préface, p. 16), l'objection suivante : il ne pourrait être défini comme le *pouvoir d'être, par ses représentations, cause de la réalité effective des objets de ces représentations*, parce que de simples souhaits

s'énoncer ainsi : le *plaisir* est un *état* de l'esprit où une représentation s'accorde avec elle-même, comme raison soit de conserver simplement cet état lui-même (car, dans une représentation, l'état (*231*) des facultés de l'esprit qui se favorisent réciproquement se conserve lui-même), soit de produire l'objet de cette représentation. S'il s'agit du premier cas, le jugement sur la représentation donnée est un jugement

---

seraient eux aussi des désirs, alors qu'à leur sujet on se résigne pourtant soi-même à ce qu'ils ne puissent produire leurs objets. En fait, tout ce que cela prouve, c'est qu'il y a aussi des déterminations du pouvoir de désirer où ce pouvoir se trouve en contradiction avec lui-même : phénomène digne d'être remarqué, certes, pour la psychologie empirique (comme il vaut, pour la logique, de remarquer l'influence des préjugés sur l'entendement), mais qui ne doit pas influencer la définition du pouvoir de désirer, considéré objectivement, autrement dit tel qu'il est en lui-même, avant d'être écarté de sa destination par quoi que ce soit. De fait, l'être humain peut désirer avec la plus grande vigueur et de manière insistante quelque chose dont pourtant il est (*231*) persuadé qu'il ne peut l'obtenir ou que c'est même une chose absolument impossible : par exemple souhaiter que ce qui est arrivé ne soit pas arrivé, désirer avec ardeur que s'écoule plus rapidement un temps qui nous pèse, etc. C'est pour la morale également un chapitre important que de mettre en garde avec énergie contre de tels désirs vains et fantastiques, qui sont fréquemment nourris par des romans, parfois aussi par ces représentations qui ne sont pas moins mystiques de perfections surhumaines et de félicité fanatique. Mais, même l'effet qu'exerce sur l'esprit ce genre de vains désirs et de vaines aspirations qui dilatent et flétrissent le cœur, l'affaiblissement dont il est victime à cause de l'épuisement de ses forces, prouvent suffisamment que ces forces sont de fait, de manière répétée, tendues par des représentations, pour réaliser leur objet, mais laissent tout aussi souvent l'esprit sombrer à nouveau dans la conscience de son impuissance. Pour l'anthropologie, ce n'est pas non plus une tâche sans importance que de chercher pourquoi la nature a bien pu instituer en nous la disposition à de telles dépenses de forces, tout aussi stériles que le sont les vains désirs et les vaines aspirations (qui, assurément, jouent un grand rôle dans la vie humaine). Elle me semble ici, comme en tous les autres domaines, avoir sagement disposé les choses. Car si nous ne devions pas, avant de nous être assurés que notre pouvoir est suffisant pour produire l'objet, être déterminés par la représentation de celui-ci à mettre en œuvre notre force, cette dernière resterait sans nul doute, dans la plupart des cas, inutilisée. Car en général nous n'apprenons à connaître nos forces qu'en les essayant. La nature a donc associé la détermination de la force à la représentation de l'objet antérieurement même à la connaissance de notre pouvoir, lequel, souvent, n'est produit que précisément par cet effort qui apparaissait initialement à l'esprit lui-même comme un vain souhait. Or, il appartient à la sagesse d'imposer à cet instinct des bornes, mais jamais elle n'arrivera à l'extirper – et même jamais n'en aura-t-elle le désir.

esthétique de réflexion. Si en revanche il s'agit du second cas, c'est un jugement esthétiquement pathologique ou (*232*) esthétiquement pratique. On voit aisément ici que le plaisir ou le déplaisir, parce qu'ils ne sont pas des modes de connaissance, ne peuvent aucunement être définis en eux-mêmes, et qu'ils réclament d'être ressentis, mais non pas compris ; et qu'en conséquence on ne peut les définir, de façon bien pauvre, que par l'influence qu'une représentation exerce au moyen de ce sentiment sur l'activité des facultés de l'esprit.

IX

DU JUGEMENT D'APPRÉCIATION TÉLÉOLOGIQUE

J'entends, par technique *formelle* de la nature, sa finalité dans l'intuition : par technique *réelle*, j'entends en revanche sa finalité d'après des concepts. La première donne à la faculté de juger des configurations finalisées, c'est-à-dire la forme pour la représentation de laquelle imagination et entendement s'accordent l'une à l'autre, spontanément, pour rendre possible un concept. La seconde signifie le concept des choses comme fins naturelles, c'est-à-dire comme telles que leur possibilité interne suppose une fin, par conséquent un concept qui soit, comme condition, au fondement de la causalité de leur production.

Les formes finalisées de l'intuition, la faculté de juger peut les indiquer elle-même a priori – je veux dire : lorsqu'elle en invente, pour l'appréhension, qui soient appropriées à la présentation d'un concept. Mais des fins, c'est-à-dire des représentations qui soient elles-mêmes considérées comme conditions de la causalité de leurs objets (en tant qu'effets), doivent nécessairement, en général, être données de quelque part, avant que la faculté de juger ne s'occupe des conditions du divers requises pour s'y accorder, et s'il doit y avoir des fins naturelles, il faut que certaines choses de la nature puissent être considérées comme si elles étaient des produits d'une cause dont la causalité pût être déterminée uniquement par l'intermédiaire d'une *représentation* de l'objet. Or, nous ne pouvons déterminer a priori comment et de quelles manières différentes des choses sont possibles par leurs causes, étant donné qu'à cette fin des lois d'expérience sont nécessaires.

Le jugement sur la finalité inscrite dans les choses de la nature – une finalité qui est considérée comme fondant la possibilité de celles-ci (en tant que fins naturelles) – s'appelle un *jugement téléologique*. Or, bien que les jugements esthétiques eux-mêmes ne soient pas possibles a priori, des principes a priori sont cependant donnés dans l'idée nécessaire d'une expérience constituant un système, lesquels principes contiennent le concept d'une finalité formelle de la nature pour (233) notre faculté de juger, et d'où procède a priori la possibilité de jugements esthétiques de réflexion en tant que tels, fondés sur des principes a priori. La nature s'accorde de manière nécessaire, non pas seulement, du point de vue de ses lois transcendantales, avec notre *entendement*, mais aussi, dans ses lois empiriques, avec la *faculté de juger* et son pouvoir de les présenter dans une appréhension empirique de leurs formes à travers l'imagination – cela, certes, uniquement à destination de l'expérience : ainsi la finalité formelle de la nature relativement au second accord (avec la faculté de juger) se laisse-t-elle encore manifester comme nécessaire. Simplement doit-elle alors, comme objet d'un jugement d'appréciation téléologique, être pensée comme s'accordant aussi, selon sa causalité, avec la raison, d'après le concept que celle-ci se fait d'une fin : c'est là davantage que ce que l'on peut attendre de la seule faculté de juger, qui peut certes contenir a priori des principes spécifiques pour la forme de l'intuition, mais non pas pour les concepts de la production des choses. Le concept d'une *fin réelle de la nature* se situe donc totalement hors du champ de la faculté de juger, quand elle est prise uniquement pour elle-même, et dans la mesure où, comme faculté cognitive isolée, elle considère uniquement la relation entre deux pouvoirs, l'imagination et l'entendement, et cela dans une représentation précédant tout concept, et dans la mesure où, dans ces conditions, elle perçoit la finalité subjective de l'objet pour le pouvoir de connaître dans l'appréhension de cet objet (par l'imagination), il lui faudra nécessairement, dans la finalité téléologique des choses comme fins naturelles, qui peut être représentée uniquement à l'aide de concepts, mettre en relation l'entendement et la raison (qui n'est pas nécessaire pour l'expérience en général), afin de se rendre représentables les choses comme fins naturelles.

Le jugement esthétique d'appréciation des formes naturelles pouvait, sans mettre au fondement un concept de l'objet, trouver finalisés certains objets qui apparaissent dans la nature, à la faveur de la simple appréhension empirique de l'intuition ;

autrement dit : dans le simple rapport aux conditions subjectives de la faculté de juger. Le jugement esthétique ne requérait donc nul concept de l'objet, de même qu'il n'en produisait pas : par conséquent, il ne définissait pas non plus ces formes comme des *fins naturelles* dans un jugement objectif, mais uniquement comme *finalisées* pour la faculté représentative, d'un point de vue subjectif – finalité des formes qu'on peut appeler *figurée* (*234*), de même qu'on peut appeler figurée la technique de la nature à leur endroit (*technica speciosa*).

Le jugement téléologique, au contraire, suppose un concept de l'objet et juge de la possibilité de celui-ci selon une loi de la liaison de la cause et des effets. Par conséquent, on pourrait appeler *plastique* cette technique de la nature, si l'on n'avait déjà mis en vogue ce terme dans une signification plus générale, en l'utilisant aussi bien pour la beauté naturelle que pour les intentions de la nature [24] : on peut donc l'appeler, si l'on veut, la *technique organique* de la nature – laquelle expression désigne aussi, en effet, le concept de la finalité, non pas simplement pour le mode de représentation, mais pour la possibilité des choses elles-mêmes.

Cela dit, ce qu'il y a de plus essentiel et de plus important dans cette section, c'est sans nul doute la démonstration que le concept de *causes finales* dans la nature, qui distingue le jugement téléologique sur cette nature de celui que l'on porte d'après des lois universelles mécaniques, est un concept qui n'appartient qu'à la faculté de juger, et non à l'entendement ou à la raison ; en d'autres termes : étant donné qu'on pourrait utiliser le concept de fins de la nature également dans un sens objectif, pour désigner une *intention de la nature*, un tel usage, qui participe déjà d'une manière sophistique de raisonner, n'est aucunement fondé dans l'expérience – laquelle, certes, peut présenter des fins, mais sans pouvoir donner aucune preuve que ce sont en même temps des intentions. Par conséquent, ce qu'on rencontre dans la nature qui relève de la téléologie contient purement et simplement le rapport de ses objets à la faculté de juger, et plus précisément à un principe de celle-ci, grâce auquel elle est pour elle-même législatrice (non pas pour la nature), c'est-à-dire en tant que faculté de juger réfléchissante.

Le concept des fins et de la finalité est assurément un concept de la raison, dans la mesure où on lui attribue le fondement de la possibilité d'un objet. Simplement, la finalité de la nature, ou même le concept de choses qui soient comme des fins naturelles, met la raison, en tant que cause, dans une relation avec de telles choses où nous ne la connaissons par aucune expérience comme fondement de leur possibilité. Car ce n'est qu'à propos des *produits de l'art* que nous pouvons prendre conscience de la causalité de la raison à l'endroit d'objets qui, pour cela, sont désignés comme finalisés ou comme des fins, et c'est vis-à-vis de ces objets que dire de la raison qu'elle est technique se trouve conforme à l'expérience de la causalité de notre propre pouvoir. Seulement, se représenter la nature comme technique, à l'instar d'une (*235*) raison (et ainsi attribuer *à la nature* de la finalité, et même des fins), c'est un concept particulier, que nous ne pouvons rencontrer dans l'expérience et que seule pose la faculté de juger, dans sa réflexion sur les objets, pour organiser selon ses prescriptions l'expérience suivant des lois particulières, à savoir celles de la possibilité d'un système.

Dans ces conditions, on peut considérer toute finalité de la nature, soit comme *naturelle* (*forma finalis naturae spontanea*), soit comme *intentionnelle* (*intentionalis*). La simple expérience ne justifie que le premier mode de représentation ; le second est un mode hypothétique d'explication, qui s'ajoute à ce concept des choses comme fins de la nature. Le premier concept des choses comme fins de la nature relève originairement de la faculté de juger *réfléchissante* (bien que non pas esthétiquement, mais logiquement réfléchissante), le second relève de la faculté de juger *déterminante*. Pour le premier se trouve certes requise aussi la raison, mais uniquement à destination d'une expérience qui doit être organisée selon des principes (donc, la raison dans son usage *immanent*), alors que le second requiert une raison qui s'égare dans ce qui dépasse l'expérience (donc, une raison dans son usage transcendant).

Nous pouvons et nous devons nous efforcer d'explorer la nature, autant qu'il est en notre pouvoir, dans sa liaison causale selon les lois simplement mécaniques qu'elle manifeste dans l'expérience : de fait, c'est dans ces lois que se trouvent les vrais principes physiques d'explication, dont l'articulation structurée constitue la connaissance scientifique de la nature par la raison. Or, parmi les produits de la nature, nous trouvons des genres particuliers et très vastes qui contiennent en euxmêmes une connexion des causes efficientes telle que nous sommes contraints de poser à son fondement le concept d'une fin, quand bien même nous entendons simplement organiser l'expérience, c'est-à-dire l'observation, d'après un principe approprié à sa possibilité interne. Si nous voulions juger de leur forme et de sa possibilité uniquement suivant des lois mécaniques, dans lesquelles l'idée de l'effet ne doit pas être prise pour le fondement de la possibilité de sa cause, mais inversement, il serait impossible d'acquérir même simplement, à propos de la forme spécifique de ces choses de la nature, un concept d'expérience qui nous mît en mesure de parvenir à l'effet à partir de leur disposition interne envisagée comme cause – cela parce que les parties de ces machines, non pas dans la mesure où chacune d'elles possède par elle-même un fondement distinct de sa possibilité, mais en tant que c'est seulement toutes ensemble qu'elles trouvent en commun un tel fondement, sont causes de l'effet qui s'y laisse voir (236). Or, étant entendu qu'il est tout à fait contraire à la nature des causes physico-mécaniques que le tout soit la cause de la possibilité de la causalité des parties, mais qu'il faut bien plutôt que ces parties soient données préalablement pour concevoir à partir de là la possibilité d'un tout ; étant entendu en outre que la représentation particulière d'un tout qui précède la possibilité des parties est une simple Idée, et que celle-ci, quand elle est considérée comme le fondement de la causalité, s'appelle une fin – il est clair que, s'il y a de tels produits de la nature, il est impossible de rechercher leur constitution et la cause de celle-ci, même uniquement dans l'expérience, encore moins de les expliquer par la raison, sans se les représenter, quant à leur forme et à leur causalité, comme déterminés d'après un principe des fins.

Or, il est clair que, dans de tels cas, le concept d'une finalité objective de la nature est uniquement destiné à la *réflexion* sur l'objet, mais qu'il ne sert pas à la *détermination* de l'objet par le concept d'une fin, et que le jugement téléologique sur la possibilité interne d'un produit de la nature est un jugement simplement réfléchissant, et non pas déterminant. Ainsi, par exemple, quand on dit que le cristallin, dans l'œil, a pour *fin* de produire, à la faveur d'une double réfraction des rayons lumineux, la convergence, en un point situé sur la rétine de l'œil, des rayons provenant d'un point, on dit simplement par là que, si l'on pense la représentation d'une fin dans la causalité de la nature en ce qui concerne la production de l'œil, c'est parce qu'une telle Idée sert de principe afin de guider l'exploration de l'œil pour ce qui touche à la partie mentionnée, et c'est aussi à cause des moyens que l'on pourrait imaginer pour susciter cet effet. Cela dit, par là, on n'attribue pas pour autant à la nature une cause agissant d'après la représentation de fins, c'est-à-dire *intentionnellement* – ce qui serait un jugement téléologique déterminant et, comme tel, transcendant, puisqu'il mobiliserait une causalité dépassant les limites de la nature.

Le concept des fins de la nature est donc purement et simplement un concept de la faculté de juger réfléchissante, à l'usage spécifique de celle-ci, pour rechercher la connexion causale présente dans les objets de l'expérience. Un principe téléologique de l'explication de la possibilité interne de certaines formes de la nature laisse indéterminée la question de savoir si leur finalité est *intentionnelle* ou *inintentionnelle*. Le jugement qui affirmerait l'une de ces deux éventualités ne serait plus simplement réfléchissant, mais (237) serait déterminant, et le concept d'une fin de la nature ne serait plus un simple *concept de la faculté de juger*, destiné à son usage immanent (l'usage de l'expérience), mais se trouverait lié à un *concept de la raison* – celui d'une cause agissant intentionnellement qui serait située au-delà de la nature : concept dont l'usage est transcendant, que l'on entende dans ce cas juger de manière affirmative ou même négative.

X

DE LA RECHERCHE D'UN PRINCIPE
DE LA FACULTÉ DE JUGER TECHNIQUE

Si l'on doit seulement trouver le principe d'explication de ce qui arrive, celui-ci peut être soit un principe empirique, soit un principe a priori, ou même une combinaison des deux, comme on peut le voir dans les explications physico-mécaniques des événements survenant dans le monde des corps : ces explications trouvent leurs principes, pour une part, dans la science universelle (rationnelle) de la nature ; pour une autre part, dans celle qui contient les lois empiriques du mouvement. Les choses se passent de la même manière quand on cherche des principes psychologiques d'explication pour ce qui survient dans notre esprit, avec cette différence que, de tout ce dont j'ai conscience, les principes sont dans leur globalité empiriques, excepté celui de la *continuité* de tous les changements (parce que le temps, qui n'a qu'une dimension, est la condition formelle de l'intuition interne) : ce principe est a priori au fondement de ces perceptions, mais il n'est pour ainsi dire d'aucune utilité pour l'explication, dans la mesure où, à la différence de la doctrine pure de l'espace (géométrie), une doctrine générale du temps ne fournit pas une matière suffisante pour une science entière.

Si donc il s'agissait d'expliquer comment ce que nous nommons le goût s'est initialement introduit parmi les hommes, d'où vient qu'ils se sont occupés de ces objets plutôt que d'autres et ont recouru au jugement sur la beauté dans telles ou telles circonstances de lieu et de société, pour quelles raisons il a pu se développer jusqu'au luxe, et autres questions semblables, les principes d'une telle explication seraient à rechercher pour leur plus grande part dans la psychologie (par là, on entend toujours, dans un tel cas, la psychologie empirique). Ainsi les moralistes demandent-ils aux psychologues (*238*) de leur expliquer ce singulier phénomène de l'esprit [25] qui consiste, de la part de celui-ci, à placer une valeur absolue dans la simple possession des moyens permettant d'accéder au bien-vivre (ou à la réalisation de toute autre fin), avec pourtant l'intention bien arrêtée de n'en jamais faire usage – ou encore de leur expliquer cet appétit de l'honneur qui croit trouver celui-ci dans la simple renommée, sans considérer une autre fin : explications qui sont recherchées afin de pouvoir régler sur elles leur prescription, non de la loi morale elle-même, mais de la manière d'écarter les obstacles qui s'opposent à l'influence de cette loi. Où l'on doit pourtant avouer qu'avec les explications psychologiques ce qui est mis en place est bien misérable, vis-à-vis de ce que permettent les explications physiques, étant donné qu'elles sont indéfiniment hypothétiques et que, s'il y a trois principes différents d'explications, on peut toujours très facilement en imaginer un quatrième, tout aussi vraisemblable – ce pourquoi une foule de prétendus psychologues de cette espèce savent indiquer les causes de toute affection ou émotion de l'esprit éveillée dans les pièces de théâtre, les représentations poétiques ou par des objets de la nature : sans doute appellent-ils philosophie l'ingéniosité d'esprit dont ils font preuve à cet égard, pour expliquer scientifiquement l'événement naturel le plus banal du monde corporel, mais, outre qu'ils ne laissent voir en cela aucune connaissance, il se peut même qu'ils ne fassent pas montre de la moindre aptitude à y parvenir. Procéder à des observations psychologiques (comme Burke dans son écrit sur le beau et le sublime) [26], et dès lors rassembler une matière pour de futures règles à relier systématiquement, sans cependant vouloir les comprendre, c'est bien là l'unique obligation véritable qui incombe à la psychologie empirique, laquelle aura toujours bien du mal à pouvoir prétendre au rang d'une science philosophique [27].

Mais si un jugement se présente lui-même comme valant universellement et, dans son affirmation, prétend donc à la *nécessité*, que cette nécessité mise en avant repose sur des concepts d'objets a priori, ou bien sur des conditions subjectives pour des concepts jouant un rôle de fondements a priori, il serait insensé, si l'on accorde une semblable prétention à un tel jugement, de la justifier en expliquant psychologiquement l'origine du jugement. Car on agirait par là contre sa propre intention, et si l'explication ainsi tentée réussissait parfaitement, elle prouverait que le jugement ne peut aucunement prétendre à la nécessité, précisément pour cette raison que l'on peut en indiquer l'origine empirique [28].

Or, les jugements esthétiques de réflexion (que nous analyserons ultérieurement sous le nom de jugements de goût) sont du (*239*) type indiqué ci-dessus. Ils prétendent à la nécessité et disent, non que chacun juge ainsi – car, si c'était le cas, leur explication constituerait une tâche de la psychologie empirique –, mais que l'on *doit* juger ainsi, ce qui équivaut à dire qu'ils possèdent pour eux-mêmes un principe a priori. Si la relation à un tel principe n'était pas contenue dans des jugements de ce genre, dans la mesure où ils prétendent à la nécessité, on se trouverait forcé d'admettre que l'on peut dès lors, dans un jugement, affirmer qu'il doit valoir universellement, parce qu'effectivement, comme le montre l'observation, il vaut de manière universelle, et inversement que, du fait que chacun juge d'une certaine manière, il s'ensuit que c'est aussi un *devoir* de juger ainsi – ce qui est une absurdité manifeste.

Cela dit, dans les jugements esthétiques de réflexion se laisse apercevoir cette difficulté qu'ils ne peuvent absolument pas être fondés sur des concepts, et ne peuvent donc être déduits d'aucun principe déterminé, parce que, sinon, ils constitueraient des jugements logiques ; or, la représentation subjective de la finalité ne doit nullement être le concept d'une fin. Simplement la relation à un principe a priori peut-elle et doit-elle toujours, ici, encore intervenir, à partir du moment où le jugement prétend à la nécessité : c'est même uniquement d'un tel jugement et de la possibilité d'une telle prétention qu'il est question ici, dans la mesure où un tel jugement donne matière à une critique rationnelle pour rechercher le principe même qui est à son fondement, bien qu'il soit indéterminé, et en tant que cette critique peut même arriver à le découvrir et à le reconnaître comme un principe qui fonde subjectivement et a priori le jugement, alors même qu'il ne peut jamais produire un concept déterminé de l'objet.

*

De même faut-il convenir que le jugement téléologique est fondé sur un principe a priori et que, sans un tel principe, il est impossible, bien que ce soit purement et simplement par expérience que nous découvrions la fin de la nature en de semblables jugements et que, sans l'expérience, nous ne saurions reconnaître que des choses de ce genre sont même simplement possibles. En ce sens, le jugement téléologique, bien qu'il associe à la représentation de l'objet un concept déterminé d'une fin qu'il place au fondement de la possibilité de certains produits de la nature (ce qui n'arrive pas dans le jugement esthétique), n'est pourtant toujours qu'un jugement de réflexion, tout comme le précédent. Il ne prétend (*240*) nullement affirmer qu'en cette finalité objective la nature (ou un autre être à travers elle) procède effectivement *de façon intentionnelle*, c'est-à-dire qu'en elle ou dans sa cause la pensée d'une fin détermine la causalité, mais que c'est seulement selon cette analogie (les relations entre les causes et les effets) que nous devons utiliser les lois mécaniques de la nature pour reconnaître la possibilité de tels objets et acquérir d'eux un concept qui puisse leur procurer une organisation structurée dans une expérience systématiquement disposée.

Un jugement téléologique compare le concept d'un produit de la nature, d'après ce qu'il est, avec ce qu'il *doit être*. Ici se trouve mis, au fondement de la possibilité du jugement appréciatif, un concept (de la fin) qui précède a priori. Pour les produits de l'art, se représenter la possibilité de cette manière ne fait pas de difficulté. En revanche, à propos d'un produit de la nature, penser qu'il a *dû être* quelque chose et, en fonction de cela, apprécier s'il est bien aussi effectivement tel, contient déjà la supposition d'un principe qui n'a pu être tiré de l'expérience (laquelle n'enseigne que ce que les choses sont).

Que nous sommes capables de voir grâce à l'œil, nous en faisons l'expérience immédiatement, de même que nous avons l'expérience de sa structure interne et de sa structure externe, telles qu'elles contiennent les conditions de son usage possible, et donc la causalité d'après des lois mécaniques. Mais je peux aussi me servir d'une pierre pour y mettre quelque chose en morceaux, ou bien pour édifier quelque chose sur elle, etc., et ces effets peuvent aussi être rapportés, en tant que fins, à leurs causes : cela dit, je ne peux pas pour autant dire que la pierre a *dû* [29] servir à la construction. C'est simplement de l'œil que je juge qu'il a *dû* être approprié à la vision, et quand bien même la figure, la constitution de toutes ses parties et leur combinaison, appréciées d'après des lois simplement mécaniques de la nature, sont totalement contingentes pour ma faculté de juger, je pense pourtant dans sa forme et dans son organisation une nécessité – celle d'être formé d'une certaine manière, à savoir d'après un concept qui précède les causes formatrices de cet organe et sans lequel la possibilité de ce produit de la nature n'est appréhendable pour moi selon aucune loi mécanique de la nature (ce qui n'est pas le cas pour la pierre évoquée plus haut). Or, ce *devoir* contient une nécessité qui se différencie clairement de la nécessité physico-mécanique selon laquelle une chose est possible d'après de simples lois des causes efficientes (sans qu'intervienne antérieurement une *(241)* idée de cette chose), il ne peut pas davantage être déterminé par des lois simplement physiques (empiriques) que la nécessité du jugement esthétique peut l'être par des lois psychologiques : au contraire, il exige un principe a priori spécifique dans la faculté de juger, en tant qu'elle est réfléchissante – un principe auquel le jugement téléologique est soumis et d'où il doit tirer aussi la détermination de sa validité et de sa limitation.

Tous les jugements sur la finalité de la nature, qu'ils soient esthétiques ou téléologiques, sont donc soumis à des principes a priori, et plus précisément à des principes appartenant spécifiquement et exclusivement à la faculté de juger, puisque ce sont des jugements simplement réfléchissants, et non pas déterminants. C'est justement pour cette raison qu'ils relèvent aussi de la critique de la raison pure (prise au sens le plus général) [30], dont les seconds ont davantage besoin que les premiers, dans la mesure où, s'ils sont laissés à eux-mêmes, ils entraînent la raison dans des raisonnements qui peuvent se perdre dans ce qui dépasse l'expérience, alors que les premiers exigent une recherche difficile afin d'éviter qu'ils ne se limitent, conformément à leur principe même, exclusivement à l'empirique et que, de ce fait, ils n'annulent leurs prétentions à une validité nécessaire pour tout un chacun.

XI

INTRODUCTION ENCYCLOPÉDIQUE DE LA CRITIQUE DE LA FACULTÉ DE JUGER DANS LE SYSTÈME DE LA CRITIQUE DE LA RAISON PURE

Toute introduction à un exposé est soit l'introduction à une doctrine dont on a le projet, soit l'introduction de la doctrine elle-même dans un système auquel elle appartient comme l'une de ses parties. La première précède la doctrine, la seconde devrait raisonnablement n'en constituer que la conclusion, pour lui assigner selon des principes sa place dans l'ensemble des doctrines avec lesquelles elle se trouve liée structurellement par des principes communs. La première est une introduction *propédeutique*, la seconde peut se nommer introduction *encyclopédique*.

Les introductions propédeutiques sont les introductions usuelles, telles qu'elles préparent à une doctrine qui doit être exposée, cela en mettant en avant la connaissance préalable qui est nécessaire à cette fin, puisée à d'autres doctrines ou sciences déjà existantes, pour rendre possible la transition. Si l'on s'adresse à (*242*) ces introductions pour distinguer scrupuleusement les principes propres de la doctrine nouvelle qui va se mettre en place (*domestica*) de ceux qui appartiennent à une autre doctrine (*peregrina*), elles servent à délimiter les frontières entre les sciences – une précaution qui ne peut jamais être trop recommandée, tant il est vrai que, sans elle, on ne peut parvenir à des fondations solides, notamment dans la connaissance philosophique.

Une introduction encyclopédique présuppose moins, cependant, une doctrine apparentée et préparant à celle qui s'annonce comme nouvelle, que l'Idée d'un système qui va être complété avant tout par cette dernière. Or, dans la mesure où ce n'est pas parce que l'on ramasse à la hâte et glane le divers trouvé sur le chemin de la recherche qu'un tel système est possible, mais uniquement si l'on est en état d'indiquer dans leur intégralité les sources subjectives ou objectives d'une certaine espèce de connaissances, cela grâce au concept formel d'un tout (concept qui contient en même temps a priori en lui le principe d'une division complète), on peut aisément comprendre pourquoi les introductions encyclopédiques, si utiles qu'elles puissent être, sont pourtant si peu usuelles.

Étant donné que le pouvoir dont il faut ici rechercher et élucider le principe propre (la faculté de juger) est d'un type si particulier qu'il ne produit par lui-même absolument aucune connaissance (ni théorique, ni pratique), et que, en dépit de son principe a priori, il ne fournit pas de partie à la philosophie transcendantale en tant que doctrine objective, mais constitue seulement le lien des deux autres pouvoirs supérieurs de connaître (l'entendement et la raison), on peut me permettre, dans la détermination des principes d'un tel pouvoir qui n'est susceptible d'aucune doctrine, mais uniquement d'une critique, de m'écarter de l'ordre qui, partout ailleurs, est nécessaire, et de commencer par une courte introduction encyclopédique à la critique – cela, non pas comme introduction au système des *sciences* de la raison pure, mais uniquement comme introduction à la *critique* de tous les pouvoirs de l'esprit déterminables a priori, dans la mesure où ils constituent entre eux un système dans l'esprit ; et de cette manière je pourrai unir l'introduction propédeutique et l'introduction encyclopédique.

L'introduction de la faculté de juger dans le système du pouvoir pur de connaître par concepts repose entièrement sur son principe transcendantal propre : savoir que la nature, dans la spécification des lois transcendantales de l'entendement (principes de sa possibilité (*243*) comme nature en général), c'est-à-dire dans la diversité de ses lois empiriques, procède selon l'Idée d'un système de leur division, en vue de la possibilité de l'expérience comme système empirique. Ce qui fournit tout d'abord, et cela a priori, le concept d'une légalité objectivement contingente, mais subjectivement nécessaire (pour notre pouvoir de connaître), c'est-à-dire d'une finalité de la nature. Or, bien que ce principe ne détermine rien du point de vue des formes particulières de la nature, mais que la finalité de ces dernières doit toujours être donnée empiriquement, le jugement sur ces formes gagne pourtant une prétention à la validité universelle et à la nécessité, comme jugement simplement réfléchissant, grâce à la relation entre la finalité subjective de la représentation donnée pour la faculté de juger et ce principe de la faculté de juger a priori, à savoir celui de la finalité de la nature dans sa légalité empirique en général – et ainsi pourra-t-on considérer un jugement esthétique réfléchissant comme reposant sur un principe a priori (bien qu'il ne soit pas déterminant), et la faculté de juger s'y trouvera légitimée à obtenir une place dans la critique des pouvoirs supérieurs de connaître.

Cela dit, le concept d'une finalité de la nature (en tant que finalité technique, qui est distincte par essence de la finalité pratique), s'il ne doit pas être une simple subreption nous faisant confondre *ce que nous faisons à partir d'elle* avec *ce qu'elle est*, constitue un concept qui doit être dégagé de toute philosophie dogmatique (la philosophie théorique aussi bien que la philosophie pratique), un concept se fondant purement et simplement sur ce principe de la faculté de juger qui précède les lois empiriques et joue un rôle décisif pour rendre possible l'unité d'un système de ces lois. En conséquence, il faut voir que, des deux types d'usage de la faculté de juger réfléchissante (l'usage esthétique et l'usage téléologique), le jugement qui précède tout concept de l'objet, par conséquent le jugement réfléchissant esthétique, est pleinement le seul dont le principe de détermination soit issu de la faculté de juger sans que vienne s'y mêler aucun autre pouvoir de connaître ; en revanche, le jugement téléologique sur le concept d'une fin naturelle, bien que, dans le jugement lui-même, ce concept ne soit utilisé que comme principe de la faculté de juger réfléchissante, et non pas déterminante, ne peut pourtant intervenir qu'à la faveur de l'association de la raison à des concepts empiriques. La possibilité d'un jugement téléologique sur la nature se peut donc aisément démontrer sans qu'il soit besoin de mettre à son fondement un principe particulier de la faculté de juger (*244*), car celle-ci suit simplement le principe de la raison. Au contraire, la possibilité d'un jugement esthétique de la simple réflexion qui soit cependant fondé sur un principe a priori, c'est-à-dire la possibilité d'un jugement de goût, s'il peut être démontré qu'il est effectivement légitimé à prétendre à une validité universelle, réclame absolument une critique de la faculté de juger comme pouvoir doté de principes transcendantaux spécifiques (ainsi que c'est le cas de l'entendement et de la raison), et c'est seulement par là que ce pouvoir a qualité pour être inclus dans le système des purs pouvoirs de connaître : la raison en est que le jugement esthétique, sans présupposer un concept de son objet, lui attribue toutefois de la finalité, et cela avec une validité universelle – ce pourquoi son principe doit donc se trouver dans la faculté de juger elle-même, tandis qu'au contraire le jugement téléologique suppose un concept de l'objet que la raison subsume sous le principe de la liaison finale, avec simplement cette précision que ce concept d'une fin de la nature n'est utilisé par la faculté de juger que dans un jugement réfléchissant et non déterminant.

Ce n'est donc à proprement parler que dans le goût, et plus précisément eu égard aux seuls objets de la nature, que la faculté de juger se manifeste comme un pouvoir qui possède son principe propre et qui, de ce fait, élève une prétention fondée à occuper une place dans la critique générale des pouvoirs supérieurs de connaître – prétention qu'on ne lui aurait, sinon, peut-être pas reconnue. Mais, dès lors que l'on a accordé à la faculté de juger le pouvoir de se donner des principes a priori, il est également nécessaire de déterminer l'étendue de ce pouvoir, et pour que la critique soit complète, il est exigé que l'on reconnaisse son pouvoir esthétique comme contenu, conjointement avec le pouvoir téléologique, dans un même pouvoir et comme reposant sur le même principe, puisque le jugement téléologique sur des choses de la nature appartient, exactement comme le jugement esthétique, à la faculté de juger réfléchissante (et non pas déterminante).

Cela dit, la critique du goût, qui ne sert d'ordinaire qu'à l'amélioration ou à l'affermissement du goût lui-même, ouvre, si on la traite du point de vue transcendantal, dans la mesure où elle comble une lacune dans le système de nos pouvoirs de connaître, une perspective frappante et, me semble-t-il, fort prometteuse sur un système complet de toutes les facultés de l'esprit, pour autant qu'elles ne sont pas rapportées simplement au sensible, mais aussi au suprasensible, sans que soient déplacées pour autant les frontières (245) qu'une critique impitoyable a assignées à ce dernier usage susceptible d'en être fait. Il peut éventuellement servir au lecteur, pour pouvoir d'autant plus aisément avoir une vue d'ensemble de la structure des recherches qui vont suivre, que j'esquisse dès maintenant un plan de cet enchaînement systématique – lequel plan, au demeurant, ne devrait proprement trouver sa place, comme toute la présente section, qu'à la conclusion du traité.

Les pouvoirs de l'esprit se laissent ramener, si on les considère dans leur ensemble, aux trois suivants :

Pouvoir de connaître
Sentiment de plaisir et de déplaisir
Faculté de désirer.

Cela étant, l'exercice de tous ces pouvoirs a toujours, quoi qu'il en soit, pour fondement le pouvoir de connaître, bien qu'il ne s'agisse pas toujours là d'une connaissance (étant donné qu'une représentation appartenant au pouvoir de

connaître peut aussi être une intuition, pure ou empirique,
sans concepts). Par conséquent, dans la mesure où il est
question du pouvoir de connaître d'après des principes, les
pouvoirs supérieurs suivants viennent correspondre aux facultés
de l'esprit en général :

Pouvoirs de connaître – Entendement
Sentiment de plaisir et de déplaisir – Faculté de juger
Pouvoir de désirer – Raison.

Il se trouve que l'entendement contient des principes spécifiques a priori pour le pouvoir de connaître, que la faculté
de juger en contient seulement pour le sentiment de plaisir et
de déplaisir, alors que la raison en contient uniquement pour
le pouvoir de désirer. Ces principes formels fondent une
nécessité qui pour une part est objective, pour une part est
subjective, mais qui, pour une part aussi, dans la mesure où
elle est subjective, est dotée en même temps d'une validité
objective – en fonction de quoi de tels principes, grâce aux
pouvoirs supérieurs qui s'y rapportent, déterminent les facultés
de l'esprit qui correspondent à ces derniers :

Pouvoir de connaître – Entendement – Légalité
Sentiment de plaisir et de déplaisir – Faculté de juger –
Finalité
Pouvoir de désirer – Raison – Finalité qui est en même
temps loi (obligation).

(*246*) Enfin, aux fondements a priori, qui viennent d'être
indiqués, de la possibilité des formes, s'associent aussi ceux-
ci, en tant qu'ils en sont les produits :

Pouvoirs de l'esprit	*Pouvoirs supérieurs de connaître*	*Principes a priori*	*Produits*
Pouvoir de connaître	Entendement	Légalité	Nature
Sentiment de plaisir et de déplaisir	Faculté de juger	Finalité	Art
Pouvoir de désirer	Raison	Finalité qui est en même temps loi (Obligation)	Mœurs

La **nature** fonde donc sa *légalité* sur des *principes a priori* de
l'*entendement* comme *pouvoir de connaître* ; l'**art** se règle,
dans sa finalité a priori, d'après la faculté de juger en relation
avec le *sentiment de plaisir et de déplaisir* ; enfin, les **mœurs**
(comme produit de la liberté) sont soumises à l'idée d'une
forme de la *finalité* qui est capable d'accéder au statut de loi
universelle, en tant que principe déterminant de la *raison* eu

égard au *pouvoir de désirer*. Les jugements qui procèdent selon ce mode de principes a priori propres à chaque pouvoir fondamental de l'esprit sont des jugements *théoriques*, *esthétiques* et *pratiques*.

Ainsi se découvre un système des facultés de l'esprit, dans leur relation à la nature et à la liberté, dont chacune possède ses propres principes déterminants a priori et qui, de ce fait, constituent les deux parties de la philosophie (la partie théorique et la partie pratique) comme système doctrinal – et en même temps se découvre un passage, par la médiation de la faculté de juger, qui relie à travers un principe spécifique les deux parties : j'entends par là un passage du substrat *sensible* de la première de ces deux philosophies au substrat *intelligible* de la seconde, cela par la critique d'un pouvoir (la faculté de juger) ne servant qu'à établir un lien et ne pouvant donc à vrai dire, par lui-même, créer aucune connaissance ni fournir une quelconque contribution à la doctrine. Reste que les jugements de ce pouvoir, sous le nom de jugements *esthétiques* (dont les principes sont simplement subjectifs), dans la mesure où ils se distinguent de tous les jugements dont les principes fondamentaux doivent nécessairement être objectifs (qu'ils soient théoriques ou pratiques) et qu'on appelle (*247*) jugements *logiques*, sont d'un type si particulier qu'ils rapportent des intuitions sensibles à une Idée de la nature, dont la légalité ne peut être comprise sans que l'on mette la nature en relation avec un substrat suprasensible – ce dont la preuve sera produite dans le traité même.

Nous n'appellerons pas *esthétique* (pour ainsi dire : doctrine des sens) la critique de ce pouvoir eu égard à la première sorte de jugements, mais *critique de la faculté de juger esthétique*, parce que la première expression possède une signification trop vaste, dans la mesure où elle peut désigner aussi la sensibilité de l'*intuition*, laquelle appartient à la connaissance théorique et fournit leur matière aux jugements logiques (objectifs) : ce pourquoi aussi nous avons déjà limité l'usage du terme d'esthétique exclusivement au prédicat qui appartient à l'intuition dans les jugements de connaissance. Mais, quand on nomme esthétique une faculté de juger, parce qu'elle ne rapporte pas la représentation d'un objet à des concepts, ni le jugement, par conséquent, à la connaissance (en n'étant nullement déterminante, mais seulement réfléchissante), cela ne donne à craindre aucune méprise ; car, pour la faculté de juger logique, les intuitions doivent nécessairement, bien qu'elles soient sensibles, être pourtant élevées d'abord aux concepts pour servir à la connaissance de l'objet, ce qui n'est pas le cas avec la faculté de juger esthétique.

XII

DIVISION DE LA CRITIQUE DE LA FACULTÉ DE JUGER

La division d'une sphère de connaissances d'une certaine sorte, pour la rendre représentable comme système, a une importance qui n'a pas été suffisamment perçue, mais possède aussi une difficulté que l'on a tout aussi souvent méconnue. Si l'on considère les parties destinées à un tel tout possible comme déjà complètement données, la division s'effectue *mécaniquement*, à la suite d'une simple comparaison, et le tout devient un *agrégat* (à peu près comme se forment les villes quand, sans égard à la police, un terrain est partagé entre des colons qui se présentent, selon les projets de chacun). Mais si l'on peut et si l'on doit présupposer l'idée d'un tout selon un certain principe avant la détermination des parties, il faut que la division s'opère *scientifiquement*, et ce n'est que de cette façon que le tout devient un système. Cette dernière exigence intervient toujours quand il s'agit d'une (*248*) sphère de connaissance a priori (qui repose, avec ses principes, sur un pouvoir législateur particulier du sujet) : car, dans ce cas, la sphère qui correspond à l'usage de ces lois, à travers la constitution propre de ce pouvoir, est également déterminée a priori, et en conséquence le nombre des parties et leur rapport à un tout de la connaissance le sont aussi. Cela dit, on ne peut construire aucune division fondée sans en même temps *construire* le tout lui-même et l'avoir d'abord rendu compréhensible dans toutes ses parties, bien que ce ne soit que d'après les règles de la *critique* ; ensuite, porter ce tout à la forme systématique d'une *doctrine* (dans la mesure où, du point de vue de la nature de ce pouvoir de connaître, il est possible, de façon générale, de constituer une telle forme) exige uniquement d'allier le *caractère détaillé* de l'application au particulier et l'élégance de la *précision*.

Or, pour diviser une critique de la faculté de juger (lequel pouvoir est justement tel que, bien que fondé sur des principes a priori, il ne peut cependant jamais fournir la matière requise pour une doctrine), il faut prendre pour fondement cette distinction : ce n'est pas la faculté de juger déterminante, mais uniquement la faculté de juger réfléchissante qui possède ses propres principes a priori ; la première procède seulement *de manière schématique*, sous les lois d'un autre pouvoir (l'entendement), alors que la seconde procède uniquement *de façon technique* (d'après des lois propres) – et au fondement de ce dernier procédé se trouve un principe de la technique de la nature, par conséquent le concept d'une finalité que l'on doit supposer en elle a priori : cette finalité, à vrai dire, n'est supposée, suivant le principe de la faculté de juger réfléchissante, nécessairement que de manière subjective, c'est-à-dire uniquement en relation à ce pouvoir lui-même, alors que pourtant elle apporte aussi avec elle le concept d'une finalité objective *possible*, c'est-à-dire celui de la légalité des choses de la nature comme fins naturelles.

Une finalité sur laquelle on porte une appréciation simplement subjective, qui ne se fonde donc sur aucun concept ni ne peut obtenir une telle fondation, dans la mesure où elle est appréciée de façon uniquement subjective, est la relation au sentiment de plaisir et de déplaisir, et le jugement que l'on porte sur elle est *esthétique* (c'est en même temps l'unique manière possible de porter un jugement esthétique). Mais parce que, si ce sentiment accompagne simplement la représentation sensible de l'objet, c'est-à-dire sa sensation, le jugement esthétique est empirique et requiert, plus précisément, une réceptivité particulière, mais non point une faculté de juger particulière, parce qu'en outre, si cette faculté était prise pour déterminante, il faudrait qu'un concept de la fin lui serve de fondement et que la finalité soit donc jugée comme objective, donc non pas esthétiquement, mais logiquement, il ne faudra considérer comme faculté de juger esthétique, en tant que (*249*) pouvoir particulier, nécessairement nulle autre faculté que la *faculté de juger réfléchissante* ; et, pour ce qui est du sentiment de plaisir (qui ne fait qu'un avec la représentation de la *finalité subjective*), il faudra le considérer, non pas comme attaché à la sensation dans une représentation empirique de l'objet, ni non plus au concept de celui-ci, mais par conséquent uniquement comme se rattachant à la réflexion et à sa forme (c'est là l'activité propre de la faculté de juger), grâce à quoi elle tend à s'élever des intuitions empiriques à des concepts en général, et comme relié à elle selon un principe a priori. Ainsi donc, l'*esthétique* de la faculté de juger réfléchissante occupera une partie de la critique de ce pouvoir, tout comme la *logique* de ce même pouvoir, sous le nom de téléologie, en constitue l'autre partie. Mais, des deux côtés, la nature elle-même est considérée comme technique, c'est-à-dire comme finalisée dans ses produits : tantôt comme subjectivement finalisée, vis-à-vis du simple mode de représentation du sujet ; tantôt, en revanche, dans le deuxième cas, comme objectivement finalisée par rapport à la possibilité de l'objet lui-même. Nous verrons dans la suite que la finalité de la forme dans le phénomène est la *beauté*, et que le pouvoir de porter sur elle des jugements appréciatifs est le *goût*. Et il semblerait en résulter que la division de la critique de la faculté de juger en faculté de juger esthétique et faculté de juger téléologique ne devrait contenir en elle que la *doctrine du goût* et la *doctrine physique des fins* (la doctrine de l'appréciation des choses du monde comme fins de la nature).

Cela étant, on peut diviser toute *finalité*, qu'elle soit subjective ou objective, en finalité *interne* et finalité *relative*, la première se fondant sur la représentation de l'objet en soi, la seconde simplement sur l'*usage* contingent de cette même représentation. Conformément à quoi, de deux choses l'une : *en premier lieu*, la forme d'un objet peut être perçue déjà par elle-même comme finale, c'est-à-dire dans la simple intuition sans concept pour la faculté de juger réfléchissante, et dans ce cas la finalité subjective est attribuée à la chose et à la nature elle-même ; *en second lieu*, l'objet peut fort bien, lors de la perception, ne posséder en lui-même pour la réflexion aucune dimension finalisée en vue de la détermination de sa forme, quand bien même pourtant sa représentation peut fonder un jugement esthétique sur une finalité résidant a priori dans le sujet, mise en œuvre pour susciter un sentiment (*250*) de cette finalité (et éventuellement de la destination suprasensible des facultés de l'esprit du sujet) : dans ce cas, le jugement se rapporte également à un principe a priori (certes simplement subjectif), non pas sans doute, comme dans le premier, à une *finalité de la nature* vis-à-vis du sujet, mais uniquement à un *usage* final possible de certaines intuitions sensibles, en fonction de leur forme, par l'intermédiaire de la faculté de juger simplement réfléchissante. Si, par conséquent, le premier jugement attribue de la *beauté* aux objets de la nature, alors que le second leur attribue de la *sublimité*, et cela, dans les deux cas, uniquement à travers des jugements esthétiques (réfléchissants), sans concepts de l'objet, en n'ayant égard qu'à la finalité subjective, il n'y aurait pas lieu de présupposer, en tout cas pour le second, une technique particulière de la nature, parce qu'en l'espèce le jugement relève seulement d'un usage contingent de la représentation, non pas en vue de la connaissance de l'objet, mais en vue d'un autre sentiment, à savoir celui de la finalité interne dans la disposition des facultés de l'esprit. Pour autant, le jugement sur le sublime dans la nature ne devrait pas être exclu de la division de l'esthétique de la faculté de juger réfléchissante, puisqu'il exprime aussi une finalité subjective qui ne repose pas sur un concept de l'objet.

De même en va-t-il avec la finalité objective de la nature, c'est-à-dire avec la possibilité des choses comme fins naturelles : ici, le jugement porté sur elles ne l'est que d'après des concepts qui leur correspondent, c'est-à-dire de manière non pas esthétique (en relation au sentiment de plaisir ou de déplaisir), mais logique, et un tel jugement se nomme téléologique. La finalité objective est mise au fondement, soit de la possibilité interne de l'objet, soit de la possibilité relative de ses conséquences externes. Dans le premier cas, le jugement téléologique considère la *perfection* d'une chose d'après une fin située en elle (dans la mesure où les divers aspects de cette chose se rapportent les uns aux autres, réciproquement, comme fin et moyen) ; dans le second cas, le jugement téléologique prononcé sur un objet de la nature ne porte que sur son *utilité*, c'est-à-dire sur son accord avec une fin résidant dans d'autres choses.

Conformément à quoi la critique de la faculté de juger esthétique contient, premièrement, la critique du *goût* (pouvoir de porter des jugements d'appréciation sur le beau) et, deuxièmement, la critique du *sentiment de l'esprit* – car je nomme ainsi, provisoirement, le pouvoir de se représenter dans les objets une sublimité. Parce que la faculté de juger téléologique rapporte sa représentation de la finalité à l'objet, non pas par l'intermédiaire des sentiments, mais à travers des concepts, (251) il n'y a pas besoin de dénominations particulières pour distinguer les pouvoirs contenus en elle, internes aussi bien que relatifs (pouvoirs qui, dans les deux cas, sont cependant de finalité objective), étant donné que, sans nulle exception, elle rapporte sa réflexion à la raison (et non au sentiment).

Une remarque, encore, s'impose : c'est eu égard à la technique dans la nature, et non pas à celle de la causalité des facultés représentatives de l'être humain, qui se nomme *art* (au sens propre du terme), que l'on interroge ici la finalité comme concept régulateur de la faculté de juger ; et l'on ne recherche pas le principe de la beauté artistique ou d'une perfection artistique, bien que l'on puisse désigner la nature comme technique en la manière dont elle procède, c'est-à-dire en quelque façon comme artistique, si on la considère comme technique (ou plastique) en vertu d'une analogie d'après laquelle sa causalité doit être représentée avec celle de l'art. Car il s'agit du principe de la faculté de juger simplement réfléchissante, et non pas déterminante (à la façon de celle qui est au fondement de toutes les œuvres d'art produites par l'homme), la finalité qui s'y rapporte devant donc être considérée ici comme *inintentionnelle* et ne pouvant convenir qu'à la nature. Dès lors, le jugement appréciatif porté sur la beauté artistique devra être considéré comme une simple conséquence procédant de ces mêmes principes qui sont au fondement du jugement sur la beauté de la nature.

La critique de la faculté de juger réfléchissante vis-à-vis de la nature se composera donc de deux parties, de la critique du *pouvoir de porter des jugements d'appréciation esthétique* sur les choses de la nature et de la critique du *pouvoir de porter des jugements d'appréciation téléologique* sur ces mêmes choses.

La première partie contiendra deux livres, dont le premier sera la critique du *goût* ou du jugement d'appréciation sur le beau, le second la critique du *sentiment de l'esprit* (dans la simple réflexion sur un objet) ou du jugement d'appréciation sur le *sublime*.

La seconde partie contient elle aussi deux livres, dont le premier rangera sous des principes le jugement qui apprécie les choses comme fins de la nature, eu égard à leur *possibilité interne*, alors que le second rangera sous des principes le jugement sur leur *finalité relative*.

Chacun de ces livres contiendra en deux sections une *analytique* et une *dialectique* du pouvoir de porter des jugements d'appréciation.

L'analytique cherchera à mener à bien en autant de chapitres, premièrement, l'*exposition* et, ensuite, la *déduction* du concept d'une finalité de la nature.

CRITIQUE DE LA FACULTÉ DE JUGER

PRÉFACE À LA PREMIÈRE ÉDITION
(1790)

(*V, 167*) On peut appeler le pouvoir de connaître à partir de principes a priori *la raison pure*, et nommer critique de la raison pure l'examen de sa possibilité et de ses limites en général, bien que, par ce pouvoir, l'on n'entende que la raison dans son usage théorique, ainsi que ce fut le cas, sous ce titre, dans notre premier ouvrage, sans vouloir soumettre en outre à examen, quant à ses principes particuliers, son pouvoir en tant que raison pratique. Cette critique porte dès lors uniquement sur notre pouvoir de connaître des choses a priori, et en ce sens elle ne s'occupe que du *pouvoir de connaître* en excluant le sentiment de plaisir et de déplaisir, ainsi que le pouvoir de désirer ; et parmi les pouvoirs de connaître elle ne s'occupe que de l'*entendement* quant à ses principes a priori, en excluant la *faculté de juger* et la *raison* (comme pouvoirs appartenant également à la connaissance théorique), parce qu'il se trouve, dans le cours de cette recherche, qu'aucun autre pouvoir de connaître que l'entendement ne peut fournir des principes de connaissance constitutifs a priori. Ainsi la critique, qui scrute l'ensemble de ces pouvoirs quant à la part du capital de connaissance que chacun, vis-à-vis des autres, pourrait prétendre posséder à partir de ses racines propres, ne conserve que ce que l'entendement prescrit a priori comme loi pour la nature en tant qu'ensemble des phénomènes (dont la forme elle aussi est donnée a priori) ; mais elle renvoie tous les autres concepts purs parmi les Idées, lesquelles sont au-delà de notre faculté de connaître théorique, mais pourtant ne sont de ce fait ni inutiles ni superflues, mais servent de principes régulateurs [31] : d'une part elles [32] répriment les prétentions inquiétantes de l'entendement, qui (dans la mesure où il est capable d'indiquer a priori les conditions de possibilité de toutes les choses qu'il peut connaître) (*168*) fait comme s'il avait aussi, par là, enfermé dans ses limites la possibilité de toutes les choses en général, et d'autre part elles le dirigent lui-même dans la considération de la nature d'après un principe de complétude, bien qu'il ne puisse jamais atteindre à cette dernière, et elles favorisent ainsi l'intention finale de toute connaissance.

Ainsi était-ce proprement l'entendement, tel qu'il a son domaine spécifique – et cela, plus précisément, dans le *pouvoir de connaître* –, en tant qu'il contient des principes de connaissance constitutifs a priori, qui devait, par la critique que l'on désigne en général comme critique de la raison pure, être établi, contre tous les autres compétiteurs, dans une possession assurée, mais exclusive. De même est-ce à la *raison*, qui ne contient des principes constitutifs a priori qu'uniquement vis-à-vis du *pouvoir de désirer*, qu'a été indiqué dans la Critique de la raison pratique ce qui est son domaine propre.

Quant à savoir maintenant si la *faculté de juger*, laquelle constitue, dans l'ordre de nos pouvoirs de connaître, un terme intermédiaire entre l'entendement et la raison, possède elle aussi, pour elle-même, des principes a priori ; si ceux-ci sont constitutifs ou simplement régulateurs (auquel cas ils n'indiquent pas de domaine propre) ; et si elle donne a priori une règle au sentiment de plaisir et de déplaisir, en tant que terme intermédiaire entre le pouvoir de connaître et le pouvoir de désirer (exactement comme l'entendement prescrit a priori des lois au premier, tandis que la raison en prescrit au second) : ce sont là les questions dont s'occupe la présente *Critique de la faculté de juger*.

Une critique de la raison pure, c'est-à-dire de notre pouvoir de juger suivant des principes a priori, serait incomplète si celle de la faculté de juger, qui prétend aussi pour elle-même, en tant que pouvoir de connaître, à de tels principes, n'était pas traitée comme une partie spécifique de cette critique – cela bien que ses principes, dans un système de philosophie pure, ne sauraient constituer une partie spécifique entre les parties théorique et pratique, mais pourraient, en cas de nécessité, être à l'occasion rattachés à chacune des deux. Car si un tel système, sous le nom général de métaphysique, doit un jour être mis en place (système qu'il est possible de réaliser de manière tout à fait complète et qui est extrêmement important sous tous les rapports pour l'usage de la raison), il est nécessaire que la critique ait d'abord exploré le sol destiné à cet édifice en allant jusqu'à la profondeur où se tient le premier fondement du pouvoir des principes indépendants de l'expérience, afin qu'il ne s'effondre pas en l'une quelconque de ses parties – ce qui entraînerait de manière inévitable la ruine de l'ensemble.

(*169*) Cela dit, on peut, à partir de la nature de la faculté de juger (dont l'usage correct est si nécessaire et si universellement exigé que, sous le nom d'entendement sain, on n'entend nul autre pouvoir que celui-ci précisément), aisément déduire que de grandes difficultés doivent nécessairement accompagner l'effort pour découvrir un principe qui lui soit propre (car il lui faut contenir en elle-même un quelconque principe a priori, parce que, sinon, elle ne serait pas offerte même à la critique la plus commune comme un pouvoir de connaître particulier) : ce principe ne doit cependant pas être dérivé de concepts a priori, car ceux-ci appartiennent à l'entendement et la faculté de juger ne procède qu'à leur application. Elle doit donc fournir elle-même un concept par lequel nulle chose n'est, à proprement parler, connue, mais qui ne sert de règle qu'à elle seule, bien qu'il ne s'agisse pas d'une règle objective à laquelle elle peut adapter son jugement, parce que, dans ces conditions, une autre faculté de juger serait à son tour requise pour pouvoir distinguer si c'est ou non le cas où la règle trouve à s'appliquer.

Cette perplexité suscitée par un principe (qu'il soit subjectif ou objectif) se trouve principalement dans les jugements d'appréciation que l'on nomme esthétiques et qui concernent le beau et le sublime de la nature ou de l'art. Et c'est cependant la recherche critique d'un principe de la faculté de juger présent en eux qui constitue la partie la plus importante d'une critique de ce pouvoir. Car, bien que considérés uniquement en eux-mêmes, ces jugements ne contribuent pas le moins du monde à la connaissance des choses, ils appartiennent pourtant au pouvoir de connaissance seul et attestent qu'il y a une relation immédiate de ce pouvoir au sentiment de plaisir ou de déplaisir selon quelque principe a priori, sans qu'il faille confondre celui-ci avec ce qui peut être fondement de détermination de la faculté de désirer, étant donné que cette dernière a ses principes a priori dans des concepts de la raison. En ce qui concerne, cela dit, le jugement d'appréciation logique porté sur la nature, là où l'expérience établit une légalité dans des choses que le concept général du sensible qui procède de l'entendement ne suffit plus à comprendre ou à expliquer, et où la faculté de juger peut extraire d'elle-même un principe de la relation entre la chose naturelle et le suprasensible inconnaissable – même s'il ne lui faut l'utiliser que pour elle-même en vue de la connaissance de la nature –, on peut et on doit assurément appliquer un tel principe a priori pour la connaissance des êtres du monde : en même temps, l'on ouvre ainsi des perspectives qui sont avantageuses pour la raison pratique ; mais un tel principe n'entretient aucune relation immédiate avec le sentiment de plaisir et de déplaisir, laquelle relation définit justement ce qu'il y a d'énigmatique dans le principe de la faculté de juger et qui rend nécessaire une section particulière, dans la critique, consacrée à ce pouvoir (*170*), dans la mesure où le jugement d'appréciation logique selon des concepts (dont jamais une conséquence immédiate ne peut être tirée pour le sentiment de plaisir et de déplaisir) aurait en tout état de cause pu être ajouté à la partie théorique de la philosophie avec une limitation critique de ces concepts.

Étant donné que l'analyse de la faculté du goût, en tant que faculté de juger esthétique, n'est pas entreprise ici en vue de la formation et de la culture du goût (car celle-ci suivra son cours ultérieurement, comme elle l'a fait jusqu'ici, même sans de telles recherches), mais uniquement dans une perspective transcendantale, elle sera – du moins est-ce l'espoir dont je me berce – jugée aussi avec indulgence par considération de ce que cet objectif a de restreint [33]. Reste que, pour ce qui concerne la perspective indiquée, elle doit s'attendre à l'examen le plus rigoureux. Mais, même dans ce registre, la grande difficulté qu'il y a à résoudre un problème que la nature a embrouillé à ce point peut servir d'excuse, comme je l'espère, à la présence, dans la solution, d'une certaine dimension d'obscurité qu'on ne peut totalement éviter – à condition toutefois qu'il soit montré assez clairement que le principe a été correctement indiqué ; cela quand bien même la manière d'en déduire le phénomène de la faculté de juger n'aurait pas toute la clarté que l'on peut légitimement attendre ailleurs, à savoir quand il s'agit d'une connaissance par concepts, et que je crois avoir atteinte moi aussi dans la seconde partie de cet ouvrage.

C'est avec ce livre que j'achève donc toute mon entreprise critique. Je passerai rapidement à l'entreprise doctrinale, pour conquérir, si possible, sur mon grand âge le temps qui, dans une certaine mesure, peut encore être favorable à cette recherche. Il va de soi qu'il n'y aura pas dans la doctrine de partie spécifique pour la faculté de juger, puisqu'en ce qui concerne celle-ci c'est la critique qui sert de théorie ; mais, d'après la division de la philosophie en philosophie théorique et philosophie pratique, ainsi que d'après la division de la philosophie pure en des parties analogues, la métaphysique de la nature et celle des mœurs mèneront à bien cette entreprise [34].

INTRODUCTION

I

DE LA DIVISION DE LA PHILOSOPHIE

(*170*) Quand on divise la philosophie, en tant qu'elle contient des principes de la connaissance rationnelle des choses par concepts (et non pas simplement, comme la logique, des principes de la forme de la pensée en général, sans faire de différence entre les objets), comme on le fait habituellement, en philosophie *théorique* et philosophie *pratique*, on procède de manière tout à fait légitime. Mais il faut dès lors que les concepts, qui indiquent leur objet aux principes de cette connaissance rationnelle, soient spécifiquement différents, parce que, si tel n'était pas le cas, ils n'autoriseraient nulle division, laquelle suppose toujours une opposition des principes de la connaissance rationnelle appartenant aux diverses parties d'une science.

Cela dit, il n'y a que deux sortes de concepts, qui permettent autant de principes différents de la possibilité de leurs objets, à savoir les *concepts de la nature* et le *concept de la liberté* [35]. Étant donné que les premiers rendent possible une connaissance *théorique* suivant des principes a priori, tandis que le second, vis-à-vis de ceux-ci, n'introduit avec lui, déjà dans son concept, qu'un principe négatif (de la simple opposition), mais instaure en revanche pour la détermination de la volonté des principes produisant un élargissement, et qui, pour cette raison, sont dits pratiques, la philosophie est légitimement divisée en deux parties totalement différentes selon leurs principes, la philosophie théorique comme *philosophie de la nature* et la philosophie pratique comme *philosophie morale* (car ainsi appelle-t-on la législation pratique de la raison d'après le concept de liberté). Jusqu'ici, cependant, il s'est fait un usage largement abusif de ces expressions pour la division des

différents principes et, avec eux, de la philosophie : on tenait
en effet le pratique selon des concepts de la nature et le
pratique selon le concept de liberté pour identiques [36] et de
cette manière (*172*) on élaborait une distinction par laquelle
en fait (puisque les deux parties pouvaient avoir les mêmes
principes) rien n'était distingué.

La volonté, comme pouvoir de désirer, est une des nombreuses causes naturelles intervenant dans le monde, à savoir
celle qui agit selon des concepts ; et tout ce qui est représenté
comme possible (ou nécessaire) par une volonté se nomme
pratiquement possible (ou nécessaire), à la différence de la
possibilité ou de la nécessité physique d'un effet, pour lequel
la cause n'est pas déterminée par des concepts à exercer sa
causalité (mais, comme dans la matière inanimée, par mécanisme et, chez les animaux, par instinct). Ici est donc laissée
indéterminée, vis-à-vis du pratique, la question de savoir si le
concept qui donne à la causalité de la volonté sa règle est un
concept de la nature ou un concept de la liberté.

Cette dernière différence est pourtant essentielle. Car, si le
concept qui détermine la causalité est un concept de la nature,
les principes sont *techniquement pratiques* ; s'il s'agit en
revanche d'un concept de la liberté, ils sont *moralement
pratiques*, et puisque, dans la division d'une science rationnelle, tout se rapporte à cette différence des objets, dont la
connaissance exige des principes différents, les premiers appar-
tiendront à la philosophie théorique (comme doctrine de la
nature), tandis que les autres, et eux seulement, constitueront
la seconde partie, c'est-à-dire (comme doctrine des mœurs) la
philosophie pratique.

Toutes les règles technico-pratiques (c'est-à-dire celles de
l'art et de l'habileté en général, ou même de la prudence
comme habileté à exercer une influence sur les hommes et
leur volonté) doivent nécessairement, en tant que leurs principes reposent sur des concepts, n'être comptées que comme
des corollaires de la philosophie théorique. Car elles ne
concernent que la possibilité des choses d'après des concepts
de la nature, dont font partie non seulement les moyens qui
se doivent rencontrer à cet effet dans la nature, mais la volonté
elle-même (comme pouvoir de désirer, par conséquent comme
pouvoir naturel), dans la mesure où elle peut être déterminée
par des mobiles naturels, conformément à ces règles. Pourtant,
de semblables règles pratiques ne s'appellent pas des lois
(comme par exemple les lois physiques), mais simplement des
préceptes, et cela, plus précisément, parce que la volonté s'y

subsume, non pas seulement sous le concept de la nature, mais aussi sous le concept de la liberté [37], par rapport auquel les principes de la volonté se nomment des lois et constituent seuls, avec leurs conséquences, la seconde partie de la philosophie, c'est-à-dire la philosophie pratique.

En ce sens, aussi peu que la solution des problèmes de la géométrie pure (*173*) appartient à une partie particulière de celle-ci, ou que l'arpentage mérite d'être désigné sous le nom d'une géométrie pratique se distinguant de la géométrie pure comme une seconde partie de la géométrie en général, tout aussi peu et encore moins l'art mécanique ou chimique des expériences ou des observations peut-il être compté pour une partie pratique de la doctrine de la nature, et de même enfin l'économie domestique, rurale et politique, l'art du commerce social, les préceptes de la diététique, même la doctrine générale du bonheur, même encore l'art de maîtriser les penchants et de dompter les affects à son bénéfice ne doivent nullement être mis au compte de la philosophie pratique, ou ces dernières ne sauraient nullement constituer la seconde partie de la philosophie en général ; la raison en est que ces disciplines ne contiennent toutes ensemble que des règles de l'habileté, qui sont par conséquent technico-pratiques, pour produire un effet qui est possible d'après les concepts naturels des causes et des effets – lesquelles règles, étant donné qu'elles appartiennent à la philosophie théorique, sont soumises à ces prescriptions comme simples corollaires issus de cette dernière (de la science de la nature) et ne peuvent prétendre à obtenir aucune place dans une philosophie particulière, intitulée philosophie pratique. En revanche, les préceptes moralement pratiques, qui se fondent entièrement sur le concept de liberté, à l'exclusion complète des principes de détermination de la volonté procédant de la nature, constituent une espèce tout à fait particulière de préceptes : comme les lois auxquelles la nature obéit, ils se nomment eux aussi purement et simplement des lois, bien qu'ils ne reposent pas, comme celles-ci, sur des conditions sensibles, mais sur un principe suprasensible, et qu'ils exigent, à côté de la philosophie théorique, pour eux exclusivement, une autre partie sous le nom de philosophie pratique.

On voit par là qu'un ensemble de préceptes pratiques que donne la philosophie ne constitue pas une partie spécifique de la philosophie, instituée à côté de la philosophie théorique, parce qu'ils sont pratiques ; car cela, ils pourraient l'être quand bien même leurs principes seraient entièrement dérivés de la connaissance théorique de la nature (comme règles technico-pratiques) ; mais c'est au contraire parce que leur principe n'est aucunement emprunté au concept de la nature, lequel est toujours conditionné de façon sensible, et repose par conséquent sur le suprasensible, que le concept de liberté seul rend connaissable par des lois formelles, et qu'ils sont donc moralement pratiques, c'est-à-dire non pas simplement des préceptes et des règles adoptés pour telle ou telle intention, mais des lois qui ne font nulle référence préalable à des fins ni à des intentions.

II

DU DOMAINE DE LA PHILOSOPHIE EN GÉNÉRAL

(*174*) Aussi loin que des concepts a priori trouvent leur application, aussi loin s'étendent l'usage de notre pouvoir de connaître selon des principes et, avec lui, la philosophie.

Or, l'ensemble de tous les objets auxquels ces concepts sont rapportés, pour en constituer, quand c'est possible, une connaissance, peut être divisé d'après les façons différentes que nos pouvoirs ont de suffire ou de ne pas suffire à cette fin.

Des concepts, dans la mesure où ils sont rapportés à des objets, sans qu'il soit considéré si une connaissance en est ou non possible, possèdent leur champ, lequel n'est déterminé que d'après la relation que leur objet entretient avec notre pouvoir de connaître en général. La partie de ce champ dans laquelle, pour nous, une connaissance est possible est un territoire (*territorium*) pour ces concepts et pour le pouvoir de connaître requis à cette fin. La partie du territoire sur laquelle ceux-ci sont légiférants est le domaine (*ditio*) de ces concepts et des pouvoirs de connaître qui leur correspondent. Les concepts de l'expérience possèdent ainsi, certes, leur territoire dans la nature, en tant qu'ensemble de tous les objets des sens, mais point un domaine ; au contraire n'y ont-ils que leur lieu de séjour (*domicilium*) : car, s'ils sont assurément produits d'une façon légale, ils ne sont pas légiférants, et en fait les règles fondées sur eux sont empiriques, par conséquent contingentes.

Considéré dans sa globalité, notre pouvoir de connaître a deux domaines, celui des concepts de la nature et celui du concept de la liberté ; car c'est à travers ces deux domaines qu'elle légifère a priori. La philosophie se divise donc aussi, conformément à ce pouvoir, en philosophie théorique et en philosophie pratique. Mais le territoire sur lequel elle établit son domaine, et sur lequel *s'exerce* sa législation, n'est pourtant toujours que l'ensemble des objets de toute expérience possible, dans la mesure où ils ne sont pris pour rien de plus que de simples phénomènes ; si tel n'était pas en effet le cas, on ne pourrait concevoir à leur endroit nulle législation de l'entendement.

La législation par des concepts de la nature s'opère par l'entendement et elle est théorique. La législation par le concept de liberté s'opère par la raison et elle est simplement pratique. C'est uniquement dans l'élément pratique que la raison peut être légiférante ; eu égard à la connaissance théorique (de la nature), elle peut seulement (en tant qu'elle est instruite des lois par l'intermédiaire de l'entendement) *(175)* tirer par des raisonnements, à partir de lois données, des conclusions qui cependant restent toujours au seul plan de la nature. Mais, inversement, là où les règles sont pratiques, la raison n'est pas pour autant *légiférante*, parce qu'elles peuvent aussi être technico-pratiques.

L'entendement et la raison ont donc deux législations différentes sur un seul et même territoire de l'expérience, sans que l'une ait à faire obstacle à l'autre. Car aussi peu le concept de la nature exerce-t-il une influence sur la législation par le concept de la liberté, aussi peu celui-ci trouble-t-il la législation de la nature. De la possibilité de penser, du moins sans contradiction, la coexistence des deux législations et des deux pouvoirs qui en relèvent dans le même sujet, la *Critique de la raison pure* a fait la démonstration, dans la mesure où elle a anéanti les objections élevées là-contre en dévoilant en elles l'apparence dialectique.

Mais que ces deux domaines différents, qui se limitent sans cesse, non pas certes dans leur législation, mais cependant dans les effets qui sont les leurs au sein du monde sensible, n'en constituent pas *un seul et unique*, cela vient du fait que le concept de la nature rend certes ses objets représentables dans l'intuition, non pas, il est vrai, comme choses en soi, mais comme simples phénomènes, tandis qu'au contraire le concept de la liberté rend assurément représentable dans son objet une chose en soi, mais non pas dans l'intuition [38] – en conséquence de quoi aucun des deux ne peut produire une connaissance théorique de son objet (et même du sujet pensant) comme chose en soi, ce qui serait le suprasensible, dont il faut certes mettre l'Idée au fondement de la possibilité de tous ces objets de l'expérience, mais sans qu'il soit jamais possible d'élever et d'élargir cette Idée jusqu'à en faire une connaissance.

Il y a donc, pour notre pouvoir de connaître envisagé globalement, un champ illimité, mais aussi inaccessible, à savoir le champ du suprasensible où nous ne trouvons pour nous aucun territoire et sur lequel nous ne pouvons donc avoir un domaine destiné à la connaissance théorique ni pour les concepts de l'entendement ni pour ceux de la raison : c'est là un champ que nous devons occuper certes avec des Idées, au profit de l'usage théorique aussi bien que pratique de la raison, mais à ces Idées nous ne pouvons procurer, relativement aux lois procédant du concept de la liberté, qu'une réalité pratique, à travers laquelle par conséquent notre connaissance théorique ne se trouve pas le moins du monde élargie au suprasensible.

Bien que, cela étant, un abîme incommensurable soit installé entre le domaine du concept de la nature – le sensible – et le domaine du concept de la liberté (*176*) – le suprasensible – au point que, du premier au second (donc par l'intermédiaire de l'usage théorique de la raison), nul passage n'est possible, tout à fait comme s'il s'agissait de mondes différents, dont le premier ne peut avoir sur le second aucune influence, celui-ci *doit* pourtant avoir une influence sur celui-là, autrement dit : le concept de liberté doit rendre effectif dans le monde sensible la fin indiquée par ses lois ; et il faut nécessairement, par conséquent, que la nature puisse être pensée de façon telle que la légalité de sa forme s'accorde pour le moins avec la possibilité des fins qui doivent être mises en œuvre en elle selon des lois de la liberté. Il faut donc en tout cas qu'il y ait un fondement de l'*unité* du suprasensible, qui est à la base de la nature, avec ce que le concept de liberté contient dans le registre pratique, dont le concept, bien qu'il ne réussisse ni théoriquement ni pratiquement à en fournir une connaissance, et qu'il ne possède par conséquent aucun domaine qui lui soit propre, rend cependant possible le passage de la manière de penser selon les principes de l'un à la manière de penser selon les principes de l'autre.

III

DE LA CRITIQUE DE LA FACULTÉ DE JUGER
COMME MOYEN DE RELIER EN UN TOUT
LES DEUX PARTIES DE LA PHILOSOPHIE

La critique des pouvoirs de connaître menée du point de vue de ce dont ils peuvent s'acquitter a priori n'a proprement aucun domaine relativement aux objets, cela parce qu'elle n'est pas une doctrine, mais qu'elle doit rechercher seulement si, et comment, d'après ce qu'il en est de nos pouvoirs, une doctrine est possible grâce à eux. Son champ s'étend à toutes leurs prétentions, afin de les inscrire à l'intérieur des limites de leur légitimité. Mais ce qui ne peut s'intégrer dans la division de la philosophie peut entrer cependant, comme partie principale, dans la critique du pouvoir de connaissance pure en général, si cette dernière contient des principes qui, en eux-mêmes, ne sont aptes ni à l'usage théorique ni à l'usage pratique.

Les concepts de la nature, qui contiennent ce qui sert de fondement à toute connaissance théorique a priori, reposaient sur la législation de l'entendement. Le concept de liberté, qui contenait ce qui sert de fondement à tous les préceptes pratiques a priori non conditionnés par le sensible, reposait sur la législation de la raison. Outre la possibilité, selon la forme logique, d'être appliqués à des principes, qu'elle qu'en puisse être l'origine, les deux pouvoirs possèdent aussi chacun, selon son contenu, une législation propre (*177*), au-dessus de laquelle il n'y en a aucune autre (a priori), et qui légitime par conséquent la division de la philosophie en théorique et pratique.

Simplement, dans la famille des pouvoirs supérieurs de connaissance, il y a encore toutefois un moyen terme entre l'entendement et la raison. Celui-ci est constitué par la *faculté de juger*, dont on a des raisons de présumer, par analogie, qu'elle pourrait tout aussi bien contenir en soi, non pas sans doute une législation qui lui soit propre, mais néanmoins un principe qui lui soit spécifique pour rechercher des lois, en tout cas un principe a priori et uniquement subjectif qui, bien que nul champ d'objets ne lui revienne comme constituant son domaine, peut cependant avoir quelque territoire, doté de caractéristiques telles que seul ce principe, précisément, pourrait bien y être valide.

Mais à cela vient encore s'ajouter (à en juger par analogie) une nouvelle raison de tisser un lien entre la faculté de juger avec un autre ordre de nos facultés représentatives – lien qui semble être d'une importance encore plus grande que celui qui apparente cette faculté à la famille des facultés de connaissance. Car tous les pouvoirs ou toutes les capacités de l'âme peuvent se ramener aux trois qui ne se peuvent plus déduire d'un fondement commun : le *pouvoir de connaître*, le *sentiment de plaisir et de déplaisir* et le *pouvoir de désirer* *. Pour

---

* Pour des concepts dont on se sert comme de principes empiriques, si l'on a des raisons de présumer qu'ils sont apparentés au pur pouvoir de connaissance a priori, il est utile, du fait de cette relation, de rechercher une définition transcendantale – je veux dire : une définition à l'aide de catégories pures, dans la mesure où celles-ci seules indiquent de façon suffisante la différence entre le concept dont il s'agit et d'autres. On suit à cet égard l'exemple du mathématicien, lequel laisse indéterminées les données empiriques de son problème et n'inscrit sous les concepts de l'arithmétique pure que leur rapport dans leur synthèse pure, en généralisant par là la solution du problème. On m'a fait le reproche d'avoir utilisé un procédé semblable (*Critique de la raison pratique*, p. 16, Préface) et on a blâmé la définition du pouvoir de désirer comme *pouvoir d'être par ses représentations cause de la réalité des objets de ces représentations* – avec pour argument que de simples souhaits seraient pourtant eux aussi des désirs, dont chacun se résout toutefois à ne pas pouvoir produire leur objet simplement par leur moyen [39]. En fait, cela prouve seulement qu'il y a aussi en l'homme des désirs à travers lesquels il se trouve en contradiction avec lui-même, quand il tend par sa représentation seule à produire l'objet, ce dont il ne peut pourtant attendre aucun succès, dans la mesure où il est conscient que ses forces mécaniques (si je dois nommer ainsi les forces non psychologiques), qui devraient être déterminées par cette représentation (*178*) à produire l'objet (par conséquent de façon médiate), ou bien ne sont pas suffisantes, ou bien même s'appliquent à quelque chose d'impossible, par exemple à pouvoir faire que ce qui est arrivé ne soit pas arrivé (*o mihi praeteritos*, etc.) [40] ou à pouvoir, dans l'impatience de l'attente, annuler le temps qui sépare de l'instant désiré. Quoique, dans de tels désirs imaginaires, nous soyons conscients de l'insuffisance de nos représentations (ou même de leur inaptitude à être *cause* de leur objet), cependant leur rapport causal, par conséquent la représentation de leur *causalité*, est contenu dans chaque *souhait* et est particulièrement visible lorsque celui-ci est un affect, à savoir un désir intense. Car ces affects, en tant qu'ils dilatent le cœur, l'amollissent et ainsi en épuisent les forces, témoignent que celles-ci sont de manière répétée tendues par des représentations, mais laissent sans cesse l'esprit, dès lors qu'il prend acte de ce que son désir a

le pouvoir de connaître, seul l'entendement est légiférant, si ce pouvoir (comme cela doit arriver quand on considère ce pouvoir pour lui-même, sans qu'il se mêle au pouvoir de désirer) est, en tant que pouvoir de *connaissance théorique*, rapporté à la nature, vis-à-vis de laquelle seule (comme phénomène) il nous est possible de donner des lois à travers des concepts a priori de la nature qui sont proprement des concepts purs de l'entendement. Pour le pouvoir de désirer, comme pouvoir supérieur se déployant d'après le concept de la liberté, seule la raison (en laquelle uniquement se trouve ce concept) est légiférante a priori. Or, se trouve compris entre le pouvoir de connaître et le pouvoir de désirer le sentiment de plaisir, de même qu'entre l'entendement et la raison se trouve comprise la faculté de juger. Il y a donc lieu de présumer, au moins provisoirement, que la faculté de juger contient elle aussi un principe a priori et que, puisque au pouvoir de désirer sont liés nécessairement le plaisir ou le déplaisir (soit qu'ils en précèdent le principe, comme c'est le cas pour le pouvoir inférieur de désirer, soit que, comme (*179*) pour le pouvoir supérieur, ils s'ensuivent simplement de la détermination de celui-ci par la loi morale), elle accomplira un passage du pouvoir pur de connaître, c'est-à-dire du domaine des concepts de la nature, au domaine du concept de la liberté, tout comme elle rend possible, dans l'usage logique, le passage de l'entendement à la raison.

Quoique, par conséquent, la philosophie ne puisse être divisée qu'en deux parties principales, la partie théorique et la partie pratique, et quoique tout ce que nous pourrions avoir à dire des principes propres à la faculté de juger doive

---

d'impossible, sombrer à nouveau dans la lassitude. Même les prières pour écarter de grands et, autant qu'on l'aperçoive, d'inévitables maux, de même que maints moyens superstitieux pour atteindre des fins impossibles de manière naturelle prouvent qu'il existe un rapport causal des représentations à leurs objets – un rapport tel que, même par la conscience de l'insuffisance de ces dernières à atteindre l'effet, il ne peut être écarté de l'effort d'y parvenir. En revanche, savoir pourquoi la propension à concevoir de vains désirs en étant conscient de leur vanité a été inscrite dans notre nature, c'est une question anthropologique et téléologique. Il semble que, si nous ne devions pas nous être déterminés à employer notre force avant de nous être assurés que notre pouvoir est suffisant pour la production d'un objet, la plus grande partie de cette force resterait inutilisée. Car, en général, nous n'apprenons à connaître nos forces que dès lors que nous les essayons. Cette illusion inhérente aux vains souhaits est donc seulement la conséquence d'une bienfaisante disposition de notre nature [41].

nécessairement y être mis au compte de la partie théorique,
c'est-à-dire au compte de la connaissance rationnelle selon des
concepts de la nature, la critique de la raison pure, qui doit,
avant d'entreprendre la constitution de ce système, établir
tout cela en vue de le rendre possible, est pourtant constituée
de trois parties : la critique de l'entendement pur, de la faculté
de juger pure et de la raison pure, lesquels pouvoirs sont
désignés comme purs parce qu'ils sont légiférants a priori [42].

IV

DE LA FACULTÉ DE JUGER
COMME POUVOIR LÉGIFÉRANT A PRIORI

La faculté de juger en général est le pouvoir de penser le
particulier comme compris sous l'universel. Si l'universel (la
règle, le principe, la loi) est donné, la faculté de juger qui
subsume sous lui le particulier est *déterminante* (même quand,
comme faculté de juger transcendantale, elle indique a priori
les conditions conformément auxquelles seulement il peut y
avoir subsomption sous cet universel). Mais si seul le particulier est donné, pour lequel l'universel doit être trouvé, la
faculté de juger est simplement *réfléchissante.*
La faculté de juger déterminante sous des lois transcendantales universelles, que donne l'entendement, se borne à subsumer ; la loi lui est prescrite a priori et il ne lui est donc pas
nécessaire de penser pour elle-même à une loi pour pouvoir
subordonner le particulier dans la nature à l'universel. Simplement, il y a des formes si diverses de la nature, pour ainsi
dire des modifications si nombreuses des concepts transcendantaux universels de la nature, qui demeurent indéterminées
par les lois que l'entendement pur donne a priori – dans la
mesure où ces lois ne portent que sur la possibilité d'une
nature en général (comme objet des sens) – que, pour cette
raison aussi, il doit en tout cas nécessairement y avoir (*180*)
aussi des lois qui, certes, comme lois empiriques, peuvent bien
être contingentes du point de vue de *notre* entendement, mais
dont il faut cependant, si elles doivent être dites des lois
(comme l'exige aussi le concept d'une nature), qu'elles puissent
être considérées comme nécessaires à partir d'un principe
d'unité du divers, quand bien même ce principe serait inconnu

de nous. La faculté de juger réfléchissante, à laquelle il incombe de remonter du particulier dans la nature jusqu'à l'universel, a donc besoin d'un principe qu'elle ne peut emprunter à l'expérience, parce que précisément il doit fonder l'unité de tous les principes empiriques sous des principes également empiriques, mais plus élevés, et par conséquent la possibilité de la subordination systématique de ces principes les uns aux autres. Un tel principe transcendantal, la faculté de juger réfléchissante ne peut donc que se le donner à elle-même comme loi, mais elle ne peut le tirer d'ailleurs (parce que, sinon, elle serait faculté de juger déterminante), ni le prescrire à la nature, cela dans la mesure où, si la réflexion sur les lois de la nature se conforme à la nature, celle-ci ne se conforme pas aux conditions selon lesquelles nous nous efforçons d'en acquérir un concept tout à fait contingent par rapport à elle.

Or, ce principe ne peut être autre que celui-ci : attendu que les lois universelles de la nature ont leur fondement dans notre entendement, qui les prescrit à la nature (certes uniquement d'après son concept universel comme nature), les lois empiriques particulières, eu égard à ce qui en elle reste indéterminé par les lois universelles, doivent être considérées selon une unité telle qu'un entendement (même s'il ne s'agit pas du nôtre) aurait pu lui aussi la donner, à destination de nos pouvoirs de connaître, pour rendre possible un système de l'expérience selon des lois particulières de la nature. Non pas comme s'il était nécessaire d'admettre ainsi, effectivement, un tel entendement (car c'est uniquement à la faculté de juger réfléchissante que cette Idée sert de principe, pour la réflexion, et non pas pour la détermination), mais ce pouvoir se donne par là une loi seulement à lui-même, et non pas à la nature.

Cela dit, étant donné que le concept d'un objet, dans la mesure où il contient en même temps le fondement de la réalité effective de cet objet, se nomme *fin*, et que l'accord d'une chose avec cette constitution des choses qui n'est possible que d'après des fins s'appelle la *finalité* de la forme de cette chose, le principe de la faculté de juger, pour ce qui concerne la forme des choses de la nature sous des lois empiriques en général, est la *finalité de la nature* dans sa diversité. C'est dire qu'à travers ce concept la nature *(181)* est représentée comme si un entendement contenait le fondement de l'unité de la diversité de ses lois empiriques.

La finalité de la nature est donc un concept particulier a priori, qui a son origine purement et simplement dans la faculté de juger réfléchissante. Car aux produits de la nature on ne peut attribuer quelque chose comme une relation qu'en eux la nature entretiendrait avec des fins, mais l'on ne peut utiliser ce concept que pour réfléchir sur la nature du point de vue de la liaison qui s'y établit entre les phénomènes, et qui est donnée selon des lois empiriques. Aussi ce concept est-il tout à fait distinct de la finalité pratique (de l'art humain, ou encore des mœurs), quand bien même il se trouve pensé selon une analogie avec celle-ci.

v

LE PRINCIPE DE LA FINALITÉ FORMELLE DE LA NATURE
EST UN PRINCIPE TRANSCENDANTAL DE LA FACULTÉ DE JUGER

Un principe transcendantal est celui par lequel est représentée la condition universelle a priori sous laquelle seulement des choses peuvent devenir des objets de notre connaissance en général. En revanche, un principe se nomme métaphysique quand il représente la condition a priori sous laquelle seulement des objets dont le concept doit être donné empiriquement peuvent être déterminés davantage a priori. Ainsi le principe de la connaissance des corps comme substances et comme substances susceptibles de modifications est-il transcendantal, si l'on entend par là que leur modification doit avoir une cause ; mais il est métaphysique si l'on entend par là que leur modification doit avoir une cause *extérieure* : dans le premier cas, en effet, le corps ne doit être pensé qu'à travers des prédicats ontologiques (concepts purs de l'entendement), par exemple comme substance, pour que l'on connaisse la proposition a priori ; en revanche, dans le second cas, le concept empirique d'un corps (comme une chose mobile dans l'espace) doit être mis au fondement de cette proposition, de manière que l'on puisse alors apercevoir entièrement a priori que ce dernier prédicat (celui du mouvement produit uniquement par une cause extérieure) convient au corps. En ce sens, comme je le montrerai bientôt, le principe de la finalité de la nature (dans la diversité de ses lois empiriques) est un principe transcendantal. Car le concept des objets, en tant qu'ils sont conçus comme soumis à ce principe, est seulement le concept pur d'objets de la connaissance possible de l'expérience (*182*) en général, et il ne contient rien d'empirique. En revanche, le principe de la finalité pratique, qui doit être pensée dans l'Idée de la *détermination* d'un *vouloir* libre, est un principe métaphysique, parce que le concept d'un pouvoir de désirer, considéré comme celui d'un vouloir, doit pourtant être donné empiriquement (il n'appartient pas aux prédicats transcendantaux). Ces deux principes ne sont toutefois pas empiriques, mais ce sont des principes a priori, parce que, en vue de la liaison du prédicat avec le concept empirique du sujet de leurs jugements, il n'y a pas besoin d'une expérience plus vaste, mais ce lien peut être aperçu entièrement a priori.

Que le concept d'une finalité de la nature appartienne à des principes transcendantaux, on peut s'en rendre compte suffisamment à partir des maximes de la faculté de juger qui sont placées a priori au fondement de l'exploration de la nature et qui cependant ne concernent rien que la possibilité de l'expérience, par conséquent la connaissance de la nature, non seulement, cela dit, comme nature en général, mais comme nature déterminée par une diversité de lois particulières. Ces maximes constituent comme des sentences de la sagesse métaphysique, à l'occasion de maintes règles dont on ne peut montrer la nécessité à partir de concepts : elles interviennent assez souvent dans le cours de cette science, mais seulement de façon dispersée. « La nature prend le plus court chemin (*lex parsimoniae*) » ; « Elle ne fait cependant pas de saut, ni dans la suite de ses transformations ni dans la composition de formes spécifiquement différentes (*lex continui in natura*) » ; « Sa grande diversité dans les lois empiriques est toutefois une unité sous un petit nombre de principes (*principia praeter necessitatem non sunt multiplicanda*) », etc. [43].

Mais, si l'on pense indiquer l'origine de ces principes et si l'on essaie de le faire sur la voie de la psychologie, c'est là entièrement contraire au sens qui est le leur. Car ils ne disent pas ce qui arrive, c'est-à-dire selon quelle règle nos facultés de connaître jouent effectivement, et comment procède le jugement, mais comment l'on doit juger ; et, dans ces conditions, cette nécessité logique objective n'intervient pas si les principes sont simplement empiriques. Ainsi la finalité de la nature par rapport à nos pouvoirs de connaître et leur usage – cette finalité qui en ressort manifestement – est-elle un principe transcendantal des jugements, et elle requiert donc elle aussi une déduction transcendantale par l'intermédiaire de laquelle le fondement de cette façon de juger doit nécessairement être recherché dans les sources de connaissance a priori.

Nous trouvons en effet dans les fondements de la possibilité d'une expérience (*183*) certes d'abord quelque chose de nécessaire, à savoir les lois universelles sans lesquelles une nature en général (comme objet des sens) ne peut être pensée ; et ces lois reposent sur des catégories, appliquées aux conditions formelles de toute intuition pour nous possible, dans la mesure où l'intuition est donnée également a priori. Or, sous ces lois, la faculté de juger est déterminante ; car elle n'a rien à faire que de subsumer sous des lois données. Par exemple, l'entendement dit : tout changement a sa cause (loi universelle de la nature) ; la faculté de juger transcendantale n'a alors rien d'autre à faire que d'indiquer a priori la condition de la subsomption sous le concept de l'entendement proposé [44], et c'est la succession des déterminations d'une seule et même chose. Pour la nature en général (comme objet d'expérience possible), cette loi est donc reconnue comme absolument nécessaire. Mais, cela dit, les objets de la connaissance empirique, en dehors de cette condition formelle relevant du temps, sont encore déterminés ou, autant qu'on en puisse juger a priori, déterminables de maintes manières, tant et si bien que des natures spécifiquement différentes, outre ce qu'elles ont en commun en tant qu'appartenant à la nature en général, peuvent encore être des causes selon des modalités infiniment diverses ; et chacune de ces modalités doit nécessairement (conformément au concept d'une cause en général) avoir sa règle, qui est une loi et entraîne par conséquent avec elle la nécessité – cela, bien que, du fait de la constitution et des bornes de nos pouvoirs de connaître, nous n'apercevions pas du tout cette nécessité. Il nous faut donc penser dans la nature, en ce qui concerne ses lois simplement empiriques, une possibilité de lois empiriques infiniment diverses, qui sont pourtant contingentes vis-à-vis de notre intelligence (elles ne peuvent être connues a priori) ; et par considération de ces lois nous apprécions comme contingentes l'unité de la nature selon des lois empiriques et la possibilité de l'unité de l'expérience (en tant que système structuré selon des lois empiriques). Mais, en tout état de cause, une telle unité doit nécessairement être présupposée et admise, dans la mesure où, si ce n'était pas le cas, nulle structuration complète de connaissances empiriques en une totalité de l'expérience n'aurait lieu, puisque les lois universelles de la nature fournissent certes une telle structuration dans le cadre de choses considérées génériquement comme choses de la nature en général, mais non pas spécifiquement comme de tels êtres particuliers de la nature : en conséquence, la faculté de juger doit admettre pour son propre usage, en tant que principe a priori, que ce qui est contingent pour l'intelligence humaine dans les lois particulières (empiriques) de la nature contient pourtant une unité légale – qui est certes insondable pour nous, mais qui est cependant (*184*) susceptible d'être pensée – dans la liaison du divers qui s'y trouve en vue d'une expérience en soi possible. En conséquence, parce que l'unité légale dans une liaison que nous reconnaissons certes conforme à une intention nécessaire (à un besoin de l'entendement), mais en même temps cependant comme contingente en soi, est représentée comme finalité des objets (ici, de la nature), la faculté de juger, qui, vis-à-vis des choses soumises à des lois empiriques possibles (encore à découvrir), est seulement réfléchissante, doit, en ce qui concerne ces dernières, penser la nature d'après un *principe de finalité* pour notre pouvoir de connaître – lequel principe s'exprime dès lors dans les maximes, évoquées plus haut, de la faculté de juger. Or, ce concept transcendantal d'une finalité de la nature n'est ni un concept de la nature ni un concept de la liberté, parce qu'il n'attribue absolument rien à l'objet (à la nature), mais représente seulement l'unique manière dont nous devons nécessairement procéder dans la réflexion sur les objets de la nature en vue d'une expérience qui soit structurée de part en part avec cohérence : par conséquent, c'est un principe subjectif (une maxime) de la faculté de juger ; de là vient aussi que, comme si c'était un heureux hasard favorable à notre dessein, nous ressentons de la joie (proprement délivrés que nous sommes d'un besoin) quand nous rencontrons une telle unité systématique sous des lois simplement empiriques, bien que nous ayons dû nécessairement admettre qu'il existait une telle unité sans que nous fussions à même pourtant de la comprendre et de la prouver.

Pour se persuader de la justesse de cette déduction du concept ici en question et de la nécessité de l'admettre comme principe transcendantal de la connaissance, que l'on songe simplement à la grandeur de la tâche : à partir de perceptions données d'une nature contenant une multiplicité en tout état de cause infinie de lois empiriques, constituer une expérience qui soit structurée de façon cohérente – laquelle tâche se trouve a priori dans notre entendement. L'entendement est certes a priori en possession de lois universelles de la nature sans lesquelles celle-ci ne pourrait être aucunement l'objet d'une expérience ; mais il a besoin pourtant aussi d'un certain ordre de la nature dans ses règles particulières, qui ne peuvent être connues de lui qu'empiriquement et qui, vis-à-vis de lui, sont contingentes. Ces règles, sans lesquelles aucun progrès ne se produirait de l'analogie universelle d'une expérience possible en général à l'analogie particulière, il lui faut les penser comme des lois (c'est-à-dire comme nécessaires) : car, sinon, elles ne constitueraient pas un ordre de la nature, bien qu'il ne puisse pas connaître leur nécessité ni la comprendre jamais. En ce sens, bien que l'entendement, vis-à-vis de ces (185) règles (des objets), ne puisse rien déterminer a priori, il lui faut pourtant, pour aller à la recherche de ces lois dites empiriques, mettre au fondement de toute réflexion sur la nature un principe a priori, à savoir celui selon lequel un ordre connaissable de la nature est possible d'après ces lois – principe qu'expriment les propositions suivantes : il y a dans la nature une subordination qui nous est compréhensible des genres et des espèces ; les genres, à leur tour, se rapprochent les uns des autres suivant un principe commun, afin que soit possible un passage de l'un à l'autre et, par là, à un genre supérieur ; alors qu'il semble d'abord inévitable, pour notre entendement, de devoir admettre, pour la diversité spécifique des effets de la nature, autant d'espèces différentes de causalité, elles peuvent bien cependant s'inscrire sous un petit nombre de principes que nous avons à nous préoccuper de découvrir, etc. Cet accord de la nature avec notre pouvoir de connaître est présupposé a priori par la faculté de juger en vue de sa réflexion sur la nature conformément à ses lois empiriques, tandis que l'entendement considère en même temps cet accord objectivement comme contingent et que c'est uniquement la faculté de juger qui l'attribue à la nature comme finalité transcendantale (relativement au pouvoir cognitif du sujet) : car, sans présupposer cette finalité, nous n'aurions aucun ordre de la nature suivant des lois empiriques, par conséquent aucun fil conducteur [45] pour une expérience devant considérer ces lois dans toute leur diversité et pour une recherche de ces mêmes lois.

Car sans doute peut-on penser que, malgré toute l'uniformité des choses de la nature d'après les lois universelles sans lesquelles la forme d'une connaissance empirique en général ne saurait aucunement intervenir, la diversité spécifique des lois empiriques de la nature, avec tous leurs effets, pourrait cependant être si grande qu'il serait impossible pour notre entendement de découvrir en elle un ordre susceptible d'être saisi, de diviser ses produits en genres et en espèces, pour utiliser les principes de l'explication et de la compréhension de l'un aussi pour l'explication et la saisie de l'autre, et faire d'une matière aussi confuse pour nous (à proprement parler : seulement infiniment diverse et inadaptée à notre faculté de saisir l'objet) une expérience structurée de façon cohérente.

La faculté de juger a donc elle aussi en elle un principe a priori pour la possibilité de la nature, mais seulement d'un point de vue subjectif : grâce à ce principe, elle prescrit, non pas à la nature (comme autonomie), mais à elle-même (comme héautonomie) [46] (*186*) une loi pour la réflexion sur cette nature – loi que l'on pourrait nommer la *loi de la spécification de la nature* considérée dans ses lois empiriques : c'est là une loi que la faculté de juger ne reconnaît pas a priori dans la nature, mais qu'elle admet afin qu'un ordre de la nature soit connaissable pour notre entendement dans la division à laquelle elle procède des lois universelles de la nature quand elle veut leur subordonner une diversité de lois particulières. En ce sens, quand on dit que la nature spécifie ses lois universelles selon le principe de la finalité pour notre pouvoir de connaître, c'est-à-dire en vue d'une adaptation à l'entendement humain dans son activité nécessaire, telle qu'elle consiste à trouver, pour le particulier que la perception lui offre, l'universel, et pour le divers (qui correspond, certes, pour chaque espèce, à l'universel) à nouveau une liaison dans l'unité du principe, ni on ne prescrit par là une loi à la nature, ni on n'en tire une loi par observation (bien que ce principe puisse assurément être confirmé par l'observation). Car c'est un principe, non de la faculté de juger déterminante, mais seulement de la faculté de juger réfléchissante : on veut uniquement, de quelque manière que soit disposée la nature d'après ses lois universelles, que ce soit absolument selon ce principe et selon les maximes reposant sur lui qu'il faille rechercher ses lois empiriques, parce que nous ne pouvons progresser dans l'expérience et acquérir de connaissance par l'usage de notre entendement que dans la mesure où ce principe y intervient.

VI

DE LA LIAISON DU SENTIMENT DE PLAISIR AVEC LE CONCEPT
DE LA FINALITÉ DE LA NATURE

L'accord qui se trouve ainsi pensé entre la nature dans la diversité de ses lois particulières et notre besoin de découvrir pour elle l'universalité de principes doit être jugé, selon tout ce que nous pouvons y comprendre, comme contingent, mais cependant comme indispensable pour le besoin de notre entendement, par conséquent comme une finalité par laquelle la nature s'accorde avec notre intention, mais seulement en tant que celle-ci est orientée vers une connaissance. Les lois universelles de l'entendement, qui sont en même temps des lois de la nature, sont aussi nécessaires à celle-ci (bien qu'elles proviennent de la spontanéité) que les lois du mouvement de la matière ; et leur production ne présuppose aucune intention du côté de nos pouvoirs de connaître, parce que c'est uniquement par ses lois que nous obtenons pour la première fois un concept de ce qu'est la connaissance des choses (de la nature) (*187*) et qu'elles conviennent nécessairement à la nature comme objet de notre connaissance en général. Simplement, que l'ordre de la nature selon ses lois particulières, dans toute sa diversité et toute son hétérogénéité au moins possibles, telles qu'elles dépassent notre faculté de les saisir, soit pourtant effectivement approprié à cette dernière, c'est là, autant que nous puissions le comprendre, un fait contingent ; et la découverte de cet ordre est une opération de l'entendement, guidé par l'intention de réaliser une de ses fins nécessaires, à savoir introduire dans la nature l'unité des principes : cette fin, la faculté de juger doit ensuite l'attribuer à la nature, parce que l'entendement ne peut à cet égard lui prescrire aucune loi.

La réalisation de toute intention est liée au sentiment de plaisir ; et si la condition de la première est une représentation a priori, comme, ici, un principe pour la faculté de juger réfléchissante en général, le sentiment de plaisir est lui aussi déterminé par un fondement a priori et susceptible de valoir pour tout homme – et cela, plus précisément, par la seule relation de l'objet au pouvoir de connaître, sans que le concept de finalité prenne ici le moins du monde en considération le pouvoir de désirer, ce qui le distingue entièrement de toute finalité pratique de la nature.

En fait, tandis que [47], de la rencontre des perceptions avec les lois selon des concepts universels de la nature (des catégories), nous ne rencontrons en nous, ni ne pouvons rencontrer, le moindre effet sur le sentiment de plaisir (cela parce que, dans cette affaire, l'entendement procède nécessairement selon sa nature, et de manière inintentionnelle), en revanche, de son côté, la possibilité qu'on découvre d'unifier deux ou plusieurs lois empiriques, hétérogènes, de la nature sous un principe les comprenant est le fondement d'un plaisir très remarquable, souvent même d'un étonnement admiratif, et même d'un étonnement tel qu'il ne cesse pas quand bien même son objet est déjà suffisamment connu. Certes, devant la compréhensibilité de la nature et son unité dans la division en genres et espèces, par quoi seulement sont possibles des concepts empiriques à l'aide desquels nous la connaissons selon ses lois particulières, nous n'éprouvons plus aucun plaisir digne d'être remarqué ; mais un tel plaisir a certainement eu lieu en son temps, et c'est uniquement parce que l'expérience la plus commune n'aurait pas été possible sans lui qu'il s'est peu à peu confondu avec la simple connaissance et qu'il n'a plus été particulièrement remarqué. Il faut donc quelque chose qui, dans le jugement sur la nature, rende notre entendement attentif à la finalité de celle-ci, il faut une recherche [48] consistant à ranger des lois hétérogènes sous des lois plus hautes, si possible, quoique toujours empiriques, pour que, (188) en cas de succès, nous ressentions du plaisir à cet accord de la nature avec notre pouvoir de connaître – accord que nous considérons comme simplement contingent. Au contraire, ce serait pour nous une représentation fort déplaisante de la nature si l'on nous disait à l'avance que, dans la moindre recherche allant au-delà de l'expérience la plus commune, nous nous heurterions à une hétérogénéité de ses lois telle que celle-ci rendrait impossible pour notre entendement la réunion de ses lois particulières sous des lois universelles empiriques ; la raison en est que cela va à l'encontre du principe de la spécification subjective et finale de la nature dans les genres et, à cet égard, de notre faculté de juger réfléchissante.

Cette présupposition de la faculté de juger est cependant si indéterminée, quant à la question de savoir jusqu'où doit s'étendre cette finalité idéale de la nature pour notre pouvoir de connaître, que si l'on nous dit qu'une connaissance plus profonde ou plus étendue de la nature par l'intermédiaire de l'observation doit finir par se heurter à une diversité de lois qu'aucun entendement humain ne peut réduire à un principe, nous nous déclarons aussi satisfaits, quand bien même nous préférons entendre ceux qui nous font espérer que plus nous connaîtrions la nature en son intimité, ou mieux nous pourrions la comparer avec des membres extérieurs actuellement inconnus de nous, plus nous la trouverions simple dans ses principes et d'accord avec elle-même en dépit de l'apparente hétérogénéité de ses lois empiriques, cela aussi loin que puisse progresser notre expérience. De fait, c'est un ordre de notre faculté de juger que de procéder selon le principe de la conformité de la nature à notre pouvoir de connaître, aussi loin qu'il parvient à s'étendre, sans définir (parce que ce n'est pas une faculté de juger déterminante qui nous fournit cette règle) s'il possède ou non quelque part ses limites ; car nous pouvons certes établir des limites pour l'usage rationnel de nos pouvoirs de connaître, mais, dans le domaine empirique, nulle détermination de limites n'est possible.

VII

DE LA REPRÉSENTATION ESTHÉTIQUE
DE LA FINALITÉ DE LA NATURE

Ce qui, dans la représentation d'un objet, est simplement subjectif, c'est-à-dire ce qui définit sa relation au sujet, non à l'objet, c'est sa constitution esthétique ; mais ce qui en elle sert ou peut être utilisé à la détermination (*189*) de l'objet (à la connaissance), c'est sa valeur logique. Dans la connaissance d'un objet des sens interviennent ces deux relations. Dans la représentation sensible des choses extérieures à moi, la qualité de l'espace où nous les voyons correspond à l'élément purement subjectif de la représentation que je me fais d'elles (par quoi ce qu'elles peuvent être comme objets en soi reste indéterminé) – rapport sous lequel l'objet n'est lui aussi, de ce fait, pensé que comme phénomène ; mais l'espace, en dépit de sa qualité simplement subjective, fait partie cependant de la connaissance des choses comme phénomènes. La *sensation* (ici, la sensation externe) exprime aussi bien l'élément purement subjectif de nos représentations des choses en dehors de nous, mais proprement l'élément matériel (réel) de celles-ci (par lequel est donné quelque chose d'existant), tout comme l'espace exprime la simple forme a priori de la possibilité de leur intuition ; et cependant la sensation sert aussi pour la connaissance des objets en dehors de nous.

Cela étant, l'élément subjectif d'une représentation, ce *qui ne peut nullement devenir partie d'une connaissance*, c'est le *plaisir* ou la *peine* qui s'y rattachent ; car, par leur intermédiaire, je ne connais rien de l'objet de la représentation, bien qu'ils puissent sans doute être l'effet de quelque connaissance. Or, la finalité d'une chose, pour autant qu'elle est représentée dans la perception, n'appartient pas non plus à la constitution de l'objet lui-même (car une telle constitution ne peut être perçue), bien qu'elle puisse être déduite d'une connaissance des choses. La finalité qui précède donc la connaissance d'un objet, même sans qu'on veuille en utiliser la représentation pour une connaissance, et qui est cependant immédiatement unie à elle, en est l'élément subjectif et ne peut absolument pas devenir élément de connaissance. Ainsi, l'objet n'est appelé final que parce que sa représentation est liée immédiatement au sentiment de plaisir, et cette représentation elle-même est une représentation esthétique de la finalité. La question est simplement de savoir s'il existe en général une telle représentation de la finalité.

Quand du plaisir se trouve associé à la simple appréhension (*apprehensio*) de la forme d'un objet de l'intuition, sans relation de celle-ci à un concept en vue d'une connaissance déterminée, la représentation est alors rapportée, non à l'objet, mais purement et simplement au sujet, et le plaisir ne peut exprimer rien d'autre que la conformité de cet objet aux pouvoirs de connaître qui sont en jeu dans la faculté de juger réfléchissante (*190*) et en tant qu'ils y sont contenus, et il ne peut exprimer par conséquent qu'une pure finalité formelle subjective de l'objet. Car cette appréhension des formes dans l'imagination ne peut jamais intervenir sans que la faculté de juger réfléchissante, même de façon non intentionnelle, la compare du moins avec son pouvoir de rapporter des intuitions à des concepts. Si donc, dans cette comparaison, l'imagination (comme pouvoir des intuitions a priori) s'accorde inintention-nellement avec l'entendement (comme pouvoir des concepts) par l'intermédiaire d'une représentation et si du plaisir s'en trouve suscité, l'objet doit dès lors être considéré comme final pour la faculté de juger réfléchissante. Un tel jugement est un jugement esthétique sur la finalité de l'objet, qui ne se fonde sur aucun concept existant de l'objet et n'en procure aucun. Si l'on juge que la forme d'un objet (non pas l'élément matériel de sa représentation, en tant que sensation), dans sa simple réflexion sur cette forme (sans qu'il soit visé à un concept que l'on pourrait en obtenir) est la raison d'un plaisir pris à la représentation d'un tel objet, ce plaisir est aussi jugé comme nécessairement lié à cette représentation, par consé-quent non pas seulement pour le sujet qui appréhende cette forme, mais pour toute personne qui juge. L'objet est alors dit beau et le pouvoir de juger par l'intermédiaire d'un tel plaisir (et par conséquent d'une façon universellement valable) se nomme le goût. Car, dans la mesure où la raison du plaisir

est placée simplement dans la forme de l'objet pour la réflexion
en général, par conséquent nullement dans la sensation de
l'objet, et comme elle n'a pas non plus de rapport avec un
concept qui contiendrait une intention quelconque, c'est seulement avec la légalité de l'emploi empirique de la faculté de
juger en général (l'unité de l'imagination et de la raison) dans
le sujet que s'accorde la représentation de l'objet dans la
réflexion, dont les conditions valent universellement a priori ;
et, dans la mesure où cet accord de l'objet avec les pouvoirs
du sujet est contingent, il produit la représentation d'une
finalité de l'objet par rapport aux pouvoirs de connaître du
sujet.

Voilà dès lors un plaisir qui, comme tout plaisir ou déplaisir
non produits par le concept de liberté (c'est-à-dire par la
détermination préalable du pouvoir de désirer supérieur par
la raison pure), ne peut jamais être aperçu à partir de concepts
comme nécessairement lié à la représentation d'un objet, mais
dans chaque cas ne doit être (*191*) reconnu que par une
perception réfléchie comme lié à cette représentation ; par
conséquent, comme tous les jugements empiriques, il ne peut
indiquer aucune nécessité objective, ni prétendre à une validité
a priori. Cependant, le jugement de goût prétend tout de
même, comme tout autre jugement empirique, valoir universellement, ce qui est toujours possible en dépit de sa contingence interne. Ce qu'il y a ici d'étrange et d'aberrant, c'est
simplement que ce n'est pas un concept empirique, mais un
sentiment de plaisir (donc, nullement un concept), qui, tout
comme si c'était un prédicat lié à la connaissance de l'objet,
doit par le jugement de goût être attribué à chacun et lié à
la représentation de l'objet.

Un jugement d'expérience singulier, par exemple le jugement de celui qui, dans un cristal de roche, perçoit une goutte
d'eau mobile, exige à juste titre que chacun l'admette nécessairement ainsi, cela parce que l'on a porté ce jugement selon
les conditions générales de la faculté de juger déterminante
en se soumettant aux lois d'une expérience possible en général.
De la même manière, celui qui, dans la simple réflexion sur
la forme d'un objet, éprouve du plaisir, sans songer à un
concept, prétend légitimement à l'assentiment de chacun,
quand bien même ce jugement est empirique et particulier ;
car le fondement de ce plaisir est situé dans la condition
générale, quoique subjective, des jugements réfléchissants, à
savoir dans la concordance finale d'un objet (que ce soit un
produit de la nature ou de l'art) avec la relation des pouvoirs

de connaître entre eux (l'imagination et l'entendement) qui est requise pour toute connaissance empirique. Le plaisir dépend donc, certes, dans le jugement de goût, d'une représentation empirique, et ne peut être associé a priori à aucun concept (on ne peut déterminer a priori quel objet sera conforme ou non au goût, il faut le mettre à l'épreuve) ; mais il est pourtant la raison déterminante de ce jugement, pour ce simple motif que l'on a conscience qu'il repose uniquement sur la réflexion et les conditions universelles, bien que seulement subjectives, de l'accord de celle-ci avec la connaissance des objets en général, pour lesquelles la forme de l'objet est finale.

Telle est la raison pour laquelle les jugements de goût sont eux aussi, quant à leur possibilité, parce qu'elle suppose un principe a priori, soumis à une critique, bien que ce principe ne soit ni un principe de connaissance (*192*) pour l'entendement, ni un principe pratique pour le vouloir, et ne soit donc nullement déterminant a priori [49].

Cela dit, la capacité de ressentir un plaisir par réflexion sur les formes des choses (de la nature aussi bien que de l'art) n'indique pas seulement une finalité des objets par rapport à la faculté de juger réfléchissante, conformément au concept de la nature, cela dans le sujet, mais aussi, inversement, une finalité du sujet eu égard aux objets, quant à leur forme ou même à leur défaut de forme, suivant le concept de liberté ; et ainsi arrive-t-il que le jugement esthétique se rapporte non seulement au beau, comme jugement de goût, mais aussi, en tant qu'il procède d'un sentiment spirituel, au *sublime*, et qu'en ce sens cette critique de la faculté de juger esthétique doit se diviser en deux parties principales qui leur correspondent.

VIII

DE LA REPRÉSENTATION LOGIQUE
DE LA FINALITÉ DE LA NATURE

En un objet donné dans l'expérience, la finalité peut être représentée, soit à partir d'un fondement simplement subjectif, comme accord de sa forme, dans l'*appréhension* (*apprehensio*) de cet objet antérieurement à tout concept, avec les pouvoirs de connaître pour réunir en une connaissance en général l'intuition à des concepts ; soit à partir d'un fondement objectif, comme accord de sa forme avec la possibilité de la chose elle-même, selon un concept de celle-ci qui précède et contient la cause de cette forme. Nous avons vu que la représentation de la finalité de la première espèce repose sur le plaisir immédiat pris à la forme de l'objet, dans la réflexion pure et simple sur cette forme ; par conséquent, la représentation de la finalité de la seconde espèce, dans la mesure où elle rapporte la forme de l'objet non pas aux pouvoirs de connaître du sujet dans l'appréhension de cette forme, mais à une connaissance déterminée de l'objet sous un concept donné, n'a rien à faire avec un sentiment de plaisir pris aux choses, mais concerne l'entendement dans le jugement d'appréciation qu'il porte sur elles. Quand le concept d'un objet est donné, ce qui relève de la faculté de juger, dans l'usage qu'elle en fait pour la connaissance, consiste dans la *présentation* (*exhibitio*), c'est-à-dire dans le fait de placer à côté du concept une intuition correspondante, que cela s'effectue par l'intermédiaire de notre propre imagination, comme dans l'art (*193*), quand nous réalisons un concept formé au préalable d'un objet qui constitue pour nous une fin, ou bien que cela s'opère par la nature dans sa technique (comme dans les corps organisés), quand, pour porter un jugement d'appréciation sur sa production, nous lui attribuons notre concept de fin ; auquel cas c'est non seulement la *finalité* de la nature qui est représentée sous forme de chose, mais c'est son produit même qui est représenté comme *fin naturelle*. – Quoique notre concept d'une finalité subjective de la nature dans ses formes, selon des lois empiriques, ne soit nullement un concept de l'objet, mais simplement un principe de la faculté de juger pour se procurer des concepts dans cette excessive diversité (pour pouvoir s'orienter en elle), nous attribuons cependant par là à la nature en quelque façon comme une considération pour notre pouvoir de connaître, par analogie avec une fin, et ainsi pouvons-nous considérer la *beauté de la nature* comme *présentation* du concept de la finalité formelle (purement subjective), et nous pouvons considérer les *fins naturelles* comme présentation du concept d'une finalité réelle (objective) : sur l'une, nous portons un jugement appréciatif au moyen du goût (esthétiquement, par l'intermédiaire du sentiment du plaisir), sur l'autre, au moyen de l'entendement et de la raison (logiquement, suivant des concepts).

Ici se fonde la division de la critique de la faculté de juger en critique de la faculté de juger *esthétique* et critique de la faculté de juger *téléologique* : par la première, on entend le pouvoir de porter un jugement appréciatif sur la finalité formelle (dite aussi, par ailleurs, subjective) par l'intermédiaire du sentiment de plaisir ou de peine ; par la seconde, le pouvoir de porter un jugement appréciatif sur la finalité réelle (objective) de la nature par l'intermédiaire de l'entendement et de la raison.

Dans une critique de la faculté de juger, la partie qui contient la faculté de juger esthétique lui appartient essentiellement, parce que celle-ci seule contient un principe que la faculté de juger établit pleinement en position de fondement a priori dans sa réflexion sur la nature, à savoir celui d'une finalité formelle de la nature, selon ses lois particulières (empiriques), pour notre pouvoir de connaître – finalité sans laquelle l'entendement ne pourrait s'y retrouver ; tandis que, si l'on ne peut indiquer absolument aucun fondement a priori, ni même indiquer la possibilité d'en extraire un du concept d'une nature en tant qu'objet de l'expérience en général aussi bien qu'en particulier, il s'en dégage clairement qu'il doit y avoir des fins objectives de la nature, c'est-à-dire des choses qui ne sont possibles que comme fins de la nature, mais que seule la faculté de juger, sans contenir en soi a priori un principe à cet usage, contient dans certains cas (à propos de certains produits) la règle pour utiliser au profit de la raison le concept des fins, une fois que ce principe transcendantal (*194*) a déjà préparé l'entendement à appliquer à la nature le concept d'une fin (du moins quant à la forme).

Mais le principe transcendantal qui veut que l'on se représente une finalité de la nature en une relation subjective avec notre pouvoir de connaître, dans la forme d'une chose, comme un principe pour porter un jugement d'appréciation sur cette forme, laisse dans la plus totale indétermination où et dans quels cas je dois établir mon appréciation d'un produit suivant un principe de la finalité et non pas plutôt simplement d'après des lois universelles de la nature ; et il laisse à la faculté de juger *esthétique* la tâche de décider selon le goût la conformité de ce produit (de sa forme) avec nos pouvoirs de connaître (en tant que celle-ci décide, non pas à travers une concordance avec des concepts, mais par l'intermédiaire du sentiment). Au contraire, la faculté de juger utilisée de manière téléologique détermine les conditions sous lesquelles on doit juger quelque chose (par exemple, un corps organisé) suivant l'idée d'une

fin naturelle, mais elle ne peut alléguer aucun principe tiré
du concept de la nature, comme objet de l'expérience, qui
autoriserait à attribuer à celle-ci un rapport à des fins a priori
et à admettre de tels rapports même de façon indéterminée,
d'après notre expérience effective de ces produits ; la raison
en est que beaucoup d'expériences particulières doivent être
faites et envisagées dans l'unité de leur principe pour que
nous puissions reconnaître même d'une manière simplement
empirique une finalité objective dans un certain objet. – La
faculté de juger esthétique est donc un pouvoir particulier
pour apprécier des choses selon une règle, mais non selon des
concepts. La faculté de juger téléologique n'est pas un pouvoir
particulier, mais seulement la faculté de juger réfléchissante
en général, dans la mesure où elle procède, comme partout
dans la connaissance théorique, selon des concepts, mais en
observant, par rapport à certains objets de la nature, des
principes particuliers, à savoir ceux d'une faculté de juger
simplement réfléchissante, ne déterminant pas d'objets ; donc,
par l'application qui en est faite, elle appartient à la partie
théorique de la philosophie, et elle doit, à cause de ses principes
particuliers, qui ne sont pas déterminants comme ce doit être
le cas dans une doctrine, constituer aussi une partie particulière de la critique ; au lieu que la faculté de juger esthétique
ne contribue en rien à la connaissance de ses objets et doit
donc être mise au compte seulement de la critique du sujet
portant ses jugements d'appréciation et de ses pouvoirs de
connaissance, dans la mesure où ils sont capables de principes
a priori, quel qu'en puisse au demeurant être l'usage (théorique
ou pratique) – et une telle critique constitue la propédeutique
de toute philosophie.

IX

(195) DE LA LIAISON DES LÉGISLATIONS DE L'ENTENDEMENT
ET DE LA RAISON PAR LA FACULTÉ DE JUGER

L'entendement est législateur a priori pour la nature, en
tant qu'objet des sens, en vue d'une connaissance théorique
de celle-ci dans une expérience possible. La raison est législatrice a priori pour la liberté et sa propre causalité, en tant
qu'élément suprasensible dans le sujet, en vue d'une connais-

sance pratique inconditionnée. Le domaine du concept de la nature sous l'une de ces législations et celui du concept de liberté sous l'autre législation sont entièrement isolés vis-à-vis de toute influence réciproque qu'ils pourraient avoir l'un sur l'autre (à chacun ses lois fondamentales) par le grand fossé qui sépare le suprasensible des phénomènes. Le concept de liberté ne détermine rien en ce qui concerne la connaissance théorique de la nature ; de même, le concept de nature ne détermine rien en ce qui concerne les lois pratiques de la liberté ; et en ce sens il n'est pas possible de jeter un pont d'un domaine à l'autre. Simplement, si les principes de détermination de la causalité selon le concept de la liberté (et la règle pratique qu'il contient) ne sont pas constatés dans la nature et si le sensible ne peut pas déterminer le suprasensible dans le sujet, la chose est pourtant possible à l'inverse (non pas, certes, par rapport à la connaissance de la nature, mais pourtant quant aux conséquences qu'a le premier sur cette dernière), et elle se trouve déjà contenue dans le concept d'une causalité par liberté, dont l'*effet* doit advenir dans le monde conformément à ces lois formelles qui sont les siennes, bien que le mot *cause*, employé à propos du suprasensible, signifie uniquement la *raison* qui détermine la causalité des objets de la nature en vue d'un effet, en conformité avec leurs propres lois naturelles, mais en même temps aussi, cependant, en accord avec le principe formel des lois rationnelles – ce dont la possibilité ne peut certes être aperçue, mais vis-à-vis de quoi l'objection d'une prétendue contradiction qui y résiderait peut être réfutée d'une façon satisfaisante [50] *. L'effet

---

* L'une des prétendues contradictions diverses qui seraient inscrites dans cette séparation complète entre la causalité naturelle et la causalité par la liberté tient au fait, puisqu'on lui en adresse l'objection, que, si je parle des *obstacles* que la nature oppose à la causalité suivant les lois de la liberté (lois morales) ou de la manière dont elle lui *apporte son concours*, j'admets en tout état de cause une *influence* de la première sur la seconde. Mais si (*196*) l'on veut ne serait-ce que comprendre ce qui a été dit, cette fausse interprétation peut facilement être évitée. La résistance ou le concours apporté n'interviennent pas entre la nature et la liberté, mais entre la première comme phénomène et les *effets* de la seconde comme phénomènes dans le monde sensible ; et même la causalité de la liberté (de la raison pure et pratique) est la causalité d'une cause naturelle subordonnée à la liberté (celle du sujet considéré en tant qu'homme, par conséquent comme phénomène) et dont ce qui fonde la détermination est contenu par l'élément intelligible qui est pensé sous la liberté, d'une manière au demeurant inexplicable (tout comme

qui se produit selon le concept de la liberté est la (*196*) fin ultime qui doit exister (ou dont le phénomène doit exister dans le monde sensible) – ce dont la condition de possibilité est présupposée dans la nature (du sujet comme être sensible, c'est-à-dire comme homme). Ce qui présuppose celle-ci a priori et sans égard à la dimension pratique, à savoir la faculté de juger, fournit, à travers le concept d'une *finalité* de la nature, le concept médiateur entre les concepts de la nature et celui de la liberté qui rend possible le passage de la raison pure théorique à la raison pure pratique, de la légalité selon la première à la fin finale selon la dernière – car ainsi est reconnue la possibilité de la fin finale, qui peut se réaliser seulement dans la nature et en accord avec ses lois.

L'entendement, par la possibilité de ses lois a priori pour la nature, donne une preuve que celle-ci n'est connue par nous que comme phénomène, et par conséquent il nous donne aussi des indications sur un substrat suprasensible de cette nature, tout en le laissant entièrement dans *l'indétermination*. La faculté de juger, grâce à son principe a priori pour apprécier la nature d'après ses lois particulières possibles, procure à son substrat suprasensible (en nous aussi bien que hors de nous) une *déterminabilité par le pouvoir intellectuel*. La raison, quant à elle, donne à ce même substrat la *détermination* par sa loi pratique a priori, et ainsi la faculté de juger accomplit-elle le passage du domaine du concept de la nature à celui du concept de la liberté.

En ce qui concerne les pouvoirs de l'âme en général en tant qu'ils sont considérés comme supérieurs, c'est-à-dire comme des pouvoirs qui possèdent une autonomie, l'entendement est pour le *pouvoir de connaître* (pour la connaissance théorique de la nature) ce pouvoir qui contient les principes *constitutifs a priori* ; pour le *sentiment de plaisir et de déplaisir*, c'est la faculté de juger, en toute indépendance vis-à-vis des concepts et sensations qui se rapportent à la détermination du pouvoir (*197*) de désirer et qui pourraient ainsi immédiatement être pratiques ; pour le *pouvoir de désirer*, c'est la raison, qui est pratique sans la médiation d'aucun plaisir, d'où qu'il vienne, et qui détermine pour ce pouvoir comme pouvoir supérieur son but final, lequel apporte en même temps la pure joie intellectuelle prise à l'objet. Le concept que se forge la faculté de juger de la finalité de la nature appartient encore aux

───────────

il en est de cela même qui constitue le substrat suprasensible de la nature).

concepts naturels, mais seulement comme principe régulateur du pouvoir de connaître, cela bien que le jugement esthétique sur certains objets (de la nature ou de l'art), qui met en jeu ce concept, soit par rapport au sentiment de plaisir ou de déplaisir un principe constitutif. La spontanéité dans le jeu des pouvoirs de connaître, dont l'accord est le fondement de ce plaisir, rend le concept ainsi pensé apte à fournir le moyen terme de la liaison des domaines du concept de la nature avec le concept de liberté dans ses conséquences – cela dans la mesure où elle développe la disposition de l'esprit à être réceptif au sentiment moral.

Le tableau suivant peut permettre d'accéder plus facilement à une vue globale de tous les pouvoirs supérieurs suivant leur unité systématique * :

Pouvoirs de l'esprit dans leur ensemble	Pouvoirs de connaître	Principes a priori	Application à
Pouvoirs de connaître	Entendement	Légalité	La nature
Sentiment de plaisir et de peine	Faculté de juger	Finalité	L'art
Pouvoirs de désirer	Raison	Fin finale	La liberté

* On a trouvé contestable que mes divisions, en philosophie pure, soient presque toujours tripartites. En fait, cela tient à la nature même de la chose. Si l'on doit procéder à une division a priori, cette division sera soit *analytique* suivant le principe de contradiction, et dans ce cas elle a toujours deux parties (*quodlibet ens est aut A aut non A*) ; soit *synthétique*, et si dans ce cas elle doit être menée à partir de concepts a priori (et non, comme en mathématiques, à partir de l'intuition correspondant a priori au concept), il faut, d'après ce qu'exige en général l'unité synthétique, à savoir : 1. une condition ; 2. un conditionné ; 3. le concept qui résulte de l'union du conditionné avec sa condition, que la division soit nécessairement une trichotomie.

PREMIÈRE PARTIE

CRITIQUE DE LA FACULTÉ
DE JUGER ESTHÉTIQUE

*ANALYTIQUE DE LA FACULTÉ
DE JUGER ESTHÉTIQUE*

LIVRE I
ANALYTIQUE DU BEAU

Premier moment du jugement de goût
considéré selon la qualité

Paragraphe 1
Le jugement du goût * est esthétique

Pour distinguer si quelque chose est beau ou non, nous ne rapportons pas la représentation à l'objet par l'intermédiaire de l'entendement en vue d'une connaissance, mais nous la rapportons par l'intermédiaire de l'imagination (peut-être associée à l'entendement) au sujet et au sentiment du plaisir ou de la peine que celui-ci éprouve. Le jugement du goût n'est donc pas un jugement de connaissance ; par conséquent, ce n'est pas un jugement logique, mais esthétique – ce par quoi l'on entend que son principe déterminant *ne peut être que subjectif.* Il est vrai que tout rapport concernant les représentations, même celui des sensations, peut être objectif (et dans ce cas il signifie ce qu'il y a de réel dans une représentation empirique), mais simplement n'en va-t-il pas de même pour le rapport (*204*) qu'elles peuvent entretenir avec le sentiment du plaisir et de la peine, lequel ne désigne absolument rien

---

* La définition du goût qui est prise ici pour base consiste à dire que le goût est le pouvoir de porter des jugements d'appréciation sur le beau. Quant à ce qui est requis pour qu'un objet soit appelé beau, cela doit être découvert par l'analyse des jugements de goût. J'ai recherché les moments que prend en compte cette faculté de juger dans sa réflexion, en me laissant guider par les fonctions logiques du jugement (car, dans le jugement de goût, il y a toujours, de surcroît, un rapport avec l'entendement) ; c'est la fonction logique de la qualité que j'ai d'abord considérée, parce que c'est celle que prend en compte en premier lieu le jugement esthétique sur le beau.

dans l'objet, et où le sujet, au contraire, s'éprouve lui-même tel qu'il est affecté par la représentation.

Appréhender par son pouvoir de connaître un édifice régulier qui répond à une fin (que le mode de représentation en soit clair ou confus), c'est tout autre chose que d'avoir conscience de cette représentation à la faveur de la sensation de la satisfaction. Dans ce dernier cas, la représentation est rapportée entièrement au sujet et, plus précisément, au sentiment qu'il éprouve d'être vivant – ce que l'on exprime sous le nom de sentiment du plaisir ou de la peine : c'est sur celui-ci que se fonde un pouvoir tout à fait particulier de discerner et de juger, qui ne contribue en rien à la connaissance, mais simplement rapproche la représentation donnée, dans le sujet, de tout le pouvoir des représentations dont l'esprit prend conscience dans le sentiment de son état. Des représentations données dans un jugement peuvent être empiriques (donc esthétiques), mais le jugement qui est porté par leur intermédiaire est logique, dès lors seulement que celles-ci sont rapportées dans le jugement à l'objet. Inversement, même si les représentations données étaient même rationnelles, mais dès lors que, dans un jugement, on les rapporterait purement et simplement au sujet (à son sentiment), le jugement serait alors toujours de type esthétique.

Paragraphe 2
**La satisfaction qui détermine le jugement de goût
est totalement désintéressée** [51]

On nomme intérêt la satisfaction que nous associons à la représentation de l'existence d'un objet. Une telle représentation se rapporte donc toujours en même temps au pouvoir de désirer, comme son principe déterminant, ou en tout cas comme se rattachant nécessairement à son principe déterminant. Mais quand la question est de savoir si quelque chose est beau, on ne veut pas savoir si nous-mêmes ou quelqu'un d'autre portons à l'existence de cette chose ou même pourrions lui porter un intérêt, mais comment nous l'apprécions lorsque simplement nous la considérons (que ce soit dans l'intuition ou dans la réflexion). Quand quelqu'un me demande si je trouve beau le palais que j'ai devant moi, je peux certes répondre : « Je n'aime pas les choses de ce genre, qui sont faites uniquement pour les badauds, ou bien, comme ce sachem iroquois qui n'appréciait rien davantage dans Paris que les

rôtisseries, je peux encore déclamer, tout à fait dans le[...]
de Rousseau, contre la vanité des grands qui emploient la
sueur du peuple pour des choses aussi superflues ; je peux
(205) enfin, très facilement, me persuader que, si je me
trouvais dans une île inhabitée sans espoir de jamais revenir
chez les hommes et si, par mon simple désir, je pouvais y
transporter par un coup de baguette magique un tel palais,
je ne m'en donnerais même pas la peine pourvu simplement
que je possède déjà une cabane assez confortable pour moi.
On peut m'accorder toutes ces considérations et les approuver ;
seulement, ce n'est pas là, pour l'instant, la question. On veut
seulement savoir si la simple représentation de l'objet est
accompagnée en moi de satisfaction, si indifférent que je
puisse être à l'existence de l'objet de cette représentation. On
voit facilement que ce qui importe pour dire que l'objet est
beau et pour prouver que j'ai du goût, c'est ce que je fais de
cette représentation en moi-même, et non ce par quoi je
dépends de l'existence de cet objet. Chacun doit convenir que
le jugement sur la beauté où se mêle la moindre dimension
d'intérêt est très partial et ne constitue pas un pur jugement
de goût. Il ne faut pas se préoccuper le moins du monde de
l'existence de la chose, mais être sous ce rapport entièrement
indifférent pour pouvoir en matière de goût jouer le rôle de
juge.

Cela étant, nous ne pouvons mieux commenter cette proposition, qui est d'une importance capitale, qu'en opposant à
la satisfaction pure et désintéressée * du jugement du goût
celle qui est associée à l'intérêt, surtout quand nous pouvons
en même temps être certains qu'il n'y a pas d'autres espèces
d'intérêt que celles que nous allons maintenant désigner.

Paragraphe 3
La satisfaction prise à l'*agréable* est associée à un intérêt

*Est **agréable** ce qui plaît aux sens dans la sensation.* Voilà
tout de suite l'occasion de contester une confusion tout à fait

* Un jugement sur un objet de satisfaction peut être totalement
désintéressé, mais pourtant être très *intéressant*, ce qui signifie qu'il
ne se fonde sur aucun intérêt, mais qu'il produit un intérêt : de ce
type sont tous les purs jugements moraux. Mais les jugements de
goût ne fondent pas non plus, en eux-mêmes, un quelconque intérêt.
C'est uniquement dans la société qu'il devient *intéressant* d'avoir du
goût, ce dont la raison sera indiquée dans la suite.

courante intervenant dans la double signification que peut
avoir le mot sensation et d'attirer l'attention sur ce point.
Toute satisfaction (dit-on ou pense-t-on) est elle-même sensation (la sensation d'un plaisir). Par conséquent, (*206*) tout ce
qui plaît, précisément parce que cela plaît, est agréable (et,
suivant les différences de degré ou encore les rapports existant
avec d'autres sensations agréables, *gracieux, charmant, délicieux, ravissant*, etc.). Mais si l'on accorde cela, les impressions des sens qui déterminent l'inclination, les principes de
la raison qui déterminent la volonté, ou de simples formes
réfléchies de l'intuition qui déterminent la faculté de juger,
reviennent exactement au même en ce qui concerne l'effet sur
le sentiment du plaisir. Car celui-ci serait l'agrément que l'on
éprouverait dans l'état où l'on se trouve ; et comme, en tout
cas, tout l'effort de nos pouvoirs doit bien finir par tendre vers
le pratique et s'y rassembler comme en son but, on ne pourrait
leur attribuer aucune autre appréciation des choses et de leur
valeur que celle qui consiste dans la satisfaction qu'elles
promettent. De quelle manière ces pouvoirs y arrivent, c'est
en définitive sans importance, et comme seul le choix des
moyens peut en l'occurrence introduire quelque différence, les
hommes pourraient bien s'accuser réciproquement de sottise
et d'inintelligence, mais non point jamais de bassesse et de
méchanceté, parce que, quoi qu'il en soit, tous en effet, chacun
d'après sa façon de voir les choses, courent vers un unique
but qui est pour tous le plaisir.

Quand une détermination du sentiment du plaisir ou de la
peine est appelée sensation, ce terme désigne tout autre chose
que quand j'appelle sensation la représentation d'une chose
(par les sens, en tant que réceptivité relevant du pouvoir de
connaître). Car, dans le dernier cas, la représentation est
rapportée à l'objet, tandis que, dans le premier, elle l'est
exclusivement au sujet et ne sert absolument à aucune connaissance, même pas à celle par laquelle le sujet se connaît lui-
même.

Cela dit, nous entendons, dans l'élucidation fournie ci-
dessus, par le terme sensation une représentation objective
des sens, et pour ne pas toujours courir le risque d'être mal
compris, nous désignerons ce qui, en tout temps, doit nécessairement rester simplement subjectif et ne peut en aucune
façon constituer la représentation d'un objet sous le nom au
demeurant usuel de sentiment. La couleur verte des prairies
relève de la sensation *objective* en tant que perception d'un
objet du sens ; mais ce qu'elle a d'agréable relève de la

sensation *subjective*, qui ne représente aucun objet ; c'est-à-dire d'un sentiment qui considère l'objet comme objet de satisfaction (ce qui n'est pas une connaissance de celui-ci).

Or, que mon jugement sur un objet, par lequel je le (*207*) déclare agréable, exprime un intérêt pris à celui-ci, c'est clair d'ores et déjà par le simple fait qu'à travers la sensation il éveille le désir de semblables objets : par conséquent, la satisfaction ne suppose pas ici le simple jugement sur l'objet, mais le rapport de son existence à mon état, dans la mesure où ce dernier est affecté par un tel objet. De là vient que l'on dit de l'agréable, non seulement qu'*il plaît,* mais encore qu'*il fait plaisir.* Ce n'est pas simplement que j'y applaudis, mais il s'engendre par là une inclination ; et pour ce qui est agréable de la manière la plus vive, on n'a pas même à juger la nature de l'objet, tant et si bien que ceux qui ne se soucient jamais que de jouissance (car tel est le mot par lequel on désigne ce qu'il y a d'intime dans le plaisir) se dispensent volontiers de tout jugement [52].

Paragraphe 4
La satisfaction prise au bien est associée à un intérêt

Bon est ce qui, par l'intermédiaire de la raison, plaît par le simple concept ; nous nommons *bon à quelque chose* (l'utile) ce qui plaît seulement comme moyen ; mais quelque chose d'autre qui plaît par soi-même, nous l'appelons *bon en soi.* Dans les deux cas, se trouve toujours contenu le concept d'une fin, par conséquent le rapport de la raison au vouloir (du moins possible), par suite une satisfaction prise à l'*existence* d'un objet ou d'une action, c'est-à-dire un intérêt quelconque.

Pour trouver que quelque chose est bon, il me faut toujours savoir quelle espèce de chose doit être l'objet, c'est-à-dire en avoir un concept. Pour découvrir de la beauté en une chose, cela ne m'est pas nécessaire. Des fleurs, des dessins libres, des traits entrelacés sans intention les uns dans les autres, ce qu'on appelle des rinceaux, ne signifient rien, ne dépendent d'aucun concept déterminé et plaisent pourtant. La satisfaction prise au beau doit nécessairement dépendre de la réflexion sur un objet, laquelle conduit à quelque concept (qui reste indéterminé), et par là elle se distingue aussi de l'agréable, qui repose entièrement sur la sensation.

Il est vrai, dans beaucoup de cas, que l'agréable semble se confondre avec le bon. Ainsi dit-on communément : tout plaisir (surtout celui qui est durable) est bon en soi, ce qui veut dire à peu près qu'être agréable de manière durable, ou être bon, c'est une seule et même chose. Seulement, on peut bien vite s'apercevoir qu'il n'y a là qu'une confusion fallacieuse de termes, dans la mesure où les concepts qui se rattachent proprement à ces expressions ne sont aucunement (*208*) inter-changeables. L'agréable qui, comme tel, représente l'objet exclusivement dans son rapport au sens doit tout d'abord, pour être appelé bon comme objet du vouloir, être ramené sous des principes de la raison par l'intermédiaire du concept d'une fin. Mais que, dans ce cas, si je nomme en même temps *bon* ce qui fait plaisir, il s'agisse là d'un tout autre rapport avec la satisfaction, on peut s'en apercevoir aisément par ceci que, concernant le bon, la question est toujours de savoir s'il est bon de manière seulement médiate ou bien immédiatement (s'il est utile ou bon en soi) ; tandis qu'au contraire, pour l'agréable, la question ne peut intervenir, dans la mesure où le terme signifie toujours quelque chose qui plaît immédiate-ment (de même en va-t-il aussi pour ce que j'appelle beau).

Même dans les discours les plus communs, on distingue l'agréable du bon. Un plat flattant le goût par des épices et d'autres ingrédients, on dit sans hésiter qu'il est agréable, et l'on convient en même temps qu'il n'est pas bon : l'explication en est que, certes, il *convient* aux sens immédiatement, mais que médiatement, c'est-à-dire considéré à travers la raison qui prend en vue les conséquences, il déplaît. Même dans l'ap-préciation de la santé, on peut encore remarquer cette diffé-rence. Elle est immédiatement agréable à tous ceux qui la possèdent (au moins négativement, c'est-à-dire comme éloi-gnement vis-à-vis de toute douleur corporelle). Mais, pour dire qu'elle est bonne, il faut pourtant qu'on l'oriente par la raison vers des fins, avec l'idée qu'elle est un état qui nous rend disponibles pour toutes nos occupations. Pour ce qui concerne le bonheur, enfin, chacun croit en tout cas pouvoir désigner la plus grande somme (par la quantité aussi bien que par la durée) des agréments de la vie comme un véritable bien, et même comme le bien suprême. Seulement, là aussi, la raison s'élève contre cette conviction. L'agrément est une jouissance. Or, s'il ne s'agit que de cette dernière, il serait absurde d'être scrupuleux dans la considération des moyens qui nous la procurent, qu'elle soit obtenue passivement, à la faveur de la générosité de la nature, ou bien par l'activité personnelle et notre propre action. Mais que l'existence d'un homme qui vit uniquement pour jouir (et fût-il à cet égard aussi actif qu'il le veuille) possède en soi une valeur, jamais la raison ne s'en laissera persuader, même si, comme moyen, il en aidait par là, de son mieux, d'autres qui ne poursuivraient eux-mêmes exclusivement que la jouissance, cela pour cette raison que par sympathie il participerait lui aussi à la jouissance de tous ces plaisirs. C'est seulement à travers ce qu'il fait sans égard à la jouissance, en toute liberté et indépendamment de ce que la nature pourrait lui procurer quand bien même il demeurerait passif, qu'il donne à son existence, en tant qu'existence d'une (*208*) personne, une valeur absolue ; et le bonheur, dans toute la plénitude de son agrément, est loin d'être un bien inconditionnel *.

Reste que, en dépit de toute cette différence entre l'agréable et le bon, ils s'accordent pourtant en ceci qu'ils sont toujours associés par quelque intérêt à leur objet, non seulement l'agréable (paragraphe 3) et ce qui est médiatement bon (l'utile), qui plaît comme moyen en vue d'un quelconque agrément, mais aussi ce qui est bon absolument et à tous égards, à savoir le Bien moral, qui entraîne avec lui l'intérêt suprême. Car le Bien est l'objet du vouloir (c'est-à-dire d'un pouvoir de désirer déterminé par la raison). Or, vouloir quelque chose et trouver une satisfaction à son existence, c'est-à-dire y prendre un intérêt, c'est identique.

Paragraphe 5
Comparaison des trois sortes de satisfaction, qui sont spécifiquement différentes

L'agréable et le bon ont tous deux une relation avec le pouvoir de désirer et entraînent avec eux, dans cette mesure, le premier une satisfaction pathologiquement conditionnée (par des excitations, *stimulos*), l'autre une pure satisfaction pratique, qui est déterminée non seulement par la représentation de l'objet, mais en même temps par celle de la connexion du sujet avec l'existence de celui-ci. Ce n'est pas seulement l'objet, mais c'est aussi son existence qui plaît. À l'opposé, le jugement du goût est simplement *contemplatif*, c'est-à-dire

---

* Une obligation à la jouissance est une absurdité manifeste. De même doit-il en être aussi d'une prétendue obligation à toutes actions qui ont pour fin uniquement la jouissance, quand bien même celle-ci serait conçue de façon aussi spiritualisée (ou enjolivée) qu'on le voudra, et fût-elle même une jouissance mystique, et pour ainsi dire céleste.

qu'il s'agit d'un jugement qui, indifférent à l'existence d'un objet, met seulement en liaison la nature de celui-ci au sentiment de plaisir et de peine. Mais cette contemplation elle-même n'est pas orientée par des concepts ; car le jugement de goût n'est pas un jugement de connaissance (ni un jugement de connaissance théorique ni un jugement de connaissance pratique) et par conséquent il n'est pas *fondé* non plus sur des concepts, pas davantage qu'il n'est *finalisé* par de tels concepts.

L'agréable, le beau, le bon désignent donc trois relations différentes des représentations au sentiment de plaisir et de peine, par (*210*) rapport auquel nous distinguons des objets ou des modes de représentation les uns des autres. De la même manière, les expressions adéquates à chacun de ces termes, par lesquelles on désigne l'agrément qui s'y trouve compris, ne sont pas identiques. L'*agréable* signifie pour chacun ce qui lui **fait plaisir** ; le *beau*, ce qui simplement lui **plaît** ; le *bon*, ce qu'il **estime**, ce qu'il *approuve*, c'est-à-dire ce à quoi il attribue une valeur objective. L'agréable vaut aussi pour des animaux privés de raison ; la beauté, seulement pour des hommes, c'est-à-dire pour des êtres de nature animale, mais cependant raisonnables, et non pas simplement en tant que tels (par exemple, des esprits), mais en même temps en tant qu'ils sont dotés d'une nature animale ; quant au bien, il vaut pour tout être raisonnable en général : proposition qui ne peut obtenir que dans la suite sa complète justification et élucidation. On peut dire que, parmi ces trois espèces de satisfaction, celle que le goût prend au beau est seule une satisfaction désintéressée et *libre* ; car aucun intérêt, ni celui des sens ni celui de la raison, ne contraint à donner notre assentiment. De là vient qu'on pourrait dire de la satisfaction qu'elle se rapporte, dans les trois cas mentionnés, à l'*inclination*, à la *faveur* ou au *respect*. Car la **faveur** est la seule satisfaction libre. Un objet de l'inclination comme un objet qu'une loi de la raison nous impose de désirer ne nous laissent nulle liberté de faire de n'importe quoi un objet de plaisir. Tout intérêt suppose un besoin ou en produit un, et, en tant que principe déterminant de l'assentiment, il ne laisse plus être libre le jugement sur l'objet.

En ce qui concerne l'intérêt que l'inclination prend à ce qui est agréable, on dit que la faim est le meilleur cuisinier et que les gens de bon appétit aiment tout dès lors que c'est comestible ; une telle satifaction ne témoigne par conséquent de nul choix effectué par goût. C'est seulement quand le besoin est satisfait que l'on peut distinguer, parmi beaucoup de gens, qui a du goût ou qui n'en a pas. De même y a-t-il des mœurs (conduite) sans vertu, de la politesse sans bienveillance, de la décence sans honorabilité, etc. Car, quand la loi morale parle, alors il n'y a plus objectivement de choix libre portant sur ce que l'on doit faire ; et montrer du goût dans son comportement (ou dans l'appréciation de celui des autres) est quelque chose de tout autre que de manifester qu'on pense de façon morale : penser de façon morale contient en effet un commandement et produit un besoin, alors qu'au contraire le goût éthique se borne à jouer avec les objets de la satisfaction, sans s'attacher à un seul [53].

(211) Définition du beau déduite du premier moment

Le *goût* est la faculté de juger un objet ou un mode de représentation par l'intermédiaire de la satisfaction ou du déplaisir, *de manière désintéressée*. On appelle *beau* l'objet d'une telle satisfaction.

Deuxième moment du jugement de goût
considéré selon sa quantité

Paragraphe 6
Le beau est ce qui est représenté *sans concept* comme objet d'une satisfaction universelle

Cette définition du beau peut être déduite de la précédente, qui faisait du beau un objet de satisfaction désintéressée. Car ce dont on a conscience que la satisfaction qu'on y prend est désintéressée ne peut être jugé que comme devant nécessairement contenir un principe de satisfaction pour tous. Dans la mesure, en effet, où la satisfaction ne se fonde pas sur quelque inclination du sujet (ni sur quelque autre intérêt réfléchi), mais où au contraire celui qui juge se sent entièrement *libre* vis-à-vis de la satisfaction qu'il impute à l'objet, il ne peut trouver comme principes de sa satisfaction des conditions personnelles desquelles dépende sa seule subjectivité ; et, par conséquent, il doit nécessairement considérer sa satisfaction comme ayant pour principe quelque chose qu'il peut supposer aussi en tout autre ; par suite, il lui faut estimer qu'il a raison d'attribuer à chacun une satisfaction semblable. Il parlera donc du beau comme si la beauté était une propriété de l'objet et comme si le jugement était logique (comme s'il constituait par des concepts de l'objet une connaissance de celui-ci), bien que ce jugement soit seulement esthétique et ne contienne qu'un rapport de la représentation de l'objet au sujet ; ce dont la raison se trouve dans le fait qu'il a cependant cette ressemblance avec le jugement logique qu'on peut le supposer capable de valoir pour chacun. Mais ce n'est pas de concepts que cette universalité peut elle aussi procéder. Car on ne peut passer de concepts au sentiment du plaisir ou de la peine (si ce n'est dans les pures lois pratiques, lesquelles toutefois véhiculent avec elles un intérêt, là où rien de semblable ne s'associe (*212*) au pur jugement du goût). Par voie de conséquence, il faut que soit attachée au jugement de goût, avec la conscience qui l'accompagne d'être dégagé de tout intérêt, une prétention à être capable de valoir pour tous, sans que cette universalité repose sur des objets : autrement dit, il faut que lui soit associée une prétention à une universalité subjective.

Paragraphe 7
Comparaison du beau avec l'agréable et le bien par l'intermédiaire de la caractéristique précédente

En ce qui concerne l'agréable, chacun se résout à ce que son jugement, qu'il fonde sur un sentiment personnel et à travers lequel il dit d'un objet qu'il lui plaît, se limite en outre à sa seule personne. Par conséquent, il admet volontiers que, quand il dit : « Le vin des Canaries est agréable », quelqu'un d'autre rectifie l'expression et lui rappelle qu'il devrait dire : « Il *m*'est agréable » ; et ainsi en va-t-il non seulement pour le goût de la langue, du palais et du gosier, mais aussi pour ce qui peut être agréable aux yeux et aux oreilles de chacun. Pour l'un, la couleur violette est douce et aimable ; pour l'autre, elle est morte et éteinte. Tel aime le son des instruments à vent, tel autre celui des instruments à corde. Discuter en ces domaines sur le jugement d'autrui, quand il diffère du nôtre, pour le qualifier d'erroné comme s'il s'opposait à lui logiquement, ce serait insensé ; à propos de l'agréable, ce qui prévaut, c'est donc le principe : *chacun a son goût particulier* (dans l'ordre des sens).

Avec le beau, il en va tout autrement. Il serait (précisément à l'inverse) ridicule que quelqu'un qui imaginerait quelque chose à son goût songeât à s'en justifier en disant : cet objet (l'édifice que nous voyons, le vêtement que celui-ci porte, le concert que nous entendons, le poème qui est soumis à notre appréciation) est beau *pour moi*. Car il ne doit pas l'appeler *beau* s'il ne plaît qu'à lui. Bien des choses peuvent avoir pour lui du charme et de l'agrément, mais personne ne s'en soucie ; en revanche, quand il dit d'une chose qu'elle est belle, il attribue aux autres le même plaisir : il ne juge pas simplement pour lui, mais pour chacun, et il parle alors de la beauté comme si elle était une propriété des choses. Il dit donc : la *chose* est belle, et pour son jugement par lequel il exprime son plaisir, il ne compte pas sur l'adhésion des autres *(213)* parce qu'il a constaté à diverses reprises que leur jugement s'accordait avec le sien, mais il *exige* d'eux une telle adhésion. Il les blâme s'ils en jugent autrement et il leur dénie d'avoir du goût, tout en prétendant pourtant qu'ils devraient en avoir ; et ainsi ne peut-on pas dire que chacun possède son goût particulier. Cela équivaudrait à dire que le goût n'existe pas, autrement dit que nul jugement esthétique n'existe qui pourrait prétendre légitimement à l'assentiment de tous.

Toutefois, on trouve aussi, pour ce qui est de l'agréable, qu'il peut y avoir, dans le jugement d'appréciation porté sur lui, unanimité parmi les hommes – une unanimité vis-à-vis de laquelle cependant on refuse à certains le goût qu'on accorde à d'autres, non pas, certes, le goût entendu comme un sens organique, mais comme un pouvoir d'apprécier l'agréable en général. Ainsi, de quelqu'un qui sait entretenir ses hôtes par divers agréments (qui font le plaisir de tous les sens) tels qu'ils leur plaisent à tous, on dit qu'il a du goût. Mais, ici, l'universalité ne s'entend que de manière comparative ; et il n'y a là que des règles *générales* (comme les règles empiriques le sont toutes), et non pas *universelles*, comme celles auxquelles le jugement de goût sur le beau se soumet ou auxquelles il prétend. C'est un jugement qui se rapporte à la sociabilité, dans la mesure où elle repose sur des règles empiriques. En ce qui concerne le bien, les jugements prétendent certes eux aussi légitimement à l'universalité ; simplement, le bien n'est représenté comme objet de satisfaction universelle que par un *concept*, ce qui n'est le cas ni pour l'agréable, ni pour le beau.

Paragraphe 8
**L'universalité du plaisir n'est, dans un jugement de goût,
représentée que de façon subjective**

Cette détermination particulière de l'universalité d'un jugement esthétique, telle qu'elle se peut rencontrer dans un jugement de goût, est une singularité, sinon pour le logicien, en tout cas pour le philosophe transcendantal ; elle exige de sa part un effort non négligeable pour qu'il en découvre l'origine, même si, ce faisant, en revanche, il découvre aussi une propriété de notre pouvoir de connaître qui, sans cette analyse, serait restée inconnue.

En premier lieu, il faut pleinement se convaincre que, par le (*214*) jugement de goût (sur le beau), on attribue *à chacun* le plaisir pris à un objet, sans se fonder pourtant sur un concept (car, dans ce cas, ce serait le bien) ; il faut se convaincre aussi que cette prétention à l'universalité appartient si essentiellement à un jugement par lequel nous déclarons une chose belle que, si nous ne pensions pas à une telle universalité, il ne viendrait à l'idée de personne d'user de ce terme, mais tout ce qui plaît serait mis au compte de l'agréable – alors qu'en fait, en ce qui concerne l'agréable, on laisse chacun se faire son idée et que personne ne demande à l'autre qu'il adhère à son jugement de goût, comme cela, en revanche, arrive toujours dans le jugement du goût sur la beauté. Le premier genre de goût, je peux l'appeler le goût des sens, le second, le goût de la réflexion : le premier n'émet en effet que des jugements personnels, alors que le second en émet qui prétendent être universels (publics), mais l'un comme l'autre émettent des jugements esthétiques (non pratiques) sur un objet en considérant uniquement le rapport de sa représentation au sentiment de plaisir et de peine [54]. Or, il y a pourtant là quelque chose d'étrange : alors qu'à propos du goût des sens l'expérience montre, non seulement que le jugement que quelqu'un émet (sur le plaisir ou la peine qu'il prend à une chose) n'a pas de valeur universelle, mais même que chacun de nous, spontanément, est assez modeste pour ne pas attendre des autres, justement, un tel assentiment (bien que l'on rencontre souvent, en réalité, une très large unanimité même dans ces jugements), cependant le goût de la réflexion, quoiqu'il se trouve fréquemment repoussé, lui aussi, dans sa prétention à la validité universelle de son jugement (sur le beau) pour chacun, comme l'apprend l'expérience, parvient à considérer comme possible (ce qu'il fait même effectivement) de se représenter des jugements qui pourraient exiger universellement cet assentiment – et de fait chacun exige un tel assentiment pour chacun de ses jugements de goût, sans que ceux qui émettent les jugements soient en désaccord sur la possibilité de cette prétention – tant il est vrai que ce n'est que dans des cas particuliers qu'ils ne parviennent pas à s'entendre sur la juste application de ce pouvoir.

Ici, il faut remarquer avant tout qu'une universalité qui ne repose pas sur des concepts de l'objet (même simplement empiriques) n'est pas du tout logique, mais esthétique, c'est-à-dire qu'elle ne contient aucune quantité objective du jugement, mais seulement une quantité subjective, que je désigne en utilisant l'expression de *capacité d'avoir une valeur commune,* qui indique la valeur du rapport d'une représentation, non pas au pouvoir de connaître, mais au sentiment de plaisir et de peine pour chaque sujet. (Mais on peut aussi se servir de cette expression pour la quantité logique du jugement (*215*) pourvu simplement que l'on ajoute : capacité d'avoir une valeur universelle *objective*, à la différence de la valeur universelle simplement subjective, laquelle est toujours esthétique.)

Or, un jugement ayant une *valeur objectivement universelle* est aussi toujours subjectif, c'est-à-dire que si le jugement vaut pour tout ce qui est contenu sous un concept donné, il vaut aussi pour tous ceux qui se représentent un objet par l'intermédiaire de ce concept. Mais, à partir d'une *capacité d'avoir une valeur universelle subjective*, c'est-à-dire esthétique, qui ne repose sur aucun concept, on ne peut conclure à la capacité d'avoir une valeur universelle logique : la raison en est que ce genre de jugement ne porte pas sur l'objet. Cela étant, c'est pourquoi justement l'universalité esthétique qui est attribuée à un jugement doit aussi être d'une espèce particulière, parce qu'elle ne relie pas le prédicat de beauté au concept de *l'objet*, considéré dans toute sa sphère logique, mais l'étend cependant à toute la sphère de *ceux qui jugent*.

Du point de vue de la quantité logique, tous les jugements de goût sont des jugements *singuliers*. Car, dans la mesure où je dois rapporter immédiatement l'objet à mon sentiment de plaisir et de peine et cependant ne pas le faire par l'intermédiaire de concepts, ces jugements ne peuvent avoir la quantité de jugements possédant une valeur universelle objective – cela, bien que, si la représentation singulière de l'objet du jugement du goût est transformée par comparaison en un concept, suivant les conditions qui déterminent ce jugement, il puisse en résulter un jugement logiquement universel. Par exemple, la rose que je vois, je déclare, par un jugement de goût, qu'elle est belle. Au contraire, le jugement qui procède de la comparaison de nombreux jugements singuliers : « Les roses en général sont belles », n'est plus énoncé simplement comme un jugement esthétique, mais il est énoncé comme un jugement logique fondé sur un jugement esthétique. Quant au jugement : « La rose est (par son parfum) agréable », c'est certes aussi un jugement esthétique et singulier, mais ce n'est pas un jugement de goût : c'est un jugement des sens. Il se distingue du premier en ceci que le jugement de goût contient une *quantité esthétique* d'universalité, c'est-à-dire de validité pour chacun, que l'on ne peut rencontrer dans le jugement sur l'agréable. Seuls les jugements portant sur le bien, quoiqu'ils déterminent eux aussi le plaisir pris à un objet, possèdent une universalité logique et non pas simplement esthétique ; ils possèdent en effet leur valeur quant à l'objet, en tant qu'ils constituent des connaissances de cet objet, et dès lors ils valent pour chacun.

Quand on porte des jugements d'appréciation sur des objets uniquement d'après des concepts, toute représentation de la beauté se perd. Il ne peut donc y avoir non plus de règle d'après laquelle quelqu'un devrait être forcé de reconnaître quelque chose comme beau. Pour ce qui est de savoir si *(216)* un vêtement, une maison ou une fleur sont beaux, on ne se laisse dicter son jugement ni par des raisonnements ni par des principes. On veut soumettre l'objet à ses propres yeux, tout comme si son plaisir dépendait de la sensation ; et pourtant, si l'on désigne alors l'objet comme beau, l'on croit rallier à soi l'universalité des voix et l'on prétend obtenir l'adhésion de chacun, alors qu'en fait toute sensation personnelle ne décide que pour le sujet qui regarde et pour son plaisir.

Il faut donc bien voir ici que, dans le jugement de goût, rien n'est postulé que cette *universalité des voix* en ce qui concerne le plaisir, sans la médiation des concepts : par conséquent, on postule uniquement la *possibilité* d'un jugement esthétique qui puisse en même temps être considéré comme valant pour chacun. Le jugement de goût lui-même ne *postule* pas l'adhésion de chacun (car seul peut le faire un jugement logiquement universel, capable d'alléguer des raisons) ; il ne fait que *prêter* à chacun cette adhésion, comme un cas de la règle dont il attend la confirmation non de concepts, mais de l'adhésion des autres. L'universalité des voix n'est donc qu'une Idée (sur quoi elle repose, nous ne le recherchons pas encore ici). Que celui qui croit porter un jugement de goût juge effectivement d'après cette Idée, cela peut ne pas être certain ; mais qu'en tout cas il y rapporte ce jugement, par conséquent que ce doive être un jugement du goût, il le fait savoir par le terme de beauté. Cela, pour lui-même, il peut en acquérir la certitude à travers la dissociation qui se produit dans sa simple conscience entre tout ce qui se rapporte à l'agréable, ainsi qu'au bien, et le plaisir qui ne s'y réduit pas ; et c'est pour ce plaisir seul qu'il se promet l'adhésion de chacun – une adhésion qu'il serait même, dans ces conditions, légitimé à se promettre, si seulement, bien souvent, il n'en venait pas à négliger ces conditions et à prononcer pour cette raison un jugement de goût aberrant [55].

Paragraphe 9
Examen de la question de savoir si, dans le jugement de goût, le sentiment de plaisir précède le jugement d'appréciation porté sur l'objet, ou si c'est celui-ci qui précède

La solution de ce problème est la clé de la critique du goût, et par conséquent mérite toute l'attention.

Si le plaisir pris à l'objet donné précédait, et si seule sa (217) communicabilité à tous se trouvait reconnue, dans le jugement de goût, à la représentation de l'objet, un tel procédé serait en contradiction avec lui-même. Car ce plaisir ne serait rien d'autre que le simple agrément dans la sensation, et il ne pourrait donc, par sa nature, avoir qu'une valeur individuelle, parce qu'il dépendrait immédiatement de la représentation par laquelle l'objet *est donné*.

C'est donc la communicabilité universelle de l'état d'esprit dans la représentation donnée qui, comme condition subjective du jugement de goût, doit nécessairement être à son fondement et avoir pour conséquence le plaisir pris à l'objet. Mais rien ne peut être universellement communiqué, si ce n'est la connaissance et la représentation dans la mesure où elle relève de la connaissance. Car c'est dans cette mesure seulement que la représentation est objective et qu'elle obtient une dimension d'universalité avec laquelle la faculté représentative de tous est forcée de s'accorder. Si, dès lors, le principe déterminant du jugement porté sur cette communicabilité universelle de la représentation doit être pensé comme seulement subjectif, c'est-à-dire comme ne faisant pas intervenir un concept de l'objet, ce principe ne peut être que l'état d'esprit qui se rencontre dans le rapport réciproque qu'entretiennent les facultés représentatives en tant qu'elles mettent une représentation donnée en relation avec la *connaissance en général*.

Les facultés de connaissance qui sont mises en jeu par cette représentation jouent ici en toute liberté, parce que nul concept déterminé ne vient les limiter à une règle particulière de connaissance. Ainsi, dans cette représentation, l'état de l'esprit doit-il nécessairement consister en un sentiment du libre jeu des facultés représentatives dans le cadre d'une représentation donnée, en vue d'une connaissance en général. Or, à une représentation par laquelle un objet est donné, appartiennent, afin qu'en général une connaissance en procède, l'*imagination*, pour la composition du divers de l'intuition, et l'*entendement*, pour l'unité du concept réunissant les représentations. Cet état de libre jeu des pouvoirs de connaître, dans une représentation par laquelle un objet est donné, doit pouvoir se communiquer universellement, parce que la connaissance, comme détermination de l'objet avec laquelle des représentations données (en quelque sujet que ce soit) doivent s'accorder, est le seul mode de représentation qui vaut pour tous.

La communicabilité universelle subjective du mode de représentation dans un jugement de goût, alors qu'une telle communicabilité doit intervenir sans présupposer un concept déterminé, ne peut consister en rien d'autre qu'en l'état d'esprit qui s'instaure dans le (*218*) libre jeu de l'imagination et de l'entendement (en tant qu'ils s'accordent entre eux, ainsi que c'est requis pour toute *connaissance en général*) ; car nous sommes alors conscients que ce rapport subjectif, qui convient à la connaissance en général, devrait valoir pour chacun et, par conséquent, être universellement communicable, au même titre et au même degré que chaque connaissance déterminée, laquelle, au demeurant, repose toujours sur ce rapport comme condition subjective.

Cette manière simplement subjective (esthétique) de porter un jugement appréciatif sur l'objet, ou sur la représentation par laquelle il est donné, précède donc le plaisir pris à l'objet et constitue le principe de ce plaisir que suscite l'harmonie des pouvoirs de connaître ; mais c'est uniquement sur cette universalité des conditions subjectives du jugement appréciatif porté sur les objets que se fonde cette validité universelle subjective de la satisfaction que nous associons à la représentation de l'objet que nous appelons beau.

Que le fait de pouvoir communiquer son état d'esprit, ne serait-ce même qu'en ce qui touche aux pouvoirs de connaître, procure du plaisir, on pourrait le montrer sans difficulté (empiriquement et psychologiquement) à partir du penchant naturel de l'homme à la société. Pour autant, cela ne suffit pas à notre dessein. Le plaisir que nous ressentons, nous l'attribuons à tout autre, dans le jugement de goût, comme nécessaire, comme si, quand nous appelons quelque chose beau, il fallait considérer qu'il y a là une propriété de l'objet, qui serait déterminée en lui par des concepts – alors que cependant la beauté, si on ne la met pas en relation avec le sentiment du sujet, n'est rien en soi. Cela dit, il nous faut réserver l'étude de cette question jusqu'à ce que nous puissions d'abord répondre à celle de savoir si et comment des jugements esthétiques a priori sont possibles.

Pour l'heure, nous nous occupons d'une question de moins grande ampleur : de quelle manière avons-nous conscience d'un accord subjectif réciproque des facultés de connaissance ? Est-ce sur un mode esthétique, par le simple sens interne et la sensation, ou de façon intellectuelle, à travers la conscience de notre activité intentionnelle par laquelle nous les mettons en jeu ?

Si la représentation donnée qui occasionne le jugement de goût était un concept unissant entendement et imagination dans le jugement d'appréciation porté sur l'objet en vue d'une connaissance de cet objet, la conscience de cette relation serait intellectuelle (comme c'est le cas dans le schématisme objectif de la faculté de juger dont traite la Critique). Mais, dans ce cas, ce ne serait plus par rapport au plaisir et à la peine que le jugement serait porté (*219*) et par conséquent il ne s'agirait plus d'un jugement de goût. Or, en fait, c'est indépendamment de concepts que le jugement de goût détermine l'objet eu égard à la satisfaction et au prédicat de beauté. Ainsi cette unité subjective de la relation entre les facultés ne peut-elle se faire connaître que par la sensation. Ce qui incite les deux pouvoirs (imagination et entendement) à une activité indéterminée, mais cependant harmonieuse, cela à la faveur de l'occasion fournie par la représentation donnée, à savoir l'activité qui se relie à une connaissance en général, c'est la sensation dont le jugement de goût postule la communicabilité universelle. Un rapport objectif ne peut certes être que pensé, mais, dans la mesure où il est subjectif en vertu des conditions qui sont les siennes, il peut être ressenti à travers l'effet qu'il produit sur l'esprit ; et quand il s'agit d'un rapport qui ne se fonde sur aucun concept (comme celui des facultés de représentation à un pouvoir de connaître en général), nulle autre conscience n'en est possible qu'à travers la sensation de l'effet qui consiste dans le jeu rendu plus facile des deux facultés de l'esprit (l'imagination et l'entendement) animées par leur concordance réciproque. Une représentation qui, prise isolément et hors de toute comparaison avec d'autres, s'accorde pourtant avec les conditions de l'universalité qui définit la fonction de l'entendement en général, conduit les pouvoirs de connaître à cet accord proportionné que nous exigeons pour toute connaissance et dont nous considérons qu'il vaut pour quiconque est destiné à juger grâce à l'entendement et aux sens réunis (pour tout homme).

Définition du beau déduite du deuxième moment

Est *beau* ce qui plaît universellement sans concept.

Troisième moment des jugements de goût
envisagés d'après la *relation* des fins qui y sont considérées

Paragraphe 10
De la finalité en général [56]

Si l'on veut définir ce qu'est une fin d'après ses déterminations transcendantales (sans présupposer quoi que ce soit d'empirique, comme le sentiment de plaisir) *(220)*, il faut dire qu'est fin l'objet d'un concept, dans la mesure où ce concept est considéré comme la cause de cet objet (comme le fondement réel de sa possibilité) ; et la causalité d'un *concept* vis-à-vis de son *objet* est la finalité (*forma finalis*). Quand l'on ne conçoit donc pas seulement la connaissance d'un objet, mais l'objet lui-même (la forme ou l'existence de celui-ci), en tant qu'effet, comme n'étant possible que par le concept de cet effet, alors on se représente une fin. La représentation de l'effet est ici le principe déterminant de sa cause et précède cette dernière. La conscience de la causalité d'une représentation relativement à l'état du sujet, en vue de le conserver dans le même état, peut désigner ici en général ce que l'on appelle plaisir ; par opposition, la peine est la représentation qui contient le principe déterminant pour changer en son contraire propre l'état des représentations (pour les détourner ou les éliminer).

Le pouvoir de désirer, dans la mesure où il ne peut être déterminé à agir que par des concepts, c'est-à-dire conformément à la représentation d'une fin, serait la volonté. Mais est dit final un objet, un état d'esprit ou encore une action, quand bien même leur possibilité ne suppose pas nécessairement la représentation d'une fin, pour cette simple raison que leur possibilité ne peut être expliquée et comprise par nous que dans la mesure où nous admettons à leur fondement une causalité d'après des fins, c'est-à-dire une volonté qui les aurait ordonnés selon la représentation d'une certaine règle. La finalité peut donc être sans fin, dès lors que nous ne situons pas les causes de cette forme dans une volonté, mais que, néanmoins, nous ne pouvons nous rendre concevable l'explication de sa possibilité qu'en la dérivant d'une volonté. Or, il ne nous est pas toujours nécessaire de comprendre par la raison ce que nous observons (quant à sa possibilité). Donc, nous pouvons du moins observer une finalité quant à la forme, même sans que nous mettions à son fondement une fin (comme constituant la matière d'une *nexus finalis*), et remarquer cette finalité dans les objets, bien que ce ne soit que par la réflexion.

Paragraphe 11
(221) Le jugement de goût n'a à son fondement rien d'autre que la *forme de la finalité* d'un objet (ou du mode de représentation de cet objet)

Toute fin, si elle est envisagée comme principe de la satisfaction, véhicule toujours avec elle un intérêt comme principe déterminant du jugement sur l'objet du plaisir. En ce sens, le principe du jugement de goût ne peut résider dans une fin subjective. Mais ce n'est pas non plus une représentation d'une fin objective, c'est-à-dire une représentation de la possibilité de l'objet lui-même d'après des principes de la liaison finale, par conséquent pas davantage un concept du bien, qui peut déterminer le jugement du goût : il s'agit en effet d'un jugement esthétique et non d'un jugement de connaissance, et c'est donc un jugement qui ne concerne par suite aucun *concept* de la nature de l'objet et de sa possibilité interne ou externe sous l'effet de telle ou telle cause, mais uniquement la relation réciproque des facultés représentatives dans la mesure où elles sont déterminées par une représentation.

Or, cette relation, quand on qualifie un objet de beau, est associée au sentiment d'un plaisir qui est déclaré en même temps par le jugement de goût comme valant pour tous ; par conséquent, un agrément accompagnant la représentation est tout aussi peu capable d'en contenir le principe déterminant que ne le sont la représentation de la perfection de l'objet et le concept du bien. Ainsi est-ce uniquement la finalité subjective dans la représentation d'un objet, cela sans aucune fin (ni objective ni subjective), par conséquent la simple forme de la finalité dans la représentation par laquelle un objet nous est *donné*, qui constitue la satisfaction que, sans concept, nous jugeons comme universellement communicable, et par suite le principe déterminant du jugement de goût.

Paragraphe 12
Le jugement de goût repose sur des principes a priori

Établir a priori la liaison du sentiment d'un plaisir ou d'une peine, en tant qu'effet, avec une quelconque représentation (sensation ou concept), en tant que sa cause, est absolument impossible ; car ce serait une relation causale, laquelle (dans le domaine des objets de l'expérience) ne peut jamais être (222) connue qu'a posteriori et par l'intermédiaire de l'expérience même. Certes, nous avons, dans la *Critique de la raison pratique*, déduit effectivement a priori, à partir de concepts moraux universels, le sentiment du respect (comme une modification particulière et originale de ce sentiment qui ne correspond pas parfaitement au plaisir et à la peine que nous procurent des objets empiriques). Mais, dans ce domaine, nous pouvions aussi dépasser les limites de l'expérience et faire référence à une causalité reposant sur une nature suprasensible du sujet, à savoir la causalité de la liberté. Seulement, même là, nous ne dérivions pas, à proprement parler, ce *sentiment* à partir de l'Idée de ce qui est moral comme constituant sa cause, mais c'est uniquement la détermination de la volonté qui s'en trouvait dérivée. Or, l'état d'esprit d'une volonté déterminée en quelque manière est en soi, déjà, un sentiment de plaisir et s'identifie à celui-ci : en ce sens, par conséquent, il n'en résulte pas comme s'il en constituait un effet, ce qu'on ne serait forcé d'admettre que si le concept de ce qui est moral, comme concept d'un bien, précédait la détermination de la volonté par la loi [57] ; car, si tel était le cas, la tentative qu'on aurait faite de dériver le plaisir qui serait associé au concept à partir de celui-ci comme d'une simple connaissance serait vaine.

Or il en va de même du plaisir dans le jugement esthétique, à ceci près qu'ici il est purement contemplatif et se déploie sans éveiller d'intérêt pour l'objet ; en revanche, dans le jugement moral, le plaisir est pratique. La conscience de la finalité purement formelle, dans le jeu des facultés de connaître du sujet à l'occasion d'une représentation par laquelle un objet est donné, est le plaisir lui-même, parce qu'elle contient un principe déterminant de l'activité du sujet, quant à la dynamisation de ses facultés de connaître, donc une causalité interne (qui est finale) quant à la connaissance en général, mais sans qu'elle soit limitée à une connaissance déterminée – et par conséquent elle contient une simple forme de la finalité subjective d'une représentation dans un jugement esthétique. Ce plaisir, qui plus est, n'est en aucune façon pratique, ni sur le mode du plaisir procédant du principe pathologique de l'agréable, ni sur celui du plaisir qui résulte du principe intellectuel de la représentation du bien. Mais il a pourtant en soi une causalité, à savoir celle qui permet de *conserver* l'état même de la représentation et l'activité des facultés de connaître, cela sans autre intention. Nous nous *attardons* dans la contemplation du beau, parce que cette contemplation se fortifie et se reproduit elle-même – attitude qui est analogue (sans toutefois être identique) à la manière dont notre esprit s'attarde quand quelque chose d'attrayant dans la représentation de l'objet éveille l'attention de manière répétée, en laissant l'esprit passif.

Paragraphe 13
(223) Le pur jugement de goût est indépendant de l'attrait et de l'émotion

Tout intérêt corrompt le jugement de goût et lui retire son impartialité, notamment quand il ne situe pas, comme le fait l'intérêt de la raison, la finalité avant le sentiment du plaisir, mais la fonde sur celui-ci – ce qui se produit toujours dans le jugement esthétique qui est porté sur une chose en tant qu'elle plaît ou déplaît. Par conséquent, des jugements qui sont ainsi affectés soit ne peuvent prétendre nullement à une satisfaction universellement valable, soit peuvent y prétendre d'autant moins que, parmi les principes déterminants du goût, se trouvent davantage de sensations du genre considéré. Le goût

reste toujours barbare quand il a besoin de mêler à la satisfaction les *attraits* et les *émotions* – et il l'est même encore
bien plus quand il en fait la mesure de son assentiment.

Toutefois, bien souvent, non seulement des attraits sont mis
au nombre de la beauté (qui, pourtant, ne devrait concerner
proprement que la forme), comme contribution à la satisfaction esthétique universelle, mais on va jusqu'à les donner en
eux-mêmes pour des beautés, en sorte qu'ainsi la matière de
la satisfaction en vient à passer pour sa forme : c'est là une
méprise qui, comme tant d'autres qui ont toujours à leur
fondement quelque chose de vrai, se peut surmonter par une
définition scrupuleuse de ces concepts.

Un jugement de goût sur lequel attrait et émotion n'ont
aucune influence (quand bien même on peut les associer à la
satisfaction prise au beau) et qui, en ce sens, a uniquement
pour principe déterminant la finalité formelle, est un *pur
jugement de goût*.

Paragraphe 14
Clarification par des exemples

Les jugements esthétiques peuvent, tout comme les jugements théoriques (logiques), être divisés en jugements empiriques et jugements purs. Les premiers sont ceux qui énoncent
quelle part d'agrément ou de désagrément il y a dans un objet,
ou dans son mode de représentation, les seconds quelle part
de beauté s'y trouve ; ceux-là sont des jugements des sens
(jugements esthétiques matériels), ceux-ci (en tant que formels) sont seuls, à proprement parler, des jugements de goût.

(*224*) Un jugement de goût n'est donc pur que pour autant
qu'aucune satisfaction uniquement empirique ne vient se mêler
à son principe déterminant. Or, c'est là ce qui se produit
toutes les fois qu'attrait ou émotion ont part au jugement par
lequel quelque chose doit être déclaré beau.

Cela étant, réapparaissent ici maintes objections qui finissent
par donner l'illusion que l'attrait n'est pas seulement l'ingré-
dient nécessaire de la beauté, mais qu'il suffirait même bel et
bien à lui seul pour être appelé beau. Ainsi la plupart des
gens déclarent-ils belles en soi une simple couleur, par exemple
le vert d'une pelouse, une simple sonorité (se distinguant du
son qui n'est qu'un bruit), par exemple la sonorité d'un violon,
quand bien même cette couleur comme cette sonorité ne
semblent avoir pour fondement que la matière des représen-

tations – autrement dit : purement et simplement une sensation – et ne méritent, pour cette raison, d'être désignées que comme agréables. Seulement, on remarquera toutefois aussi que les sensations de couleur aussi bien que de sonorité ne sont tenues à bon droit pour belles que dans la mesure où elles sont toutes deux pures – ce qui constitue une détermination concernant déjà la forme et qui correspond en outre au seul élément qui, dans ces représentations, puisse être dit avec certitude universellement communicable : car on ne peut admettre que la qualité des sensations elles-mêmes soit concordante chez tous les sujets et l'on admettra difficilement que chacun juge de la même manière l'agrément d'une couleur plutôt que des autres, ou de la sonorité d'un instrument de musique plutôt que de celle d'un autre.

Si l'on admet avec Euler [58] que les couleurs sont des vibrations de l'éther (*pulsus*) se succédant à intervalles égaux, comme les sons correspondent à des vibrations régulières de l'air ébranlé et si l'on convient, ce qui est le point principal, que l'esprit perçoit non seulement, par le sens, leur effet sur la mise en mouvement de l'organe, mais aussi, par la réflexion, le jeu régulier des impressions (par conséquent la forme dans la liaison de diverses représentations) – ce dont, en tout cas, je ne doute nullement * –, la couleur et le son ne seraient pas de simples impressions, mais constitueraient déjà une détermination formelle de l'unité d'un divers de sensations et pourraient dès lors être aussi mis au nombre des beautés.

Cela dit, la pureté dans un mode de sensation simple signifie que l'uniformité de celui-ci n'est troublée ni interrompue par nulle sensation d'espèce différente, et elle ne relève donc que de la forme, étant donné qu'on peut y faire abstraction de la qualité de ce mode de sensation (c'est-à-dire qu'on peut faire abstraction de la question de savoir s'il représente une couleur, et laquelle, ou s'il représente un son, et lequel). De là vient qu'on tient pour belles toutes les couleurs simples, dans la mesure où elles sont pures ; les couleurs complexes ne possèdent pas cet (*225*) avantage : la raison en est que, comme elles ne sont pas simples, on n'a pas à sa disposition de mesure pour que le jugement apprécie si on doit les nommer pures ou impures.

---

* « Ce dont je ne doute nullement » = « *woran ich doch gar nicht zweifle* » (3ᵉ éd.), alors que les deux premières éditions portaient : « *woran ich doch gar sehr zweifle* » = « ce dont, en tout cas, je doute fort » [59].

Mais, pour ce qui touche à la beauté attribuée à l'objet du fait de sa forme et à l'idée qu'elle pourrait fort bien être portée à un plus haut niveau par l'attrait, c'est là une erreur commune et très dommageable pour le goût authentique, non corrompu et faisant preuve de profondeur, quand bien même, assurément, on peut au demeurant ajouter encore à la beauté des attraits pour intéresser de surcroît l'esprit par la représentation de l'objet, en plus de la satisfaction pure et simple, et pour faire ainsi valoir le goût et sa culture, tout particulièrement quand il est encore grossier et non exercé. Mais en réalité ces attraits nuisent au jugement de goût, s'ils attirent l'attention sur eux, comme principes d'appréciation de la beauté.

Dans la peinture, dans la sculpture et même dans tous les arts plastiques, en architecture, dans l'art des jardins, dans la mesure où ce sont là des beaux-arts, le *dessin* est l'élément essentiel : en lui, ce n'est pas ce qui est plaisant dans la sensation qui constitue le principe de tout ce qui est disposé en vue du goût, mais c'est simplement ce qui plaît par sa forme. Les couleurs, qui enluminent le tracé, relèvent de l'attrait ; assurément peuvent-elles animer l'objet en lui-même pour la sensation, mais elles ne sauraient le rendre digne d'être regardé et beau : bien plutôt sont-elles dans la plupart des cas extrêmement limitées par ce que requiert la belle forme, et même là où l'on tolère l'attrait, c'est par la forme seule que les couleurs obtiennent leur noblesse.

Toute forme des objets des sens (des sens externes aussi bien que, médiatement, du sens interne) est ou bien *figure*, ou bien *jeu* ; dans le dernier cas, elle est ou bien jeu des figures (dans l'espace : il s'agit de la mimique et de la danse), ou bien simple jeu des sensations (dans le temps). L'attrait des couleurs ou des sons agréables de l'instrument peut venir s'y ajouter, mais ce sont le *dessin*, dans le premier cas, et la composition, dans l'autre, qui constituent l'objet propre du jugement de goût ; et que la pureté des couleurs, aussi bien que des sons, ou encore leur diversité et leur contraste semblent contribuer à la beauté, cela n'équivaut pas à dire que ces éléments fournissent pour ainsi dire un ajout de même teneur à la satisfaction prise à la forme dans la mesure où ils sont par eux-mêmes agréables, mais que ce qu'ils apportent vient du fait qu'ils rendent la forme plus exactement, plus précisément et plus complètement (*226*) accessible à l'intuition, et en outre de ce qu'ils confèrent par leur attrait de la vie à la représentation, en éveillant l'attention pour l'objet lui-même et en la maintenant fixée sur lui.

Même ce que l'on appelle des *ornements* (*parerga*), c'est-à-dire ce qui ne fait pas partie intégrante de la représentation entière de l'objet comme l'un de ses éléments constitutifs, mais simplement comme un ajout extérieur, et qui augmente la satisfaction du goût, ne parvient lui aussi néanmoins à remplir cette fonction que grâce à sa forme : c'est le cas, par exemple, des cadres des tableaux, des vêtements pour les statues, ou des colonnades autour des palais. En fait, si l'ornement ne consiste pas lui-même dans la belle forme, s'il n'est là, comme le cadre avec sa dorure, que pour recommander, par son attrait, le tableau à l'assentiment, dans ce cas on parle de lui comme d'une *parure*, et il est dommageable à la beauté authentique.

L'*émotion*, qui est une sensation où la dimension agréable n'est créée que par un arrêt provisoire de la force vitale et par la manière dont, après l'arrêt, celle-ci s'épanche beaucoup plus fortement, n'appartient absolument pas à la beauté. Pour ce qui est du sublime (auquel le sentiment d'émotion est associé), il requiert, pour son appréciation, une autre mesure que celle qui est au fondement du goût ; et en ce sens un pur jugement de goût n'a pour principe déterminant ni attrait ni émotion, en un mot aucune sensation, en tant que matière du jugement esthétique.

Paragraphe 15
Le jugement de goût est totalement indépendant du concept de la perfection

La finalité *objective* ne peut être connue que par l'intermédiaire de la relation du divers à une fin déterminée, donc seulement par un concept. Par là se manifeste déjà que le beau, dont le jugement se fonde sur une finalité purement formelle, c'est-à-dire sur une finalité sans fin, est totalement indépendant de la représentation du Bien, parce que cette dernière suppose une finalité objective, c'est-à-dire la relation de l'objet à une fin déterminée.

La finalité objective est soit la finalité externe, c'est-à-dire l'*utilité*, soit la finalité interne, c'est-à-dire la *perfection* de l'objet. Que la satisfaction prise à un objet, en vertu de laquelle nous appelons cet objet beau, ne puisse reposer sur la représentation de son utilité, on peut l'apercevoir suffisamment à

partir des deux précédents moments : la raison en est que, si
tel était le cas (*227*), cette satisfaction prise à l'objet ne serait
pas immédiate, ce qui est la condition essentielle du jugement
sur la beauté. Mais une finalité objective interne, c'est-à-dire
la perfection, se rapproche déjà davantage du prédicat de la
beauté, et c'est pourquoi même des philosophes renommés
l'ont confondue avec la beauté, en ajoutant toutefois : *si la
conception en est confuse.* Il est de la plus grande importance,
dans une critique du goût, de décider si la beauté peut elle
aussi, effectivement, se résoudre dans le concept de la perfection.

Pour juger de la finalité objective, nous avons toujours
besoin du concept d'une fin et (si cette finalité ne doit pas
être une finalité externe – utilité –, mais une finalité interne)
du concept d'une fin interne qui contienne le principe de la
possibilité interne de l'objet. Or, étant donné que la fin en
général est ce dont le *concept* peut être considéré comme le
principe de la possibilité de l'objet lui-même, il faudra, pour
se représenter une finalité objective à propos d'une chose, que
l'on ait d'abord le concept de *ce que cela doit être comme
genre de chose* ; et l'accord du divers appartenant à la chose
avec ce concept (lequel fournit la règle de la liaison de ce
divers en elle) correspond à la *perfection qualitative* d'une
chose. S'en distingue tout à fait la *perfection quantitative* en
tant qu'elle correspond à l'achèvement complet de chaque
chose en son genre, ce qui est un simple concept de la quantité
(celui de la totalité) où *ce que la chose doit être* est déjà
pensé au préalable comme déterminé et où la question est
seulement de savoir si tout ce qui lui est nécessaire s'y trouve.
Ce qu'il y a de formel dans la représentation d'une chose,
c'est-à-dire l'unification du divers en une unité (où reste
indéterminée ce que cette unité doit être), ne nous fait connaître
par lui-même absolument aucune finalité objective : la raison
en est que, puisque l'on fait abstraction de cette unité comme
fin (puisque l'on fait abstraction de ce que la chose doit être),
il ne reste rien d'autre que la finalité subjective des représentations dans l'esprit du sujet intuitionnant, laquelle finalité
objective indique sans nul doute une certaine finalité de l'état
représentatif dans le sujet et, dans cet état, une certaine
facilité du sujet à appréhender par l'imagination une forme
donnée, mais nulle perfection d'un objet quelconque, qui n'est
pas pensé ici suivant un concept de fin. Ainsi en est-il, par
exemple, quand je trouve dans la forêt une pelouse tout autour
de laquelle des arbres sont disposés en cercle, et que je ne

me représente pas en cela une fin, en songeant qu'elle pourrait servir à un bal campagnard : la forme à elle seule ne me fournira pas le moindre concept de (228) perfection. Or, se représenter une finalité formelle *objective* sans fin, c'est-à-dire la simple forme d'une perfection (sans nulle matière ni concept de ce avec quoi il y a accord, quand bien même ce ne serait que l'idée de légalité en général [a]), c'est une véritable contradiction.

Cela dit, le jugement de goût est un jugement esthétique, c'est-à-dire un jugement qui repose sur des principes subjectifs et dont le principe déterminant ne peut pas être un concept, ni non plus, par conséquent, le concept d'une fin déterminée. En ce sens, par la beauté, en tant que finalité subjective formelle, on ne pense en aucune façon une perfection de l'objet, comme finalité prétendument formelle, mais cependant objective ; et la différence qui s'établit entre les concepts du beau et du bien considérés comme s'ils ne se distinguaient que par la forme logique, l'un n'étant qu'un concept confus et l'autre un concept clair de la perfection, tandis que, pour le reste, ils seraient identiques quant à leur contenu et quant à leur origine, est une distinction dépourvue de toute portée ; car, s'il en allait ainsi, il n'y aurait entre eux aucune différence *spécifique* et un jugement de goût serait tout aussi bien un jugement de connaissance que le jugement par lequel on dit que quelque chose est bon : il en serait ici comme lorsque l'homme du peuple dit que la tromperie est injuste en fondant son jugement sur des principes confus, tandis que le philosophe, pour sa part, fonde le sien sur des principes clairs et distincts, mais reste qu'au fond l'un et l'autre s'appuient sur les mêmes principes rationnels. Mais, en fait, j'ai déjà indiqué qu'un jugement esthétique est unique en son espèce et ne fournit absolument aucune connaissance (même pas une connaissance confuse) de l'objet – laquelle connaissance de l'objet ne peut procéder que d'un jugement logique ; le jugement esthétique, au contraire, rapporte exclusivement au sujet la représentation par laquelle un objet est donné et il ne fait observer aucune propriété de l'objet, mais uniquement la forme finale présente dans la détermination des facultés représentatives qui s'occupent de cet objet. Ce jugement s'appelle même esthétique parce que le principe déterminant n'en est pas un concept, mais le sentiment (du sens interne) de cette

a. Le dernier membre de la parenthèse est un ajout de la deuxième édition.

harmonie dans le jeu des facultés de l'esprit, dans la mesure où une telle harmonie ne peut qu'être sentie. En revanche, si l'on voulait appeler esthétiques des concepts confus et le jugement objectif qui s'appuie sur eux, on aurait un entendement jugeant de façon sensible ou une sensibilité se représentant ses objets par des concepts, ce qui, dans les deux cas, est contradictoire. Le pouvoir des concepts, que ceux-ci soient confus ou clairs, est l'entendement ; et bien que l'entendement doive intervenir aussi dans le jugement de goût comme jugement esthétique (de même que dans tous les jugements), il n'y participe (*229*) cependant pas comme pouvoir de connaître un objet, mais comme pouvoir déterminant le jugement et sa représentation (sans concept), d'après la relation de cette représentation avec le sujet et son sentiment interne, et cela dans la mesure où ce jugement est possible d'après une règle universelle.

Paragraphe 16
Le jugement de goût par lequel un objet est déclaré beau sous la condition d'un concept déterminé n'est pas pur

Il y a deux espèces de beauté : la beauté libre (*pulchritudo vaga*) ou la beauté simplement adhérente (*pulchritudo adhaerens*). La première ne suppose nul concept de ce que doit être l'objet ; la seconde suppose un tel concept, ainsi que la perfection de l'objet par rapport à ce concept. Les beautés de la première espèce s'appellent beautés (existant par elles-mêmes) de telle ou telle chose ; l'autre beauté, en tant que dépendant d'un concept (beauté conditionnée) est attribuée à des objets qui sont compris dans le concept d'une fin particulière.

Des fleurs sont de libres beautés de la nature. Ce que doit être une fleur, le botaniste est à peu près le seul à le savoir et même celui-ci, qui sait y voir l'organe de la fécondation de la plante, ne tient aucun compte de cette fin naturelle quand il porte sur elle un jugement de goût. Au principe de ce jugement, il n'y a donc nulle perfection d'aucune sorte, aucune finalité interne à laquelle se rapporterait la combinaison du divers. De nombreux oiseaux (le perroquet, le colibri, l'oiseau de paradis), une foule de crustacés de la mer, sont en eux-mêmes des beautés qui ne se rapportent à aucun objet déterminé quant à sa fin d'après des concepts, mais qui plaisent librement et pour elles-mêmes. Ainsi les dessins *à la grecque* [a],

---

a. En français dans le texte.

les rinceaux pour des encadrement ou sur des papiers peints, etc., ne signifient-ils rien en eux-mêmes : ils ne représentent rien, aucun objet sous un concept déterminé, et ce sont des beautés libres. On peut aussi mettre au nombre du même genre de beautés ce qu'en musique on nomme des fantaisies (sans thème), et même toute la musique sans texte.

Dans l'appréciation qu'il porte sur une beauté libre (sur sa simple forme), le jugement de goût est pur. Ne s'y trouve présupposé nul concept de quelque fin pour laquelle servirait le divers présent dans l'objet donné et que (*230*) celui-ci devrait représenter, en sorte que la liberté de l'imagination, qui joue en quelque sorte dans la contemplation de la figure, ne ferait que s'en trouver limitée.

Seules la beauté d'un être humain (et, dans cette rubrique, celle d'un homme, d'une femme ou d'un enfant), la beauté d'un cheval, d'un édifice (comme une église, un palais, un arsenal ou un pavillon) supposent un concept de la fin qui détermine ce que la chose doit être, par conséquent un concept de sa perfection, et correspondent donc à de la beauté simplement adhérente. Ainsi, de même que l'association de l'agréable (de la sensation) avec la beauté, qui ne concerne proprement que la forme, créait un obstacle à la pureté du jugement de goût, de même la combinaison du bien (c'est-à-dire de ce à quoi le divers est bon pour la chose elle-même en fonction de sa fin) avec la beauté porte préjudice à la pureté d'un tel jugement.

On pourrait ajouter à un édifice bien des éléments qui seraient immédiatement plaisants pour l'intuition, du moment que, simplement, cet édifice ne devrait pas être une église, ou encore l'on pourrait embellir une figure avec toutes sortes de fioritures et de dessins légers, mais réguliers, comme le font les Néo-Zélandais avec leurs tatouages, dès lors seulement qu'il ne s'agirait pas là d'un être humain ; et celui-ci pourrait avoir des traits beaucoup plus fins et des contours du visage plus plaisants et plus doux, pourvu que ce ne soit pas un homme ou même un guerrier qu'il doive représenter.

En fait, la satisfaction qui s'attache à la contemplation du divers présent dans une chose, en relation à la fin interne qui détermine la possibilité de cette chose, est une satisfaction fondée sur un concept ; de son côté, la satisfaction qui est liée à la beauté est telle qu'elle ne suppose aucun concept, mais est immédiatement associée à la représentation par laquelle l'objet est donné (et non à celle par laquelle il est pensé). Dès lors, si le jugement de goût, par rapport à son objet, est rendu dépendant de la fin comprise dans le concept, comme c'est le cas dans un jugement rationnel, et s'il s'en trouve limité, ce n'est plus un jugement de goût libre et pur.

Assurément, à travers cette association qui ainsi s'opère de la satisfaction esthétique et de la satisfaction intellectuelle, le goût obtient cet avantage qu'il est fixé et, même s'il n'est certes pas universel, on peut en tout cas lui prescrire des règles relativement à certains objets dont les fins sont déterminées. Cela dit, ces règles ne constituent pas pour autant, en même temps, des règles du goût, mais ce sont simplement des règles portant sur l'accord du goût avec la raison, c'est-à-dire du beau avec le bien, grâce à quoi le beau devient utilisable comme instrument au service de l'intention qui vise le bien, pour étayer sur cette disposition de l'esprit qui se maintient d'elle-même et (*231*) possède une validité universelle subjective cette modalité morale de la pensée qui ne peut être maintenue que par un effort délibéré, mais possède une validité universelle objective. À proprement parler, cela dit, ni la perfection ne gagne quoi que ce soit grâce à la beauté, ni la beauté grâce à la perfection ; mais, dans la mesure où il est inévitable, quand nous comparons à travers un concept la représentation par laquelle un objet nous est donné avec l'objet (du point de vue de ce qu'il doit être), de rapprocher en même temps cette représentation de la sensation présente dans le sujet, la faculté représentative y gagne comme *pouvoir global* si ces deux états d'esprit s'accordent.

Un jugement de goût porté sur un objet qui a une fin interne déterminée ne saurait dans ces conditions être pur si celui qui juge, ou bien ne disposait d'aucun concept de cette fin, ou bien en faisait abstraction dans le jugement qu'il émet. Mais, dès lors, quelle que pût être la justesse de son jugement de goût quand il apprécie l'objet comme une beauté libre, il serait cependant blâmé et accusé de mauvais goût par un autre qui considérerait la beauté attachée à l'objet simplement comme une qualité adhérente (qui prendrait en compte la fin de l'objet) – cela, bien que l'un et l'autre jugent correctement, chacun à sa façon : l'un en fonction de ce qui se présente à ses sens, l'autre en fonction de ce qui se présente à sa pensée. Grâce à cette distinction, on peut écarter maint désaccord surgissant sur la beauté entre les juges du goût, en leur montrant que l'un s'en tient à la beauté libre, l'autre à la beauté adhérente, que le premier prononce un jugement de goût pur, le second un jugement de goût appliqué.

Paragraphe 17
De l'idéal de la beauté

Il ne peut y avoir nulle règle objective du goût qui détermine par concepts ce qui est beau. Car tout jugement dérivant de cette source est esthétique, autrement dit : c'est le sentiment du sujet, et non un concept de l'objet, qui est son principe déterminant. Chercher un principe du goût, qui fournirait le critérium universel du beau par des concepts déterminés, c'est une entreprise stérile, étant donné que ce que l'on recherche est impossible et en soi-même contradictoire. La communicabilité universelle de la sensation (de satisfaction ou d'insatisfaction), plus précisément : une communicabilité qui intervient sans concept, l'unanimité, aussi parfaite que possible, de tous les temps et (232) de tous les peuples à l'égard du sentiment lié à la représentation de certains objets : tel est le critérium empirique, faible assurément et à peine suffisant pour nourrir une conjecture, qui conduit à dériver le goût, ainsi garanti par les exemples, du principe, profondément caché et commun à tous les hommes, de l'accord qui doit exister entre eux dans la façon dont ils jugent et apprécient les formes sous lesquelles des objets leur sont donnés.

C'est pourquoi l'on considère certaines productions du goût comme *exemplaires* ; et non pas comme si le goût se pouvait acquérir par l'imitation des autres. Car le goût ne peut être qu'une capacité personnelle ; quant à celui qui imite un modèle, il témoigne certes, s'il y arrive, d'habileté, mais il ne fait preuve de goût que s'il est capable de lui-même juger ce modèle *. D'où il résulte, cela dit, que le modèle suprême, l'archétype du goût, est une simple Idée que chacun doit produire en soi-même et d'après laquelle il doit juger tout ce qui est objet du goût, tout ce qui est exemple d'appréciation

---

* Les modèles du goût, en ce qui concerne les arts de la parole, doivent nécessairement être rédigés dans une langue morte et savante : il faut qu'ils le soient dans une langue morte, pour ne pas devoir subir les changements qui affectent inévitablement les langues vivantes, en faisant que des expressions nobles deviennent plates, que des expressions courantes deviennent surannées et que celles qui sont nouvellement créées n'ont cours que pour peu de temps ; il faut, d'autre part, que les modèles soient rédigés dans une langue savante afin que celle-ci possède une grammaire qui ne soit pas soumise au capricieux changement de la mode, mais que les règles en soient immuables.

portée par le goût, et même le goût de tout un chacun. *Idée* signifie proprement : un concept de la raison, et *Idéal* : la représentation d'un être singulier en tant qu'adéquat à une Idée. En conséquence, cet archétype du goût, qui repose, à vrai dire, sur l'Idée indéterminée que la raison se forge d'un maximum et qui ne peut pourtant être représenté par des concepts, mais seulement selon une présentation singulière, peut plus correctement être appelé l'Idéal du beau : il s'agit là, certes, d'un terme que nous ne possédons pas, mais que nous visons cependant à produire en nous. Reste que ce ne sera néanmoins qu'un Idéal de l'imagination, précisément parce qu'il ne repose pas sur des concepts, mais sur la présentation ; or, le pouvoir de la présentation correspond à l'imagination. Comment, cela étant, arrivons-nous à un tel Idéal de la beauté ? A priori ou empiriquement ? De même : quel genre de beau est capable de correspondre à un Idéal ?

Sans doute faut-il remarquer tout d'abord que la beauté pour laquelle un Idéal doit être recherché ne saurait aucunement être une beauté *vague*, mais ne peut être qu'une beauté *fixée* par un concept de finalité objective, et que par conséquent elle ne peut pas appartenir à l'objet d'un jugement de goût entièrement pur, mais à celui d'un jugement de goût intellectualisé pour une part *(233)*. C'est dire que, quel que soit le genre de principes du jugement où un Idéal doit avoir sa place, il faut que, là, intervienne fondamentalement quelque Idée de la raison, d'après des concepts déterminés, qui détermine a priori la fin sur laquelle repose la possibilité interne de l'objet. Un Idéal de belles fleurs, d'un bel ameublement, d'une belle perspective est impensable. Mais on ne peut pas non plus se représenter un Idéal au sujet d'une beauté dépendant d'une fin déterminée, par exemple à propos d'une belle demeure, d'un bel arbre, d'un beau jardin, etc., vraisemblablement parce que les fins ne sont pas assez déterminées et fixées par leurs concepts et qu'en conséquence la finalité est quasiment aussi libre que pour la beauté *vague*. C'est uniquement l'être qui possède en soi-même la fin de son existence, *l'homme*, qui peut lui-même déterminer ses fins par la raison, ou qui, quand il lui faut les tirer de la perception extérieure, peut cependant les réunir avec des fins essentielles et universelles, et alors porter aussi un jugement d'appréciation esthétique sur cet accord : cet être humain est donc, parmi tous les objets du monde, le seul qui soit capable d'un *Idéal de beauté*, de même que l'humanité en sa personne, comme intelligence, est la seule qui soit capable de l'Idéal de *perfection*.

Mais, à cette fin, deux éléments sont requis : *premièrement*, l'*Idée-norme* [60] esthétique, laquelle est une intuition singulière (de l'imagination), qui représente la mesure du jugement d'appréciation sur l'homme comme être appartenant à une espèce animale particulière ; *deuxièmement*, l'*Idée de la raison*, qui fait des fins de l'humanité, dans la mesure où elles ne peuvent être représentées de manière sensible, le principe du jugement porté sur la forme de cet être [61], par laquelle celles-ci se révèlent comme par leur effet dans le phénomène. L'Idée-norme doit extraire de l'expérience les éléments constitutifs de la forme d'un animal d'une espèce particulière ; mais la plus haute finalité dans la construction de la forme, qui serait à même de servir de mesure universelle pour l'appréciation esthétique de chaque individu de cette espèce, l'image-type qui a en quelque sorte été prise pour principe par la technique de la nature et à laquelle seule l'espèce en son ensemble est adéquate, mais nul individu particulier considéré isolément, c'est là, en tout cas, ce qui n'est présent que dans l'Idée de celui qui énonce ses jugements, mais qui peut être présenté [62] parfaitement *in concreto* avec ses proportions, en tant qu'Idée esthétique, dans une image-modèle. Pour rendre compréhensible dans une certaine mesure de quelle manière cela se produit (car qui peut arracher entièrement à la nature son secret ?), nous allons essayer de fournir une explication psychologique.

Il faut noter que, d'une manière tout à fait incompréhensible pour nous, l'(*234*) imagination peut non seulement rappeler à l'occasion, même après un temps fort long, les signes affectés à des concepts, mais aussi reproduire l'image et la forme de l'objet à partir d'un nombre inexprimable d'objets de différentes espèces ou d'une seule et même espèce ; bien plus, quand l'esprit entreprend des comparaisons, l'imagination est, selon toute vraisemblance, effectivement capable, même si c'est sur un mode qui ne suffit pas pour que nous en ayons conscience, de faire pour ainsi dire se superposer une image sur une autre et d'obtenir, par la congruence de plusieurs images de la même espèce, un moyen terme qui serve à toutes de mesure commune. Chacun a vu mille personnes adultes de sexe masculin. S'il veut porter un jugement sur la taille normale d'un homme telle qu'elle doit être appréciée comparativement, c'est (à mon avis) l'imagination qui fait se superposer un grand nombre de ces images (peut-être tout ce millier d'images), et dès lors, s'il m'est permis de recourir ici à une analogie avec l'optique, c'est dans l'espace où la plupart des images viennent s'accorder, et dans les limites de l'emplacement illuminé par la lumière qui s'y trouve projetée avec le plus de force, que la *grandeur moyenne* est connaissable, elle qui, en hauteur et en largeur, est également éloignée des limites extrêmes constituées par les plus grandes et les plus petites statures ; et c'est là la stature qui convient pour un bel homme. (On pourrait obtenir exactement le même résultat de manière mécanique, en mesurant ce millier d'hommes, en additionnant entre elles les hauteurs, les largeurs, ainsi que les grosseurs, et en divisant la somme par mille. Simplement, l'imagination parvient justement à cela par un effet dynamique qui procède de l'impression répétée à de multiples reprises de ces formes sur l'organe du sens interne.) Quand, de la même manière, on recherche pour cet homme moyen la tête moyenne, ou pour cet autre le nez moyen, etc., c'est la forme de l'Idée-norme du bel homme pour le pays où cette comparaison a lieu qui est prise pour principe ; ce pourquoi un Nègre doit nécessairement posséder, sous ces conditions empiriques, une autre Idée-norme de la beauté de la forme que le Blanc, le Chinois que l'Européen. Il en irait de même pour le modèle d'un beau cheval ou d'un beau chien (d'une certaine race). Cette *Idée-norme* n'est pas déduite de proportions qui seraient dégagées de l'expérience et qui constitueraient comme des *règles déterminées* ; au contraire, c'est par rapport à elle avant tout que deviennent possibles les règles du jugement appréciatif. Elle constitue pour toute l'espèce l'image qui flotte entre les intuitions particulières des individus, telles qu'elles diffèrent de beaucoup de manières – une image que la nature a installée comme archétype de ses productions dans la même espèce (*235*), mais qu'elle ne semble avoir réalisée entièrement dans aucun individu. Cette image n'est nullement l'*archétype* achevé de la *beauté* dans cette espèce, mais c'est simplement la forme qui définit l'indispensable condition de toute beauté, par conséquent uniquement l'*exactitude* dans la présentation de l'espèce. Elle est, comme on le disait du célèbre Doryphore de Polyclète, la *règle* (ce à quoi pouvait tout aussi bien servir, dans son espèce, la Vache de Myron) [63]. Aussi, précisément pour cette raison, l'Idée-norme ne peut-elle rien contenir de spécifique ou de caractéristique ; car, sinon, elle ne constituerait pas l'*Idée-norme* de l'espèce. Aussi sa présentation [64] ne plaît-elle pas par sa beauté, mais uniquement parce qu'elle ne manque à aucune des conditions suivant lesquelles seulement un être de cette espèce peut être beau. La présentation n'est que correcte *.

De l'*Idée-norme* du beau se distingue encore l'*idéal* du beau, que l'on ne peut attendre, pour les raisons déjà indiquées, que de la *forme humaine*. En elle, l'Idéal consiste dans l'expression de la *dimension éthique*, faute de laquelle l'objet ne plairait ni universellement, ni non plus positivement (même pas, simplement, de manière négative, dans une présentation correcte). L'expression visible d'Idées éthiques qui gouvernent intérieurement l'homme ne peut certes être tirée que de l'expérience ; mais, pour rendre en quelque sorte visible, dans une expression corporelle (comme effet de l'intériorité), la liaison de ces Idées avec tout ce que notre raison rattache au bien éthique dans l'Idée de la finalité suprême, comme la bonté de l'âme, la pureté, la force ou la sérénité, etc., il faut que des Idées pures de la raison et une grande puissance de l'imagination se réunissent chez celui qui entend ne serait-ce que les juger, et bien davantage encore chez celui qui veut en constituer une présentation. La justesse d'un tel Idéal (*236*) de la beauté s'atteste en ce qu'il ne permet à aucun attrait des sens de se mêler à la satisfaction retirée de son objet et cependant fait que l'on éprouve un grand intérêt à l'endroit de celui-ci – intérêt qui démontre que l'appréciation portée selon une telle mesure ne peut jamais être un jugement esthétique pur et que le jugement prononcé d'après un Idéal de la beauté n'est pas un simple jugement de goût.

---

* On trouvera qu'un visage parfaitement régulier, tel qu'un peintre désirerait volontiers l'avoir pour modèle, d'ordinaire n'exprime rien : la raison en est qu'il ne contient rien de caractéristique, donc exprime davantage l'Idée de l'espèce que ce qui est spécifique d'une personne. Ce type de caractéristique, lorsqu'il y a exagération, c'est-à-dire lorsqu'il en vient à porter préjudice à l'Idée-norme elle-même (à la finalité de l'espèce), se nomme caricature. L'expérience montre elle aussi que ces visages tout à fait réguliers révèlent en général, quant à l'intériorité, également un homme médiocre – sans doute (si l'on doit admettre que la nature exprime dans l'extériorité les proportions de l'intériorité) parce que, si aucune des dispositions de l'esprit ne se détache par rapport à la proportion requise pour constituer simplement un homme sans défaut, on ne peut rien attendre de ce que l'on nomme *génie*, où la nature semble s'écarter des rapports de proportion où elle retient habituellement les facultés de l'esprit, et ce au bénéfice d'une seule.

Définition du beau déduite de ce troisième moment

La *beauté* est la forme de la *finalité* d'un objet, en tant qu'elle est perçue en lui *sans représentation d'une fin* *.

Quatrième moment du jugement de goût
considéré d'après la modalité de la satisfaction
résultant de l'objet

Paragraphe 18
Ce qu'est la modalité d'un jugement de goût

De toute représentation, on peut dire qu'il est pour le moins *possible* qu'elle soit (en tant que connaissance) associée à un plaisir. De ce que j'appelle *agréable*, je dis qu'il produit en moi *réellement* du plaisir. Mais, du beau, on pense qu'il possède une relation *nécessaire* à la satisfaction. Or, cette nécessité est d'une sorte particulière : il ne s'agit pas d'une nécessité théorique objective, où (237) il peut a priori être connu que chacun ressentira une telle satisfaction quand il sera en présence de l'objet que je désigne comme beau ; ce n'est pas non plus une nécessité pratique, où, par l'intermédiaire des concepts d'une pure volonté rationnelle, qui sert de règle aux êtres agissant librement, cette satisfaction est la conséquence nécessaire d'une loi objective et signifie simplement que l'on doit agir absolument (sans autre intention) d'une certaine manière. En fait, comme nécessité inscrite dans

---

* On pourrait alléguer, contre cette définition, qu'il y a des choses dans lesquelles on voit une forme finale sans y reconnaître une fin ; par exemple les ustensiles en pierre que l'on extrait souvent des tombeaux anciens et qui comportent un trou comme s'il était destiné à un manche : ces objets, bien qu'ils laissent apparaître clairement dans leur forme une finalité dont on ne connaît pas la fin ne sont toutefois pas, pour autant, déclarés beaux. Simplement, qu'on les considère comme les ouvrages d'un artisan, cela suffit déjà pour que l'on soit forcé de reconnaître qu'on rapporte leur configuration à quelque fin et à un but déterminé. De là vient aussi qu'il n'y a aucune satisfaction à les regarder. Une fleur en revanche, par exemple une tulipe, est tenue pour belle, parce qu'à travers sa perception se rencontre une certaine finalité qui, telle que nous la jugeons et l'apprécions, n'est référée absolument à aucune fin.

un jugement esthétique, elle ne peut être appelée qu'*exemplaire*, autrement dit : il s'agit d'une nécessité de l'adhésion de *tous* à un jugement qui est considéré comme exemple d'une règle universelle que l'on ne peut indiquer. Dans la mesure où un jugement esthétique n'est pas un jugement objectif ni un jugement de connaissance, cette nécessité ne peut être déduite de concepts déterminés et elle n'est donc pas apodictique. Bien moins encore peut-elle être conclue à partir de l'universalité de l'expérience (à partir de l'expérience d'une parfaite unanimité des jugements prononcés sur la beauté d'un certain objet). Car, outre que l'expérience nous fournirait à cet égard difficilement des exemples en nombre suffisant, on ne peut fonder sur des jugements empiriques aucun concept de la nécessité de ces jugements.

Paragraphe 19
La nécessité subjective, que nous attribuons au jugement de goût, est conditionnée

Le jugement de goût prétend à l'adhésion de tous ; et celui qui déclare quelque chose beau entend que chacun *devrait* donner son assentiment à l'objet considéré et le déclarer également beau. Ainsi *devoir*, dans le jugement esthétique, n'est-il, même avec toutes les données qui se trouvent requises pour porter une appréciation, exprimé pourtant que d'une manière conditionnelle. On recherche l'adhésion de chacun, parce que l'on possède, pour cela, un principe qui est commun à tous ; et l'on pourrait même compter sur cette adhésion si simplement l'on était toujours assuré que le cas considéré fût correctement subsumé sous ce principe comme règle de l'assentiment.

Paragraphe 20
La condition de la nécessité que revendique un jugement de goût est l'Idée d'un sens commun

Si les jugements de goût (comme les jugements de connaissance) possédaient un principe objectif déterminé, celui qui les prononcerait d'après (238) ce principe prétendrait pour son jugement à une nécessité inconditionnée. S'ils étaient dépourvus de tout principe, comme les jugements du simple goût des sens, on n'aurait jamais l'idée qu'ils puissent avoir la moindre nécessité. Il leur faut donc posséder un principe subjectif qui détermine uniquement par sentiment, et non par des concepts, mais cependant d'une manière universellement valide, ce qui plaît ou déplaît. Or, un tel principe ne pourrait être considéré que comme un *sens commun*, essentiellement distinct de l'entendement commun que l'on appelle aussi parfois sens commun (*sensus communis*) ; car ce dernier ne juge pas d'après le sentiment, mais toujours selon des concepts, bien que, communément, ces concepts n'interviennent que comme des principes obscurément représentés.

Ce n'est donc qu'à travers la supposition qu'il existe un sens commun (par quoi, toutefois, nous n'entendons pas un sens externe, mais l'effet résultant du libre jeu de nos facultés de connaître), ce n'est, dis-je, qu'à travers la supposition d'un tel sens commun que le jugement de goût peut être porté.

Paragraphe 21
Peut-on avec quelque raison supposer un sens commun ?

Des connaissances et des jugements, en même temps que la conviction qui les accompagne, doivent pouvoir être communiqués universellement ; car, sinon, il n'y aurait nul accord entre eux et leur objet : il n'y aurait là, globalement, qu'un simple jeu subjectif des facultés représentatives, exactement comme le veut le scepticisme. En revanche, si des connaissances doivent se pouvoir communiquer, il faut aussi que se puisse universellement communiquer l'état d'esprit, c'est-à-dire l'accord des facultés cognitives en vue d'une connaissance en général, et plus précisément cette proportion qui convient à une représentation (par laquelle un objet nous est donné) pour en faire une connaissance : car, sans cet accord en tant que condition subjective du fait de connaître, la connaissance ne saurait en résulter comme son effet. C'est là ce qui arrive aussi dans la réalité chaque fois qu'un objet donné par l'intermédiaire des sens met en activité l'imagination pour qu'elle compose le divers, tandis que celle-ci à son tour suscite l'activité de l'entendement pour qu'il unifie ce divers dans des concepts. Mais cet accord des facultés de connaître possède, selon la différence des objets qui sont donnés, des proportions différentes. Cependant, il faut qu'il y ait une proportion où cette relation interne qui anime les deux facultés de l'esprit (l'une par l'autre) soit la plus appropriée à l'une comme à l'autre dans la perspective d'une connaissance (*239*) (d'objets donnés) en général ; et cet accord ne peut pas être déterminé autrement que par le sentiment (et non pas d'après des concepts). Or, dans la mesure où cet accord lui-même doit se pouvoir communiquer universellement, le sentiment qu'on a de lui (lors d'une représentation donnée) doit également pouvoir l'être ; mais, comme cette communicabilité universelle d'un sentiment présuppose un sens commun, c'est donc avec raison que l'existence de celui-ci pourra être admise, et cela sans que l'on doive s'appuyer à cet égard sur des observations psychologiques, mais comme la condition nécessaire de la communicabilité universelle de notre connaissance, laquelle doit nécessairement être présupposée en toute logique et en tout principe de connaissance qui ne soit pas sceptique.

Paragraphe 22
La nécessité de l'adhésion universelle à laquelle il est fait référence dans un jugement de goût est une nécessité subjective qui, sous la supposition d'un sens commun, est représentée comme objective

Dans tous les jugements par lesquels nous déclarons une chose belle, nous ne permettons à personne d'être d'un autre avis, quoique, cependant, nous fondions notre jugement, non sur des concepts, mais seulement sur notre sentiment, que nous prenons ainsi pour principe, non pas en tant que sentiment personnel, mais comme constituant un sentiment commun. Or, ce sens commun ne peut, à cette fin, être fondé sur l'expérience ; car il entend légitimer des jugements qui contiennent un devoir : il ne dit pas que chacun *s'accordera* avec notre jugement, mais que chacun *doit* être d'accord avec celui-ci. Ainsi le sens commun, dont je fournis ici comme exemple mon jugement de goût, en lui donnant pour cette raison une valeur *exemplaire*, correspond-il à une simple norme idéale dont la présupposition pourrait permettre à bon droit d'établir comme règle, pour chacun, un jugement qui s'accorderait avec elle et la satisfaction qui, relative à un objet, s'exprimerait dans ce jugement. La raison en est que le principe, certes seulement subjectif, mais cependant admis comme subjectivement universel [65] (comme une Idée nécessaire à chacun), pourrait exiger, en ce qui concerne l'unanimité des différents sujets qui émettent leurs jugements, une adhésion universelle en même temps qu'un principe objectif –

pourvu seulement que l'on soit assuré d'avoir opéré correctement la subsomption sous ce principe.

Cette norme indéterminée d'un sens commun, nous la présupposons effectivement : en témoigne notre prétention à porter des jugements de goût (*240*). Quant à savoir s'il existe en fait un tel sens commun en tant que principe constitutif de la possibilité de l'expérience, ou si un principe encore supérieur de la raison nous donne simplement pour principe régulateur de produire en nous tout d'abord un sens commun en vue de fins plus élevées ; quant à savoir, de même, si le goût est ainsi un pouvoir originaire et naturel, ou bien seulement l'Idée d'un pouvoir qui est encore à acquérir et qui est artificiel, de telle manière qu'un jugement de goût, avec sa prétention à une adhésion universelle, ne serait en fait qu'une exigence de la raison (l'exigence de produire une telle unanimité dans la manière d'éprouver les choses), et que le devoir, c'est-à-dire la nécessité objective de la fusion du sentiment de tous avec le sentiment particulier de chacun, signifierait uniquement la possibilité d'obtenir ici un accord (auquel cas le jugement de goût proposerait seulement un exemple de l'application de ce principe) : ce sont là des questions que nous ne voulons, ni ne pouvons encore examiner *maintenant*, mais pour le moment il nous faut seulement décomposer le pouvoir du goût en ses éléments, pour finalement réunir ceux-ci dans l'Idée d'un sens commun.

Définition du beau déduite du quatrième moment

Est *beau* ce qui est reconnu sans concept comme objet d'une satisfaction nécessaire.

Remarque générale sur la première section de l'Analytique

Si l'on dégage le résultat des précédentes analyses, on trouve que tout aboutit au concept du goût, savoir que c'est un pouvoir de juger un objet en relation à la *libre légalité* de l'imagination. Si donc, dans le jugement de goût, l'imagination doit être considérée dans sa liberté, elle sera comprise avant tout, non comme reproductive, à la manière dont elle se trouve soumise aux lois de l'association, mais comme productive et spontanée (en tant que créatrice de formes arbitraires d'intuitions possibles) ; et quoique, dans l'appréhension d'un objet donné des sens, elle soit liée à une forme déterminée de cet objet et que, dans cette mesure, elle ne soit pas à même de développer un libre jeu (comme dans les rêveries de la fantaisie), on comprend pourtant fort bien que l'objet puisse précisément lui fournir une forme (241) contenant une composition du divers telle que l'imagination, si elle était livrée à sa propre liberté, la produirait en harmonie avec la *légalité de l'entendement* en général. Simplement, que l'*imagination* soit *libre* et que pourtant elle se conforme d'elle-même à une loi, c'est-à-dire qu'elle s'accompagne d'une autonomie, c'est une contradiction. L'entendement, seul, donne la loi. Mais si l'imagination est forcée de procéder d'après une loi déterminée, son produit est, quant à la forme, déterminé d'après des concepts tel qu'il doit être ; mais, dans ces conditions, la satisfaction, comme il a été montré plus haut, n'est plus celle qui est prise au beau, mais c'est celle qui est prise au bien (à la perfection, en tout cas à la perfection simplement formelle) et le jugement n'est pas un jugement qui intervient par le goût. En conséquence, il s'agit d'une légalité sans loi et d'un accord subjectif de l'imagination avec l'entendement sans accord objectif, étant donné que, quand il y a accord objectif, la représentation est rapportée à un concept déterminé de l'objet – légalité sans loi et accord subjectif qui, seuls, peuvent être compatibles avec la libre légalité de l'entendement (laquelle a été aussi nommée finalité sans fin) et avec le caractère propre d'un jugement de goût.

Certes, des figures géométriques régulières, un cercle, un carré, un cube, etc., sont citées communément par les critiques du goût comme les plus simples et les plus indubitables exemples de la beauté ; et pourtant on ne les nomme régulières que parce que l'on ne peut pas se les représenter autrement qu'en les considérant comme de simples présentations d'un concept déterminé qui prescrit à cette figure la règle (d'après laquelle seulement cette figure est possible). Aussi faut-il que l'un de ces deux jugements soit erroné : ou bien le jugement du critique, qui consiste à attribuer de la beauté à des figures qui ont ainsi été pensées, ou bien notre jugement, qui trouve une finalité sans concept nécessaire pour la beauté.

Personne n'accordera facilement qu'un homme de goût soit nécessaire pour trouver plus de satisfaction dans la forme d'un cercle que dans un tracé griffonné, dans un quadrilatère à côtés et angles égaux plutôt que dans un quadrilatère de travers aux côtés inégaux et qui est pour ainsi dire bancal ; car cela ne relève que d'un entendement commun et il n'est ici pas besoin de goût. Là où l'on perçoit un but, par exemple celui de juger et d'apprécier la grandeur d'un emplacement, ou de faire saisir, dans une division, le rapport des parties entre elles et avec le tout, alors des figures régulières, et plus précisément celles qui sont de l'espèce la plus simple, sont nécessaires ; et la satisfaction ne repose pas immédiatement sur l'intuition de la figure, mais sur l'utilité de (242) celle-ci pour toute sorte de projets possibles. Une pièce dont les murs forment des angles obliques, un morceau de jardin de forme semblable, et même tout manque de symétrie, aussi bien dans la configuration des animaux (par exemple le fait qu'ils soient borgnes) que dans celle des édifices ou des parterres de fleurs, déplaît parce que c'est contraire à la finalité, non seulement pratiquement, du point de vue d'un certain usage de ces choses, mais aussi pour leur appréciation de tous les points de vue possibles ; ce n'est pas le cas dans le jugement de goût, lequel, s'il est pur, associe immédiatement la satisfaction ou l'absence de satisfaction à la simple *considération* de l'objet, sans avoir égard à son usage ou sa fin.

La régularité, qui conduit au concept d'un objet, est assurément la condition indispensable (*conditio sine qua non*) pour appréhender l'objet dans une représentation unique et déterminer le divers dans la forme de celui-ci. Cette détermination est une fin, du point de vue de la connaissance ; et, sous ce rapport même, elle est toujours liée à la satisfaction (qui accompagne la réalisation de n'importe quel projet, même simplement problématique). Mais il n'y a là, dès lors, que l'approbation donnée à la solution satisfaisante d'un problème, et non pas une occupation libre, et sans fin déterminée, des facultés de l'esprit à ce que nous appelons beau, et où l'entendement est au service de l'imagination et non pas l'imagination au service de celui-ci.

Dans une chose, qui n'est possible que par un projet, dans un édifice, dans un animal même, la régularité qui consiste dans la symétrie doit exprimer l'unité de l'intuition qui accompagne le concept de la fin, et elle appartient à la connaissance. Mais là où il ne s'agit que d'entretenir un libre jeu des facultés représentatives (toutefois sous la condition que l'entendement n'en souffre nulle atteinte), dans les jardins d'agrément, la décoration d'un intérieur, un quelconque ameublement choisi avec goût, etc., la régularité, qui se révèle comme une contrainte, doit être autant que possible évitée ; de là procèdent le goût anglais en matière de jardins, le goût baroque dans le domaine des meubles, qui sans doute poussent la liberté de l'imagination jusqu'à se rapprocher du grotesque, mais qui, à travers cet affranchissement de toute contrainte appuyée sur des règles, font surgir l'occasion même en laquelle le goût peut montrer, dans les productions de l'imagination, sa plus grande perfection.

Toute régularité rigide (qui se rapproche de la régularité mathématique) contient en elle-même ce qui est contraire au goût : elle n'offre pas de quoi s'occuper longuement en sa contemplation, mais, à moins (*243*) d'avoir expressément pour but la connaissance ou une fin pratique déterminée, elle ennuie. En revanche, ce avec quoi l'imagination peut jouer en faisant preuve de spontanéité et d'une manière qui est conforme à une fin est pour nous toujours nouveau et l'on ne se fatigue pas de le regarder. Marsden, dans sa description de Sumatra [66], remarque que, là-bas, les libres beautés de la nature entourent le spectateur de toute part et que, de ce fait, elles n'ont plus pour lui grand-chose d'attirant ; au contraire, un champ de poivriers, où les perches au long desquelles cette plante grimpe s'alignent en allées parallèles, lorsqu'il en rencontrait un au beau milieu d'une forêt, avait pour lui beaucoup de charme ; et il en conclut que la beauté sauvage, apparemment dépourvue de règle, plaît uniquement, par contraste, à celui qui s'est vu combler, jusqu'à satiété, de la beauté régulière. Simplement aurait-il dû essayer de rester toute une journée devant son champ de poivriers pour prendre conscience que lorsque l'entendement, grâce à la régularité, se trouve accordé à l'ordre, dont il a partout besoin, l'objet ne parvient pas à retenir son attention plus longtemps, mais bien plutôt inflige à l'imagination une contrainte pesante ; et qu'au contraire la nature, qui, là-bas, est surabondante de diversité jusqu'à la prodigalité, et qui n'est soumise à aucune contrainte par des règles artificielles, peut constamment offrir à son goût une nourriture. Même le chant des oiseaux, que nous ne pouvons ramener à aucune règle musicale, semble contenir plus de liberté et, pour cette raison, comprendre en lui, pour le goût, davantage que le chant humain, même dirigé d'après toutes les règles de l'art musical : car l'on se fatigue bien plus vite de ce dernier quand il est répété souvent et longtemps. Cela dit, sans doute confondons-nous ici notre sympathie pour la gaieté d'un petit animal que nous aimons avec la beauté de son chant, lequel, quand il est imité par l'homme à la perfection (comme c'est parfois le cas pour le chant du rossignol), paraît à notre oreille totalement insipide.

Il faut encore distinguer les objets beaux des belles visions que nous avons d'eux (lesquelles souvent, à cause de la distance, ne peuvent plus donner lieu à une connaissance claire). En ce qui concerne ces visions, le goût semble s'attacher, non pas tant à ce que l'imagination *appréhende* en ces objets qu'à ce qui, en eux, lui fournit l'occasion de s'abandonner à ses *productions*, c'est-à-dire aux propres *créations de sa fantaisie*, à quoi l'esprit s'occupe pendant qu'il est continuellement tenu en éveil, par la diversité qui vient frapper son regard ; ainsi en est-il dans la vision des changeantes figures d'un feu dans une cheminée ou d'un ruisseau qui gazouille, lesquels ne constituent ni l'un ni l'autre (*244*) des beautés, mais possèdent cependant un attrait pour l'imagination, du fait qu'ils en entretiennent le libre jeu.

Paragraphe 23
Passage du pouvoir de juger du beau
à celui de juger du sublime

Le beau et le sublime s'accordent en ceci que tous deux plaisent par eux-mêmes. En outre, étant donné que chacun d'eux suppose, non un jugement des sens ou un jugement logique déterminant, mais un jugement de réflexion, la satisfaction ne dépend par conséquent pas d'une sensation, comme celle de l'agréable, ni d'un concept déterminé, comme c'est le cas pour la satisfaction prise au bien : elle est pourtant rapportée à des concepts, sans qu'il soit déterminé, il est vrai, de quels concepts il s'agit ; il en résulte que c'est à la simple présentation ou pouvoir de présenter que la satisfaction est liée – ce à la faveur de quoi le pouvoir de présentation, autrement dit l'imagination, est considéré, dans une intuition donnée, comme se trouvant en accord avec le *pouvoir des concepts* de l'entendement ou de la raison, et ce au profit de ces derniers. De là vient que, dans les deux cas, les jugements sont *singuliers* et que cependant ils s'attribuent une validité universelle à l'égard de chaque sujet, bien qu'ils n'élèvent, il est vrai, de prétention que concernant le sentiment de plaisir et non pas touchant à la connaissance de l'objet.

Reste qu'il y a aussi des différences importantes qui sautent aux yeux entre le beau et le sublime. Le beau naturel concerne la forme de l'objet, laquelle consiste dans la limitation ; en revanche, le sublime se peut trouver aussi dans un objet informe, pour autant qu'une dimension d'*illimité* est représentée en lui ou grâce à lui et que cependant vient s'y ajouter par la pensée la dimension de sa totalité – en sorte que le beau semble pouvoir être tenu pour la présentation d'un concept indéterminé de l'entendement, mais le sublime pour celle d'un concept indéterminé de la raison. Ainsi la satisfaction est-elle, dans le cas du beau, associée à la représentation de la *qualité*, tandis que, dans le cas du sublime, elle est associée à celle de la *quantité*. En outre, la seconde satisfaction est très différente, spécifiquement, de la première : celle-ci (le beau) apporte directement avec elle un sentiment d'intensification de la vie, et c'est pourquoi elle est compatible avec des attraits et un *(245)* jeu de l'imagination ; celle-là, en revanche (le sentiment du sublime), est un plaisir qui ne surgit qu'indirectement, c'est-à-dire qu'il est produit par le sentiment d'un arrêt momentané des forces vitales, immédiatement suivi par une *effusion* d'autant plus forte de celles-ci – et par conséquent, en tant qu'émotion, il ne semble pas être un jeu, mais une affaire sérieuse dans l'activité de l'imagination. De là vient aussi qu'il est incompatible avec l'attrait ; et comme l'esprit n'est pas seulement attiré par l'objet, mais qu'alternativement il s'en trouve aussi toujours repoussé, la satisfaction prise au sublime ne contient pas tant un plaisir positif que bien plutôt de l'admiration ou du respect, ce qui veut dire qu'elle mérite d'être appelée un plaisir négatif.

Cependant, la plus importante différence interne entre le sublime et le beau est sans doute celle-ci : si tout d'abord, comme il convient, nous ne prenons en considération ici que le sublime relatif aux objets naturels (celui de l'art est, en effet, toujours soumis aux conditions d'un accord avec la nature), la beauté naturelle (autonome) véhicule avec elle, dans sa forme, une finalité par laquelle l'objet semble être comme prédéterminé pour notre faculté de juger, et c'est ainsi que cette beauté constitue en soi un objet de satisfaction ; en revanche, ce qui en nous suscite le sentiment du sublime, sans que nous nous lancions dans des raisonnements, dans la simple appréhension, peut certes paraître en sa forme contraire à l'idée d'une quelconque finalité pour notre faculté de juger, inapproprié à notre faculté de présentation et faisant, pour ainsi dire, violence à l'imagination : il n'en est pas moins, pour cette raison, jugé d'autant plus sublime.

Par où l'on voit immédiatement que nous nous exprimons d'une manière parfaitement incorrecte quand nous nommons sublime un *objet de la nature*, alors que nous pouvons de manière tout à fait correcte appeler beaux de très nombreux objets de la nature ; car comment peut-on désigner par un terme qui marque l'assentiment ce qui est appréhendé comme opposé à la finalité ? Tout ce que nous pouvons dire, c'est que l'objet est propre à la présentation d'une sublimité qui peut être rencontrée dans l'esprit ; en effet, le sublime proprement dit ne peut être contenu en aucune forme sensible, mais il ne concerne que les Idées de la raison, lesquelles, bien qu'aucune présentation qui puisse leur être adéquate n'en soit possible, sont ravivées et rappelées dans l'esprit précisément par cette inadéquation, dont une présentation sensible est possible. Ainsi le vaste océan, soulevé par la tempête, ne peut-il être nommé sublime. Sa vision est horrible ; et il faut avoir déjà rempli son esprit de bien des idées diverses (*246*) pour qu'il soit disposé par une telle intuition à un sentiment qui est lui-même sublime, dans la mesure où l'esprit est appelé à se dégager de la sensibilité et à s'occuper d'Idées qui contiennent une finalité supérieure.

La beauté naturelle autonome nous révèle une technique de la nature qui la rend représentable comme un système structuré selon des lois dont, dans l'ensemble de notre entendement, le principe ne peut être rencontré – savoir celui d'une finalité se rapportant à l'usage de la faculté de juger relativement aux phénomènes, en sorte que ceux-ci doivent être jugés non seulement en tant qu'appartenant à la nature dans son mécanisme dépourvu de finalité, mais aussi à ce qui est pensé par analogie avec l'art. Une telle finalité élargit donc, non pas certes notre connaissance des objets de la nature, mais en tout cas notre concept de la nature qui, de concept d'une nature entendue comme un simple mécanisme, est étendu jusqu'à celui de la nature en tant qu'art, lequel invite à de profondes recherches sur la possibilité d'une telle forme. Mais, dans ce que nous avons l'habitude, en elle, de nommer sublime, il n'y a absolument rien qui conduirait à des principes objectifs particuliers et à des formes de la nature conformes à ceux-ci, tant et si bien que c'est plutôt dans son chaos ou dans son désordre et ses dévastations les plus sauvages et les plus déréglés, dès lors simplement que de la grandeur et de la force s'y peuvent percevoir, que la nature suscite, le plus souvent, les Idées du sublime. Nous voyons par là que le concept du sublime de la nature est largement moins important et riche en conséquences que celui du beau naturel, et qu'il n'indique absolument rien de final dans la nature elle-même, mais seulement dans l'*emploi* possible de ses intuitions pour nous faire ressentir en nous-mêmes une finalité tout à fait indépendante de la nature. Pour le beau naturel, c'est hors de nous qu'il nous faut chercher un principe ; pour le sublime, en revanche, c'est seulement en nous et dans le mode de pensée qui introduit de la sublimité au sein de la représentation de la nature [67] : il y a là une remarque préalable très nécessaire, qui sépare totalement les Idées du sublime de celle d'une finalité de la *nature* et qui fait de la théorie du sublime un simple appendice à l'appréciation esthétique de la finalité de la nature – cela dans la mesure où, par là, aucune forme particulière n'est représentée dans la nature, mais se trouve développé simplement un usage final que l'imagination fait de sa représentation.

Paragraphe 24
De la division d'un examen du sentiment du sublime

En ce qui concerne la division des moments du jugement d'appréciation esthétique porté sur les objets en relation au sentiment du sublime, l'analytique pourra se déployer selon le même principe que celui qui a été utilisé lors de l'analyse des jugements de goût. Car, en tant que jugement de la faculté de juger esthétique réfléchissante, la satisfaction éprouvée relativement au sublime, tout comme celle éprouvée relativement au beau, doit nécessairement être universellement valable selon la *quantité*, désintéressée selon la *qualité*, et elle doit rendre représentable, selon la *relation*, une finalité subjective, ainsi que, selon la *modalité*, la rendre représentable comme nécessaire. Ainsi donc en ceci la méthode ne s'écartera-t-elle pas, ici, de celle qui avait été utilisée dans le précédent livre : il faudrait en effet tenir compte du fait que, lorsque le jugement esthétique concernait alors la forme de l'objet, nous partions de l'examen de la qualité, tandis que maintenant, en raison de l'absence de forme qui peut caractériser ce que nous nommons sublime, c'est de la quantité, comme constituant le premier moment du jugement esthétique sur le sublime, que nous partirons – ce dont la raison se peut apercevoir dans le précédent paragraphe.

Cela dit, l'analyse du sublime nécessite une division dont celle du beau n'avait pas besoin, à savoir la division du sublime en *sublime mathématique* et en *sublime dynamique*.

Le sentiment du sublime apporte en effet avec lui un *mouvement* de l'esprit associé au jugement d'appréciation porté sur l'objet, alors que le goût exprimé vis-à-vis du beau suppose et maintient l'esprit dans un état de *tranquille* contemplation ; or, ce mouvement doit être apprécié comme possédant une finalité subjective (car le sublime plaît) : en ce sens, il sera rapporté par l'imagination soit au *pouvoir de connaître*, soit au *pouvoir de désirer*, mais dans l'une et l'autre de ces relations la finalité de la représentation donnée ne sera jugée et appréciée que du point de vue de ces pouvoirs (sans fin ou sans intérêt) – tant et si bien que, dans le premier cas, la finalité sera attribuée à l'objet comme une disposition *mathématique* de l'imagination et, dans le second, comme une disposition *dynamique*, ce pourquoi l'objet est représenté comme sublime selon cette double manière de penser.

A
DU SUBLIME MATHÉMATIQUE

Paragraphe 25
Définition nominale du sublime

Nous nommons *sublime* ce qui est *absolument grand*. Mais être grand et être une grandeur correspondent à deux concepts tout à fait différents (*magnitudo* et *quantitas*). De même, dire *simplement* (*simpliciter*) que quelque chose est grand, c'est tout différent que de dire que cette chose est *absolument grande* (*absolute, non comparative magnum*). Le dernier correspond à *ce qui est grand au-delà de toute comparaison.* Cela dit, que signifie donc l'expression : quelque chose est grand, petit ou moyen ? Ce n'est pas un concept pur de l'entendement qui est désigné par là ; encore moins une intuition des sens ; et tout aussi peu un concept de la raison, parce que cela n'implique aucun principe de la connaissance. Il faut donc que ce soit un concept de la faculté de juger, ou un terme qui en dérive, et il doit y avoir au fondement de cette expression une finalité subjective de la représentation en relation à la faculté de juger. Qu'une chose soit une grandeur (*quantum*), cela peut être connu à partir de la chose elle-même, sans aucune comparaison avec d'autres, à partir du moment où la pluralité de l'homogène constitue, prise ensemble, une unité. En revanche, savoir *combien* une chose est grande, cela requiert toujours quelque chose d'autre, qui soit aussi une grandeur, pour lui servir de mesure. Mais, étant donné que, dans l'appréciation de la grandeur, il ne s'agit pas simplement de la pluralité (nombre), mais aussi de la grandeur de l'unité (de la mesure) et que la grandeur de cette dernière requiert toujours à son tour quelque chose d'autre comme mesure, à laquelle elle puisse être comparée, nous voyons que toute détermination de la grandeur des phénomènes ne peut fournir aucun concept absolu d'une grandeur, mais toujours uniquement un concept comparatif.

Dès lors, quand je dis simplement que quelque chose est grand, il semble que je n'aie en tête aucune comparaison, du moins aucune comparaison avec une mesure objective, puisque ainsi il n'est pas déterminé combien l'objet est grand. Mais, bien que la mesure de la comparaison soit seulement subjective, le jugement n'en prétend pourtant pas moins à une adhésion universelle ; les jugements : « L'homme est beau », et : « Il est grand » ne se limitent pas simplement au sujet qui juge, mais ils réclament, comme des jugements théoriques, l'adhésion de chacun.

(249) Cela dit, puisque, dans un jugement où quelque chose est purement et simplement désigné comme grand, on n'entend pas seulement dire que l'objet possède une grandeur, mais que celle-ci lui est attribuée en même temps de manière privilégiée vis-à-vis de beaucoup d'autres objets du même genre, sans que pourtant ce privilège soit précisément explicité, il faut en tout état de cause qu'il y ait à la base de ce jugement une mesure dont on présuppose qu'elle peut être admise comme identique par tous, quand bien même elle n'est utilisable pour nulle appréciation logique (mathématiquement déterminée), mais seulement pour l'appréciation esthétique de la grandeur, puisqu'il s'agit d'une mesure se trouvant, de manière simplement subjective, au fondement du jugement réfléchissant sur la grandeur. Au demeurant, cette mesure peut être une mesure empirique, comme par exemple la grandeur moyenne des hommes que nous connaissons, des animaux d'une certaine espèce, des arbres, des maisons, des montagnes, etc. ; ou bien ce peut être une mesure donnée a priori, que les imperfections du sujet qui juge limitent aux conditions subjectives de la présentation *in concreto* : ainsi en est-il, dans le domaine pratique, de la grandeur d'une certaine vertu, ou de la liberté publique et de la justice dans un pays ; ou encore, dans le domaine théorique, de la grandeur de l'exactitude ou de l'inexactitude d'une observation ou d'une mesure que l'on effectue, etc.

Ici, il est donc remarquable que, bien que nous n'ayons aucun intérêt pour l'objet, c'est-à-dire que son existence nous soit indifférente, la simple grandeur de celui-ci, même quand l'objet est considéré comme dépourvu de forme, puisse tou-

tefois apporter avec elle une satisfaction qui est universellement communicable et qui, par conséquent, contient en elle
la conscience d'une finalité subjective dans l'usage de notre
pouvoir de connaître ; mais ce n'est pas une satisfaction
produite par l'objet, comme c'est le cas pour le beau (car
l'objet peut être sans forme), où la faculté de juger réfléchissante se trouve, relativement à la connaissance en général,
dans une disposition finale, mais il s'agit d'une satisfaction
que suscite l'extension de l'imagination en elle-même.

Quand (sous réserve de la limitation mentionnée plus haut)
nous disons purement et simplement d'un objet : « Il est
grand », cela ne constitue pas un jugement déterminant mathématique, mais seulement un jugement de la réflexion sur la
représentation de l'objet, laquelle représentation possède, pour
un certain usage de nos facultés de connaître dans l'évaluation
de la grandeur, une finalité subjective ; et nous associons alors
toujours à la représentation une sorte de respect, de la même
manière que nous associons un mépris à ce que nous déclarons,
purement et simplement, petit. Au reste, l'appréciation des
choses comme grandes ou petites s'applique à tout, même à
toutes les propriétés de ces choses ; de là vient que nous disons
de la beauté elle-même qu'elle est grande ou petite – ce dont
(250) la raison se doit chercher dans le fait que tout ce que
nous présentons dans l'intuition d'après la prescription de la
faculté de juger (tout ce que, par conséquent, nous représentons esthétiquement) est toujours phénomène, et par conséquent est aussi un *quantum*.

Mais, quand nous appelons une chose, non pas seulement
grande, mais grande purement et simplement, absolument, de
tous les points de vue (au-delà de toute comparaison), c'est-
à-dire sublime, on aperçoit aussitôt que nous ne permettons
pas que soit recherchée en dehors de cette chose une mesure
qui lui serait appropriée, mais seulement en elle. C'est une
grandeur qui n'est égale qu'à elle-même. Que le sublime ne
doive donc pas être cherché dans les choses de la nature, mais
seulement dans nos Idées, telle est la conséquence ; mais dans
lesquelles il réside, cela doit être réservé pour la déduction.

La définition précédente peut aussi être exprimée ainsi : *est
sublime ce en comparaison de quoi tout le reste est petit.* Ici,
on voit facilement que rien, dans la nature, ne peut être donné
qui, si grand que nous le jugions, ne soit susceptible, à
condition d'être considéré d'un autre point de vue, de se voir
abaisser jusqu'à l'infiniment petit – et qu'inversement il n'est
rien de si petit qui, par comparaison avec d'autres mesures

plus petites, ne puisse pour notre imagination être élargi jusqu'à la grandeur d'un monde. Les télescopes nous ont donné une riche matière pour faire la première observation et les microscopes pour faire la seconde. Rien donc qui soit susceptible d'être objet des sens ne saurait, considéré dans cette perspective, être dit sublime. Mais, précisément parce que, dans notre imagination, il y a un effort pour progresser à l'infini, tandis que, dans notre raison, est inscrite une prétention à la totalité absolue comme à une Idée réelle, la manière dont notre pouvoir d'évaluation des grandeurs caractérisant les choses du monde sensible est inadéquat à cette Idée éveille le sentiment d'un pouvoir suprasensible en nous ; et c'est l'usage que la faculté de juger fait naturellement de certains objets en vue de ce dernier (le sentiment), et non pas l'objet des sens, qui est absolument grand, alors que, vis-à-vis de lui, tout autre usage est petit. Par conséquent, ce qu'il faut nommer sublime, c'est la disposition de l'esprit produite par une certaine représentation qui met en activité la faculté de juger réfléchissante, mais non pas l'objet.

Nous pouvons ainsi, aux autres formules de la définition du sublime, ajouter encore celle-ci : *est sublime ce qui, du fait simplement qu'on puisse le penser, démontre un pouvoir de l'esprit qui dépasse toute mesure des sens.*

Paragraphe 26
(251) De l'évaluation de la grandeur des choses de la nature qui est requise pour l'Idée du sublime

L'évaluation des grandeurs par des concepts numériques (ou par leurs signes en algèbre) est mathématique ; mais celle qui s'opère dans la simple intuition (selon la mesure de la vue) est esthétique. *Combien* quelque chose est *grand*, nous ne pouvons certes en obtenir des concepts déterminés que par des nombres (en tout cas, par des approximations à l'aide de séries numériques allant jusqu'à l'infini), dont la mesure est l'unité ; et, en ce sens, toute évaluation logique des grandeurs est mathématique. Seulement, étant donné qu'en tout état de cause la grandeur de la mesure doit nécessairement être admise comme connue, si celle-ci devait être à son tour évaluée uniquement par des nombres, dont l'unité devrait être une autre mesure, si, autrement dit, elle doit être évaluée mathématiquement, nous ne pourrions jamais disposer d'une mesure première ou fondamentale, ni non plus, par conséquent, d'au-

cun concept déterminé d'une grandeur donnée. Ainsi l'évaluation de la grandeur de la mesure fondamentale ne doit-elle
nécessairement consister qu'en ceci qu'on peut la saisir immédiatement dans une intuition et, grâce à l'imagination, l'utiliser
pour la présentation des concepts numériques ; en d'autres
termes, toute évaluation de la grandeur des objets de la nature
est en définitive esthétique (c'est-à-dire subjectivement, et non
pas objectivement, déterminée).

Or, il n'y a certes pas, pour l'évaluation mathématique des
grandeurs, de maximum (car le pouvoir des nombres va à
l'infini) ; mais, pour l'évaluation esthétique des grandeurs, il
y a assurément un maximum, et de celui-ci, je soutiens que,
quand on le tient pour mesure absolue, vis-à-vis de laquelle
rien ne saurait être subjectivement plus grand (pour le sujet
qui juge), il entraîne l'Idée du sublime et produit cette émotion
qu'aucune évaluation mathématique des grandeurs par les
nombres ne peut susciter (sauf dans le cas où cette mesure
esthétique fondamentale est alors maintenue vivante dans
l'imagination) ; car l'évaluation mathématique présente toujours seulement la grandeur relative par comparaison avec
d'autres de même espèce, tandis que l'évaluation esthétique
présente la grandeur absolument, dans la mesure où l'esprit
peut la saisir en une intuition.

Adopter intuitivement un *quantum* dans l'imagination, pour
pouvoir l'utiliser comme mesure ou comme unité en vue de
l'évaluation numérique des grandeurs, cela requiert deux opérations de ce pouvoir : l'appréhension (*apprehensio*) et la
compréhension (*comprehensio aesthetica*). L'appréhension ne
fait pas problème, car elle peut aller jusqu'à (*252*) l'infini ;
mais la compréhension devient toujours plus difficile à mesure
que l'appréhension progresse et elle arrive bientôt à son maximum, à savoir la mesure fondamentale, la plus grande au sens
esthétique, de l'évaluation des grandeurs. Car, quand l'appréhension en est arrivée au point où les représentations partielles
de l'intuition des sens qui avaient été appréhendées les premières commencent d'ores et déjà à disparaître dans l'imagination, cependant que celle-ci progresse dans l'appréhension
d'autres représentations, elle perd d'un côté autant qu'elle
gagne de l'autre, et la compréhension atteint un maximum
que l'imagination ne peut dépasser.

Par là se peut expliquer la façon dont Savary [68] remarque,
dans ses *Lettres d'Égypte*, qu'il ne faudrait ni trop s'approcher,
ni davantage être trop éloigné des Pyramides, si l'on veut
ressentir toute l'émotion que produit leur grandeur. Car, dans

le dernier cas, les parties qui sont appréhendées (les pierres superposées) ne sont représentées qu'obscurément, et leur représentation ne produit aucun effet sur le jugement esthétique du sujet. Mais, dans le premier cas, l'œil a besoin d'un certain temps pour achever l'appréhension qui va depuis la base jusqu'au sommet ; or, au cours de cette appréhension, les premières perceptions disparaissent toujours en partie avant que l'imagination n'ait saisi les dernières, et la compréhension n'est jamais complète. Observation qui peut aussi suffire pour expliquer la stupeur ou cette espèce d'embarras qui, comme on le raconte, saisit le spectateur lorsqu'il pénètre pour la première fois dans l'église Saint-Pierre de Rome. Car il éprouve ici un sentiment de l'impuissance de son imagination à présenter l'Idée d'un tout – ce en quoi l'imagination atteint son maximum et, en s'efforçant de le dépasser, s'effondre sur elle-même, tandis qu'elle se trouve ainsi plongée dans une satisfaction émouvante.

Je ne veux pour l'instant rien dire encore de la cause de cette satisfaction qui est associée à une représentation dont on devrait s'attendre le moins à ce qu'elle la suscite, à savoir celle qui nous fait apercevoir dans l'évaluation de la grandeur l'inadéquation, par conséquent aussi le défaut de finalité subjective de la représentation par rapport à la faculté de juger ; mais je remarquerai seulement que si le jugement esthétique doit être pur (s'il ne doit pas être mêlé à un jugement téléologique comme jugement de la raison) et doit ainsi fournir un exemple tout à fait adapté à une critique de la faculté de juger *esthétique*, on ne devrait pas montrer le sublime dans des produits de l'art (par exemple des édifices, des colonnes, etc.), où une fin humaine détermine la forme aussi bien que la grandeur, ni dans les choses de la nature, *dont le concept implique déjà une fin déterminée* (253) (par exemple, des animaux d'une destination naturelle connue), mais dans la nature brute (et en cette dernière uniquement dans la mesure où elle ne véhicule en elle aucun attrait, ni aucune émotion résultant d'un réel danger) – seulement pour autant qu'elle contient de la grandeur. Car, dans cette sorte de représentations, la nature ne contient rien qui soit monstrueux (ni qui soit magnifique ou horrible) ; la grandeur qui est appréhendée peut être aussi vaste que l'on voudra, du moment qu'elle peut être comprise dans un tout par l'imagination. *Monstrueux* est un objet quand, par sa grandeur, il anéantit la fin qui en constitue le concept. *Colossale* est dite en revanche la simple présentation d'un concept qui est presque trop grand pour

toute présentation (un concept qui est à la limite du monstrueux relatif) ; car la fin de la présentation d'un concept est
rendue plus difficile par la manière dont l'intuition de l'objet
est presque trop grande pour notre pouvoir d'appréhension.
Cela dit, un jugement pur sur le sublime ne doit toutefois
avoir comme principe de détermination aucune fin de l'objet,
s'il doit être esthétique et ne pas être mêlé à un quelconque
jugement d'entendement ou de raison.

*

Parce que tout ce qui doit plaire à la faculté de juger
simplement réfléchissante de façon désintéressée implique
nécessairement dans sa représentation une finalité subjective
et universellement valable comme telle, sans toutefois qu'il y
ait ici au fondement du jugement d'appréciation une finalité
de la forme de l'objet (comme pour le beau), la question se
pose de savoir quelle est cette finalité subjective et par quoi
elle est prescrite comme norme pour que se puisse fournir une
raison permettant de rendre compte de la satisfaction universellement valable qui intervient dans la simple évaluation de
la grandeur, plus précisément dans celle qui est poussée
jusqu'au point où, dans la présentation du concept d'une
grandeur, notre pouvoir d'imagination devient inadéquat.

L'imagination progresse d'elle-même jusqu'à l'infini dans le
processus de composition qui est requis pour la représentation
de la grandeur, sans que rien lui fasse obstacle ; mais l'entendement la guide par des concepts numériques, auxquels elle
doit donner leur schème ; et dans ce processus supposé pour
l'évaluation logique de la grandeur, il y a certes quelque chose
d'objectivement finalisé [69], conformément au concept même
de fin (il en va ainsi pour toute mesure), mais il n'est rien qui
soit finalisé et générateur de plaisir pour la faculté de juger
esthétique. Il n'y a rien non plus dans cette finalité intentionnelle qui (254) oblige à élever la grandeur de la mesure, par
conséquent de la *compréhension* du multiple en une intuition,
jusqu'à la limite du pouvoir de l'imagination et aussi loin que
celle-ci peut aller dans ses présentations. Car, dans l'évaluation
des grandeurs par l'entendement (dans l'évaluation arithmétique), on va tout aussi loin, et cela que l'on pousse la
compréhension des unités jusqu'au nombre 10 (dans le système
décimal), ou seulement jusqu'à 4 (dans le système tétractique),
et que l'on poursuive la production des grandeurs dans la
composition ou, si le quantum est donné dans l'intuition, dans

l'appréhension, de façon simplement progressive (et non pas compréhensive), selon un principe de progression admis. L'entendement, dans cette évaluation mathématique de la grandeur, sera tout aussi bien servi et satisfait si l'imagination se choisit comme unité une grandeur que l'on peut saisir d'un coup d'œil, par exemple un pied ou une verge, ou si elle choisit un mille allemand, ou même un diamètre terrestre, dont l'appréhension est certes possible, mais non point la compréhension dans une intuition de l'imagination (j'entends : la *comprehensio aesthetica*, tandis que l'opération est certes tout à fait possible par *comprehensio logica* dans un concept numérique). Dans les deux cas, l'évaluation logique de la grandeur se poursuit jusqu'à l'infini sans rencontrer d'obstacle.

Mais l'esprit entend en lui la voix de la raison, qui, pour toutes les grandeurs données, et même pour celles qui, assurément, ne peuvent jamais être complètement appréhendées, mais qui sont cependant jugées comme données entièrement (dans la représentation sensible), exige la totalité, par conséquent la compréhension dans *une* intuition, et réclame une *présentation* pour tous les membres d'une série numérique progressive et croissante, sans même exclure de cette exigence l'infini (l'espace et le temps écoulé) – tant il est vrai qu'elle fait bien plutôt apparaître comme inévitable une pensée de l'infini (dans le jugement de la raison commune) comme *entièrement donné* (dans sa totalité).

Cela dit, l'infini est absolument grand (et non pas simplement de façon comparative). Comparée à lui, toute autre grandeur (de la même sorte) est petite. Mais, ce qui est le point principal, c'est que l'on puisse même simplement *penser* l'infini, comme un *tout*, ce qui indique un pouvoir de l'esprit qui dépasse toute mesure des sens. Car se trouverait requise pour cela une compréhension qui fournirait à titre d'unité une mesure possédant avec l'infini un certain rapport, pouvant être exprimé par des nombres – ce qui est impossible. Mais *être capable* cependant, sans contradiction, *de même seulement penser* l'infini *donné*, cela suppose en l'esprit humain un pouvoir qui soit lui-même suprasensible. Car c'est uniquement par l'intermédiaire de celui-ci et (255) de son Idée d'un noumène – qui lui-même ne permet aucune intuition, mais se trouve pourtant supposé comme substrat de l'intuition du monde en tant que simple phénomène – que l'infini du monde sensible, dans l'évaluation intellectuelle pure des grandeurs, est *entièrement* compris *sous* un concept, quand bien même il ne peut jamais être entièrement pensé, dans l'évaluation mathématique, par des *concepts numériques*. Même un pouvoir qui rendrait capable de penser l'infini de l'intuition suprasensible comme donné (dans son substrat intelligible) dépasse toute mesure de la sensibilité et est immense, au-delà même de toute comparaison avec le pouvoir de l'évaluation mathématique – non pas certes d'un point de vue théorique, à destination du pouvoir de connaître, mais en tout cas comme élargissement de l'esprit qui se sent capable de dépasser les bornes de la sensibilité d'un autre point de vue (à savoir le point de vue pratique).

Ainsi la nature est-elle sublime dans ceux de ses phénomènes dont l'intuition véhicule avec elle l'Idée de son infinité. Et cela ne peut se produire qu'à travers la manière dont même l'effort le plus grand de notre imagination dans l'évaluation de la grandeur d'un objet s'avère insuffisant. Or, pour ce qui est de l'évaluation mathématique de la grandeur, l'imagination est adaptée à n'importe quel objet, de manière à fournir en vue de cette évaluation une mesure qui soit suffisante, parce que les concepts numériques de l'entendement peuvent rendre par progression une quelconque mesure capable de convenir à quelque grandeur donnée que ce soit. C'est donc nécessairement dans l'évaluation *esthétique* de la grandeur qu'est ressenti l'effort en vue de la compréhension, qui dépasse le pouvoir que possède l'imagination de rassembler l'appréhension progressive dans un tout de l'intuition, et c'est à cette occasion aussi qu'est perçue en même temps l'incapacité de ce pouvoir, illimité dans la progression, à saisir une mesure fondamentale susceptible de convenir pour le moindre investissement de l'entendement dans l'évaluation de la grandeur [70] et à utiliser cette mesure dans l'évaluation de la grandeur. Or, la véritable et invariable mesure fondamentale de la nature, c'est celle-ci comme totalité absolue, c'est-à-dire la compréhension de l'infinité contenue en elle en tant que phénomène [71]. Mais, étant donné que cette mesure fondamentale est un concept contradictoire en soi (parce que la totalité absolue d'un progrès sans fin est impossible), cette grandeur d'un objet de la nature, à laquelle l'imagination applique vainement tout son pouvoir de compréhension, doit inévitablement diriger le concept de la nature vers un substrat suprasensible (qui se trouve au fondement de celle-ci en même temps que de notre pouvoir de penser) – un substrat qui soit grand au-delà de toute mesure des sens et qui, par conséquent, permette de juger *sublime* non pas tant (*256*) l'objet que bien plutôt la disposition d'esprit intervenant dans l'évaluation de celui-ci.

En ce sens, de même que la faculté de juger esthétique, dans l'appréciation du beau, rapporte l'imagination en son libre jeu à l'*entendement* pour l'accorder avec les concepts en général de celui-ci (sans que les concepts concernés soient déterminés), de même, dans l'appréciation d'une chose comme sublime, elle rapporte à la *raison* ce même pouvoir, pour l'accorder subjectivement avec les Idées de celle-ci (sans déterminer lesquelles), c'est-à-dire pour produire une disposition de l'esprit qui soit en conformité et en accord avec celle que susciterait l'influence d'Idées déterminées (à savoir les Idées pratiques) sur le sentiment.

Ainsi voit-on que la véritable sublimité devrait être recherchée uniquement en l'esprit de celui qui juge, et non pas dans l'objet naturel – cette disposition de l'esprit se trouvant suscitée par le jugement qui est porté sur l'objet. Qui donc voudrait appeler sublimes des masses montagneuses informes, accumulées les unes sur les autres en un sauvage désordre, avec leurs pyramides de glace, ou bien la sombre mer déchaînée, etc. ? Mais l'esprit se sent élevé dans sa propre appréciation si, tandis qu'en contemplant ces objets, il s'abandonne, sans considérer leur forme, à l'imagination et à une raison qui se borne à élargir l'imagination à laquelle elle se trouve liée, bien que ce soit sans nulle fin déterminée, il trouve toute la puissance de l'imagination pourtant inadéquate aux Idées de la raison [72].

Des exemples du sublime mathématique de la nature dans la simple intuition nous sont fournis par tous les cas où nous est donné, non pas tant un plus grand concept numérique, mais plutôt une grande unité en tant que mesure (en vue d'abréger les séries numériques) pour l'imagination. Un arbre, que nous évaluons d'après la grandeur de l'homme, donne en tout état de cause une mesure pour une montagne ; et si celle-ci est haute d'environ un mille, elle peut servir d'unité pour le nombre qui exprime le diamètre terrestre, afin de rendre celui-ci susceptible d'être intuitionné, tandis que le diamètre terrestre va pouvoir servir pour le système planétaire que nous connaissons, celui-ci pour la voie lactée ; et la multitude incommensurable des systèmes du type de la voie lactée qu'on désigne par le nom de nébuleuses et qui, probablement, constituent à leur tour entre eux un système du même genre, ne nous incite pas à concevoir ici de quelconques limites. Lors de l'appréciation esthétique par laquelle on juge d'une totalité ainsi incommensurable, le sublime ne se situe pas tant dans la grandeur du nombre que dans la manière dont nous arrivons toujours, au fil de notre progression, à des unités de plus en plus grandes – ce à quoi la division systématique de l'édifice du monde apporte sa contribution (*257*), en nous représentant tout ce qui est grand dans la nature sans cesse comme petit à son tour, mais aussi et plus proprement en nous représentant notre imagination, dans toute son absence de limites, et avec celle-ci la nature, comme s'évanouissant devant les Idées de la raison, quand l'imagination doit en procurer une présentation qui leur soit adéquate.

Paragraphe 27
**De la qualité de la satisfaction dans le jugement portant
sur l'appréciation du sublime**

Le sentiment de ce qu'a d'inadéquat notre pouvoir quand il s'agit d'atteindre une Idée *qui, pour nous, est une loi* correspond au **respect**. Or, l'Idée de la compréhension dans l'intuition d'un tout de n'importe quel phénomène susceptible de nous être donné est une Idée qui nous est imposée par une loi de la raison, laquelle ne connaît nulle autre mesure déterminée, valable pour chacun et invariable que le tout absolu. Cela étant, notre imagination, même en sa plus grande tension pour parvenir à la compréhension qu'on exige d'elle d'un objet donné dans un tout de l'intuition (par conséquent, à la présentation d'une Idée de la raison), manifeste ses limites et l'inadéquation de son pouvoir, mais pourtant aussi, en même temps, sa destination – à savoir la mise en œuvre de son accord avec cette Idée considérée comme une loi. Ainsi le sentiment du sublime dans la nature correspond-il à un respect pour notre propre destination – respect que, par une certaine subreption (substitution d'un respect pour l'objet au respect pour l'Idée de l'humanité en nous comme sujets), nous témoignons à un objet de la nature qui nous rend en quelque sorte intuitionnable la supériorité de la destination rationnelle de nos pouvoirs de connaître sur le pouvoir le plus grand de la sensibilité.

Le sentiment du sublime est en ce sens un sentiment de déplaisir provenant de l'inadéquation qui, dans l'évaluation esthétique de la grandeur, caractérise l'imagination à l'égard de l'évaluation par la raison – et il s'y trouve en même temps un plaisir suscité par l'accord entre précisément ce jugement

sur l'inadéquation du plus grand pouvoir sensible et les Idées
de la raison, en tant que c'est cependant pour nous une loi
que de faire effort pour atteindre ces Idées. Car c'est pour
nous une loi (de la raison) et une dimension qui appartient à
notre destination que d'estimer tout ce que la nature comme
objet des sens contient pour nous de grand, en comparaison
avec les Idées de la raison, comme petit ; et ce qui éveille en
nous le sentiment de cette destination suprasensible s'accorde
avec cette loi. (*258*) Or, l'effort le plus poussé de l'imagination
dans la présentation de l'unité pour l'évaluation de la grandeur
réside dans une relation à quelque chose d'*absolument grand*,
par conséquent aussi dans une relation à la loi de la raison
d'admettre uniquement celui-ci comme suprême mesure des
grandeurs. Ainsi la perception interne de l'inadéquation de
toute mesure sensible vis-à-vis de l'évaluation des grandeurs
par la raison est-elle un accord avec les lois de celle-ci et un
déplaisir qui éveille en nous le sentiment de notre destination
suprasensible, en vertu de laquelle il correspond à une fin,
donc à un plaisir, de trouver toute mesure de la sensibilité
inadéquate aux Idées de la raison.

   L'esprit se sent *ému* lors de la représentation du sublime
dans la nature, tandis que, lors du jugement esthétique sur le
beau dans la nature, il est dans un état de *calme* contemplation.
Ce mouvement peut (tout particulièrement dans son début)
être comparé à un ébranlement, c'est-à-dire à une rapide
alternance de répulsion et d'attraction face au même objet. Ce
qui déborde les limites de l'imagination [73] (et jusqu'à quoi
celle-ci est poussée dans l'appréhension de l'intuition) constitue
pour ainsi dire un abîme où elle a peur de se perdre elle-
même ; mais, cependant, il est, non point débordant pour
l'Idée que la raison se fait du suprasensible, mais légitime [74]
de produire un tel effort de l'imagination ; par conséquent,
c'est là ce qui, à son tour, se trouve attirant dans l'exacte
mesure où c'était repoussant pour la simple sensibilité. Mais
en cette affaire le jugement lui-même ne demeure toujours
qu'esthétique, cela parce qu'il représente simplement, sans
reposer sur un concept déterminé de l'objet, le jeu subjectif
des facultés de l'esprit (imagination et raison) comme harmonieux jusque dans leur contraste. Ainsi, tout comme imagination et *entendement*, dans le jugement appréciant le beau,
produisaient à la faveur de leur union une finalité subjective
des facultés de l'esprit, de même ici imagination et *raison*
produisent à travers leur conflit une telle finalité, à savoir un
sentiment selon lequel nous possédons une *raison* pure auto-

nome, ou un pouvoir d'évaluer les grandeurs, dont la supériorité ne peut être rendue perceptible par rien d'autre que par
l'insuffisance de ce pouvoir lui-même sans limites dans la
présentation des grandeurs (des objets sensibles).

La mesure d'un espace (en tant qu'appréhension) est en
même temps description de celui-ci, par conséquent mouvement objectif dans l'imagination, et progression ; la compréhension de la pluralité dans l'unité, non pas de la pensée, mais
de l'intuition, par conséquent la compréhension dans un instant
de ce qui a été appréhendé de manière successive, est en
revanche une régression qui supprime à nouveau la condition
temporelle dans (259) la progression de l'imagination et rend
intuitionnable la *simultanéité*. Il s'agit donc là (étant donné
que la succession temporelle est une condition du sens interne
et de toute intuition) d'un mouvement subjectif de l'imagination, par lequel elle applique au sens interne une violence
qui doit être d'autant plus perceptible qu'est grand le *quantum*
que l'imagination comprend dans une intuition. En ce sens,
l'effort pour saisir dans une intuition unique une mesure des
grandeurs qui requiert, pour être appréhendée, un temps non
négligeable constitue un mode de représentation qui, subjectivement considéré, est contraire à toute idée d'une finalité,
mais qui, objectivement, est requis pour l'évaluation des grandeurs et correspond par conséquent à une fin : par où, en tout
cas, cette même violence qui est imposée au sujet par l'imagination est jugée comme répondant à une finalité *vis-à-vis*
de la destination globale de l'esprit.

La *qualité* du sentiment du sublime réside donc en ceci
qu'il s'agit d'un sentiment de déplaisir portant sur le pouvoir
esthétique de juger d'un objet – déplaisir qui y est toutefois
en même temps représenté comme répondant à une fin ; ce
qui est possible parce que l'impuissance propre du sujet fait
surgir la conscience d'un pouvoir illimité du même sujet et
que l'esprit ne peut juger et apprécier esthétiquement ce
pouvoir illimité que par son impuissance.

Dans l'évaluation logique de la grandeur, on reconnaissait
comme objective l'impossibilité d'arriver jamais à la totalité
absolue à travers la progression intervenant dans la mesure
des choses du monde sensible dans le temps et l'espace :
autrement dit, on y voyait une impossibilité de *penser* l'infini
comme donné [75], et non pas une impossibilité simplement
subjective, c'est-à-dire une impuissance à le *saisir* ; la raison
en est qu'ici l'on ne considère pas du tout comme mesure le
degré de la compréhension dans une intuition, mais que tout

se ramène à un concept numérique. C'est uniquement dans une évaluation esthétique de la grandeur que le concept numérique doit être écarté ou transformé, et pour une telle évaluation seule correspond à la fin recherchée la compréhension de l'imagination qui fournit l'unité de mesure (par conséquent, en laissant de côté les concepts d'une loi de production successive des concepts de grandeur). En ce sens, quand une grandeur se rapproche de la limite extrême de notre pouvoir de compréhension dans une intuition, alors que l'imagination est pourtant incitée par des grandeurs numériques (vis-à-vis desquelles nous avons conscience que notre pouvoir ne connaît pas de limites) à rechercher la compréhension esthétique dans une unité supérieure, nous nous sentons alors dans notre esprit comme esthétiquement enfermés en des limites ; mais le déplaisir éprouvé, nous nous le représentons cependant comme répondant à une finalité du point de vue de l'extension de l'imagination – extension qui est nécessaire pour qu'elle puisse être adéquate à ce qui est illimité dans le pouvoir de notre raison, à savoir (*260*) l'Idée du tout absolu : par conséquent, l'absence de finalité qui caractérise le pouvoir de l'imagination, nous nous la représentons comme répondant pourtant à une finalité pour les Idées de la raison et pour l'éveil de celles-ci. Mais c'est précisément pourquoi le jugement esthétique lui-même devient subjectivement final pour la raison comme source des Idées, c'est-à-dire d'une compréhension intellectuelle pour laquelle toute compréhension esthétique est petite ; et l'objet est accueilli comme sublime avec un plaisir qui n'est possible que par la médiation d'une peine.

B

DU SUBLIME DYNAMIQUE DE LA NATURE

Paragraphe 28
De la nature comme force

La *force* est un pouvoir qui est supérieur à de grands obstacles. Cette force est dite *puissance* quand elle manifeste sa supériorité même vis-à-vis de la résistance émanant de ce qui possède soi-même une force. La nature, dans le jugement esthétique qui la considère comme une force ne possédant pas de puissance sur nous, est *dynamiquement sublime*.

Lorsque nous devons juger la nature comme dynamiquement sublime, il faut qu'elle soit représentée comme engendrant la peur (bien qu'inversement tout objet engendrant la peur ne soit pas trouvé sublime dans notre jugement esthétique). Car, dans le jugement d'appréciation esthétique (sans concept), la supériorité vis-à-vis d'obstacles ne peut être appréciée qu'en fonction de la grandeur de la résistance. Or, ce à quoi nous cherchons à résister est un mal, et quand nous ne trouvons pas notre pouvoir à la hauteur d'un tel mal, nous avons affaire à un objet qui fait peur. Ainsi la nature ne peut-elle, pour la faculté de juger esthétique, valoir comme force, par conséquent être sublime dynamiquement, que dans la mesure où elle est considérée comme objet de peur.

Cela dit, on peut considérer un objet comme *capable de faire peur* sans avoir peur devant lui, cela si nous le jugeons de telle manière que simplement nous *pensions* le cas où nous voudrions lui opposer une résistance, et qu'alors toute résistance serait largement vaine. C'est ainsi que le vertueux craint Dieu sans avoir peur de lui, parce qu'il pense que vouloir lui résister et résister à ses commandements ne constitue aucunement un cas dont il ait à se soucier. (*261*) Mais, dans tous les cas qu'il ne pense pas comme en soi impossibles, il le reconnaît source de crainte.

Celui qui s'effraye n'est pas davantage capable de porter un jugement sur le sublime de la nature que celui qui est dominé par un penchant et par un appétit ne le peut sur le beau. Il fuit la vue d'un objet qui l'effraye ; et il est impossible de trouver de la satisfaction dans une terreur qui serait sérieuse. C'est pourquoi l'agrément qui procède de la cessation d'une situation pénible correspond à la *joie*. Mais c'est une joie qui, du fait qu'on est délivré d'un danger, s'accompagne de la résolution de ne plus jamais s'exposer à celui-ci ; et même, bien loin que l'on songe à rechercher l'occasion de se rappeler la sensation éprouvée, ce n'est pas volontiers que l'on y repenserait.

Des rochers audacieusement suspendus au-dessus de nous et faisant peser comme une menace, des nuages orageux s'accumulant dans le ciel et s'avançant dans les éclairs et les coups de tonnerre, des volcans dans toute leur puissance destructrice, des ouragans auxquels succède la dévastation, l'océan immense soulevé de fureur, la cascade gigantesque d'un fleuve puissant, etc., réduisent notre pouvoir de résister à une petitesse insignifiante en comparaison de la force dont ces phénomènes font preuve. Mais, plus leur spectacle est effrayant, plus il ne fait qu'attirer davantage, pourvu que nous nous trouvions en sécurité ; et nous nommons volontiers sublimes ces objets, parce qu'ils élèvent les forces de l'âme au-dessus de leur moyenne habituelle et nous font découvrir en nous un pouvoir de résistance d'une tout autre sorte, qui nous donne le courage d'être capables de nous mesurer avec l'apparente toute-puissance de la nature.

Car, certes, nous avons trouvé dans le caractère incommensurable de la nature et dans l'incapacité de notre pouvoir à saisir une mesure proportionnée à l'évaluation esthétique de la grandeur de son *domaine* notre limite propre, mais pourtant aussi, en même temps, dans notre pouvoir de raison une autre mesure, non sensible, qui comprend sous elle cette infinité elle-même comme une unité, vis-à-vis de laquelle tout dans la nature est petit – en sorte que nous avons découvert en notre esprit une supériorité sur la nature même dans son incommensurabilité : de même est-il vrai aussi que ce que sa force a d'irrésistible nous fait certes connaître, en tant qu'êtres de la nature, notre faiblesse physique, mais en même temps elle dévoile un pouvoir de nous juger comme indépendants par rapport à elle et une supériorité à l'égard de la nature – sur quoi se fonde une conservation de soi-même d'une tout autre sorte que celle à laquelle la nature extérieure peut porter atteinte et qu'elle peut mettre en danger (*262*), tant et si bien que l'humanité en notre personne demeure non abaissée, quand bien même l'homme devrait succomber devant cette puissance. En vertu de quoi la nature n'est pas considérée comme sublime dans notre jugement esthétique en tant qu'elle engendre la peur, mais parce qu'elle fait appel à la force inscrite en nous (et qui n'est pas nature) pour que nous considérions ce dont nous nous soucions (biens, santé et vie) comme de petites choses, et par conséquent pour que la force de la nature (à laquelle nous sommes assurément soumis en tous ces points), nous ne la considérions néanmoins pas, vis-à-vis de nous-mêmes et de notre personnalité, comme une puissance telle que nous aurions à nous incliner devant elle quand il s'agit de nos principes suprêmes, de leur affirmation ou de leur abandon. En ce sens, la nature est dite ici sublime simplement parce qu'elle élève l'imagination à la présentation de ces cas où l'esprit peut se rendre sensible la sublimité propre de sa destination dans ce qu'elle a de supérieur même à la nature.

Cette estime de soi ne perd rien du fait qu'il nous faille nous voir en sécurité pour éprouver cette satisfaction exaltante ; par conséquent, ce n'est pas parce que le danger n'est pas pris au sérieux que l'on ne devrait pas prendre au sérieux (comme il pourrait sembler) ce qu'il y a de sublime dans notre pouvoir spirituel. Car la satisfaction ne concerne ici que la *destination* de notre pouvoir, telle qu'elle se découvre dans ce genre de situation, en tant que la disposition à ce pouvoir est inscrite dans notre nature, alors que le développement et l'exercice en restent à notre charge et constituent pour nous une obligation. Et cela est vrai quel que soit le degré de conscience auquel l'homme peut atteindre, s'il pousse sa réflexion jusque-là, à propos de son effective impuissance actuelle.

Ce principe semble certes être cherché beaucoup trop loin et selon un raisonnement bien subtil, en sorte qu'il paraît aller au-delà des limites d'un jugement esthétique : simplement, l'observation de l'être humain prouve le contraire, et témoigne que ce principe peut se trouver au fondement des jugements d'appréciation les plus communs, bien que l'on n'en soit pas toujours conscient. Car qu'est-ce qui, même pour le sauvage, est objet de la plus grande admiration ? Un homme qui ne s'effraye pas, qui ne ressent pas la peur, que le danger ne fait donc pas fléchir, mais qui en même temps se met vigoureusement à l'ouvrage avec toute sa réflexion. Même dans l'état de civilisation le plus accompli, cette haute estime particulière pour le guerrier demeure ; simplement réclame-t-on en outre qu'il témoigne en même temps de toutes les vertus pacifiques, la douceur, la pitié et même un souci décent de sa propre personne – précisément parce que c'est à cela que l'on reconnaît que son esprit est inaccessible au danger. On peut donc continuer à débattre tant qu'on le voudra, en comparant l'homme d'État et le chef de guerre, pour savoir lequel des deux (*263*) mérite plus particulièrement le respect : le jugement esthétique tranche en faveur du second. Même la guerre, lorsqu'elle est menée avec ordre et un respect sacré des droits civils, a en elle-même quelque chose de sublime, et en même temps elle rend d'autant plus sublime la manière de penser du peuple qui la conduit de cette manière que ce peuple s'est exposé à d'autant plus de périls et qu'il a pu s'y affirmer courageusement ; en revanche, une longue paix assure habituellement la domination du simple esprit mercantile, ainsi qu'en même temps de l'égoïsme rempli de bassesse, de la lâcheté et la mollesse – ce par quoi elle abaisse en général la manière de penser du peuple.

Contre cette analyse du concept du sublime, telle qu'elle consiste à l'attribuer à la force, semble s'élever la manière dont nous avons coutume de nous représenter Dieu en colère à travers l'orage, la tempête, le tremblement de terre, etc., mais en même temps comme s'y présentant dans sa sublimité – ce qui fait que ce serait en tout état de cause à la fois une folie et un sacrilège que de nous imaginer la supériorité de notre esprit sur les effets et, comme il semble, même sur les intentions d'une telle puissance. Ici, il ne semble pas que ce soit un sentiment de la sublimité inhérente à notre nature propre, mais bien plutôt une soumission, un abattement, un sentiment de complète impuissance qui constituent la disposition d'esprit convenant à la manifestation d'un tel objet, et se trouvant habituellement liée à l'Idée de cet objet à l'occasion de pareils événements de la nature. Dans la religion en général, se prosterner, être en adoration tête baissée, avec une attitude et une voix remplies de contrition et d'angoisse, cela semble être la seule contenance appropriée en présence de la divinité – celle par conséquent que la plupart des peuples ont adoptée et observent encore. Seulement, cette disposition d'esprit n'est pas en soi et nécessairement liée, tant s'en faut, à l'Idée de la *sublimité* d'une religion et de son objet. L'homme qui s'effraye réellement parce qu'il découvre la cause de cette crainte en lui-même à travers sa conscience de faire offense par ses pensées répréhensibles à une force dont la volonté est en même temps irrésistible et juste ne se trouve nullement dans l'état d'esprit requis pour admirer la grandeur divine, ce qui requiert une disposition à la contemplation tranquille et un jugement totalement libre. C'est donc seulement dès lors qu'il a conscience que ses pensées sont droites et agréables à Dieu que les effets de cette force servent à susciter en lui l'Idée de la sublimité de cet Être, dans la mesure où il reconnaît par-devers lui-même, dans ses pensées, une sublimité conforme à la volonté de celui-ci, et se trouve par là élevé au-delà de la peur ressentie devant de tels effets de la nature, qu'il ne perçoit plus comme (*264*) des explosions de la colère divine. L'humilité même, en tant qu'appréciation non complaisante de ses insuffisances – lesquelles pourraient au demeurant, dans une conscience aux intentions bonnes, aisément être mises au compte de la fragilité de la nature humaine –, est une disposition d'esprit sublime, qui consiste à s'assujettir volontairement à la douleur des reproches que l'on s'adresse à soi-même, pour en éliminer peu à peu la cause. C'est ainsi seulement que la religion se distingue intrinsèquement de la superstition, laquelle fonde dans l'esprit, non pas la crainte respectueuse vis-à-vis du sublime, mais la peur et l'angoisse devant l'Être tout-puissant, à la volonté de qui l'homme effrayé se voit soumis sans pourtant l'honorer : d'où il ne peut découler que la recherche des faveurs et la flatterie, au lieu d'une religion correspondant à une vie bien conduite.

Ainsi la sublimité n'est-elle contenue en aucune chose de la nature, mais seulement dans notre esprit, pour autant que nous pouvons devenir conscients d'être supérieurs à la nature en nous et, ce faisant, à la nature hors de nous (dans la mesure où elle exerce son influence sur nous). Tout ce qui éveille en nous ce sentiment, comme c'est le cas de la *force* de la nature, telle qu'elle sollicite nos facultés, se nomme dès lors (bien que ce soit de manière impropre) sublime ; et c'est uniquement en présupposant cette Idée en nous et relativement à elle que nous sommes capables de parvenir à l'Idée de la sublimité de cet Être qui produit en nous un profond respect, non pas simplement par la force qu'il manifeste dans la nature, mais bien davantage encore à travers le pouvoir qui est inscrit en nous de juger celle-ci sans crainte et de penser que notre destination est plus sublime qu'elle.

Paragraphe 29
De la modalité du jugement sur le sublime de la nature

Il y a d'innombrables choses de la belle nature à propos desquelles d'emblée nous exigeons de chacun l'accord de son jugement avec le nôtre et nous pouvons même nous y attendre, sans nous exposer particulièrement à des erreurs ; en revanche, pour ce qui est de notre jugement sur le sublime présent dans la nature, nous ne pouvons pas nous promettre aussi aisément qu'il sera reçu par autrui. Car il semble qu'une culture largement plus développée soit requise, non seulement du côté de la faculté de juger esthétique, mais aussi dans le registre des pouvoirs de connaissance qui se trouvent à son fondement, pour pouvoir porter un jugement sur cette dimension supérieure des objets naturels.

(*265*) La disposition de l'esprit nécessaire pour le sentiment du sublime requiert de la part de celui-ci une capacité d'accueil à des Idées ; car c'est précisément dans l'inadéquation de la nature à ces dernières, par conséquent uniquement sous la présupposition des Idées et de l'effort de l'imagination en vue de traiter la nature comme un schème pour celles-ci, que réside ce qui est effrayant pour la sensibilité, et pourtant, en même temps, exerce sur elle un attrait : il y a en effet un pouvoir que la raison exerce sur la sensibilité, avec pour but unique de l'élargir à la mesure de son domaine propre (le domaine pratique) et de lui faire jeter un regard en direction de l'infini, qui constitue pour elle un abîme. En fait, en l'absence de développement des Idées éthiques, ce que, préparés par la culture, nous nommons sublime apparaîtra simplement effrayant à l'homme inculte. Dans les témoignages de sa puissance que la nature fournit à travers ce qu'elle détruit, ainsi qu'à travers le degré immense de sa force par rapport à laquelle les siennes se réduisent à rien, il n'apercevra que les misères, le danger et la détresse où l'être humain se trouverait plongé s'il tombait sous cette emprise. Ainsi le brave paysan savoyard, au demeurant avec beaucoup de bon sens, désignait-il sans nulle hésitation (selon ce que raconte M. de Saussure) [76] comme des fous tous les amateurs de glaciers. Qui sait au reste s'il aurait eu complètement tort dès lors que cet observateur aurait affronté les dangers auxquels il s'exposait ici par simple fantaisie, comme c'est habituellement le cas de la plupart des voyageurs, ou pour pouvoir ultérieurement en donner de pathétiques descriptions ? Mais son dessein était ainsi d'instruire les hommes, et cet être remarquable éprouvait des sensations qui élèvent l'âme et les transmettait, par-dessus le marché, aux lecteurs de ses voyages.

Cela dit, parce que le jugement sur le sublime de la nature a besoin de culture (davantage que le jugement sur le beau), ce n'est pas pour autant qu'il est produit originellement par la culture elle-même et qu'il se trouve introduit dans la société comme quelque chose de seulement conventionnel ; au contraire, il possède son fondement dans la nature humaine, et plus précisément en cela même que l'on peut avec le bon sens attendre et exiger de chacun, à savoir dans la disposition à ressentir des Idées (pratiques), c'est-à-dire dans la disposition au sentiment moral.

Là se fonde donc la nécessité de l'accord du jugement porté par autrui sur le sublime avec le nôtre – nécessité que nous incluons en même temps dans notre jugement. Car, de même qu'à celui qui, dans l'appréciation d'un objet de la nature que nous trouvons beau, fait preuve d'indifférence, nous reprochons un manque de *goût*, de même disons-nous de celui qui reste sans émotion devant ce que nous jugeons sublime qu'il n'a aucun *sentiment*. Or, ce sont là deux qualités que nous exigeons de tout homme et que même nous supposons quand (*266*) il s'agit d'un homme qui possède quelque culture – avec cette seule différence que la première qualité, nous l'exigeons rigoureusement de chacun, puisque la faculté de juger se borne à y rapporter l'imagination à l'entendement comme pouvoir des concepts, alors que la seconde qualité, dans la mesure où l'imagination s'y rapporte à la raison comme pouvoir des Idées, nous ne l'exigeons que sous une condition subjective (que nous nous croyons toutefois légitimés à attendre de chacun), à savoir celle du sentiment moral présent en l'homme ; et c'est ainsi que nous attribuons de la nécessité même à ce jugement esthétique.

Dans cette modalité des jugements esthétiques, c'est-à-dire dans la nécessité qu'on leur attribue, réside un moment capital pour la critique de la faculté de juger. Car elle fait reconnaître précisément en eux un principe a priori et les soustrait à la psychologie empirique, où, sinon, ils resteraient ensevelis sous les sentiments de plaisir et de douleur (avec uniquement l'épithète selon laquelle il s'agirait ici d'un sentiment *plus fin*, ce qui ne veut rien dire) : ainsi devient-il possible d'inscrire ces jugements, et par leur intermédiaire la faculté de juger, dans la classe de ceux qui ont à leur fondement des principes a priori, et de les déplacer alors, comme tels, vers la philosophie transcendantale.

Remarque générale
sur l'exposition des jugements esthétiques réfléchissants

Par rapport au sentiment de plaisir, un objet doit être mis au nombre de ce qui est *agréable*, *beau*, *sublime* ou *bien* (au sens absolu du terme) (*jucundum*, *pulchrum*, *sublime*, *honestum*).

L'*agréable* est, en tant que mobile des désirs, toujours d'une seule espèce, quelle que puisse être son origine et si spécifiquement différente que puisse être la représentation (du sens et de la sensation considérés objectivement). C'est la raison pour laquelle, quand on apprécie son influence sur l'esprit, ce qui importe, c'est uniquement le nombre des excitations (simultanées et successives) et en quelque sorte seulement la masse de la sensation agréable ; et cela ne peut donc être rendu compréhensible que par la *quantité*. Il n'y a là, dès lors, nul élément qui puisse cultiver, mais l'agréable relève de la simple jouissance.

Le *beau* exige en revanche la représentation d'une certaine *qualité* de l'objet, qui se peut elle aussi rendre compréhensible et rapporter à des concepts (bien que cela ne s'accomplisse pas dans le jugement esthétique) ; et le beau cultive dans la mesure où, en même temps, il apprend à prêter attention à la finalité dans le sentiment de plaisir.

Le *sublime* consiste uniquement dans la *relation* à travers laquelle (*267*) le sensible faisant partie de la représentation de la nature est jugé et apprécié comme propre à un usage suprasensible possible.

Le *bien absolu*, apprécié subjectivement, d'après le sentiment qu'il inspire (l'objet du sentiment moral), comme la déterminabilité des forces du sujet par la représentation d'une *loi de caractère absolument contraignant*, se distingue avant tout par la *modalité* d'une nécessité reposant sur des concepts a priori et qui ne contient pas seulement une *prétention* à l'adhésion de tous, mais aussi un *commandement* qui prescrit une telle adhésion – ce qui fait qu'en soi il appartient, non pas certes à la faculté de juger esthétique, mais à la pure faculté de juger intellectuelle ; dès lors, ce n'est pas dans un jugement simplement réfléchissant, mais dans un jugement déterminant qu'il est attribué, non pas à la nature, mais à la liberté. Reste que la *déterminabilité du sujet* par cette Idée, et plus précisément d'un sujet tel qu'il peut éprouver en lui, par rapport à sa sensibilité, des *obstacles*, en même temps cependant qu'il éprouve sous la forme d'une *modification de son état* sa supériorité vis-à-vis de ceux-ci [77] quand il les surmonte, autrement dit le sentiment moral, est toutefois apparentée à la faculté de juger esthétique et à ses *conditions formelles* dans la mesure où elle peut servir à représenter la légalité de l'action accomplie par devoir en même temps comme esthétique, c'est-à-dire comme sublime, ou même comme belle, sans porter atteinte à sa pureté – ce qui ne se produirait pas si l'on voulait établir une liaison naturelle entre cette action et le sentiment de l'agréable.

Si l'on dégage le résultat du précédent exposé des deux sortes de jugements esthétiques, on pourrait obtenir les brèves définitions qui s'ensuivent.

Est *beau* ce qui plaît dans le simple jugement appréciatif (donc sans la médiation de la perception sensible d'après un concept de l'entendement). La conséquence évidente est qu'il doit plaire sans l'intervention d'aucun intérêt.

Est *sublime* ce qui plaît immédiatement à travers la résistance qu'il oppose à l'intérêt des sens.

L'un et l'autre, en tant que leurs définitions engagent une appréciation esthétique à validité universelle, se rapportent à des principes subjectifs, dans le premier cas à des principes de la sensibilité, dans la mesure où ils ont pour finalité de favoriser l'entendement contemplatif ; dans le second, en opposition à la sensibilité, dans la mesure où ils sont orientés au contraire vers les fins de la raison pratique – le beau et le sublime se réunissant cependant dans le même sujet en trouvant leur finalité à travers une relation au sentiment moral [78]. Le beau nous prépare à aimer quelque chose, même la nature, d'une façon désintéressée ; le sublime à l'estimer hautement, même contre notre intérêt (sensible).

On peut décrire ainsi le sublime : c'est un objet (de la nature) *dont la représentation détermine l'esprit à concevoir la pensée de ce qu'il y a d'inaccessible dans la nature en tant que présentation des Idées.*

Littéralement, et d'un point de vue logique, les Idées ne peuvent pas être présentées. Mais si nous élargissons pour l'intuition de la nature notre pouvoir de représentation empirique (mathématique ou dynamique), la raison vient inévitablement s'y adjoindre, comme pouvoir affirmant l'indépendance de la totalité absolue, et elle suscite l'effort, vain il est vrai, de l'esprit pour accorder la représentation des sens aux Idées. Cet effort et le sentiment que l'Idée est inaccessible par l'imagination sont en eux-mêmes une présentation de la finalité subjective de notre esprit, dans l'usage de l'imagination, pour sa destination suprasensible, et nous sommes ainsi forcés de *penser* subjectivement la nature elle-même, dans sa totalité, comme présentation de quelque chose de suprasensible, sans pouvoir mettre en œuvre *objectivement* cette présentation.

Car nous prenons bien vite conscience qu'à la nature dans l'espace et dans le temps n'appartiennent nullement l'inconditionné, ni non plus, par conséquent, la grandeur absolue, qu'exige pourtant la raison la plus commune. Ce qui précisément nous rappelle que nous n'avons affaire qu'à une nature comme phénomène, et que celle-ci ne devrait elle-même être considérée en outre que comme simple présentation d'une nature en soi (que la raison contient à titre d'Idée). Or, non pas *connaître* cette Idée du suprasensible, que certes nous ne déterminons pas davantage, mais simplement pouvoir la *penser*, et par conséquent aussi la nature comme présentation de celle-ci, cela est éveillé en nous [79] par un objet dont l'appréciation esthétique étend l'imagination jusqu'à ses limites, qu'il s'agisse des limites de son extension (d'un point de vue mathématique) ou de celles de sa puissance sur l'esprit (d'un point de vue dynamique), étant donné que cette appréciation se fonde sur le sentiment d'une destination de celui-ci qui dépasse totalement le domaine de l'imagination (à savoir le sentiment moral) – sentiment au regard duquel la représentation de l'objet est appréciée comme subjectivement finale.

En fait, un sentiment pour le sublime de la nature ne se peut sans doute concevoir sans qu'on y associe une disposition de l'esprit qui est semblable à celle dans laquelle il se trouve quand il s'agit du sentiment moral ; et bien que le plaisir immédiat pris à ce qui est beau dans la nature suppose et cultive une certaine *libéralité* dans la manière de penser, c'est-à-dire une indépendance de la satisfaction à l'égard de la simple jouissance des sens, cependant la liberté est par là représentée plutôt dans le *jeu* que dans une *activité* conforme à la loi – laquelle (*269*) correspond à la détermination authentique de l'existence éthique de l'homme, où la raison doit nécessairement faire violence à la sensibilité ; cependant, dans le jugement esthétique sur le sublime, cette violence est représentée comme exercée par l'imagination elle-même en tant qu'instrument de la raison.

La satisfaction prise au sublime de la nature est en outre, par conséquent, uniquement *négative* (alors que celle qui s'attache au beau est *positive*) : c'est un sentiment selon lequel l'imagination se prive elle-même de la liberté, en ce sens qu'elle est déterminée de manière finale selon une autre loi que celle de l'usage empirique. Par où elle acquiert une extension et une force plus grandes que celles qu'elle sacrifie, mais dont le fondement lui est caché, alors qu'elle *ressent* le sacrifice ou la spoliation, en même temps que la *cause* à laquelle elle est soumise. *L'étonnement*, bien proche de l'effroi, l'horreur et le frisson sacré qui saisissent le spectateur à la vue de montagnes s'élevant jusqu'au ciel, de gorges profondes où les eaux se déchaînent, d'endroits isolés remplis d'ombre et d'une mélancolie qui invite à la réflexion, etc., ne suscitent pas véritablement la peur, parce que le spectateur se sait en sécurité, mais ils essayent simplement de faire que nous nous abandonnions à l'imagination pour que nous ressentions la capacité de ce pouvoir à combiner le mouvement de l'âme ainsi suscité avec le repos de celle-ci et à dominer par là la nature en nous-mêmes, par conséquent aussi en dehors de nous, dans la mesure où elle peut influer sur le sentiment de notre bien-être. Car l'imagination, d'après les lois de l'association, fait que l'état où nous sommes satisfaits en vient à dépendre de facteurs physiques ; mais elle est elle-même, d'après les principes du schématisme de la faculté de juger (par conséquent en tant qu'elle est subordonnée à la liberté), l'instrument de la raison et de ses Idées, et c'est alors, comme telle, une force capable d'affirmer notre indépendance contre les influences de la nature, de diminuer l'importance de ce qui apparaît grand sous l'effet de ces influences et ainsi de situer l'absolument grand uniquement dans sa destination propre (celle du sujet). Cette réflexion de la faculté de juger esthétique en vue de s'élever jusqu'à l'adéquation avec la raison (sans posséder, toutefois, un concept déterminé de celle-ci) représente pourtant l'objet lui-même – à cause de l'inadéquation objective de l'imagination, même en sa plus grande extension – comme subjectivement final par rapport à la raison (comme pouvoir des Idées).

Il faut ici, d'une manière générale, prêter attention au fait que, comme cela a déjà été rappelé plus haut, dans l'esthétique transcendantale de la faculté de juger (*270*) il ne saurait être question exclusivement que de jugements esthétiques purs, et qu'en conséquence les exemples ne sauraient être empruntés aux objets beaux ou sublimes de la nature qui présupposent le concept d'une fin ; car dès lors il s'agirait ou bien d'une finalité téléologique, ou bien d'une finalité se fondant sur les simples sensations suscitées par un objet (satisfaction ou souffrance), et par conséquent il ne saurait être question, dans le premier cas, de finalité esthétique et, dans le second, d'une finalité seulement formelle. En ce sens, quand on dit sublime le spectacle du ciel étoilé, il ne faut pas prendre pour principe du jugement les *concepts* que nous nous forgerions de mondes habités par des êtres raisonnables, et considérer que les points brillants dont nous voyons rempli l'espace au-dessus de nous seraient leurs soleils décrivant des cercles qui répondraient pour eux à une finalité bien claire, mais le regarder simplement comme on le voit, comme une vaste voûte comprenant tout ; et c'est uniquement sous cette représentation que nous devons inscrire le sublime qu'un jugement esthétique pur attribue à cet objet. De même, le spectacle de l'océan ne doit pas être vu à la manière dont nous le pensons, en l'enrichissant de toute sorte de connaissances (qui ne sont pourtant pas contenues dans l'intuition immédiate), par exemple comme un vaste empire de créatures aquatiques, comme le grand réservoir pour les vapeurs qui imprègnent l'air de nuages utiles pour les terres, ou bien encore comme l'élément qui, certes, sépare les continents les uns des autres, mais rend cependant possible la plus grande communication entre eux : car il n'y a là que matière à de purs jugements téléologiques, alors qu'au contraire il faut être capable, uniquement, à la manière des poètes, d'après ce que le regard nous révèle de l'océan, en y apercevant par exemple, lorsqu'on le voit calme, un transparent miroir d'eau qui n'est limité que par le ciel et, quand il est agité, un abîme menaçant de tout engloutir, pourtant de le trouver sublime. La même remarque vaut pour le sublime et le beau contenus dans la forme humaine, où nous ne devons pas prendre en considération les concepts des fins *en vue desquelles* tous ses membres se trouvent exister, comme s'ils constituaient des principes de détermination du jugement – de même que nous ne devons pas laisser leur harmonie avec ces fins *influen-cer* notre jugement esthétique (qui dès lors ne serait plus pur), bien que l'absence de disconvenance entre ces membres et de telles fins soit une condition nécessaire de la satisfaction esthétique. La finalité esthétique est la légalité de la faculté de juger en sa *liberté*. La satisfaction prise à l'objet dépend de la relation où nous voulons placer l'imagination : simplement faut-il que d'elle-même elle entretienne l'esprit en une libre activité. Si, en revanche, quelque chose d'autre, qu'il s'agisse d'une sensation ou d'un concept de l'entendement (*271*), détermine le jugement, il y a bien une certaine légalité, mais non pas le jugement d'une *libre* faculté de juger.

Quand donc l'on parle de beauté ou de sublimité intellec-tuelles, *premièrement* ces expressions ne sont pas tout à fait exactes, parce que ce sont des modes de représentations esthétiques qui ne se rencontreraient aucunement en nous si nous n'étions que de pures intelligences (ou si, même en pensée, nous nous inscrivions sous cette qualité) ; *deuxième-ment*, bien que ces deux modes de représentation puissent certes, comme objets d'une satisfaction intellectuelle (morale), être unis à la satisfaction esthétique, en tant qu'ils ne *reposent* sur aucun intérêt, ils sont pourtant difficiles à unir avec elle en ceci qu'ils doivent *susciter* un intérêt – ce qui, si la présentation doit s'accorder avec la satisfaction dans le juge-ment esthétique, ne peut jamais se produire dans ce jugement autrement que par l'intermédiaire d'un intérêt des sens qu'on lui associe dans la présentation ; reste que cela nuit à la finalité intellectuelle et qu'elle perd de sa pureté.

L'objet d'une satisfaction intellectuelle pure et incondition-née est la loi morale dans la puissance qu'elle exerce en nous sur tous les mobiles de l'esprit et sur chacun de ceux qui la *précèdent* ; et, dans la mesure où cette puissance ne se fait véritablement connaître esthétiquement qu'à la faveur de sacrifices (ce qui est une privation, bien qu'au bénéfice de la liberté intérieure, mais qui dévoile en revanche en nous l'insondable profondeur de ce pouvoir suprasensible, avec ses conséquences s'étendant à l'infini), la satisfaction est négative dans le registre esthétique (en relation à la sensibilité), c'est-à-dire qu'elle est contraire à ce type d'intérêt, alors que, considérée dans l'ordre intellectuel, elle est positive et se trouve liée à un intérêt. Il en résulte que le bien (moral) intellectuel, final par lui-même, ne doit pas tant, quand on l'apprécie esthétiquement, être représenté comme beau que comme sublime, de sorte qu'il éveille davantage le sentiment du respect (qui méprise l'attrait) que l'amour et l'inclination affectueuse ; car ce n'est pas d'elle-même, mais seulement par la violence que la raison exerce sur la sensibilité que la nature humaine s'accorde avec ce bien. À l'inverse, ce que nous nommons sublime dans la nature hors de nous ou encore en nous (par exemple, certains affects) ne peut être représenté et, par là, devenir intéressant que comme une force de l'esprit qui le rend capable de dépasser, grâce à des principes moraux, certains obstacles de la sensibilité.

Je souhaite m'attarder quelque peu sur le dernier point. L'Idée du bien, quand elle s'accompagne (272) d'affect, se nomme *enthousiasme*. Cet état d'esprit semble sublime à un degré tel que l'on prétend communément que, sans lui, rien de grand ne peut être accompli. Or, tout affect * est aveugle, soit dans le choix de son but, soit, lorsque ce but est fourni aussi par la raison, dans la mise en œuvre de celui-ci ; car il correspond à ce mouvement de l'esprit qui le rend incapable d'entreprendre une libre réflexion sur les principes pour se déterminer d'après eux. En ce sens, l'enthousiasme ne peut d'aucune manière contribuer à une satisfaction de la raison. Cependant, d'un point de vue esthétique, l'enthousiasme est sublime, parce qu'il est une tension des forces grâce à des Idées qui donnent à l'esprit un élan agissant de manière bien plus puissante et durable que l'impulsion qui vient des représentations sensibles. Mais (ce qui semble étrange), même

---

* Les *affects* sont spécifiquement différents des *passions*. Ceux-ci se rapportent uniquement au sentiment, celles-là relèvent du pouvoir de désirer et sont des penchants qui rendent plus difficile ou impossible toute déterminabilité de l'arbitre par des principes. Ceux-ci sont tumultueux et irréfléchis, celles-là insistantes et réfléchies : ainsi le mécontentement, quand il prend la forme de la colère, est-il un affect ; mais quand il devient haine (désir de se venger), il constitue une passion. Cette dernière ne peut jamais et sous aucun rapport être nommée sublime, car si, dans l'affect, la liberté de l'esprit est certes entravée, dans la passion elle est abolie.

l'*absence d'affect* (*apatheia, phlegma in significatu bono*) d'un esprit observant avec constance ses principes immuables est sublime, et elle l'est même d'une façon bien supérieure, parce qu'elle a de son côté, en même temps, la satisfaction de la raison pure. Un tel état d'esprit est seul appelé noble – terme qu'on applique aussi, par extension, aux choses, par exemple des édifices, un vêtement, une façon d'écrire, une attitude du corps, etc., quand elles suscitent moins *l'étonnement* (affect lié à la représentation de la nouveauté qui dépasse l'attente) que *l'admiration* (laquelle correspond à un étonnement qui ne cesse pas quand disparaît la nouveauté) : tel est ce qui se produit quand des Idées, dans leur présentation, s'accordent sans intention et sans art avec la satisfaction esthétique.

Tout affect relevant du *genre courageux* (celui qui éveille en nous la conscience des forces qui nous permettent de vaincre toute résistance) (*animi strenui*) est *esthétiquement sublime*, par exemple la colère, voire le désespoir (j'entends : le désespoir *indigné*, non pas certes le désespoir *découragé*). En revanche, l'affect relevant du genre *languissant* (qui fait de l'effort même pour résister un objet de déplaisir) (*animum languidum*) n'a rien de *noble* (*273*) en soi, mais peut toutefois être mis au compte du beau de type sensible. C'est pourquoi les *émotions*, qui peuvent voir leur force s'accroître jusqu'à devenir des affects, sont aussi très diverses. On a des émotions *ardentes* et on en a de *tendres*. Ces dernières, quand elles s'élèvent à l'affect, sont inutiles : le penchant qui conduit vers elle se nomme *sensiblerie*. Une douleur faite de compassion qui ne veut pas se laisser consoler, ou à laquelle nous nous abandonnons délibérément au point, si elle concerne un mal inventé de toutes pièces, de nous créer par l'imagination l'illusion de sa réalité, manifeste et forme une âme douce, mais en même temps faible, qui montre un bel aspect, certes imaginatif, mais qu'on ne saurait jamais nommer enthousiaste. Des romans, des spectacles larmoyants, des préceptes moraux fades qui badinent avec des sentiments dits (bien que faussement) nobles, mais qui en fait dessèchent le cœur et le rendent insensible à la stricte règle du devoir, ainsi qu'incapable de tout respect pour la dignité de l'humanité en notre personne, pour le droit des hommes (qui est tout autre chose que leur bonheur) et, de manière générale, pour tous les principes de quelque fermeté ; même un sermon religieux qui prêche la basse et sinueuse recherche de la faveur et la flatterie, qui renonce à toute confiance en notre propre pouvoir de résister au mal inscrit en nous, au lieu de la décision résolue de chercher le secours, pour vaincre les penchants, des forces qui nous demeurent pourtant encore disponibles malgré toute notre faiblesse ; la fausse humilité qui se situe dans le mépris de soi, dans le repentir pleurnichard et hypocrite, ainsi que dans une tournure d'esprit purement passive, l'unique manière de parvenir à être agréable à l'Être suprême : rien de tout cela ne s'accorde avec ce que l'on pourrait mettre au nombre de la beauté, mais bien moins encore avec ce que l'on pourrait porter au compte de la sublimité inhérente à la manière d'être de l'esprit.

Mais, même de tumultueux mouvements de l'esprit, qu'ils soient liés, sous le nom d'édification, à des idées religieuses, ou qu'ils soient, comme appartenant simplement à la culture, liés à des idées contenant un intérêt social, ne peuvent aucunement, si fortement qu'ils parviennent à captiver l'imagination, prétendre à l'honneur d'une présentation *sublime*, s'ils ne laissent pas derrière eux un état d'esprit qui, bien que seulement de façon indirecte, influe sur la conscience que l'on a de ses forces et de sa résolution relativement à ce qui comporte en soi une finalité intellectuelle pure (pour le suprasensible). Car, si ce n'est pas le cas, toutes ces émotions relèvent simplement de l'*exercice* que l'on se donne, et que l'on apprécie pour la santé qu'il procure. L'agréable fatigue qui succède à ces secousses provoquées par le jeu des affects est une (*274*) jouissance du bien-être issu de l'équilibre ainsi rétabli entre les diverses forces vitales en nous – ce qui a finalement le même effet que cette jouissance éprouvée comme si plaisante par les voluptueux Orientaux quand ils se font pour ainsi dire masser le corps, presser et plier avec douceur tous leurs muscles et leurs articulations : la seule différence, c'est que, dans le premier cas, le principe moteur est pour la plus grande partie en nous, tandis que, dans le second, il est en revanche tout à fait en dehors de nous. Ainsi, bien des gens se croient édifiés par un sermon qui pourtant n'édifie rien (nul système de bonnes maximes) ; ou ils se croient rendus meilleurs par une tragédie, alors qu'ils sont simplement contents d'avoir eu le bonheur de chasser leur ennui. Aussi le sublime doit-il toujours entretenir une relation avec la *manière de penser*, c'est-à-dire avec des maximes recommandant de procurer à l'élément intellectuel et aux Idées de la raison la domination sur la sensibilité.

Il n'y a pas à craindre que le sentiment du sublime ne soit perdu par un mode de présentation aussi abstrait, qui est totalement négatif vis-à-vis du sensible ; car l'imagination,

bien qu'elle ne trouve assurément rien au-delà du sensible à
quoi elle puisse se rattacher, se sent cependant illimitée du
fait même que les limites de la sensibilité ont été écartées –
et en ce sens cette abstraction est une présentation de l'infini,
qui, précisément pour cette raison, ne peut certes jamais être
qu'une simple présentation négative, mais qui cependant élargit l'âme. Peut-être n'y a-t-il aucun passage plus sublime dans
l'Ancien Testament que le commandement [80] : « Tu ne te feras
point d'image, ni de symbole quelconque de ce qui est dans
les cieux, pas plus que ce qui est sur la terre, ou de ce qui
est sous la terre », etc. Ce commandement à lui seul peut
expliquer l'enthousiasme que le peuple juif, durant son époque
florissante, ressentait pour sa religion quand il se comparait
avec d'autres peuples, ou encore l'orgueil qu'inspire la religion
mahométane. La même remarque vaut aussi pour la représentation de la loi morale et de la disposition à la moralité en
nous. Il est tout à fait aberrant de craindre que, si elle se
trouvait dépouillée de tout ce qui peut la recommander aux
sens, elle ne s'accompagnerait dès lors que d'une approbation
froide, sans vie, et serait incapable de véhiculer avec elle une
force motrice ou une émotion. C'est justement l'inverse ; car,
quand les sens ne voient plus rien devant eux et que cependant
demeure présente l'idée de la moralité, telle qu'elle ne peut
être ni méconnue ni détruite, il serait bien davantage nécessaire de modérer l'élan d'une imagination sans limites, pour
ne pas la laisser s'intensifier jusqu'à l'enthousiasme, que de
craindre la faiblesse de ces Idées et de chercher à leur venir
en aide en leur trouvant un appui dans des images et dans un
apparat puéril. De là vient aussi que des gouvernements (275)
ont volontiers permis de pourvoir richement la religion d'un
tel appareillage et cherché ainsi à retirer à leurs sujets, non
seulement la peine, mais aussi le pouvoir d'étendre les facultés
de l'âme au-delà des limites qu'on peut leur imposer arbitrairement et à l'aide desquelles, dans la mesure où on les a
rendus passifs, on peut plus aisément les manipuler.

  Cette présentation pure et simplement négative de la moralité, telle qu'elle élève l'âme, n'entraîne en revanche aucun
risque de rendre l'esprit exalté – *exaltation de l'esprit* [81] qui
est une *illusion* consistant à *vouloir voir quelque chose par-
delà toutes les limites de la sensibilité*, c'est-à-dire à vouloir
rêver d'après des principes (s'abandonner à un délire de la
raison), cela justement parce que la présentation dans la
sensibilité n'est que négative. En effet, *ce qu'il y a d'insondable
dans l'Idée de liberté* exclut entièrement qu'on adopte la voie

d'une présentation positive : la loi morale est en elle-même suffisamment et originairement déterminante en nous, si bien qu'il n'est pas même permis de chercher un principe de détermination en dehors de celle-ci. Si l'enthousiasme doit être comparé à la *démence*, c'est au *délire* même qu'il faut comparer l'exaltation de l'esprit, et c'est un tel délire qui s'accorde le moins avec le sublime, parce que les rêveries creuses qu'il contient le rendent ridicule. Dans l'enthousiasme comme affect, l'imagination est sans frein ; dans l'exaltation de l'esprit, elle est sans règle, comme une passion enracinée et qui couve en nous. Le premier cas correspond à un accident passager, qui parfois peut bien atteindre l'entendement le plus sain ; le second cas correspond à une maladie qui le bouleverse.

La *simplicité* (finalité sans art) est pour ainsi dire le style de la nature dans le sublime, en même temps que le style de la moralité, qui est une seconde nature (suprasensible) dont nous ne connaissons que les lois sans être capables d'atteindre de manière intuitive le pouvoir suprasensible en nous, qui contient le principe de cette législation.

Il faut encore remarquer que, bien que la satisfaction prise au beau, tout autant que celle concernant le sublime, se distinguent nettement, parmi les autres jugements esthétiques, non seulement par une *communicabilité universelle,* mais aussi parce qu'elles possèdent, à travers cette propriété, un intérêt relatif à la société (où peut être communiqué ce type de satisfaction), cependant *le fait de rompre les liens avec toute société* est considéré comme quelque chose de sublime, s'il repose sur des Idées qui font que le regard se porte au-delà de tout intérêt sensible. Se suffire à soi-même, n'avoir donc pas besoin de la société, sans toutefois être insociable, c'est-à-dire la fuir, est un comportement qui s'approche du sublime, comme c'est le cas de tout dépassement qui arrache à des besoins. En revanche, fuir les hommes par *misanthropie*, parce qu'on les (*276*) hait, ou par *anthropophobie* (peur des hommes), parce qu'on les craint comme ses ennemis, c'est en partie haïssable, en partie méprisable. Il existe pourtant une misanthropie (nommée ainsi très improprement) à laquelle, bien souvent, l'âge dispose l'esprit de beaucoup d'hommes bien-pensants : c'est là une disposition qui est certes assez philanthropique pour ce qui concerne la bienveillance, mais qui, à travers une longue et triste expérience, se trouve fort éloignée de la satisfaction que l'on peut prendre au contact des hommes ; en témoignent le penchant à faire retraite, le souhait chimérique de pouvoir passer sa vie dans une maison de campagne écartée, ou encore (chez des personnes jeunes) le rêve de bonheur qui consisterait à vivre avec une petite famille sur une île inconnue du reste du monde – rêve que les romanciers ou les auteurs de robinsonades savent si bien utiliser. La fausseté, l'ingratitude, l'injustice, la puérilité des fins que nous considérons comme importantes et grandes, et dans la poursuite desquelles les hommes se font les uns aux autres tout le mal imaginable, se tiennent dans une telle contradiction avec l'Idée de ce qu'ils pourraient être s'ils le voulaient, et sont tellement contraires au vif désir de les voir meilleurs que, pour ne pas les haïr, étant donné qu'on ne peut pas les aimer, le renoncement à toutes les joies de la société semble ne constituer qu'un mince sacrifice. Cette tristesse qui porte, non pas sur les maux que le destin réserve à d'autres hommes (tristesse dont la sympathie est la cause), mais sur ceux qu'ils s'infligent à eux-mêmes (telle qu'elle repose alors sur l'antipathie dans les principes), est sublime parce qu'elle se fonde sur des Idées, tandis que la première ne peut guère, au mieux, que passer pour belle. En relatant son voyage dans les Alpes, Saussure, esprit aussi spirituel que profond, dit au sujet du Bonhomme, qui est une montagne de Savoie : « Il règne là une certaine *tristesse insipide.* » D'où il ressort qu'il connaissait en tout cas aussi une tristesse *intéressante,* celle qu'inspire la vue d'un désert où certains hommes se retireraient volontiers pour ne plus rien entendre du monde, ni rien en apprendre, et qui ne doit pas être tellement inhospitalier qu'il ne puisse offrir à des êtres humains qu'un séjour extrêmement pénible. Je fais cette remarque uniquement dans le dessein de rappeler que même le chagrin (non la tristesse abattue) peut être mis au nombre des affects *vigoureux* quand il se fonde dans des Idées morales ; mais s'il se fonde sur la sympathie et si, comme tel, il est aussi aimable, il fait partie seulement des affects *languissants* : mon intention était donc seulement, à travers cette remarque, d'attirer l'attention sur la disposition de l'esprit, qui n'est sublime que dans le premier cas.

*

(*277*) On peut maintenant comparer avec l'exposition transcendantale désormais menée à bien des jugements esthétiques l'exposition physiologique telle qu'un Burke [82] et, parmi nous, beaucoup d'hommes à l'esprit pénétrant l'ont élaborée, cela pour voir à quoi conduirait une exposition purement empirique du sublime et du beau. Burke *, qui mérite d'être mentionné comme l'auteur le plus remarquable pour cette manière de traiter la question, en arrive selon cette méthode à ceci (p. 223 de son ouvrage) : « Le sentiment du sublime se fonde sur l'instinct de l'autoconservation et sur la *peur*, c'est-à-dire sur une douleur qui, parce qu'elle ne va pas jusqu'à la destruction effective des parties du corps, provoque des mouvements qui, en purifiant les vaisseaux délicats ou ceux d'une certaine grosseur des engorgements dangereux et pénibles, sont à même de susciter d'agréables sensations, non pas certes de la joie, mais une sorte de frisson délicieux, un certain calme qui vient se mêler à la terreur. » Le beau, qu'il fonde sur l'amour (il entend cependant le distinguer des désirs), il le rapporte (p. 251-252) « au relâchement, à la détente, à l'engourdissement des fibres du corps, donc à un affaiblissement, une désagrégation, un épuisement, un affaissement, un dépérissement, un alanguissement par plaisir ». Et il confirme ce genre d'explication, non seulement à l'aide de cas où l'imagination associée à l'entendement peut susciter en nous le sentiment du beau aussi bien que celui du sublime, mais encore en alléguant ceux où elle les provoque en étant associée même avec des sensations. Comme observations psychologiques, ces analyses des phénomènes de notre esprit sont extrêmement belles et elles fournissent une riche matière aux recherches les plus appréciées de l'anthropologie empirique. Il est en outre incontestable que toutes les représentations en nous, qu'elles soient, dans leur relation à l'objet, simplement sensibles ou entièrement intellectuelles, peuvent pourtant, subjectivement, être associées au plaisir ou à la douleur, si imperceptibles qu'ils soient l'un et l'autre (parce qu'elles affectent toutes le sentiment vital et qu'aucune d'entre elles ne peut, en tant que modification du sujet, être indifférente) ; de même ne saurait-on nier que, comme le soutenait Épicure, le *plaisir* et la *douleur* soient en fin de compte toujours corporels, cela qu'ils partent de l'imagination ou même de représentations de l'entendement, parce que la vie sans le *(278)* sentiment de l'organe corporel est uniquement conscience de son existence, mais non pas sentiment du bien-être ou de son contraire, c'est-à-dire de la stimulation ou de l'inhibition des forces vitales ; car l'esprit est en soi-même

---

* D'après la traduction allemande de son écrit : *Philosphische Untersuchungen über den Ursprung unserer Begriffe vom Schönen und Erhabenen*, Riga, Hartknoch, 1773.

uniquement et entièrement vie (il est le principe vital lui-même), et c'est en dehors de lui, mais pourtant dans l'homme lui-même, par conséquent dans la relation avec son corps, qu'il faut chercher obstacles aussi bien que stimulations.

Mais si l'on situe tout entière et pleinement la satisfaction prise à un objet en ceci que cet objet, soit par son attrait, soit par l'émotion qu'il suscite, apporte un contentement, il ne faut pas en même temps attendre de *quelqu'un d'autre* qu'il accorde son adhésion au jugement esthétique que nous portons ; car, sur ce point, c'est en toute légitimité que chacun ne consulte que son sentiment privé. Mais c'est dire que disparaît entièrement toute censure du goût ; car il faudrait alors faire de l'exemple que d'autres donnent à travers l'accord contingent de leurs jugements un *commandement* imposant approbation de notre part – principe contre lequel il est en tout cas à présumer que nous nous dresserions en faisant appel au droit naturel de soumettre à son propre sens et non à celui d'autrui le jugement qui repose sur le sentiment immédiat que chacun a de son propre bien-être.

Si donc le jugement de goût ne doit pas être tenu pour *égoïste*, mais doit, selon sa nature interne, c'est-à-dire pour lui-même, et non pas en vertu des exemples que d'autres donnent de leur goût, valoir nécessairement *pour une pluralité d'individus* ; si on le considère comme tel qu'il puisse exiger en même temps que tout un chacun doive y donner son accord : alors il faut qu'il y ait à son fondement quelque principe a priori (que ce principe soit objectif ou subjectif) auquel on ne parviendra jamais par l'observation des lois empiriques des modifications de l'esprit ; car celles-ci font connaître uniquement la manière dont on juge, mais elles n'ordonnent pas comment l'on doit juger, et cela, plus précisément, de telle manière que le commandement soit *inconditionné* – ce que justement supposent les jugements de goût, puisqu'ils veulent que la satisfaction soit liée *immédiatement* avec une représentation. En ce sens, on peut bien toujours commencer par l'exposition empirique des jugements esthétiques, pour procurer la matière d'une recherche supérieure ; une exposition transcendantale de ce pouvoir est cependant possible et appartient par essence à la *Critique du goût*. Car, dans l'hypothèse où le goût ne posséderait pas de principes a priori, il lui serait impossible de juger les jugements d'autrui et de prononcer, ne serait-ce même qu'avec une apparence de légitimité, des sentences qui les approuvent ou les réprouvent.

Les autres développements appartenant à l'analytique de la faculté de juger esthétique contiennent tout d'abord la *Déduction des jugements esthétiques purs* [83].

Paragraphe 30
La déduction des jugements esthétiques sur les objets de la nature ne doit pas porter sur ce que nous y nommons sublime dans la nature, mais uniquement sur le beau

La prétention d'un jugement esthétique à une validité universelle pour chaque sujet requiert, en tant qu'il s'agit d'un jugement qui doit nécessairement s'appuyer sur quelque principe a priori, d'une déduction (c'est-à-dire d'une légitimation de son exigence), laquelle doit venir encore s'ajouter à son exposition quand le jugement concerne une satisfaction ou une insatisfaction éprouvées à propos de la *forme de l'objet*. C'est de ce type que sont les jugements de goût sur le beau de la nature. Car la finalité possède alors, quoi qu'il en soit, dans l'objet et dans sa forme son fondement, bien qu'elle n'indique pas la relation de cet objet à d'autres objets d'après des concepts (en vue de jugements de connaissance), mais concerne en général uniquement l'appréhension de cette forme, dans la mesure où elle se montre dans l'esprit comme conforme aussi bien au *pouvoir* des concepts qu'à celui de la présentation de ceux-ci (lequel ne fait qu'un avec le pouvoir de l'appréhension). On peut donc, même eu égard au beau de la nature, poser maintes questions qui portent sur les causes de cette finalité de ses formes : par exemple, comment entend-on expliquer les raisons pour lesquelles la nature a partout répandu avec une si grande prodigalité la beauté, jusqu'au fond de l'océan où l'œil humain (pour lequel seul cependant cette beauté est conforme à une fin) n'accède que très rarement ? – et autres questions du même genre.

Cela dit, le sublime de la nature – quand nous portons à son propos un pur jugement esthétique, qui n'est pas mêlé avec des concepts de perfection indiquant une finalité objective, auquel cas nous aurions affaire à un jugement téléologique – peut être considéré entièrement comme informe ou sans figure, mais pourtant comme l'objet d'une satisfaction pure, et indiquer une finalité subjective de la représentation donnée ; et dès lors la question se pose de savoir si, pour le jugement esthétique de ce type, on peut aussi réclamer, outre l'exposition de ce qui s'y trouve pensé, une déduction de sa prétention à un quelconque principe (subjectif) a priori.

En guise de réponse, on peut dire qu'évoquer le sublime de la nature n'est qu'une manière impropre de parler et que, proprement dit, le sublime ne doit être attribué qu'à la modalité de la pensée ou plutôt à son fondement dans la nature humaine. L'appréhension d'un objet par ailleurs informe et dépourvu de finalité fournit uniquement l'occasion de prendre conscience de cette modalité, et l'objet est ainsi *utilisé* de manière subjectivement finale sans qu'il soit jugé comme tel *pour lui-même* et du fait de sa forme (pour ainsi dire *species finalis accepta, non data*). De là vient que notre exposition des jugements sur le sublime de la nature constituait en même temps leur déduction. Car, quand nous analysions dans ces jugements la réflexion de la faculté de juger, nous trouvions en eux une relation de finalité entre les pouvoirs de connaître qui doit être mise a priori au fondement du pouvoir des fins (la volonté) et qui correspond donc elle-même a priori à une fin – ce qui contient donc aussitôt la déduction, c'est-à-dire la justification de la prétention d'un tel jugement à une validité universellement nécessaire.

Nous n'avons donc à rechercher que la déduction des jugements de goût, c'est-à-dire des jugements sur la beauté des choses de la nature, et c'est de cette manière que nous résoudrons dans son ensemble le problème posé pour la faculté de juger esthétique en totalité.

Paragraphe 31
De la méthode de la déduction des jugements de goût

L'obligation d'une déduction, c'est-à-dire d'une démarche garantissant la légitimité d'une espèce de jugements, n'intervient que si le jugement prétend à une nécessité ; c'est le cas même quand le jugement exige une universalité subjective, c'est-à-dire l'assentiment de chacun, bien que pourtant il ne s'agisse pas d'un jugement de connaissance, mais seulement du plaisir ou du déplaisir pris à un objet donné, c'est-à-dire de la prétention à une finalité subjective valant absolument pour tous, et qui ne doit pas se fonder sur de quelconques concepts de la chose, dans la mesure où il s'agit d'un jugement de goût.

Puisque, dans ce dernier cas, nous ne sommes pas en présence d'un jugement de connaissance, ni d'un jugement théorique, lequel prend pour fondement le concept d'une *nature* en général fourni par l'entendement, ni d'un jugement (pur) pratique, lequel prend pour fondement l'Idée de la *liberté* comme fournie a priori par la raison, et puisqu'il ne s'agit de légitimer quant à sa validité a priori ni un jugement qui représente ce qu'est une chose, ni un jugement stipulant que je dois accomplir ceci ou cela pour la produire : il y aura seulement lieu de mettre en évidence pour la faculté de juger en général la *validité universelle* d'un (*281*) jugement *singulier* exprimant la finalité subjective d'une représentation empirique de la forme d'un objet, afin d'expliquer comment il est possible que quelque chose puisse simplement plaire dans le jugement d'appréciation (sans sensation ni concept), et que, comme l'appréciation d'un objet en vue d'une *connaissance* en général possède des règles universelles, de même la satisfaction de chacun puisse être énoncée comme règle pour tous les autres.

Si donc cette validité universelle ne doit pas reposer sur la recollection des avis et sur une investigation s'enquérant auprès des autres de ce qu'ils ressentent, mais si elle doit se fonder pour ainsi dire sur une autonomie du sujet jugeant du sentiment de plaisir (pris à la représentation donnée), c'est-à-dire sur son propre goût, tout en ne devant pas cependant être déduite de concepts, un tel jugement – comme l'est effectivement le jugement de goût – possède, au plan logique, une double caractéristique : *premièrement*, la validité universelle a priori, non pas toutefois une universalité logique d'après des concepts, mais l'universalité d'un jugement singulier ; *deuxièmement*, une nécessité (qui doit toujours nécessairement reposer sur des principes a priori), mais qui ne dépend pas pourtant d'arguments démonstratifs a priori par la représentation desquels pourrait être imposé l'assentiment que le jugement de goût attend de chacun.

L'analyse de ces caractéristiques logiques par lesquelles un jugement de goût se distingue de tous les jugements de connaissance, si nous commençons par faire ici abstraction de tout contenu de ce jugement, c'est-à-dire du sentiment de plaisir, et si nous comparons simplement la forme esthétique avec la forme des jugements objectifs telle que la logique la prescrit, suffira à elle seule pour la déduction de cet étonnant pouvoir. Nous entendons donc tout d'abord donner une représentation de ces propriétés caractéristiques du goût, en les explicitant par des exemples.

Paragraphe 32
Première caractéristique du jugement de goût

Le jugement de goût détermine son objet du point de vue de la satisfaction (en tant que beauté) en prétendant à l'adhésion de *chacun*, comme s'il était objectif.

Dire : « Cette fleur est belle », cela signifie tout aussi bien qu'elle prétend simplement à la satisfaction (*281*) de chacun. Du caractère agréable de son parfum, elle ne tire aucun droit de ce genre. Car si ce parfum plaît à l'un, il monte à la tête de l'autre. Qu'en conclure, dès lors, si ce n'est que la beauté devrait être tenue pour une propriété de la fleur elle-même, qui ne se règle pas d'après la différence des têtes et de sens si multiples, mais d'après laquelle au contraire ceux-ci doivent se régler s'ils veulent en juger ? Et pourtant, il n'en va pas ainsi. Car le jugement de goût consiste précisément en ce qu'il ne nomme une chose que d'après la propriété selon laquelle elle se règle d'après notre manière de la saisir.

En outre, il est exigé de tout jugement devant prouver le goût du sujet que celui-ci juge par lui-même, sans qu'il lui soit nécessaire d'aller à tâtons, empiriquement, parmi les jugements des autres et de s'informer préalablement sur le plaisir ou le déplaisir qu'ils prennent au même objet : il doit par conséquent énoncer son jugement, non pas par imitation, parce qu'une chose plaît effectivement de manière universelle, mais a priori. Reste que l'on pourrait penser qu'un jugement a priori doit contenir un concept de l'objet et le principe permettant de connaître celui-ci ; toutefois, en fait, le jugement de goût ne se fonde nullement sur des concepts et n'est en rien un jugement de connaissance, mais seulement un jugement esthétique.

De là vient qu'un jeune poète ne se laisse pas dissuader par le jugement du public, ni par celui de ses amis, de la conviction que son poème est beau ; et s'il les écoute, ce n'est pas parce qu'il a maintenant modifié son appréciation, mais parce qu'il trouve dans son désir d'être applaudi des raisons de s'accommoder (fût-ce contre son propre jugement) de l'illusion commune, quand bien même (du moins de son point de vue) le public tout entier aurait mauvais goût. C'est seulement plus tard, quand sa faculté de juger aura été davantage aiguisée par l'exercice, qu'il prend délibérément ses distances avec son précédent jugement – en adoptant le même type d'attitude qu'à l'égard de ceux de ses jugements qui reposent entièrement sur la raison. Le goût ne prétend qu'à l'autonomie. Faire de jugements d'autrui le principe déterminant du sien correspondrait à l'hétéronomie.

Que l'on vante à bon droit les œuvres des Anciens comme des modèles et qu'on désigne leurs auteurs comme des classiques, comme s'ils constituaient parmi les écrivains une certaine noblesse qui, par l'exemple qu'elle donne, fournit au peuple des lois, cela semble faire référence à des sources a posteriori du goût et réfuter l'autonomie de celui-ci en chaque sujet. Seulement, on pourrait tout aussi bien (*283*) dire que les anciens mathématiciens, tenus jusqu'à aujourd'hui pour des modèles quasiment indispensables de la radicalité et de l'élégance souveraines de la méthode synthétique, prouvent que, de notre côté, la raison est là aussi imitatrice et témoignent de son impuissance à produire d'elle-même des démonstrations rigoureuses procédant avec la plus haute intuition par construction de concepts. Il n'existe absolument aucun usage de nos forces, si libre qu'il puisse être, ni même de la raison (laquelle doit puiser a priori tous ses jugements à la source commune), qui ne s'engagerait dans des tentatives manquées si chaque sujet devait toujours partir intégralement des dispositions brutes de sa nature, et si d'autres ne l'avaient précédé à travers leurs propres recherches ; non pas pour faire que leurs successeurs deviennent de simples imitateurs, mais pour en mettre d'autres sur la voie par leur démarche, afin qu'ils cherchent en eux-mêmes les principes, et suivent ainsi leur chemin propre, souvent meilleur. Même dans la religion, où certes chacun doit tirer de soi la règle de sa conduite, puisqu'il en reste lui-même responsable et ne peut faire peser sur d'autres, en tant que maîtres ou précurseurs, la responsabilité de ses égarements, jamais des préceptes généraux, que l'on peut avoir reçus de prêtres ou de philosophes, ou encore avoir tirés de soi-même, ne permettront d'atteindre tout ce que l'on obtient à travers un exemple de vertu ou de sainteté, lequel, inscrit dans l'histoire, ne rend pas inutile l'autonomie de la vertu que l'on tire de l'Idée propre et originale de la moralité (a priori), ni ne transforme celle-ci en un mécanisme d'imitation. *Suivre* – ce qui fait référence à un prédécesseur – et non pas *imiter* : telle est l'expression juste pour désigner toute influence que les produits d'un créateur exemplaire peuvent avoir sur d'autres ; ce qui signifie seulement : puiser aux mêmes sources où il puisait lui-même et emprunter à son prédécesseur uniquement la façon de s'y prendre. Or, parmi tous les pouvoirs et talents, le goût est justement celui qui, parce que son jugement n'est pas déterminable par des concepts et des prescriptions, a le plus besoin des exemples de ce qui, dans le progrès de la culture, a obtenu le plus longtemps l'approbation, pour ne pas rapidement redevenir inculte et retomber dans la grossièreté des premières tentatives.

Paragraphe 33
Seconde caractéristique du jugement de goût

(*284*) Le jugement de goût n'est absolument pas déterminable par des arguments démonstratifs, exactement comme s'il était seulement subjectif.

Premièrement, quand quelqu'un ne trouve pas beau un édifice, un paysage, un poème, il ne se laisse pas imposer intérieurement l'assentiment par cent voix, qui toutes les célèbrent hautement. Il peut certes faire comme si cela lui plaisait à lui aussi, afin de ne pas être considéré comme dépourvu de goût ; il peut même commencer à douter d'avoir assez formé son goût par la connaissance d'une quantité suffisante d'objets de ce genre (de même que quelqu'un qui croit reconnaître au loin une forêt dans ce que tous les autres aperçoivent comme une ville doute du jugement de sa propre vue). Mais, en tout cas, il voit clairement que l'assentiment des autres ne constitue absolument pas une preuve valide pour l'appréciation de la beauté ; et que d'autres peuvent bien voir et observer pour lui, et que ce que beaucoup ont vu d'une même façon peut assurément, pour lui qui croit avoir vu la même chose autrement, constituer un argument démonstratif suffisant pour construire un jugement théorique et par conséquent logique, mais que jamais ce qui a plu à d'autres ne saurait servir de fondement à un jugement esthétique. Le jugement des autres, quand il ne va pas dans le sens du nôtre, peut sans doute à bon droit nous faire douter de celui que nous portons, mais jamais il ne saurait nous convaincre de son illégitimité. Ainsi n'y a-t-il aucun argument démonstratif empirique permettant d'imposer à quelqu'un le jugement de goût.

Deuxièmement, une preuve a priori s'énonçant selon des règles établies peut encore moins déterminer le jugement sur la beauté. Si quelqu'un me lit son poème ou m'amène à un spectacle qui, en fin de compte, ne va pas convenir à mon goût, il pourra bien citer Batteux [84] ou Lessing, voire des critiques du goût encore plus anciens et encore plus célèbres, et toutes les règles établies par eux, pour prouver que son poème est beau ; il se peut même que certains passages qui justement me déplaisent s'accordent de manière parfaite avec des règles de la beauté (telles qu'elles ont été fournies par ces auteurs et sont universellement reconnues) : je me bouche les oreilles, je ne puis entendre ni raisons ni raisonnements, et je préférerais considérer que ces règles des critiques sont fausses, ou du moins que ce n'est pas ici le lieu de leur application, plutôt que de devoir laisser déterminer mon jugement par des arguments démonstratifs a priori (*285*), puisqu'il doit s'agir d'un jugement du goût et non pas d'un jugement de l'entendement ou de la raison.

Il semble que ce soit là l'une des principales raisons pour lesquelles on a désigné ce pouvoir d'appréciation esthétique précisément par le nom de goût. Car quelqu'un peut bien m'énumérer tous les ingrédients d'un mets et me faire observer que chacun d'eux m'est agréable par ailleurs, et il peut bien par-dessus le marché vanter à bon droit le caractère sain de ce plat ; je reste sourd à toutes ces raisons, je goûte le mets avec ma langue et mon palais et c'est en fonction de cela (et non pas d'après des principes universels) que je prononce mon jugement.

En effet, le jugement de goût est prononcé absolument toujours comme un jugement singulier à propos de l'objet. L'entendement peut, par comparaison de l'objet, du point de vue de la satisfaction, avec le jugement d'autrui, produire un jugement universel, par exemple : toutes les tulipes sont belles ; toutefois, ce n'est pas dès lors un jugement de goût, mais c'est un jugement logique qui, somme toute, fait de la relation d'un objet au goût le prédicat des choses d'un certain genre ; seul le jugement par lequel je trouve belle une tulipe singulière donnée, c'est-à-dire par lequel je trouve que la satisfaction que j'y prends possède une validité universelle, est le jugement de goût. D'un tel jugement, la caractéristique consiste en ceci que, bien que possédant une validité simplement subjective, il affirme cependant sa prétention vis-à-vis de tous les sujets, comme cela ne pourrait être le cas que s'il était un jugement objectif reposant sur des principes de connaissance et susceptible de s'imposer par une preuve.

Paragraphe 34
Il n'y a pas de principe objectif du goût qui soit possible

Par un principe du goût, on pourrait entendre une proposition fondamentale sous laquelle, prise comme condition, il serait possible de subsumer le concept d'un objet et, à partir de là, d'en déduire par un raisonnement qu'il est beau. Mais cela est absolument impossible. Car il me faut éprouver immédiatement du plaisir à la représentation de cet objet et ce plaisir ne peut m'être inspiré par aucun bavardage à l'aide d'arguments démonstratifs. Bien que par conséquent les critiques, comme le dit Hume, soient en apparence plus capables de développer des raisonnements que les cuisiniers, ils partagent cependant le même sort. La raison qui déterminera leur jugement, ils ne peuvent l'attendre de la force des arguments démonstratifs, mais seulement de la (*286*) réflexion du sujet sur son propre état (de plaisir ou de déplaisir), en laissant de côté tous les préceptes et toutes les règles.

Quoi qu'il en soit, si les critiques peuvent et doivent néanmoins raisonner, afin de parvenir à rectifier et à élargir nos jugements de goût, ce ne peut être pour présenter la raison déterminante de cette sorte de jugements esthétiques dans une formule universelle susceptible d'être utilisée – ce qui est impossible ; au contraire, ils doivent procéder à une exploration des pouvoirs de connaître, ainsi que de leurs opérations dans ces jugements, et exposer de façon détaillée, dans des exemples, la finalité subjective réciproque, dont on a montré plus haut que la forme constitue, dans une représentation donnée, la beauté de son objet. Ainsi la critique du goût n'est elle-même que subjective eu égard à la représentation par laquelle un objet nous est donné : autrement dit, elle est l'art ou la science de soumettre à des règles la relation réciproque de l'entendement et de l'imagination dans la représentation donnée (sans référence à une sensation ou à un concept qui seraient antérieurs), par conséquent de régler leur accord ou leur désaccord, et d'en déterminer les conditions. Elle est un *art* quand elle n'opère cette démonstration qu'à l'aide d'exemples ; c'est une *science* quand elle déduit la possibilité d'une telle appréciation à partir de la nature de ces pouvoirs, considérés en tant que pouvoirs de connaissance en général. C'est uniquement à une telle science, en tant que critique transcendantale, que nous avons partout affaire ici. Elle doit développer et justifier le principe du goût comme un principe a priori de la faculté de juger. La critique pratiquée en tant qu'art cherche seulement à appliquer à l'appréciation des objets du goût les règles physiologiques (ici, psychologiques), par conséquent empiriques, d'après lesquelles le goût procède effectivement (sans réfléchir sur leur possibilité), et elle critique les produits des beaux-arts, comme la critique qui est science critique le pouvoir même de les juger.

Paragraphe 35
Le principe du goût est le principe subjectif
de la faculté de juger en général

Le jugement de goût se distingue du jugement logique en ceci que ce dernier subsume une représentation sous des concepts de l'objet, alors que le premier n'opère nulle subsomption sous un concept, puisque, si tel était le cas, l'assentiment universel nécessaire pourrait être imposé par des preuves. Mais le jugement de goût a cependant ceci de commun avec le jugement logique qu'il revendique une universalité et (*287*) une nécessité, mais non pas d'après des concepts de l'objet – par conséquent une universalité et une nécessité simplement subjectives. Dès lors, puisque les concepts, dans un jugement, constituent son contenu (ce qui participe de la connaissance de l'objet), mais que le jugement de goût n'est pas déterminable par des concepts, il se fonde donc seulement sur la condition subjective formelle d'un jugement en général. La condition subjective de tous les jugements est le pouvoir de juger lui-même, autrement dit la faculté de juger. Celle-ci, utilisée vis-à-vis d'une représentation par laquelle un objet est donné, exige l'accord de deux facultés représentatives – à savoir : l'accord de l'imagination (pour l'intuition et la synthèse du divers intuitif) et de l'entendement (pour le concept comme représentation de l'unité de cette synthèse). Or, dans la mesure où aucun concept de l'objet ne se trouve ici au fondement du jugement, ce dernier [85] ne peut consister que dans la subsomption de l'imagination elle-même (à propos d'une représentation par laquelle un objet est donné) sous la condition qui permet que l'entendement en général, à partir de l'intuition, arrive à des concepts. Dit autrement : puisque la liberté de l'imagination consiste précisément en ce qu'elle schématise sans concepts, il faut que le jugement de goût repose sur une simple sensation de l'animation réciproque qui intervient entre l'imagination dans sa *liberté* et l'entendement dans sa *légalité*, donc sur un sentiment permettant de juger l'objet d'après la capacité de la représentation (par laquelle un objet est donné) à correspondre à cette fin qui consiste à favoriser le libre jeu des pouvoirs de connaître ; et si le goût, en tant que faculté de juger subjective, contient un principe de subsomption, il ne s'agit pas de la subsomption des intuitions sous des *concepts*, mais de celle du pouvoir des intuitions ou des présentations (c'est-à-dire de l'imagination) sous le *pouvoir* des concepts (c'est-à-dire sous l'entendement), pour autant que le premier *en sa liberté* s'accorde avec le second *en sa légalité*.

Pour mettre en évidence désormais ce principe de légitimation à travers une déduction des jugements de goût, seules peuvent nous servir de fil conducteur les caractéristiques formelles de ce type de jugements – pour autant, par conséquent, qu'on n'y considère que la forme logique.

Paragraphe 36
Du problème d'une déduction des jugements de goût

À la perception d'un objet peut s'associer immédiatement, en vue d'un jugement de connaissance, le concept d'un objet quelconque, dont cette perception contient les prédicats empiriques (*288*) et ainsi un jugement d'expérience peut être produit. Au fondement de celui-ci, pour qu'il soit *pensé* comme *détermination* d'un objet, se trouvent des concepts a priori de l'unité synthétique du divers de l'intuition ; et ces concepts (les catégories) exigent une déduction, qui a été aussi donnée dans la *Critique de la raison pure*, grâce à laquelle pouvait être obtenue la solution du problème de savoir comment des jugements synthétiques a priori de connaissance sont possibles. Ce problème concernait donc les principes a priori de l'entendement pur et ses jugements théoriques.

Or, à une perception, peuvent aussi être immédiatement associés un sentiment de plaisir (ou de peine) et une satisfaction qui accompagne la représentation de l'objet et qui lui tient lieu de prédicat, et ainsi un *jugement esthétique*, qui n'est pas un *jugement de connaissance*, peut être produit. Au fondement d'un tel jugement, s'il ne s'agit pas d'un simple jugement de sensation, mais d'un jugement formel de réflexion qui exige de chacun cette satisfaction comme nécessaire, il faut qu'il y ait quelque chose qui intervienne en tant que principe a priori – lequel principe, certes, peut n'être que subjectif (si un principe objectif devait se trouver impossible pour ce type de jugement), mais a besoin lui aussi, comme tel, d'une déduction, afin que l'on puisse concevoir comment un jugement esthétique peut *prétendre à la nécessité.* Ici s'enracine le problème dont nous nous occupons maintenant : comment des jugements de goût sont-ils possibles ? Problème qui concerne donc les principes a priori de la faculté pure de juger dans des jugements *esthétiques*, c'est-à-dire dans des jugements où elle n'a pas simplement (comme dans les jugements théoriques) à opérer une subsomption sous des concepts objectifs de l'entendement en se trouvant soumise à une loi [86], mais où elle est elle-même subjectivement objet aussi bien que loi.

Ce problème peut aussi être proposé dans les termes suivants : comment est possible un jugement qui, simplement à partir du sentiment *personnel* que l'on a du plaisir pris à un objet, indépendamment du concept de cet objet, juge ce plaisir comme dépendant de la représentation de cet objet *en tout autre sujet*, et cela a priori, c'est-à-dire sans avoir à attendre une approbation étrangère ?

Que les jugements de goût soient *synthétiques*, c'est facile à apercevoir, parce qu'ils dépassent le concept et même l'intuition de l'objet, et parce qu'ils ajoutent à cette intuition quelque chose, en tant que prédicat, qui n'est nullement connaissance, à savoir le sentiment de plaisir (ou de peine). Mais que, quoique le prédicat (celui du plaisir *personnel* associé à la représentation) soit empirique, ces jugements constituent cependant, en ce qui concerne l'adhésion exigée de chacun (*289*), des jugements a priori, ou des jugements entendant être considérés comme tels, c'est également compris déjà dans la manière dont s'exprime leur prétention ; et en ce sens ce problème de la critique de la faculté de juger relève du problème général de la philosophie transcendantale : comment des jugements synthétiques a priori sont-ils possibles ?

Paragraphe 37
Qu'affirme-t-on proprement a priori d'un objet dans un jugement de goût ?

Que la représentation d'un objet soit immédiatement associée à un plaisir ne peut être perçu qu'intérieurement et produirait, si l'on ne voulait rien démontrer d'autre que cela, un simple jugement empirique. Car je ne peux associer a priori à une représentation un sentiment déterminé (de plaisir ou de peine), sauf dans le cas où se trouve inscrit fondamentalement dans la raison un principe a priori déterminant la volonté ; puisque le plaisir (dans le sentiment moral) en est la conséquence, il ne peut en effet être comparé avec le plaisir intervenant dans le goût, précisément pour ce motif qu'il exige un concept déterminé d'une loi, tandis qu'en revanche, dans l'autre cas, le plaisir doit être immédiatement associé au simple jugement d'appréciation, avant tout concept. De là vient aussi que tous les jugements de goût sont des jugements singuliers, parce qu'ils associent leur prédicat de satisfaction, non pas avec un concept, mais avec une représentation empirique singulière donnée.

Ainsi n'est-ce pas le plaisir, mais la *validité universelle de ce plaisir*, perçue comme associée au simple jugement d'appréciation porté sur un objet, qui est, dans un jugement de goût, représentée a priori comme règle universelle pour la faculté de juger, valant pour chacun. Il s'agit d'un jugement empirique, à savoir que je perçois et apprécie un objet avec plaisir. Mais c'est un jugement a priori en tant que je trouve l'objet beau, c'est-à-dire que je me sens autorisé à exiger de chacun cette satisfaction comme nécessaire.

Paragraphe 38
Déduction des jugements de goût

Si l'on accorde que, dans un pur jugement de goût, la satisfaction prise à l'objet est associée avec le simple jugement qui en apprécie la forme, il n'y a pas là autre chose que la finalité subjective (*290*) de celle-ci pour la faculté de juger, laquelle finalité nous sentons associée dans l'esprit avec la représentation de l'objet. Or, dans la mesure où la faculté de juger, du point de vue des règles formelles du jugement appréciatif, sans aucune matière (ni sensation des sens ni concept), ne peut se rapporter qu'aux conditions subjectives de l'usage de cette faculté en général (laquelle n'est limitée ni par le mode particulier de sensation, ni par un concept particulier de l'entendement), par conséquent à cette subjectivité que l'on peut supposer en tout homme (en tant qu'elle est indispensable à la possibilité de la connaissance en général), il faut pouvoir admettre que l'accord d'une représentation avec ces conditions de la faculté de juger vaut a priori pour chacun. En d'autres termes : on peut exiger à bon droit de chacun qu'il ressente du plaisir, c'est-à-dire que, dans le jugement d'appréciation porté sur un objet sensible en général, il éprouve la manière dont la représentation se trouve subjectivement finalisée vis-à-vis de la relation entre les facultés de connaître *.

Remarque

Cette déduction est à ce point aisée dans la mesure où il ne lui est pas nécessaire de justifier la réalité objective d'un concept ; car la beauté n'est pas un concept de l'objet, et le jugement de goût n'est pas un jugement de connaissance. Il affirme seulement que nous sommes fondés à supposer comme universellement inscrites en tout homme ces conditions subjectives de la faculté de juger que nous rencontrons en nous – et, en outre, que nous avons correctement subsumé sous ces conditions l'objet donné. Bien que cela entraîne d'inévitables difficultés qui ne s'attachent pas à la faculté de juger logique (parce que, quand il s'agit d'elle, on subsume sous des concepts, alors que, quand c'est la faculté de juger esthétique, on subsume sous un (*291*) rapport, qui ne peut être que senti, entre l'imagination et l'entendement s'accordant réciproquement dans la représentation de la forme de l'objet, auquel cas la subsomption peut aisément être trompeuse), la légitimité de la prétention de la faculté de juger à compter sur un assentiment universel n'en est aucunement diminuée, puisque cette prétention aboutit seulement à juger, à partir de raisons subjectives, la justesse du principe comme valable pour

* Pour être en droit de revendiquer une adhésion universelle à un jugement de la faculté de juger esthétique reposant uniquement sur des principes subjectifs, il suffit d'accorder : 1. Que chez tous les hommes les conditions de ce pouvoir sont les mêmes, en ce qui concerne le rapport des facultés de connaissance par là mises en action à une connaissance en général – ce qui, nécessairement, doit être vrai, parce que, si tel n'était pas le cas, les êtres humains seraient incapables de communiquer leur représentation, ni même la connaissance ; 2. Que le jugement n'a pris en compte que ce rapport (par conséquent la *condition formelle* de la faculté de juger) et est pur, c'est-à-dire qu'il n'est mêlé ni à des concepts de l'objet ni à des sensations qui interviendraient comme raisons déterminantes. Quand bien même une erreur aurait été commise concernant ce dernier aspect, elle ne concerne que l'application inexacte, à un cas particulier, d'un droit qu'une loi nous donne, sans que pour autant ce droit en général soit par là supprimé.

chacun [87]. Car, pour ce qui touche à la difficulté et au doute
portant sur la justesse de la subsomption sous ce principe,
cela rend la légitimité de la prétention à cette validité d'un
jugement esthétique en général, et par conséquent le principe
lui-même, aussi peu douteux que la subsomption également
défectueuse (bien que ce soit moins souvent et moins facilement) qu'il arrive d'opérer à la faculté de juger logique sous
son principe peut rendre douteux celui-ci, qui est objectif.
Cela dit, si la question posée était de savoir comment il est
possible de considérer la nature a priori comme un ensemble
des objets du goût, il s'agirait d'un problème se rapportant à
la téléologie, parce qu'il faudrait regarder comme une fin de
la nature, se rattachant essentiellement à son concept, l'établissement de formes finalisées pour notre faculté de juger.
Mais en fait, la justesse d'une telle hypothèse reste très
douteuse, alors que la réalité des beautés de la nature s'offre
à l'expérience.

Paragraphe 39
De la communicabilité d'une sensation

Quand la sensation, en tant que l'élément réel de la perception, se rapporte à la connaissance, elle s'appelle sensation
des sens ; et on ne peut se représenter ce qu'il y a de spécifique
dans sa qualité comme étant toujours également communicable que si l'on admet que chacun possède un sens identique
au nôtre ; en revanche, on ne peut absolument pas songer à
une telle supposition quand il s'agit d'une sensation des sens.
C'est ainsi qu'à celui qui n'a pas d'odorat on ne peut communiquer la sorte de sensation correspondant à ce sens ; et même
si ce n'est pas quelqu'un à qui l'odorat fait défaut, on ne peut
pas cependant être certain qu'il ait d'une fleur exactement la
même sensation que celle que nous avons. Mais il nous faut
nous représenter les hommes comme bien plus différents
encore relativement au *caractère agréable* ou *désagréable* de
la sensation correspondant à un même objet des sens, et il est
entièrement exclu d'exiger que le plaisir ressenti en présence
de telle espèce d'objets, chacun reconnaisse l'éprouver aussi.
On peut appeler ce genre de plaisir (*292*) le plaisir de la
jouissance, parce qu'il vient à l'esprit par l'intermédiaire du
sens et que nous y sommes donc passifs.

La satisfaction qu'en revanche nous retirons d'une action
pour sa qualité morale n'est pas un plaisir de jouissance, mais

c'est un plaisir éprouvé à l'autoactivité [88] et à travers sa conformité à l'idée de notre destination. Ce sentiment, qui se nomme sentiment éthique, suppose cependant des *concepts* et ne présente pas une finalité libre, mais une finalité conforme à une loi : il ne se peut donc communiquer universellement que par l'intermédiaire de la raison, et, si le plaisir doit être identique en chacun, il ne peut être communiqué universellement que par des concepts de la raison pratique très déterminés.

Le plaisir pris au sublime de la nature, comme plaisir de la contemplation où l'on raisonne, prétend certes lui aussi à être partagé universellement, mais il suppose pourtant d'emblée un autre sentiment, qui est celui que le sujet a de sa destination suprasensible – lequel sentiment, si obscur qu'il puisse être, possède un fondement moral. Mais que d'autres hommes vont avoir égard à ce sentiment et trouveront dans la contemplation de la sauvage grandeur de la nature une satisfaction (qu'à vrai dire on ne peut attribuer à son aspect, qui est bien plutôt effrayant), je ne suis absolument pas autorisé à en faire la supposition. Malgré cela, je peux cependant, en considérant qu'à chaque occasion favorable on devrait tenir compte de ces dispositions morales, attribuer aussi cette satisfaction à chacun, mais uniquement par la médiation de la loi morale, telle que, pour sa part, elle repose à son tour sur des concepts de la raison.

En revanche, le plaisir que l'on prend au beau n'est ni un plaisir de jouissance, ni un plaisir retiré d'une activité conforme à une loi, ni non plus celui de la contemplation qui raisonne d'après des Idées, mais c'est le plaisir de la simple réflexion. Sans avoir pour norme une quelconque fin ou un quelconque principe, ce plaisir accompagne l'appréhension commune d'un objet par l'imagination, comme faculté de l'intuition, en relation à l'entendement, comme faculté des concepts, par l'intermédiaire d'un procédé de la faculté de juger que celle-ci doit pratiquer même pour l'expérience la plus commune : simplement, alors que, dans ce dernier cas, elle est forcée de procéder ainsi en vue d'un concept empirique objectif, il s'agit par là pour elle, dans le premier (dans le jugement d'appréciation esthétique), simplement de percevoir l'adéquation de la représentation à l'opération harmonieuse (subjectivement finale) de deux pouvoirs de connaître en leur liberté, c'est-à-dire de sentir avec plaisir l'état où une représentation place le sujet. Ce plaisir doit nécessairement reposer en chacun sur les mêmes conditions, parce qu'elles sont les conditions subjectives de la possibilité d'une connaissance en général, et la proportion de ces (*293*) pouvoirs de connaître, qui est exigée pour le goût, est aussi requise pour le bon sens ordinaire que l'on doit supposer en chacun. C'est précisément la raison pour laquelle aussi le sujet qui juge avec goût (pourvu simplement qu'en sa conscience du beau il ne se trompe pas et ne prenne pas la matière pour la forme, l'attrait pour de la beauté) peut attendre de tout autre qu'il éprouve la finalité subjective, c'est-à-dire la satisfaction qu'il prend à l'objet, et considérer son sentiment comme universellement communicable, et cela sans la médiation des concepts.

Paragraphe 40
Du goût comme une sorte de *sensus communis*

On donne souvent à la faculté de juger, quand on est attentif moins à sa réflexion qu'à son résultat, le nom de sens, et on parle d'un sens de la vérité, d'un sens des convenances, de la justice, etc., cela bien que l'on sache, ou que du moins l'on doive normalement savoir, qu'il n'existe pas un sens en lequel ces concepts pourraient avoir leur siège et – c'est encore plus évident – qu'un tel sens ne possède pas la moindre aptitude à édicter des règles universelles, mais qu'au contraire nulle représentation de ce genre concernant la vérité, la convenance, la beauté ou la justice ne pourrait jamais nous venir à l'esprit si nous n'étions pas capables de nous élever au-dessus des sens jusqu'aux pouvoirs supérieurs de connaissance. L'*entendement commun*, que l'on considère, en tant qu'entendement simplement sain (non encore cultivé), comme la moindre des choses que l'on peut toujours attendre de celui qui prétend au nom d'homme, a donc aussi l'honneur affligeant d'être désigné par le terme de *sens commun* (*sensus communis*) – et cela de telle manière que, sous ce mot de *commun* (non seulement dans notre langue, qui contient effectivement sur ce point une ambiguïté, mais encore en bien d'autres langues), on entend le *vulgaire*, ce que l'on rencontre partout et dont la possession n'est absolument pas un mérite ni un privilège.

En fait, sous l'expression de *sensus communis*, il faut entendre l'Idée d'un sens commun à tous, c'est-à-dire un pouvoir de juger qui, dans sa réflexion, tient compte en pensée (a priori) du mode de représentation de tout autre, pour en quelque sorte comparer son jugement à la raison humaine tout entière et se défaire ainsi de l'illusion qui, procédant de conditions subjectives particulières aisément susceptibles d'être tenues pour objectives, exercerait une influence néfaste sur le jugement. (294) C'est là ce qui s'accomplit quand on compare son jugement moins aux jugements réels des autres qu'à leurs jugements simplement possibles et que l'on se met à la place de tout autre en faisant simplement abstraction des limitations qui s'attachent de façon contingente à notre appréciation – ce qui, à son tour, se produit quand on écarte autant que possible ce qui, dans l'état représentatif, est matière, c'est-à-dire sensation, et quand on prête exclusivement attention aux caractéristiques formelles de sa représentation ou de son état représentatif. Or, cette opération de la réflexion semble peut-être bien trop technique pour que l'on puisse l'attribuer à ce pouvoir que l'on nomme le sens *commun*; seulement, elle ne prend cette apparence que lorsqu'on l'exprime dans des formules abstraites ; en soi, il n'est rien de plus naturel que de faire abstraction de l'attrait et de l'émotion quand on recherche un jugement qui doit servir de règle universelle.

Les maximes suivantes du sens commun n'appartiennent certes pas à ce dont il s'agit ici en tant qu'elles seraient des parties de la critique du goût, mais elles peuvent toutefois servir à l'explicitation des principes d'une telle critique. Ce sont les maximes suivantes : 1. Penser par soi-même ; 2. Penser en se mettant à la place de tout autre ; 3. Toujours penser en accord avec soi-même. La première est la maxime du mode de pensée qui est *libre de préjugés,* la seconde celle de la pensée *élargie,* la troisième celle de la pensée *conséquente.* La première est la maxime d'une raison qui n'est pas *passive.* La tendance à la passivité, par conséquent à l'hétéronomie de la raison, c'est là ce qu'on appelle le *préjugé* ; et le plus grand de tous les préjugés consiste à se représenter la nature comme n'étant pas soumise à des règles que l'entendement, à travers sa propre loi essentielle, lui donne pour fondement : ce qui n'est autre que la *superstition.* La libération de la superstition correspond à ce qu'on appelle les *Lumières* * ; car, bien que

---

* On voit rapidement que les Lumières constituent certes *in thesi* une chose aisée, mais *in hypothesi* une entreprise difficile et longue à mettre en œuvre : cela, dans la mesure où ne pas faire preuve d'une passivité de sa raison, mais se donner constamment à soi-même sa propre loi, c'est certes très facile pour l'homme qui ne veut qu'être en accord avec sa fin essentielle et qui ne désire pas savoir ce qui dépasse son entendement ; mais étant donné que l'aspiration à un tel savoir est à peu près inévitable, et que ne manqueront jamais ceux qui promettent avec beaucoup d'assurance de pouvoir satisfaire cet appétit de savoir, il ne peut qu'être très difficile de maintenir ou d'établir dans

cette dénomination convienne aussi à la libération de préjugés
en général, c'est la superstition qui mérite au premier chef
(*in sensu eminenti*) d'être appelée un préjugé, dans la mesure
où l'aveuglement en lequel la superstition nous plonge – et
même : l'aveuglement qu'elle impose comme une obligation –
(*295*) fait ressortir d'une manière remarquable le besoin d'être
guidé par d'autres, par conséquent l'état d'une raison passive.
En ce qui concerne la deuxième maxime de cette manière de
penser, nous sommes bien accoutumés à appeler par ailleurs
« étroit d'esprit » (*borné*, au sens du contraire d'*élargi*) celui
dont les talents ne suffisent pas à un usage d'une certaine
ampleur (notamment, à un usage intensif). Simplement n'est-
il pas question ici du pouvoir de la connaissance, mais de la
manière de penser qui consiste à faire de la pensée un usage
conforme à sa fin [89] ; et c'est cette manière de penser qui, si
restreint selon l'extension et le degré que soit ce dont l'homme
se trouve doué naturellement, témoigne cependant que l'on a
affaire à un être dont la pensée est élargie – savoir sa capacité
à s'élever au-dessus des conditions subjectives et particulières
du jugement, à l'intérieur desquelles tant d'autres sont comme
enfermés, et à réfléchir sur son propre jugement à partir d'un
point de vue universel (qu'il ne peut déterminer que dans la
mesure où il se place du point de vue d'autrui). La troisième
maxime, celle de la manière de penser *conséquente*, est celle
à laquelle il est le plus difficile d'accéder, et on ne peut même
y parvenir qu'en associant les deux premières maximes et
après les avoir suivies assez souvent pour que leur pratique
soit devenue une habitude. On peut dire que la première de
ces maximes est la maxime de l'entendement, la seconde celle
de la faculté de juger, la troisième celle de la raison.

Je reprends le fil interrompu par cet épisode, et je dis que
le goût pourrait être nommé *sensus communis* à plus juste
titre que le bon sens et que la faculté de juger esthétique,
plutôt que la faculté de juger intellectuelle, pourrait porter le
nom de sens commun à tous *, pour peu que l'on veuille bien
utiliser le mot *sens* pour désigner un effet de la simple réflexion
sur l'esprit : car on entend ici par *sens* le sentiment de plaisir.
On pourrait même définir le goût par le pouvoir de porter un
jugement appréciatif sur ce qui rend universellement *commu-*

---

la manière de penser (surtout quand elle est publique) cette démarche
simplement négative (qui définit les Lumières proprement dites).
    * On pourrait désigner le goût par *sensus communis aestheticus*,
l'entendement commun par *sensus communis logicus*.

nicable le sentiment que nous éprouvons en présence d'une représentation donnée, et cela sans la médiation d'un concept.

L'aptitude des hommes à se communiquer leurs pensées requiert aussi une relation intervenant entre l'imagination et l'entendement, pour associer aux concepts des intuitions et à celles-ci, inversement, des concepts, de telle manière qu'ils convergent dans une connaissance ; mais, dès lors, l'accord des deux facultés de l'esprit obéit à une loi et se trouve soumis à la contrainte de concepts déterminés. (296) Ce n'est que là où l'imagination en sa liberté éveille l'entendement, et que celui-ci engage sans concepts l'imagination à un jeu régulier, que la représentation se communique, non comme pensée, mais comme sentiment intérieur d'un état de l'esprit qui apparaît comme correspondant à une fin.

Le goût est donc le pouvoir de juger a priori de la communicabilité des sentiments qui sont associés à une représentation donnée (sans médiation d'un concept).

Si l'on se trouvait autorisé à admettre que la simple communicabilité universelle de son sentiment devrait déjà véhiculer avec elle un intérêt pour nous (ce que, toutefois, l'on n'est pas en droit de conclure à partir de la nature d'une faculté de juger simplement réfléchissante), on pourrait s'expliquer d'où vient que le sentiment, dans le jugement de goût, est exigé de tous pour ainsi dire comme un devoir.

Paragraphe 41
De l'intérêt empirique s'attachant au beau

Que le jugement de goût, par lequel quelque chose est déclaré beau, ne devrait avoir pour *principe déterminant* aucun intérêt, on l'a montré suffisamment ci-dessus. Mais il n'en résulte pas que, une fois ce jugement prononcé comme jugement esthétique pur, nul intérêt ne puisse lui être associé. Cette association ne pourra cependant jamais être qu'indirecte, c'est-à-dire que le goût doit tout d'abord être représenté comme associé à quelque chose d'autre pour que l'on puisse encore relier à la satisfaction de la simple réflexion sur un objet un plaisir pris à son existence (ce en quoi tout intérêt consiste). Car vaut ici pour le jugement esthétique ce qui est dit du jugement de connaissance (portant sur des choses en général) : *a posse ad esse non valet consequentia*. Cette autre chose à quoi le goût est associé peut alors être empirique, par exemple une inclination propre à la nature humaine, ou ce peut être quelque chose d'intellectuel, comme la propriété qu'a le vouloir de pouvoir être déterminé a priori par la raison : dans les deux cas, y est contenue une satisfaction prise à l'existence d'un objet et peut ainsi se trouver fondé un intérêt concernant ce qui a déjà suscité du plaisir par lui-même et sans que soit considéré un quelconque intérêt.

Le beau n'intéresse empiriquement que dans la société ; et si l'on convient que ce qui pousse l'homme vers la société lui est naturel, mais que l'aptitude et le penchant à y vivre, c'est-à-dire la *sociabilité*, sont nécessaires (*297*) à l'être humain en tant que créature destinée à vivre en société, et constituent par conséquent une propriété appartenant à l'*humanité*, on ne peut manquer de considérer aussi le goût comme un pouvoir d'apprécier tout ce qui permet de communiquer même son sentiment à tout autre, donc comme un moyen d'accomplir ce qu'exige l'inclination naturelle de chacun.

Pour lui seul, un homme abandonné sur une île déserte ne chercherait à embellir ni sa hutte, ni lui-même, et il n'irait pas chercher des fleurs, encore moins songerait-il à en planter pour s'en faire une parure ; c'est uniquement dans la société qu'il lui vient à l'esprit de n'être pas simplement homme, mais d'être aussi à sa manière un homme raffiné (c'est là le début de la civilisation) : car tel est le jugement que l'on porte sur celui qui possède l'inclination et l'aptitude à communiquer son plaisir à d'autres et qu'un objet ne saurait satisfaire quand il ne peut ressentir en commun avec d'autres la satisfaction qu'il y prend. En outre, chacun attend et exige de chacun qu'il prenne en compte cette communication universelle, pour ainsi dire comme si elle résultait d'un contrat originaire dicté par l'humanité elle-même ; et sans doute ne s'est-il ainsi agi au commencement que d'attraits, par exemple des couleurs pour se peindre (le rocou chez les Caraïbes et le cinabre chez les Iroquois), ou des fleurs, des coquillages, de plumes d'oiseaux joliment colorées, mais avec le temps ce sont aussi de belles formes (comme celles des canots, des vêtements, etc.), ne procurant aucun contentement, c'est-à-dire aucune satisfaction de jouissance, qui prirent de l'importance dans la société et se trouvèrent liées à un grand intérêt ; jusqu'à ce qu'enfin la civilisation, parvenue à son plus haut degré, fasse de ces formes presque le but principal de l'inclination raffinée et n'accorde de valeur aux sensations que dans la mesure où elles se peuvent universellement communiquer ; car à partir de là, quand bien même le plaisir que chacun éprouve en présence d'un tel objet serait négligeable et n'aurait en lui-

même aucun intérêt digne d'être noté, l'idée de sa communicabilité universelle en accroît pourtant la valeur presque
infiniment.

Cet intérêt qui s'attache indirectement au beau par l'intermédiaire de l'inclination à la société, et qui est empirique, n'a
toutefois ici aucune importance pour nous qui n'avons à
considérer que ce qui peut se rapporter a priori, ne serait-ce
qu'indirectement, au jugement de goût. Car, même si un
intérêt associé à cette forme devait y être découvert, le goût
révélerait un passage, pour notre pouvoir de juger, de la
jouissance des sens au sentiment moral ; et non seulement
nous serions ainsi mieux guidés pour utiliser notre goût d'une
manière conforme à sa fin (298), mais en outre se dévoilerait
par là un maillon intermédiaire dans la chaîne des pouvoirs
humains a priori desquels toute législation doit dépendre. Tout
ce que l'on peut sans doute dire de l'intérêt empirique s'attachant aux objets du goût et au goût lui-même, c'est que
celui-ci, dans la mesure où il se soumet à l'inclination, si
raffinée qu'elle puisse être, peut cependant se confondre aisément avec toutes les inclinations et toutes les passions, qui
atteignent dans la société leur plus grande diversité et leur
degré le plus élevé, et que l'intérêt s'attachant au beau, s'il
trouve là son fondement, ne saurait fournir qu'un passage très
équivoque entre l'agréable et le bien. En revanche, quant à
l'éventualité que ce passage puisse être ménagé cependant
par le goût quand il est entendu dans sa pureté, nous avons
tout lieu de l'examiner.

Paragraphe 42
De l'intérêt intellectuel se rapportant au beau

De la part de ceux qui auraient volontiers ramené toutes
les occupations auxquelles les hommes sont poussés par une
disposition naturelle intérieure à la fin dernière de l'humanité,
c'est-à-dire au bien moral, c'était faire preuve de bonnes
intentions que de considérer le fait de prendre un intérêt au
beau en général comme le signe d'un caractère moralement
bon. Mais ce n'est pas sans raison que d'autres, en se réclamant
de l'expérience, leur ont objecté que les virtuoses du goût
sont, de manière non pas simplement fréquente, mais même
tout à fait habituelle, vaniteux, obstinés, livrés à de perni-
cieuses passions, et qu'ils pourraient bien moins encore que
d'autres prétendre au privilège d'être attachés à des principes

moraux ; et ainsi semble-t-il que le sentiment du beau ne soit pas seulement (comme c'est au demeurant le cas) spécifiquement différent du sentiment moral, mais qu'en outre l'intérêt que l'on peut y associer puisse difficilement se combiner avec le sentiment moral et qu'en tout état de cause il ne puisse s'accorder avec lui en raison d'une affinité intérieure.

Cela dit, j'accorde certes bien volontiers que l'intérêt se rapportant aux beautés de l'art (au nombre desquelles j'inscris aussi l'usage artificiel des beautés de la nature à dessein d'ornementation, donc pour la vanité) ne témoigne aucunement d'une pensée attachée au bien moral, ni même simplement d'un mode de pensée qui y soit enclin. Mais en revanche je prétends que prendre un *intérêt immédiat* à la beauté de la *nature* (non pas simplement avoir du goût pour en juger) est toujours la marque caractéristique d'une âme bonne et que (299), quand cet intérêt est habituel, il indique du moins une disposition d'esprit favorable au sentiment moral, s'il s'associe volontiers à la *contemplation de la nature*. Mais assurément ne faut-il pas oublier que je ne songe proprement ici qu'aux belles *formes* de la nature et qu'en revanche je laisse toujours de côté les *attraits* qui, en général, se lient si largement à celles-ci, parce que l'intérêt qui se porte sur de tels attraits est certes immédiat lui aussi, mais cependant empirique.

Celui qui solitairement (et sans l'intention de vouloir communiquer ses observations à d'autres) contemple la belle forme d'une fleur sauvage, d'un oiseau, d'un insecte, etc., pour les admirer, pour les aimer, et dans un esprit tel qu'il n'en admettrait pas volontiers l'absence en la nature en général, quand bien même, loin que l'existence de l'objet lui fasse miroiter quelque avantage, il en retirerait plutôt du dommage, celui-là prend un intérêt immédiat et à vrai dire intellectuel à la beauté de la nature. Cela signifie que non seulement le produit de la nature lui plaît par sa forme, mais aussi que l'existence de celui-ci lui plaît, sans qu'aucun attrait sensible ait part à ce plaisir ou qu'il y associe une fin quelconque.

Cela dit, il faut remarquer ici que, si l'on avait abusé secrètement cet amoureux du beau en plantant dans la terre des fleurs artificielles (que l'on peut fabriquer parfaitement identiques aux fleurs naturelles) ou placé des oiseaux artistement sculptés sur des branches d'arbre, et si ensuite il avait découvert la supercherie, l'intérêt immédiat qu'il portait auparavant à ces objets disparaîtrait aussitôt, alors que, peut-être, un autre intérêt viendrait prendre sa place – à savoir l'intérêt de la vanité, tel qu'il consiste à décorer son logis pour des yeux étrangers. La pensée que la nature a produit cette beauté doit accompagner l'intuition et la réflexion ; et c'est sur cette pensée seulement que repose l'intérêt immédiat que l'on y prend. Sinon, il ne demeure soit qu'un simple jugement de goût dépouillé de tout intérêt, soit qu'un jugement de goût associé à un intérêt indirect, c'est-à-dire relatif à la société, lequel ne donne aucun indice sûr d'un mode de pensée qui soit moralement bon.

Ce privilège que possède la beauté naturelle sur la beauté artistique – bien que la première soit néanmoins dépassée par la seconde quant à la forme – et qui consiste à être pourtant la seule à éveiller un intérêt immédiat, s'accorde avec le mode de pensée épuré et profond de tous les hommes qui ont cultivé leur sentiment moral. Si un homme qui a assez de goût pour juger des produits des beaux-arts avec la plus grande exactitude et la plus grande finesse (*300*) abandonne volontiers la pièce où se peuvent rencontrer ces beautés qui entretiennent la vanité ou en tout cas les joies d'ordre social, et se tourne vers le beau naturel, pour trouver ici en quelque sorte une volupté spirituelle sous la forme d'une méditation impossible à jamais développer complètement, nous considérerons ce choix qui est le sien avec respect et nous lui supposerons une âme à la beauté de laquelle ne peut prétendre nul connaisseur d'art, ni aucun amateur, du fait de l'intérêt qu'ils portent à leurs objets. Quelle est donc la différence qui intervient entre ces appréciations si distinctes de deux sortes d'objets qui, au niveau du jugement procédant du simple goût, se disputeraient à peine la supériorité ?

Nous possédons un pouvoir, celui de la faculté de juger simplement esthétique, qui nous permet de porter sans concepts des jugements d'appréciation sur des formes et de trouver une satisfaction dans le simple fait de porter un jugement sur elles ; de cette satisfaction, nous faisons en même temps une règle pour chacun, sans que ce jugement se fonde sur un intérêt. D'un autre côté, nous possédons aussi un pouvoir, celui d'une faculté de juger intellectuelle, qui nous met en mesure de déterminer pour les simples formes de maximes pratiques (en tant qu'elles se présentent d'elles-mêmes comme qualifiées pour servir de législation universelle) une satisfaction a priori, dont nous faisons pour chacun une loi, sans que notre jugement se fonde sur un quelconque intérêt – *cela quand bien même, alors, il en produit un.* Le plaisir ou le déplaisir intervenant dans le premier jugement sont désignés comme ceux du goût ; dans le second, ce sont ceux du sentiment moral.

Dans la mesure, toutefois, où la raison est aussi intéressée à ce que les Idées (pour lesquelles elle produit dans le sentiment moral un intérêt immédiat) possèdent également une réalité objective, c'est-à-dire à ce que la nature montre du moins une trace ou donne un indice qu'elle contient en soi quelque principe conduisant à supposer un accord obéissant à une loi entre ses produits et notre satisfaction indépendante de tout intérêt (laquelle satisfaction nous reconnaissons a priori comme constituant pour chacun une loi, sans pouvoir fonder cette reconnaissance sur des preuves), la raison doit nécessairement porter un intérêt à toute expression d'un tel accord par la nature ; par conséquent, l'esprit ne peut réfléchir sur la beauté de la *nature* sans s'y trouver en même temps intéressé. Or, par affinité, cet intérêt est moral ; et celui qui prend un tel intérêt au beau de la nature ne peut le faire que dans la mesure où, auparavant, il a déjà établi sur des bases solides son intérêt pour le bien moral. En ce sens, chez celui que la beauté de la nature (*301*) intéresse immédiatement, on a quelque raison de supposer pour le moins une disposition à être un esprit moralement bon.

On dira que cette interprétation des jugements esthétiques par référence à une parenté avec le sentiment moral apparaît beaucoup trop élaborée pour être considérée comme la véritable élucidation du langage chiffré grâce auquel la nature s'adresse à nous par symboles dans ses belles formes. Simplement, en premier lieu, cet intérêt immédiat pour le beau de la nature n'est en fait pas du tout commun, mais il n'appartient qu'à ceux dont le mode de pensée soit est déjà formé au bien, soit fait preuve d'une réceptivité particulière à une telle formation ; ensuite, l'analogie entre le pur jugement de goût, qui, indépendamment de tout intérêt, fait ressentir une satisfaction et la représente en même temps a priori comme convenant à l'humanité en général, et le jugement moral, qui parvient au même résultat à partir de concepts, sans nulle réflexion précise, subtile et préméditée, conduit à reconnaître un intérêt immédiat d'égale importance à l'objet du premier et à celui du second – à cette unique différence près que celui-là est un intérêt libre, tandis que celui-ci est un intérêt fondé sur une loi objective. À quoi vient s'ajouter encore l'admiration de la nature, laquelle, en ses beaux produits, se manifeste en tant qu'art, non pas simplement par hasard, mais de manière pour ainsi dire intentionnelle, selon un ordonnancement conforme à une légalité et en tant que finalité sans fin ; et cette fin, comme nous ne la rencontrons nulle part au-dehors, nous la cherchons naturellement en nous-mêmes, et plus précisément dans ce qui constitue la fin dernière de notre existence, à savoir la destination morale (de l'interrogation sur le fondement de la possibilité d'une telle finalité de la nature il ne sera question, à vrai dire, que dans la téléologie).

Que la satisfaction qui concerne les beaux-arts, dans le pur jugement de goût, ne soit pas associée, comme c'est le cas de la satisfaction relative à la belle nature, à un intérêt immédiat, c'est également facile à expliquer. Car, ou bien l'art est une imitation de la nature telle qu'elle va jusqu'à l'illusion, et c'est alors en tant que beauté naturelle (tenue pour telle) qu'il produit l'effet dont nous parlons ; ou c'est d'un art visiblement orienté, de manière intentionnelle, vers notre satisfaction qu'il s'agit, et, dans cette hypothèse, la satisfaction prise à ce produit interviendrait certes de manière immédiate par l'intermédiaire du goût, mais cette satisfaction n'éveillerait pas d'autre intérêt qu'un intérêt médiat pour la cause se trouvant au principe du produit, à savoir un art qui ne peut intéresser que par sa fin, et jamais en lui-même. On dira peut-être que c'est aussi le cas quand un objet de la nature ne suscite par sa beauté un intérêt que pour autant (302) qu'une Idée morale lui est associée ; or, en fait, ce qui suscite alors un intérêt immédiat, ce n'est pas l'objet, mais c'est la propriété qu'a cette beauté d'être en elle-même capable d'une association qui, ainsi, lui appartient de manière intrinsèque.

Les attraits présents dans la belle nature, que l'on trouve si fréquemment pour ainsi dire confondus avec la belle forme, appartiennent soit aux modifications de la lumière (dans la coloration), soit à celles du son (dans les tons). Ce sont en effet les seules sensations qui permettent, non pas seulement un sentiment sensible, mais aussi une réflexion sur la forme de ces modifications des sens et qui ainsi comprennent en quelque sorte une langue rapprochant la nature de nous et paraissant posséder une signification supérieure. La couleur blanche du lis semble tourner l'esprit vers des idées d'innocence, et si l'on suit l'ordre des sept couleurs, du rouge jusqu'au violet, elles paraissent disposer l'esprit à l'idée 1. de la sublimité, 2. du courage, 3. de la franchise, 4. de la bienveillance, 5. de la modestie, 6. de la constance et 7. de la tendresse. Le chant des oiseaux annonce la joie et le contentement pris à sa propre existence. Du moins interprétons-nous ainsi la nature, que son intention soit telle ou non. Mais cet intérêt que nous prenons ici à la beauté requiert absolument qu'il s'agisse d'une beauté naturelle, et il disparaît totalement dès que l'on remarque qu'on est trompé et que c'est simplement de l'art – et cela au point que le goût ne peut plus rien y trouver de beau, ni la vue quoi que ce soit d'attrayant. Quoi de plus apprécié par les poètes que le joli chant, si charmant, du rossignol dans un bosquet solitaire, durant un calme soir d'été, sous la douce lumière de la lune ? Pourtant, on connaît des exemples où, comme on ne pouvait trouver un tel chanteur, quelque hôte jovial est parvenu à tromper, à leur très grande satisfaction, ses invités venus chez lui jouir de l'air de la campagne, en dissimulant dans un buisson un jeune garçon malicieux sachant imiter (avec à la bouche un roseau ou un jonc) ce chant d'une manière parfaitement conforme à la nature. Mais, dès que l'on prend conscience qu'il s'agit d'une tromperie, personne ne supporte longtemps d'entendre ce chant tenu auparavant pour si attrayant ; et il en va de même pour tout autre oiseau chanteur. Il faut que la nature, ou ce que nous tenons pour elle, soit en cause, pour que nous puissions prendre au beau comme tel un *intérêt* immédiat ; mais c'est encore bien davantage le cas si nous entendons exiger d'autres personnes qu'elles y prennent le même intérêt – et tel est bien, de fait (*303*), ce qui arrive lorsque nous tenons pour grossière et sans noblesse la manière de penser de ceux qui n'ont aucun *sentiment* pour la belle nature (car ainsi nommons-nous la capacité de ressentir un intérêt à sa contemplation) et qui, à table ou lors des libations, s'en tiennent à la jouissance de simples sensations des sens.

Paragraphe 43
De l'art en général

1. L'*art* se distingue de la *nature* comme le faire (*facere*) se distingue de l'agir ou de l'effectuer en général (*agere*), et le produit ou la conséquence de l'art se distingue en tant qu'œuvre (*opus*) du produit de la nature en tant qu'effet (*effectus*).

En droit, on ne devrait appeler art que la production par liberté, c'est-à-dire par un arbitre [90] qui place la raison au fondement de ses actions. Car, bien qu'on se plaise à désigner comme une œuvre d'art le produit des abeilles (les gâteaux de cire édifiés avec régularité), cela ne s'entend toutefois que par analogie avec l'art ; dès que l'on songe en effet que les abeilles ne fondent leur travail sur aucune réflexion rationnelle qui leur serait propre, on convient aussitôt qu'il s'agit là d'un produit de leur nature (de l'instinct), et c'est uniquement à leur créateur qu'on l'attribue en tant qu'art.

Quand, fouillant un marécage, on découvre, comme c'est arrivé parfois, un morceau de bois taillé, on ne dit pas que c'est un produit de la nature, mais de l'art ; sa cause productrice a pensé à une fin, à laquelle ce morceau de bois est redevable de sa forme. Au demeurant aperçoit-on sans doute aussi de l'art en toute chose qui est constituée de telle façon qu'une représentation de ce qu'elle est a dû nécessairement, dans sa cause, précéder son effectivité (comme c'est le cas même chez les abeilles), sans que pour autant cette cause ait été en mesure de précisément *penser* l'effet ; reste que, quand on désigne une chose comme constituant absolument une œuvre d'art, pour la différencier d'un effet produit par la nature, c'est toujours une œuvre de l'homme qu'on entend par là.

2. L'*art*, en tant qu'habileté de l'être humain, se distingue aussi de la *science* (comme le *pouvoir* du *savoir*), à la manière dont le pouvoir pratique se distingue du pouvoir théorique, ou la technique de la théorie (comme l'arpentage se distingue de la géométrie). Et, dans cette mesure, on ne désigne pas non plus comme constituant de l'art ce qu'on a le *pouvoir* de faire dès lors que simplement l'on *sait* ce qui doit être fait et que l'on se borne donc à connaître suffisamment l'effet recherché. Seul ce que l'on n'a pas aussitôt l'habileté de faire du simple fait qu'on le connaît de la manière la plus parfaite (*304*) relève de l'art. Camper [91] décrit très exactement les propriétés que devrait avoir la meilleure chaussure, mais il ne pouvait assurément en faire aucune *.

3. L'*art* se distingue aussi de l'*artisanat* ; le premier est dit *libéral*, le second peut être nommé aussi *art mercantile*. On regarde le premier comme s'il ne pouvait répondre à une finalité (réussir) qu'en tant que jeu, c'est-à-dire comme une activité qui soit en elle-même agréable ; on regarde le second comme constituant un travail, c'est-à-dire comme une activité qui est en elle-même désagréable (pénible) et qui n'est attirante que par son effet (par exemple, à travers son salaire), et qui peut par conséquent être imposée de manière contraignante.

---

* Dans les contrées où j'habite, l'homme du commun, quand on lui pose un problème comme celui de l'œuf de Colomb, dit qu'« il ne s'agit pas d'un art, mais simplement d'une science ». Cela signifie que, si on en a le *savoir*, on a le *pouvoir* de le faire ; et c'est là ce qu'il dit de tous les prétendus arts du prestidigitateur. En revanche, il n'hésitera nullement à nommer art ce que fait le funambule.

Afin de savoir si, dans la hiérarchie des corps de métier, les horlogers doivent être tenus pour des artistes et les forgerons, en revanche, pour des artisans, il faudrait disposer d'un autre angle d'appréciation que celui que nous faisons nôtre ici ; car il faudrait prendre pour point de vue la proportion des talents qui doivent nécessairement se trouver au fondement de l'une ou l'autre de ces activités. Quant à déterminer si, même entre ce qu'on appelle les sept arts libéraux, il n'en est pas quelques-uns qui auraient dû être mis au nombre des sciences et d'autres comparés à des métiers, je ne veux pas en débattre ici. En revanche, que dans tous les arts libéraux soit en tout cas requise une certaine dimension de contrainte ou, comme l'on dit, un *mécanisme*, sans quoi l'*esprit* [92], qui dans l'art doit être libre et, seul, anime l'œuvre, n'aurait aucun corps et s'évaporerait entièrement (rôle que jouent, par exemple, dans la poésie l'exactitude et la richesse de la langue, en même temps que la prosodie et la métrique), il n'est pas inutile de le rappeler, dans la mesure où beaucoup de nouveaux éducateurs croient apporter la meilleure contribution possible à un art libéral en y supprimant toute contrainte et en le transformant, de travail qu'il était, en un simple jeu.

Paragraphe 44
Des beaux-arts

Il n'y a pas de science du beau, mais il en existe seulement une critique, et il n'y a pas non plus de belles sciences, mais seulement des beaux-arts. Car, en ce qui concerne une science du beau, il faudrait qu'on puisse y déterminer scientifiquement, c'est-à-dire par des raisons démonstratives (*305*), si quelque chose doit ou non être tenu pour beau ; le jugement sur la beauté, étant donné qu'il appartiendrait à la science, ne serait dès lors pas un jugement de goût. En ce qui concerne l'idée d'une belle science, une science qui, en tant que telle, devrait être belle est un non-sens. Car si on lui demandait, en tant que science, des principes et des preuves, on n'obtiendrait que des formules élégantes (bons mots). Ce qui a pu donner naissance à l'habituelle expression de *belles sciences* est sans aucun doute uniquement cette remarque tout à fait juste que les beaux-arts, dans toute leur perfection, exigent beaucoup de science, comme par exemple la connaissance de langues anciennes, une lecture assidue des auteurs tenus pour classiques, l'histoire, la connaissance des antiquités, etc., et parce que ces sciences historiques constituent la nécessaire préparation et le fondement des beaux-arts, en partie aussi parce qu'on y inclut la connaissance des produits des beaux-arts (éloquence et poésie), on a appelé belles sciences, à la faveur d'une confusion de termes, les sciences en question.

Si l'art qui correspond à la *connaissance* d'un objet possible se borne à accomplir les actions nécessaires afin de le réaliser, il s'agit d'un art *mécanique* ; mais s'il a pour fin immédiate le sentiment de plaisir, il s'appelle un art *esthétique*. Celui-ci est ou bien un *art d'agrément*, ou bien un des *beaux-arts*. C'est un art d'agrément quand sa fin est que le plaisir accompagne les représentations en tant que simples *sensations* ; c'est un des beaux-arts lorsque la fin de l'art est que le plaisir accompagne les représentations en tant que *modes de connaissance*.

Les arts d'agrément sont ceux qui ont pour seule fin la jouissance ; au nombre de ceux-ci sont tous les attraits qui ont le pouvoir, à une table, de contenter la société : par exemple, raconter de façon distrayante, amener la société à une conversation franche et vivante, la disposer par la plaisanterie et le rire à un certain ton de gaieté, en lequel, comme on dit, on peut bavarder à tort et à travers, de telle façon que personne n'assume la responsabilité de ce qu'il dit, parce qu'il ne s'agit que d'une conversation passagère et non de quelque chose qui serait destiné à fournir matière, durablement, à méditation ou à répétition. (Ce dont relève aussi la manière dont la table est dressée pour le plaisir, ou encore, dans les grands banquets, la musique de table – chose singulière qui, constituant simplement comme un bruit agréable, doit entretenir la disposition des esprits à la joie et qui, sans que personne accorde jamais la moindre attention à sa composition, favorise (*306*) la conversation libre entre voisins.) À quoi viennent s'ajouter tous les jeux, qui n'ont d'autre intérêt que de faire s'écouler le temps sans qu'on s'en aperçoive.

Les beaux-arts, en revanche, sont un mode de représentation qui présente en lui-même un caractère finalisé et qui, bien que sans fin, contribue pourtant à la culture des facultés de l'esprit en vue de la communication sociale.

La communicabilité universelle d'un plaisir implique déjà en son concept qu'il ne saurait s'agir d'un plaisir de jouissance procédant de la simple sensation, mais d'un plaisir de la réflexion ; et en ce sens l'art esthétique, en tant qu'il est constitutif des beaux-arts, est un art qui a pour mesure la faculté de juger réfléchissante et non pas la sensation des sens.

Paragraphe 45
Les beaux-arts ne sont de l'art que pour autant
qu'ils ont en même temps l'apparence de la nature

En présence d'un produit des beaux-arts, il faut prendre
conscience qu'il s'agit d'art, et non pas de nature ; mais
cependant il est indispensable que la finalité, dans la forme
de ce produit, semble aussi libre de toute contrainte par des
règles arbitraires que s'il s'agissait d'un produit de la simple
nature. C'est sur ce sentiment de la liberté dans le jeu de nos
pouvoirs de connaître, lequel sentiment doit pourtant, en même
temps, posséder un caractère final, que repose ce plaisir qui,
seul, est universellement communicable, sans se fonder toutefois sur des concepts. La nature était belle lorsqu'en même
temps elle avait l'apparence de l'art ; et l'art ne peut être
appelé beau que si nous sommes conscients qu'il s'agit d'art
et que celui-ci prend cependant pour nous l'apparence de la
nature.

Car, qu'il s'agisse de beauté naturelle ou de beauté artistique, nous pouvons dire dans tous les cas : *est beau ce qui*
plaît dans le simple jugement appréciatif (et non pas dans la
sensation des sens, ni par l'intermédiaire d'un concept). Or,
l'art a toujours l'intention déterminée de produire quelque
chose. Mais, s'il s'agissait de produire une simple sensation
(quelque chose de purement subjectif) qui devrait être accompagnée de plaisir, ce produit ne plairait, dans le jugement
d'appréciation, que par la médiation du sentiment des sens.
Si l'intention consistait à viser la production d'un objet déterminé, cet objet, une fois obtenu par l'art, ne plairait que par
l'intermédiaire de concepts. Mais, dans les deux cas, l'art ne
plairait pas dans le simple *jugement appréciatif* ; autrement
dit, il ne plairait pas comme faisant partie des beaux-arts,
mais comme art mécanique.

En ce sens, dans le produit des beaux-arts, la finalité, bien
qu'elle (*307*) soit assurément intentionnelle, ne doit pourtant
pas paraître intentionnelle ; je veux dire que chacun des beaux-
arts doit apparaître comme nature, bien que l'on ait conscience
qu'il s'agit certes d'art. Cela étant, un produit de l'art apparaît
comme nature, dès lors que, sans doute, on y trouve toute la
ponctualité requise dans l'accord avec des règles d'après
lesquelles seulement le produit peut devenir ce qu'il doit être
– mais cela sans que l'on y sente l'*effort*, sans que s'y laisse

apercevoir une forme scolaire, c'est-à-dire sans que s'y laisse indiquer une trace manifestant que la règle était présente sous les yeux de l'artiste et qu'elle a imposé des chaînes aux facultés de son esprit.

Paragraphe 46
Les beaux-arts sont les arts du génie

Le *génie* est le talent (don naturel) qui donne à l'art ses règles. Dans la mesure où le talent, comme pouvoir de produire inné chez l'artiste, appartient lui-même à la nature, on pourrait aussi s'exprimer ainsi : le *génie* est la disposition innée de l'esprit (*ingenium*) par l'intermédiaire de laquelle la nature donne à l'art ses règles.

Quoi qu'il puisse en être de cette définition, qu'elle soit simplement arbitraire ou conforme au concept que l'on est accoutumé à associer au mot de *génie* (ce que l'on devra expliquer dans le paragraphe suivant), on peut cependant déjà prouver, à titre préalable, que les beaux-arts, d'après la signification selon laquelle ce mot est pris ici, doivent nécessairement être considérés comme arts du *génie*.

Car tout art suppose des règles par le truchement desquelles seulement un produit est représenté comme possible, s'il doit être désigné comme un produit de l'art. Cela dit, le concept des beaux-arts ne permet pas que le jugement sur la beauté de son produit soit dérivé d'une quelconque règle possédant un *concept* comme principe de détermination : par conséquent, il ne permet pas que le jugement se fonde sur un concept de la manière dont le produit est possible. En ce sens, les beaux-arts ne peuvent pas se forger eux-mêmes la règle d'après laquelle ils doivent donner naissance à leur produit. Or, étant donné cependant que, sans une règle qui le précède, un produit ne peut jamais être désigné comme un produit de l'art, il faut que la nature donne à l'art sa règle dans le sujet (et cela à travers l'accord qui intervient entre les pouvoirs dont dispose celui-ci) ; c'est dire que les beaux-arts ne sont possibles que comme produits du génie.

On voit par là : 1. Que le génie est un *talent* consistant à produire ce pour quoi aucune règle déterminée ne se peut indiquer – il ne correspond pas à une disposition qui rendrait apte à quoi que ce soit qui puisse être appris d'après une règle quelconque ; (*308*) par voie de conséquence, l'*originalité* doit être sa première propriété ; 2. Il en résulte en outre que, puisqu'il peut aussi y avoir une originalité de l'absurde, les produits du génie doivent également constituer des modèles, ce qui veut dire qu'ils doivent être *exemplaires* ; par conséquent, bien qu'eux-mêmes ne procèdent point d'une imitation, ils doivent cependant servir à d'autres de mesure ou de règle d'appréciation ; 3. Le génie est donc incapable de décrire lui-même ou d'indiquer scientifiquement comment il donne naissance à son produit, mais c'est au contraire en tant que *nature* qu'il donne la règle de ses productions ; et dès lors l'auteur d'un produit qu'il doit à son génie ne sait pas lui-même comment se trouvent en lui les Idées qui l'y conduisent, et il n'est pas non plus en son pouvoir de concevoir à son gré ou selon un plan de telles Idées, ni de les communiquer à d'autres à travers des préceptes les mettant en mesure de donner naissance à des produits comparables. (Ce pourquoi, vraisemblablement, le terme de génie est dérivé de *genius*, l'esprit donné en propre à un homme à sa naissance, chargé de le protéger et de le diriger, et qui fournit l'inspiration dont émanent ces idées originales) ; 4. Il en résulte enfin que la nature, par l'intermédiaire du génie, prescrit ses règles non à la science, mais à l'art – et encore n'est-ce le cas que dans la mesure où l'art dont il s'agit doit faire partie des beaux-arts.

Paragraphe 47
Explicitation et confirmation
de la précédente définition du génie

Chacun est d'accord pour reconnaître que le génie se doit opposer totalement à l'*esprit d'imitation*. Étant donné qu'apprendre n'est rien d'autre qu'imiter, la plus grande aptitude, la plus grande facilité (capacité) à apprendre ne peut, comme telle, valoir pour du génie. Reste que, même si l'on pense ou compose par soi-même, en ne se bornant pas à appréhender ce que d'autres ont pensé, et même si l'on découvre maintes choses au bénéfice de l'art et de la science, cela ne constitue pas encore non plus une bonne et suffisante raison pour nommer *génie* un tel *cerveau* (souvent vaste) (par opposition à celui qui, ne pouvant jamais faire davantage que simplement apprendre et imiter, s'appelle un *niais*); la raison en est que tout cela *aurait pu* aussi bien être appris, et se trouve par conséquent, en tout cas, sur le parcours naturel de la recherche et de la réflexion suivant des règles, sans être spécifiquement différent de ce qui peut être acquis avec application par l'intermédiaire de l'imitation. Ainsi peut-on parfaitement bien apprendre tout ce que Newton a exposé dans son œuvre immortelle sur les Principes de la philosophie de la nature, si vaste qu'ait dû être le cerveau qu'exigeaient de semblables découvertes ; mais on ne peut apprendre à composer des poèmes d'une manière spirituellement riche, si détaillés que puissent être (*309*) tous les préceptes conçus pour l'art poétique et si excellents qu'en soient les modèles. L'explication tient au fait que Newton pouvait rendre entièrement claires et distinctes non seulement pour lui-même, mais aussi pour tout autre et pour ses successeurs toutes les étapes qu'il eut à accomplir, depuis les premiers éléments de la géométrie jusqu'à ses découvertes les plus importantes et les plus profondes ; en revanche, aucun Homère, aucun Wieland ne peut indiquer comment ses idées poétiquement riches et pourtant, en même temps, intellectuellement fortes surgissent et s'assemblent dans son cerveau – cela parce qu'il ne le sait pas lui-même, et dès lors ne peut non plus l'enseigner à personne. Dans le registre scientifique, le plus grand auteur de découvertes ne se distingue donc de l'imitateur et de l'écolier le plus laborieux que par le degré, alors qu'il est spécifiquement différent de celui que la nature a doué pour les beaux-arts. Cependant, il ne faut pas voir là une dévalorisation de ces grands hommes auxquels l'espèce humaine doit être tellement redevable vis-à-vis de ceux qui sont, eu égard à leur talent pour les beaux-arts, les favoris de la nature. Le grand privilège des premiers par rapport à ceux qui méritent l'honneur d'être désignés comme des génies, c'est précisément que leur talent participe à la perfection toujours croissante des connaissances et de tout ce qui en dépend d'utile, en même temps qu'à l'instruction des autres dans ces mêmes connaissances : pour le génie en effet, l'art s'arrête quelque part, puisqu'une limite lui est imposée au-delà de laquelle il ne peut aller – une limite qu'au demeurant il a même sans doute déjà atteinte depuis longtemps, et qui ne peut plus être reculée ; et, de surcroît, une aptitude telle que celle du génie ne peut pas non plus être communiquée, mais à tout être à qui elle est donnée en partage, elle entend l'être immédiatement, de la main de la nature : elle disparaît donc avec lui, jusqu'à ce que la nature donne à nouveau, un jour, les mêmes dons à un autre, qui n'a besoin que d'un exemple pour laisser, de la même manière, le talent dont il est conscient produire ses effets.

Puisque le don naturel doit donner à l'art (en tant qu'il s'agit des beaux-arts) la règle, de quelle sorte est donc cette règle ? Elle n'est exprimée dans aucune formule qui permette de s'en servir comme d'un précepte ; car, si tel était le cas, le jugement sur le beau serait déterminable d'après des concepts. Tout au contraire, la règle doit être abstraite de l'acte, c'est-à-dire du produit, auquel d'autres peuvent bien mesurer leur talent, pour s'en servir comme d'un modèle – non pas au sens de ce qu'on imite, mais au sens de ce dont on hérite. Il est difficile d'expliquer comment c'est possible. Les Idées de l'artiste suscitent des Idées semblables chez son disciple quand la nature l'a doté d'une semblable proportion des facultés de l'esprit. Les modèles des beaux-arts sont par conséquent (*310*) les seuls guides qui peuvent les transmettre à la postérité ; c'est là ce qui ne pourrait se faire par de simples descriptions (surtout pour les arts du discours), et dans ces arts seuls parmi ces modèles peuvent devenir classiques ceux qui sont fournis par les langues anciennes, lesquelles sont des langues mortes et conservées seulement comme langues savantes.

Bien que l'art mécanique et les beaux-arts, celui-là en tant que simple art procédant de l'application et de l'apprentissage, ceux-ci en tant qu'arts du génie, soient très différents, il n'y a cependant pas un seul des beaux-arts où quelque chose de mécanique, qui peut être appréhendé et appliqué selon des règles, et par conséquent quelque chose de *scolaire*, ne constitue la dimension essentielle de l'art. Car il faut bien qu'y intervienne la conception de quelque chose en tant que fin, vu que, sinon, le produit ne pourrait en être attribué à aucun art ; ce serait un simple produit du hasard. Mais, pour mettre une fin en œuvre, se trouvent requises des règles déterminées dont on ne saurait se libérer. Or, étant donné que l'originalité du talent constitue une dimension essentielle (mais non point la seule) du caractère du génie, des esprits superficiels croient qu'ils ne pourraient davantage montrer qu'ils sont des génies florissants qu'en se déliant de la contrainte scolaire de toutes les règles, et ils imaginent que l'on parade mieux sur un cheval sauvage que sur un cheval de manège. Le génie ne peut procurer qu'une riche *matière* aux produits des beaux-arts ; l'élaboration de cette matière et la *forme* exigent un talent façonné par l'école, afin d'en faire un usage qui puisse soutenir les exigences de la faculté de juger. Mais si quelqu'un parle et décide comme un génie, y compris dans les domaines qui supposent la plus scrupuleuse recherche de la raison, il est parfaitement ridicule ; on ne sait pas bien s'il faut rire davantage du charlatan qui répand autour de lui un nuage de fumée tel que l'on ne voit rien nettement et que l'on peut d'autant plus aisément donner libre cours à son imagination, ou du public, qui s'imagine sincèrement que son incapacité à connaître et à saisir clairement le chef-d'œuvre de l'intelligence procède du fait que de nouvelles vérités lui sont jetées tout en bloc, tandis que le détail (à la faveur d'explications convenables et d'un examen méthodique des principes) ne lui semble constituer qu'un gâchis.

Paragraphe 48
(*311*) Du rapport du génie au goût

Pour porter des *jugements d'appréciation* sur des objets beaux, comme tels, il faut du *goût* ; mais pour les beaux-arts eux-mêmes, c'est-à-dire pour la *production* de tels objets, c'est du *génie* qui est requis.

Si l'on considère le génie comme le talent pour les beaux-arts (ce qui est la signification propre du terme) et si l'on veut analyser de ce point de vue les pouvoirs qui doivent s'unir pour constituer un tel talent, il est nécessaire de déterminer tout d'abord avec précision la différence entre la beauté naturelle, dont l'appréciation n'exige que le goût, et la beauté artistique, dont la possibilité exige le génie (ce qu'il faut prendre en compte quand on juge un tel objet).

Une beauté naturelle est une *belle chose* ; la beauté artistique est une *belle représentation* d'une chose.

Pour apprécier une beauté naturelle comme telle, je n'ai pas besoin de posséder au préalable un concept du type de chose que l'objet doit être ; je veux dire qu'il ne m'est pas nécessaire de connaître la finalité matérielle (la fin), mais au contraire la simple forme, sans connaissance de la fin, plaît par elle-même dans le jugement d'appréciation que je porte. Mais quand l'objet est donné comme un produit de l'art et doit être déclaré beau comme tel, il faut, dans la mesure où l'art suppose toujours une fin dans la cause (et dans sa causalité), qu'un concept de ce que la chose doit être soit d'abord mis au principe du jugement ; et puisque ce qui constitue la perfection d'une chose, c'est la manière dont le divers présent en elle s'accorde avec une destination interne de celle-ci en tant que fin, il faut, dans le jugement sur la beauté artistique, prendre en compte en même temps la perfection de la chose – ce dont il n'est pas du tout question dans le jugement sur une beauté naturelle (comme telle). En général, certes, dans l'appréciation des objets de la nature, particulièrement de ceux qui sont animés, par exemple l'homme ou un cheval, on considère aussi, pour en juger la beauté, la finalité objective ; mais, dès lors, le jugement n'est pas un jugement esthétique pur, c'est-à-dire un simple jugement de goût. La nature n'est plus jugée telle qu'elle prend l'apparence de l'art, mais dans la mesure même où elle est effectivement de l'art (bien que dépassant les limites de l'humain) ; et le jugement téléologique constitue ainsi pour le jugement esthétique (*312*) un soubassement et une condition dont il doit tenir compte. Dans un tel cas, quand on dit par exemple : « C'est une belle femme », on ne pense en fait rien d'autre que ceci : la nature représente dans sa forme d'une belle manière les fins inscrites dans la constitution féminine ; car force est, au-delà de la simple forme, de considérer en outre un concept, pour que l'objet soit ainsi pensé par l'intermédiaire d'un jugement esthétique logiquement conditionné.

Les beaux-arts montrent leur supériorité précisément en ceci qu'ils procurent une belle description de choses qui dans la nature seraient laides ou déplaisantes. Les furies, les maladies, les dévastations de la guerre, etc., peuvent, en tant que réalités nuisibles, être de très belle manière décrites et même représentées par des peintures ; seule une forme de laideur ne peut être représentée de manière naturelle sans faire disparaître toute satisfaction esthétique, et par conséquent la beauté artistique : il s'agit de celle qui suscite le *dégoût*. Car, du fait qu'en cette singulière sensation qui repose sur la pure imagination l'objet est représenté pour ainsi dire comme s'il s'imposait à la jouissance, alors même que nous lui résistons pourtant avec force, la représentation artistique de l'objet n'est plus différente, en notre sensation, de la nature même de l'objet, et il est dès lors impossible qu'on la tienne pour belle. Aussi la sculpture, étant donné que, dans ses produits, l'art est presque confondu avec la nature, a-t-elle exclu de ses créations la représentation immédiate d'objets laids, et c'est pourquoi il est permis de représenter par exemple la mort (sous la forme d'un beau génie), l'esprit guerrier (en la personne de Mars) par une allégorie ou des attributs possédant une apparence plaisante, donc d'une manière seulement indirecte, par l'intermédiaire d'une interprétation de la raison, et non pas pour la faculté de juger simplement esthétique.

C'est là tout ce qui était à expliquer à propos de la belle représentation d'un objet, qui n'est en vérité que la forme de la présentation d'un concept grâce à laquelle celui-ci est communiqué universellement. Cela dit, pour procurer cette forme au produit des beaux-arts, il n'est requis que du goût, sur lequel l'artiste, après l'avoir exercé ou corrigé en s'inspirant de nombreux exemples de l'art ou de la nature, vient étayer son œuvre et grâce auquel il trouve, après maintes recherches souvent pénibles, la forme qui lui donne satisfaction : c'est pourquoi celle-ci n'est pas en quelque sorte affaire d'inspiration ou d'un libre élan des facultés de l'esprit, mais est l'effet d'une lente et même pénible amélioration qui cherche à la rendre conforme à la pensée (*313*) sans être préjudiciable pour autant à la liberté inscrite dans le jeu de ces facultés.

Reste que le goût est simplement un pouvoir de juger, et non un pouvoir de produire – raison pour laquelle ce qui lui est conforme n'est pas encore une œuvre des beaux-arts : ce peut être un produit se rattachant aux arts utilitaires et mécaniques, ou même à la science, et cela d'après des règles déterminées qui peuvent être apprises et qui doivent être observées avec exactitude. Quant à la forme plaisante qu'on donne à ce produit, elle n'est que le véhicule de la communication et une manière, pour ainsi dire, de la présenter, vis-à-vis de laquelle on reste encore libre dans une certaine mesure, quand bien même cette présentation est par ailleurs liée à une fin déterminée. Ainsi désire-t-on qu'un service de table, un traité de morale, un sermon même possèdent cette forme qui correspond aux beaux-arts, sans toutefois qu'elle semble avoir été *recherchée* ; mais, pour autant, on ne les nommera pas des œuvres d'art. Au nombre de ces dernières, on compte un poème, un morceau de musique, une galerie de tableaux, etc. ; et souvent l'on peut percevoir, dans une œuvre qui prétend être une œuvre d'art, du génie sans goût, de même que, dans une autre, du goût sans génie.

Paragraphe 49
Des pouvoirs de l'esprit qui constituent le génie

De certaines productions, dont on s'attend à ce qu'elles se présentent, en partie au moins, comme des œuvres d'art, on dit : « Elles sont sans *âme* », bien que l'on n'y trouve rien à reprocher en ce qui touche au goût. Un poème peut être très bien fait et élégant, mais il est sans âme. Un récit est exact et ordonné, mais il est sans âme. Un discours solennel est profond en même temps que joliment fait, mais il est sans âme. Mainte conversation n'est pas sans divertir, mais elle est pourtant sans âme ; même d'une fille, on dit volontiers qu'elle est jolie, qu'elle a de la conversation et de l'allure, mais qu'elle est sans âme. À quoi correspond donc ce que l'on entend ici par âme ?

L'*âme*, au sens esthétique, désigne le principe qui, dans l'esprit, apporte la vie. Mais ce par quoi ce principe anime l'esprit, la matière qu'il emploie à cet effet, est ce qui met en mouvement, d'une manière finale, les facultés de l'esprit, c'est-à-dire les dispose à un jeu qui se conserve de lui-même et même augmente les forces qui y interviennent.

Or, j'affirme que ce principe n'est pas autre chose que le pouvoir (*314*) de présentation des *Idées esthétiques* ; ce disant, par une Idée esthétique, j'entends cette représentation de l'imagination qui donne beaucoup à penser, sans que toutefois aucune pensée déterminée, c'est-à-dire aucun *concept*, ne puisse lui être adéquate, et que par conséquent aucun langage n'atteint complètement ni ne peut rendre compréhensible. On voit aisément qu'elle est l'opposé (le pendant) d'une *Idée de la raison* qui, à l'inverse, est un concept auquel aucune *intuition* (représentation de l'imagination) ne peut être adéquate.

L'imagination (en tant que pouvoir de connaître productif) est, de fait, très puissante quand il s'agit de créer pour ainsi dire une autre nature à partir de la matière que lui donne la nature effective. Nous trouvons grâce à elle de quoi nous divertir lorsque l'expérience nous paraît trop banale ; volontiers, nous transfigurons même cette expérience, certes en restant toujours fidèles à des lois analogiques, mais en obéissant pourtant aussi à des principes qui trouvent leur siège plus haut, dans la raison (et qui pour nous sont tout aussi naturels que ceux d'après lesquels l'entendement appréhende la nature empirique) ; ce faisant, nous éprouvons notre liberté vis-à-vis de la loi de l'association (laquelle dépend de l'usage empirique de ce pouvoir), d'après laquelle de la matière peut certes être empruntée à la nature, mais tout en étant retravaillée par nous en vue de constituer quelque chose de tout autre qui dépasse la nature.

On peut nommer *Idées* de telles représentations de l'imagination : d'une part, parce que, du moins, elles tendent vers quelque chose qui est au-delà des limites de l'expérience et cherchent ainsi à s'approcher d'une présentation des concepts de la raison (des Idées intellectuelles) – ce qui leur donne l'apparence d'une réalité objective ; d'autre part – et c'est à vrai dire plus important –, parce que nul concept ne peut leur être, dans la mesure où elles correspondent à des intuitions intérieures, complètement adéquat. Le poète ose donner une dimension sensible à des Idées de la raison qui renvoient à des êtres invisibles, le royaume des bienheureux, l'enfer, l'éternité, la création, etc., ou encore, face à ce dont on trouve certes des exemples dans l'expérience, par exemple la mort, l'envie et tous les vices, de même que l'amour, la gloire, etc., il ose le rendre sensible au-delà des limites de l'expérience grâce à une imagination qui rivalise avec le prélude constitué par la raison pour atteindre un maximum – et cela à un degré de perfection dont il ne se trouve nul exemple dans la nature ; et c'est à vrai dire dans la poésie que le pouvoir des Idées esthétiques peut se manifester dans toute son ampleur. Reste que ce pouvoir, considéré pour lui seul, n'est à proprement parler qu'un talent (de l'imagination).

Quand on subsume sous un concept une représentation de l'imagination (*315*) qui appartient à sa présentation, mais qui, par elle-même, fournit l'occasion de penser bien davantage que ce qui se peut jamais comprendre dans un concept déterminé, et par conséquent élargit esthétiquement le concept lui-même de manière illimitée, l'imagination est alors créatrice, et elle met en mouvement le pouvoir des Idées intellectuelles (la raison), et cela d'une manière qui lui permet, à propos d'une représentation, de penser bien plus (ce qui, certes, appartient au concept de l'objet) que ce qui en elle peut être appréhendé et rendu clair.

Ces formes qui ne constituent pas la présentation même d'un concept donné, mais expriment seulement, comme représentations secondaires de l'imagination, les conséquences qui s'y relient et la parenté de ce concept avec d'autres, on les nomme *attributs* (esthétiques) d'un objet dont le concept, comme Idée de la raison, ne peut jamais être présenté de façon adéquate. Ainsi l'aigle de Jupiter, avec la foudre dans ses serres, est-il un attribut du puissant roi des cieux, et le paon un attribut de la magnifique reine des cieux. Ils ne représentent pas, comme les *attributs logiques*, ce qui est contenu dans nos concepts de la sublimité et de la majesté de la création, mais quelque chose d'autre qui fournit à l'imagination l'occasion d'appliquer son pouvoir à une foule de représentations apparentées, lesquelles permettent de penser davantage que ce que l'on peut exprimer dans un concept déterminé par des mots ; et ce sont ces attributs esthétiques

qui constituent une *Idée esthétique*, laquelle, pour cette Idée
de la raison, tient lieu de présentation logique, mais trouve
véritablement son utilité pour animer l'esprit en lui donnant
la possibilité de porter son regard sur un champ infini de
représentations apparentées. Or, les beaux-arts ne parviennent
pas à ce résultat uniquement en peinture ou en sculpture (où
l'on utilise communément le terme d'attribut), mais la poésie
et l'éloquence tiennent elles aussi l'âme qui anime leurs œuvres
purement et simplement des attributs esthétiques des objets,
qui sont solidaires des attributs logiques et donnent à l'imagination un élan en vue de penser davantage, même si c'est
de manière non explicitée, que ce qui se peut comprendre
dans un concept, et par conséquent dans une expression
linguistique déterminée. Pour des raisons de brièveté, il me
faut me borner à quelques exemples.

Quand le grand roi s'exprime ainsi dans l'un de ses poèmes [93] :

> « Oui, finissons sans trouble, et mourons sans regret,
> En laissant l'Univers comblé de nos bienfaits.
> Ainsi l'Astre du jour, au bout de sa carrière,
> Répand sur l'horizon une douce lumière,
> Et les derniers rayons (*316*) qu'il darde dans les airs,
> Sont ses derniers soupirs qu'il donne à l'Univers »

il donne vie à l'idée rationnelle d'esprit cosmopolite qui restait
encore sienne à la fin de son existence, grâce à un attribut
que l'imagination associe à cette représentation (à travers le
souvenir de tous les agréments d'un beau jour d'été qui s'est
achevé et dont une soirée sereine nous fait nous remémorer)
et qui mobilise une foule de sensations et de représentations
concomitantes pour lesquelles il ne se trouve pas d'expression
possible. De l'autre côté, et à l'inverse, même un concept
intellectuel peut servir d'attribut à une représentation des
sens, et ainsi lui donner vie grâce à l'Idée du suprasensible ;
mais cela n'est envisageable que dans la mesure où la dimension esthétique, qui dépend subjectivement de la conscience
du suprasensible, est ici mise en jeu. Ainsi, par exemple, un
poète va-t-il dire, en décrivant une belle matinée [94] :

« Le soleil jaillissait, comme le calme jaillit de la vertu. »

La conscience de la vertu, quand on se met, ne serait-ce
que par la pensée, à la place d'un homme vertueux, répand
dans l'esprit une foule de sentiments sublimes et apaisants, et
elle ménage ainsi une perspective illimitée sur un avenir de

joie, tel qu'aucune expression adéquate à un concept déterminé ne l'atteint pleinement *.

En un mot : l'Idée esthétique est une représentation de l'imagination, associée à un concept donné, qui, dans le libre usage de celle-ci, est liée à une telle diversité de représentations partielles que nulle expression désignant un concept déterminé ne peut être trouvée pour elle, et qui en ce sens permet de penser, par rapport à un concept, une vaste dimension supplémentaire d'indicible dont le sentiment anime le pouvoir de connaître et vient introduire de l'esprit dans la simple lettre du langage.

Ainsi les facultés de l'âme dont la réunion (selon une certaine relation) constitue le *génie* sont-elles l'imagination et l'entendement. Simplement, alors que, dans l'usage de l'imagination en vue de la connaissance, l'imagination se trouve soumise à la contrainte de l'entendement et à la limitation que lui impose le fait d'être adéquate au concept de celui-ci, en revanche, quand la perspective est esthétique (*317*), l'imagination est libre, en vue de fournir en outre, sans que cela soit recherché, à l'entendement, au-delà de cette convenance avec le concept, une matière au contenu riche et non développé – matière dont l'entendement ne tenait pas compte dans son concept, mais qu'il applique non pas tant objectivement à la connaissance que, subjectivement, pour animer les facultés de connaître, donc qu'indirectement il applique néanmoins aussi à des connaissances : ainsi le génie réside-t-il à proprement parler dans l'heureuse relation, qu'aucune science ne peut enseigner et qu'aucune application ne fait acquérir par apprentissage, qui permet d'une part de découvrir des Idées pour un concept donné, et d'autre part d'obtenir pour ces Idées l'*expression* grâce à laquelle la disposition subjective de l'esprit ainsi suscitée, en tant qu'accompagnant un concept, peut être communiquée à autrui. Ce dernier talent correspond proprement à ce que l'on appelle l'âme ; car exprimer et rendre universellement communicable ce qu'il y a d'indicible dans l'état d'esprit associé à une certaine représentation – et ce,

* Peut-être n'a-t-on jamais dit quelque chose de plus sublime ou exprimé une idée de manière plus sublime que dans cette inscription figurant sur le temple d'*Isis* (la mère *Nature*) : « Je suis tout ce qui est, tout ce qui était et tout ce qui sera, et nul mortel n'a soulevé mon voile. » *Segner* [95] utilisa cette idée sous la forme d'une vignette pleine de sens qu'il plaça en tête de sa Physique, en vue de commencer par remplir son disciple, qu'il se préparait à conduire dans ce temple, du frisson sacré qui doit disposer l'esprit à faire preuve d'un état d'attention solennelle.

que l'expression relève du langage, de la peinture ou de la plastique –, cela requiert un pouvoir d'appréhender le jeu si fugace de l'imagination et de le synthétiser dans un concept qui se peut communiquer sans la contrainte des règles (un concept qui, précisément pour cette raison, est original et fait apparaître en même temps une règle nouvelle qui n'a pu résulter d'aucun principe ou d'aucun exemple qui l'eusse précédée).

*

Si, après ces analyses, nous considérons à nouveau la définition fournie plus haut de ce que l'on appelle *génie*, voici ce que nous trouvons : *premièrement*, le génie est un talent pour l'art, et non pas pour la science, dans laquelle des règles clairement connues doivent nécessairement venir en premier et déterminer la méthode qui s'y trouve employée ; *deuxièmement*, en tant que talent artistique, le génie présuppose un concept déterminé du produit envisagé comme fin, par conséquent il suppose l'entendement, mais aussi une représentation (bien qu'indéterminée) de la matière, c'est-à-dire de l'intuition, requise pour la présentation de ce concept – et en ce sens il exige un rapport de l'imagination à l'entendement ; *troisièmement*, le génie se manifeste moins à travers la mise en œuvre de la fin qu'il se propose dans la présentation d'un concept déterminé que, plutôt, dans l'exposition ou l'expression d'*Idées esthétiques* contenant, en vue de la réalisation de ce but, une riche matière – et par conséquent il donne une représentation de l'imagination dans sa liberté vis-à-vis de toute direction par des règles et comme possédant cependant un caractère final pour la présentation du concept considéré ; enfin, *quatrièmement*, la finalité subjective qui n'est pas recherchée, qui n'est pas intentionnelle, (*318*) présuppose dans le libre accord de l'imagination avec la légalité de l'entendement une proportion et une disposition de ces pouvoirs telles que ne peut les produire nulle observation de règles (qu'il s'agisse de celles de la science ou de celles de l'imitation mécanique), mais que peut seule produire la nature du sujet.

Tout cela posé, le génie est l'originalité exemplaire des dons naturels d'un sujet dans le *libre* usage de ses pouvoirs de connaître. En ce sens, le produit d'un génie (pour ce qui, en lui, doit être attribué au génie, et non pas à la possibilité d'un apprentissage ou à l'école) n'est pas un exemple à imiter (car, dès lors, ce qu'il y a en lui qui relève du génie et constitue l'esprit de l'œuvre serait perdu), cela constitue l'héritage dont bénéficiera un autre génie, lequel va ainsi être éveillé au sentiment de sa propre originalité pour exercer dans l'art sa liberté vis-à-vis de la contrainte des règles, de façon telle qu'ainsi l'art reçoive une nouvelle règle, et qu'ainsi le talent se révèle exemplaire. Mais, parce que le génie est un favori de la nature, à propos duquel il faut considérer simplement que nous avons affaire à un phénomène rare, son exemple fait école pour d'autres bons cerveaux – c'est-à-dire qu'il constitue pour eux une formation méthodique d'après des règles, pour autant qu'on a pu les retirer des productions de son esprit et de ce qu'elles ont de spécifique ; et pour ceux-ci les beaux-arts sont, dans ces conditions, une imitation dont la nature a fourni la règle par l'intermédiaire d'un génie.

Cela dit, cette imitation devient *singerie* à partir du moment où l'élève *imite* tout, jusques et y compris les difformités que le génie n'a pu que se trouver contraint de permettre, parce qu'il ne pouvait véritablement les éliminer sans affaiblir l'Idée. Ce courage ne correspond à un mérite que chez le seul génie ; et si une certaine *audace* dans l'expression, ainsi qu'en général maints écarts pris par rapport à la règle commune lui siéent fort bien, en revanche il n'y a là rien qui soit digne d'être imité, mais cela reste au contraire, en soi, toujours une faute que l'on doit chercher à éliminer – quand bien même c'est là précisément ce en quoi le génie est pour ainsi dire privilégié, dans la mesure où la dimension inimitable qui caractérise l'élan de son esprit souffrirait s'il venait à faire preuve d'une prudence anxieuse. Le *maniérisme* est une autre sorte de singerie, à savoir celle qui consiste à cultiver la simple *authenticité* (originalité) en général pour certes se tenir éloigné le plus possible des imitateurs, sans posséder pour autant le talent de constituer en même temps un *modèle*. Il y a en fait deux façons (*modus*) de composer l'exposé de ses idées, dont l'une s'appelle une *manière* (*modus aestheticus*), l'autre une *méthode* (*modus logicus*), lesquelles se distinguent l'une de l'autre en ceci (*319*) que la première n'a pas d'autre critère d'évaluation que le *sentiment* de l'unité dans la présentation, alors que la seconde obéit ici à des *principes* déterminés ; pour les beaux-arts, c'est uniquement la première qui possède une validité. Cela étant, on dit qu'une production artistique est *maniérée* dès lors que l'exposition de son Idée s'y trouve *orientée* vers la singularité et n'est pas rendue adéquate à l'Idée. Le précieux, le guindé et l'affecté, qui n'entendent que se distinguer du commun (mais sans âme), ressemblent à l'attitude de celui dont on dit qu'il s'écoute parler, ou de celui qui adopte le même maintien et la même démarche que s'il était sur une scène, pour être admiré de ceux qui le regardent – ce qui trahit toujours un sot.

Paragraphe 50
De la combinaison du goût avec le génie dans les productions des beaux-arts

Quand on demande si, dans le domaine des beaux-arts, il est plus important que s'y manifeste soit du génie, soit du talent, cela équivaut à poser la question de savoir si l'imagination y joue un plus grand rôle que la faculté de juger. Or, dans la mesure où un art, envisagé du point de vue du génie, mérite plutôt d'être désigné comme spirituellement riche, alors que c'est uniquement sous l'angle du talent qu'il mérite d'être dit un *bel* art, c'est ce dernier qui, du moins comme condition indispensable (*conditio sine qua non*), constitue l'élément le plus important à prendre en compte pour porter des jugements d'appréciation sur l'art en tant que bel art. Que l'on soit riche et original quant aux Idées, cela n'est pas requis aussi nécessairement pour la beauté, qui veut plutôt la conformité de l'imagination dans sa liberté à la légalité de l'entendement. Car toute la richesse de l'imagination ne produit, quand elle se déploie dans sa liberté sans loi, rien que de l'absurdité ; en revanche, la faculté de juger est le pouvoir d'accorder l'imagination à l'entendement.

Le goût est, comme la faculté de juger en général, la discipline (ou le dressage) du génie ; il lui rogne durement les ailes et le civilise ou le polit ; mais, en même temps, il lui donne une direction qui lui indique en quel sens et jusqu'où il doit s'étendre pour demeurer conforme à une fin ; et en introduisant de la clarté et de l'ordre dans les pensées dont l'esprit est rempli, il donne une consistance aux Idées et les rend capables d'obtenir un assentiment durable, mais aussi, en même temps, universel. Si, par conséquent, en cas de conflit entre ces deux sortes de qualité, quelque chose, dans une production artistique (*320*) doit être sacrifié, ce sacrifice devrait plutôt intervenir du côté du génie ; et la faculté de juger, qui tranche, dans le domaine des beaux-arts, à partir de ses propres principes, permettra plutôt qu'il soit porté quelque préjudice à la liberté et à la richesse de l'imagination qu'à l'entendement.

Pour les beaux-arts, seraient donc requis l'*imagination*, l'*entendement*, l'*esprit* et le *goût* *.

Paragraphe 51
De la division des beaux-arts

On peut en général appeler *beauté* (qu'elle soit beauté naturelle ou beauté artistique) l'*expression* d'Idées esthétiques : le seul point à considérer est que, dans les beaux-arts, cette Idée doit être provoquée par un concept de l'objet, tandis que, dans la beauté naturelle, la simple réflexion sur une intuition donnée est suffisante, sans concept de ce que l'objet doit être, pour éveiller et communiquer l'Idée dont cet objet est considéré comme l'*expression*.

Si nous voulons donc diviser les beaux-arts, nous ne pouvons choisir, du moins à titre d'essai, principe plus adéquat que l'analogie de l'art avec le mode d'expression dont se servent les êtres humains quand ils parlent, afin de communiquer entre eux aussi parfaitement que possible, non seulement selon leurs concepts, mais aussi à travers ce qu'ils éprouvent **. Ce mode d'expression est constitué du *mot*, du *geste* et du *ton* (articulation, gesticulation et modulation). C'est uniquement la combinaison de ces trois sortes d'expression qui définit la communication complète dont s'acquitte le locuteur. Car la pensée, l'intuition et la sensation se trouvent ainsi, en même temps et de manière unifiée, transmises à d'autres.

Parallèlement, il n'y a que trois espèces de beaux-arts : l'art de la *parole*, l'art (*321*) *figuratif* et l'art du *jeu des sensations* (en tant qu'impressions externes des sens). On doit rendre aussi cette division dichotomique, de manière que les beaux-arts soient divisés en ceux de l'expression des pensées et ceux de l'expression des intuitions, ceux-ci ne se divisant à nouveau que selon leur forme et leur matière (de la sensation). Sim-

---

* Les trois premiers pouvoirs n'acquièrent *ce qui les réunit* que par l'intermédiaire du quatrième. *Hume*, dans son *Histoire* [96], laisse entendre aux Anglais que, bien qu'ils n'aient rien à envier dans leurs œuvres à aucun peuple du monde du point de vue de ce qui témoigne des trois premières qualités considérées *isolément*, il leur faut pourtant reconnaître la supériorité de leurs voisins les Français en ce qui concerne la qualité qui réunit les trois autres.

** Le lecteur ne jugera pas cette esquisse d'une division possible des beaux-arts comme si elle constituait une théorie achevée. Il s'agit là simplement d'une des multiples tentatives possibles que l'on peut et doit encore effectuer.

plement, une telle division apparaîtrait alors trop abstraite et moins conforme aux concepts usuels.

1. Les arts de la *parole* sont l'*éloquence* et la *poésie*. L'*éloquence* est l'art de mener à bien une opération de l'entendement comme s'il s'agissait d'un libre jeu de l'imagination ; la *poésie* est l'art de mener à bien un libre jeu de l'imagination comme s'il s'agissait d'une opération de l'entendement.

L'*orateur* annonce ainsi une tâche et l'exécute comme s'il s'agissait simplement d'un *jeu* avec des Idées, afin de divertir les auditeurs. Le *poète* annonce seulement un *jeu* divertissant avec des Idées, et pourtant il en procède tant de choses pour l'entendement que c'est comme si le poète avait eu pour seule intention de s'acquitter de la tâche de celui-ci. La combinaison et l'harmonie des deux pouvoirs de connaître, la sensibilité et l'entendement, qui sont certes indispensables l'un à l'autre, mais qui pourtant ne se laissent pas non plus réunir sans contrainte et préjudice réciproque, doivent être inintentionnelles et paraître se réaliser spontanément ; sinon, il ne s'agit pas de *beaux-arts*. De là vient que tout ce qui est recherché et pénible doit y être évité ; car les beaux-arts doivent être des arts libres en deux sens : il ne doit pas s'agir, comme c'est le cas d'une activité salariée, d'un travail dont l'importance se peut apprécier, imposer ou payer selon un critère de mesure déterminé ; en outre, et tout autant, il faut que l'esprit s'y sente certes occupé, mais pourtant aussi, sans viser une autre fin (indépendamment du salaire), satisfait et tenu en éveil.

L'orateur fournit ainsi, assurément, quelque chose qu'il ne promet pas, à savoir un jeu divertissant de l'imagination ; mais il manque aussi, en un sens, à ce qui est sa promesse et qui constitue pourtant la tâche qu'il annonce : mettre en œuvre l'entendement d'une façon qui soit conforme à une fin. Le poète, en revanche, promet peu et annonce un simple jeu avec des Idées, mais il accomplit quelque chose qui est digne d'une tâche, à savoir procurer, en jouant, à l'entendement de quoi s'alimenter et donner vie à ses concepts par l'intermédiaire de l'imagination : par conséquent, le premier donne au fond moins, et le second plus que ce qu'il promet.

2. Les arts *figuratifs*, ou arts de l'expression des Idées dans l'*intuition sensible* (et non pas par des représentations de la simple imagination (*322*) qui sont suscitées par des mots), sont l'art ou bien de la *vérité sensible*, ou bien de l'*apparence sensible*. Le premier s'appelle la *plastique*, le second la *pein-*

ture. L'un comme l'autre produisent des figures dans l'espace pour exprimer des Idées : la plastique crée des figures qui sont connaissables pour deux sens, la vue et le toucher (bien que, vis-à-vis de ce dernier, elle n'ait pas pour fin la beauté), la peinture en produit qui ne sont connaissables que pour la vue. L'idée esthétique (archétype, modèle original) réside à titre de principe, pour l'une et l'autre, dans l'imagination ; mais la figure, qui en constitue l'expression (ectype, copie), est donnée soit dans son extension corporelle, à la manière dont l'objet lui-même existe, soit d'après la façon dont cette extension se peint dans l'œil (d'après son apparence dans une surface) ; autrement dit, dans le premier cas, c'est ou bien la relation à une fin réelle, ou bien simplement l'apparence de cette fin, qui constitue la condition de la réflexion.

À la *plastique*, première espèce des beaux-arts figuratifs, appartiennent la *sculpture* et l'*architecture*. La première est l'art qui présente physiquement les concepts de certaines choses telles qu'elles *pourraient exister dans la nature* (cependant, en tant qu'elle constitue un des beaux-arts, en tenant compte de la finalité esthétique) ; la seconde est l'art de présenter des concepts de choses qui ne sont possibles *que par l'art* et dont la forme n'a pas pour principe de détermination la nature mais une fin arbitraire – et, à ce dessein, elle est l'art d'accomplir ces présentations d'une manière qui soit aussi en même temps esthétiquement conforme à une fin. Dans ce dernier art, c'est un certain *usage* de l'objet artistique qui constitue le point essentiel, ce par référence à quoi, à titre de condition, les Idées esthétiques se trouvent limitées. Dans la sculpture, c'est la simple *expression* d'Idées esthétiques qui constitue le but principal. Ainsi des statues d'hommes, de dieux, d'animaux, etc., relèvent de la première forme d'art ; en revanche, des temples, des édifices prestigieux destinés à des réunions publiques, ou encore des habitations, des arcs de triomphe, des colonnes, des cénotaphes et autres constructions du même genre érigées pour honorer la mémoire de tel ou tel, sont du ressort de l'architecture. Tous les meubles (ouvrages du menuisier et autres choses du même type correspondant à un usage) peuvent eux-mêmes être aussi mis au compte de ce dernier art, dans la mesure où la convenance du produit à un certain usage constitue le but essentiel d'une œuvre *architecturale* ; en revanche, une œuvre simplement *figurative*, qui est faite uniquement pour être contemplée et qui doit plaire par elle-même, constitue, en tant que présentation physique, une simple imitation de la nature, d'une façon qui toutefois se réfère à des Idées esthétiques – ce en quoi la *vérité sensible* ne doit pas aller jusqu'au point où le produit cesserait d'apparaître comme art et comme produit de l'arbitre.

La *peinture* qui, seconde espèce des arts figuratifs, présente l'*apparence sensible* (*323*) artistiquement liée avec des Idées, pourrait selon moi être divisée en arts de la belle *description* de la *nature* et en arts du bel *agencement* de ses *produits*. Le premier serait la *peinture proprement dite*, le second l'*art des jardins*. Car le premier ne produit que l'apparence de l'extension physique ; le second la produit certes vraiment, mais il ne fournit que l'apparence de l'utilisation et de l'usage pour d'autres fins que celle du simple jeu de l'imagination dans la contemplation de ses formes *. L'art des jardins consiste uniquement à orner le sol avec la même diversité (plantes, fleurs, buissons, arbres, et même cours d'eau, collines et vallons) que celle avec laquelle la nature le présente à l'intuition, mais seulement en l'agençant d'une autre manière et adéquatement à certaines Idées. Reste que le bel agencement de choses physiques n'est lui aussi destiné qu'à la *vue*, comme la peinture ; le sens du toucher ne peut fournir aucune représentation intuitive d'une telle forme. Au compte de la peinture au sens large, je mettrais encore la décoration des pièces par des tapisseries, des garnitures et tout bel ameublement qui est destiné simplement à la *vue* ; de même, l'art de s'habiller avec goût (bagues, tabatières, etc.). Car un parterre de fleurs de toutes sortes, une pièce avec toutes espèces d'ornementations (jusques et y compris les toilettes des dames) constituent, à l'occasion d'une fête pleine d'éclat, une sorte de tableau qui, tout comme les tableaux proprement dits (qui n'ont pas

---

* Que l'art des jardins puisse être considéré comme une espèce de la peinture, bien qu'il présente ses formes physiquement, semble étrange ; mais dans la mesure où il emprunte effectivement ses formes à la nature (les arbres, les buissons, les plantes et les fleurs des forêts et des champs, du moins à l'origine) et, en tant que tel, n'est pas un art comme peut l'être la plastique, dans la mesure où il n'a pas non plus pour condition de l'agencement qu'il opère un concept de l'objet et de sa fin (comme c'est le cas par exemple de l'architecture), mais uniquement le libre jeu de l'imagination dans la contemplation, il se rapproche en ce sens de la peinture simplement esthétique, qui n'a aucun thème déterminé (et qui agence de façon divertissante l'air, la terre et l'eau grâce à la lumière et à l'ombre). D'une façon générale, le lecteur appréciera ces indications uniquement comme une tentative pour réunir les beaux-arts sous un principe qui est en l'occurrence celui de l'expression d'Idées esthétiques (par analogie avec un langage), et non pas comme une déduction de ceux-ci qui entendrait être décisive.

pour intention d'*enseigner* par exemple l'histoire ou la connaissance de la nature), n'existe que pour être vu et afin de soutenir l'imagination dans son libre jeu avec des Idées et d'occuper sans fin déterminée la faculté de juger esthétique. La fabrication peut certes, pour tous ces ornements, être très différente d'un point de vue mécanique (*324*) et requérir des artistes d'un tout autre genre ; il n'en demeure pas moins que le jugement de goût portant sur ce qui est beau dans cet art a, en tant que tel, pour unique détermination de ne juger que les formes (sans considération d'une fin) telles qu'elles s'offrent au regard, soit isolément, soit à travers leur combinaison, d'après l'effet qu'elles produisent sur l'imagination. Quant à savoir de quelle manière l'art figuratif peut être inscrit parmi tout ce qui relève du geste dans une langue (par analogie), on peut avancer cette justification que l'esprit de l'artiste, à travers ces figures, donne une expression physique de ce qu'il a pensé et de la façon dont il l'a pensé, et qu'il fait parler la chose elle-même, pour ainsi dire par une mimique : c'est là un jeu très habituel de notre imagination, qui suppose une âme aux objets inanimés d'après leur forme.

3. L'art du *beau jeu des sensations* (qui sont produites de l'extérieur et dont le jeu doit cependant se pouvoir communiquer universellement) ne peut concerner que la proportion des différents degrés de la disposition (tension) du sens dont relève la sensation, c'est-à-dire la tonalité de ce sens ; et en cette signification large du terme un tel art peut être divisé en jeu artistique des sensations de l'ouïe et jeu artistique des sensations de la vue, par conséquent en *musique* et *art des couleurs*. Il est remarquable que ces deux sens, au-delà de leur réceptivité vis-à-vis d'impressions (dans la mesure où elles sont requises pour acquérir par leur intermédiaire des concepts d'objets extérieurs), sont en outre capables d'une sensation particulière qui leur est associée et dont on ne peut vraiment déterminer si elle a pour principe le sens ou la réflexion ; de même est-il remarquable que cette capacité d'être affecté puisse pourtant être parfois défaillante, bien que le sens ne soit pas défaillant par ailleurs en ce qui concerne son usage pour la connaissance des objets, mais qu'au contraire il fasse preuve d'une finesse particulièrement accentuée. En d'autres termes, on ne peut dire avec certitude si une couleur ou un ton (un son) constituent des sensations simplement agréables ou s'ils correspondent déjà en eux-mêmes à un beau jeu de sensations et si, comme tels, ils induisent avec eux, dans le jugement d'appréciation esthétique, une satisfaction prise à la

forme. Si l'on songe à la vitesse des vibrations de la lumière
ou, dans le second cas, de celles de l'air, telle que, vraisemblablement, elle dépasse de beaucoup tout notre pouvoir d'apprécier immédiatement dans la perception la proportion selon
laquelle le temps se trouve divisé par ces vibrations, on devrait
croire que seul l'*effet* de ces vibrations sur les parties élastiques
de notre corps est ressenti, mais que la *division du temps*
qu'elles opèrent n'est pas remarquée ni (*325*) prise en compte
dans le jugement d'appréciation, par conséquent qu'aux couleurs et aux tons seuls vient s'associer ce qu'il y a là d'agréable,
et non pas la beauté de leur composition. Mais si, en revanche,
on prend en considération, *premièrement*, ce qui se peut dire
du point de vue mathématique sur la proportion de ces
vibrations dans la musique et sur le jugement par lequel on
les apprécie, et si l'on juge le contraste des couleurs, comme
c'est l'usage, par analogie avec les vibrations musicales ; si,
deuxièmement, on tire enseignement des exemples, certes
rares, d'êtres humains qui, bien que dotés de la meilleure vue
du monde, ont été incapables de distinguer des couleurs et,
quoique possédant l'ouïe la plus fine, n'ont pas su différencier
des sons, de même si, pour ceux qui en sont capables, l'on
observe qu'est bien définie la perception d'un changement
qualitatif (et non pas seulement du degré de la sensation)
parmi les diverses intensités figurant sur l'échelle des couleurs
ou des sons, comme est défini aussi le nombre de ces changements qualitatifs pouvant donner lieu à des différences
perceptibles, on pourrait dès lors se voir forcé de considérer
les sensations de ces deux sens, non comme de simples impressions sensorielles, mais comme l'effet d'un jugement d'appréciation porté sur la forme susceptible d'être appréhendée dans
le jeu de sensations multiples. Cela dit, la différence qu'introduit le choix de l'une ou l'autre de ces deux opinions dans le
jugement portant sur le principe de la musique, c'est simplement que la définition s'en trouverait modifiée, dans la mesure
où on la tiendrait soit, comme nous l'avons fait, pour le *beau*
jeu des sensations (par l'intermédiaire de l'ouïe), soit pour un
jeu de sensations *agréables*. C'est seulement en vertu du
premier type de définition que la musique serait représentée
pleinement comme un des *beaux*-arts, alors que, selon le
second type de définition, elle apparaît (au moins en partie)
comme un art *agréable*.

Paragraphe 52
De l'association des beaux-arts en un seul et même produit

L'éloquence peut être associée à une présentation picturale de ses sujets aussi bien que de ses objets dans une *pièce de théâtre* ; la poésie peut être associée à de la musique dans le *chant*, tandis que celui-ci peut être en même temps associé à une présentation picturale (théâtrale) dans un *opéra*, le jeu des sensations musicales au jeu des figures dans la danse, etc. Même la présentation du sublime, dans la mesure où elle appartient aux beaux-arts, peut s'unir avec la beauté dans une *tragédie en vers*, un *poème didactique*, un *oratorio* ; et dans ces associations les beaux-arts sont encore plus artistiques : quant à savoir toutefois s'ils sont aussi plus beaux (dans la mesure où viennent s'y entrecroiser maintes sortes de satisfactions si diversifiées), cela peut demeurer douteux dans certains de ces cas. Pourtant, dans tous les beaux-arts *(326)*, l'essentiel réside dans la forme, laquelle, vis-à-vis de l'observation et du jugement d'appréciation, contient en elle une dimension de finalité, et où le plaisir est en même temps culture et dispose l'esprit à des Idées en le rendant par conséquent capable d'éprouver bien davantage de plaisirs et de divertissements de ce type ; l'essentiel ne réside pas dans la matière de la sensation (l'attrait ou l'émotion), où il s'agit uniquement de jouissance, laquelle n'apporte rien à l'Idée, émousse l'esprit, fait peu à peu éprouver du dégoût envers son objet et rend l'âme insatisfaite d'elle-même et chagrine par la conscience de sa disposition qui, selon le jugement de la raison, apparaît contraire à toute finalité.

Quand les beaux-arts ne sont pas, de près ou de loin, associés à des Idées morales, qui seules apportent avec elles une satisfaction trouvant en elle-même sa consistance, tel est leur destin ultime. Ils ne servent dès lors que de distraction – ce dont on a d'autant plus besoin qu'on s'en sert pour dissiper l'insatisfaction que l'esprit a de lui-même en se rendant ainsi toujours plus inutile et mécontent de soi. D'une façon générale, ce sont les beautés de la nature qui s'accordent le plus avec l'intention première de l'art, quand on est dès l'enfance accoutumé à les observer, à les apprécier et à les admirer.

Paragraphe 53
Comparaison de la valeur esthétique respective des beaux-arts

De tous les beaux-arts, c'est la poésie qui revendique le premier rang : elle est redevable presque entièrement, quant à son origine, au génie, et c'est elle qui accepte le moins d'être guidée par des préceptes ou par des exemples. Elle élargit l'esprit en rendant l'imagination libre et en fournissant, à l'intérieur des limites d'un concept donné et parmi la diversité infinie des formes susceptibles de s'accorder avec lui, celle qui combine la présentation de ce concept avec une plénitude de pensées à laquelle nulle expression, dans le langage, n'est entièrement adéquate et qui s'élève ainsi, esthétiquement, jusqu'à des Idées. Elle fortifie l'esprit en lui faisant éprouver son libre pouvoir, autonome et indépendant de la détermination naturelle, de contempler et de juger la nature en tant que phénomène selon des points de vue qu'elle ne présente pas d'elle-même dans l'expérience, ni pour les sens, ni pour l'entendement, et ainsi de s'en servir en vue du suprasensible et pour ainsi dire comme schème de celui-ci. Elle joue avec (327) l'apparence, qu'elle produit à volonté, sans pour autant tromper en se servant de celle-ci ; car elle définit elle-même son activité comme un simple jeu qui peut cependant être utilisé par l'entendement et pour sa propre entreprise conformément à une fin.

L'éloquence, dans la mesure où l'on entend par là l'art de persuader, c'est-à-dire (en tant qu'*ars oratoria*) l'art d'abuser par la beauté de l'apparence, et non pas simplement l'art de bien parler (la qualité d'élocution et le style), est une dialectique n'empruntant à la poésie que ce qui est nécessaire pour gagner les esprits, avant qu'il y ait exercice du jugement, en faveur de l'orateur et pour s'emparer de leur liberté ; en ce sens, on ne peut la conseiller ni pour les tribunaux, ni pour les chaires. Car, quand il s'agit des lois civiles, du droit des personnes privées ou de la formation et de la détermination durables des esprits en vue de les orienter vers une connaissance exacte et une observation scrupuleuse de leur devoir, il est indigne d'une si importante entreprise de laisser entrevoir ne serait-ce même qu'une trace d'un excès d'esprit ou d'un débordement de l'imagination, mais bien davantage encore d'une utilisation de l'art de persuader et de séduire au bénéfice de quelqu'un. Car bien que l'éloquence puisse parfois être appliquée à des desseins en eux-mêmes légitimes et louables, elle devient toutefois condamnable dès lors que par là les maximes et les convictions sont subjectivement corrompues, quand bien même l'acte est objectivement conforme à la loi – étant donné qu'il ne suffit pas de faire ce qui est juste, mais qu'il faut aussi le faire pour cette seule raison que c'est juste. En outre, le simple concept clair de ce genre d'affaires humaines, associé à une présentation vivante à travers des exemples et en évitant de heurter les règles qui assurent l'harmonie du langage, et celles qui garantissent la convenance de l'expression pour les Idées de la raison (ensemble de règles dont la réunion définit la bonne élocution), a déjà en soi une influence suffisante sur les esprits humains pour qu'il ne soit pas nécessaire de surcroît d'y ajouter les machines de la persuasion – lesquelles, puisqu'elles peuvent être utilisées aussi bien pour embellir que pour voiler le vice et l'erreur, ne peuvent être entièrement disculpées du soupçon secret qui les accuse de constituer une supercherie de l'art. Dans la poésie, tout se passe avec loyauté et sincérité. Elle déclare vouloir pratiquer un simple jeu divertissant de l'imagination s'accordant, certes suivant la forme, avec des lois de l'entendement ; et elle n'exige pas que l'entendement soit circonvenu par la présentation sensible et pris dans ses filets *.

(*328*) Après la poésie, je placerais, *s'il s'agit de l'attrait et du mouvement de l'esprit*, l'art qui, parmi ceux du discours,

---

* Je dois avouer qu'un beau poème m'a toujours procuré une pure satisfaction, tandis que la lecture des meilleurs discours d'un orateur romain (*328*) ou d'un orateur s'exprimant aujourd'hui au Parlement ou en chaire s'est toujours mêlée pour moi du désagréable sentiment de désapprobation que s'attire un art de la supercherie entendant, dans des affaires importantes, mobiliser les hommes comme s'ils étaient des machines en vue de leur inspirer un jugement qui, dans le calme de la réflexion, ne peut en eux que perdre tout poids. La capacité de bien parler et la belle élocution (qui forment ensemble la rhétorique) appartiennent aux beaux-arts ; mais l'art oratoire (*ars oratoria*), en tant qu'art de se servir pour ses propres intentions (qu'elles semblent ou même qu'elles soient effectivement aussi bonnes que l'on voudra) des faiblesses des hommes, n'est digne d'aucun *respect*. Au reste un tel art, aussi bien à Athènes qu'à Rome, ne s'est élevé à ses sommets qu'à un moment où l'État courait à sa perte et où une vraie mentalité patriotique s'était éteinte. Celui qui, possédant une claire intelligence des choses, maîtrise la langue dans sa richesse et dans sa pureté, et qui, faisant preuve d'une imagination féconde, apte à présenter ses Idées, fait du vrai bien le parti vivant de son cœur, est le *vir bonus dicendi peritus*, l'orateur sans art, mais fertile en capacité d'impressionner, tel que le souhaite Cicéron [97], sans pourtant être resté lui-même toujours fidèle à cet idéal.

se rapproche le plus de la poésie et qui peut même très naturellement s'y associer, à savoir la *musique*. Car, bien qu'elle ne parle que par pures sensations et sans concepts, et que par conséquent elle ne laisse pas derrière elle, comme le fait la poésie, quelque chose pour la réflexion, la musique émeut pourtant l'esprit d'une manière plus diverse et, quoique ce soit simplement de façon passagère, sur un mode néanmoins plus intime ; mais il est vrai qu'elle est davantage jouissance que culture (le jeu sur des pensées qui se trouve ainsi suscité parallèlement est simplement l'effet d'une association quasiment mécanique), et elle a, si on la juge selon la raison, moins de valeur que chacun des autres beaux-arts. C'est pourquoi elle exige, comme toute jouissance, des changements fréquents et ne tolère pas la répétition insistante sans engendrer de l'ennui. L'attrait de la musique, qui se peut si universellement communiquer, semble reposer sur ceci que chaque expression du langage possède, dans le contexte où elle s'intègre, un son qui est adéquat à son sens : ce son désigne plus ou moins un affect du locuteur et, symétriquement, le produit aussi chez l'auditeur – cet affect éveillant alors inversement en celui-ci l'Idée qui est exprimée dans la langue par un tel son ; et, de même que la modulation est pour ainsi dire une langue universelle des sensations, compréhensible par tout homme, la musique comme art des sons pratique cette langue pour elle-même dans toute sa puissance impressionnelle, c'est-à-dire comme langue des affects, et elle communique ainsi universellement, selon la loi de l'association, les Idées esthétiques qui se trouvent naturellement associées à ces affects. Mais, parce que ces (*329*) Idées esthétiques ne sont pas des concepts ni des pensées déterminées, seule la forme selon laquelle ces sensations sont combinées (harmonie et mélodie) sert, en lieu et place de la forme d'une langue, à exprimer par l'intermédiaire d'une disposition proportionnée de celles-ci (disposition qui, parce qu'elle repose, concernant les sons, sur le rapport numérique des vibrations de l'air en un même temps, dans la mesure où les sons s'associent simultanément ou successivement, peut être soumise mathématiquement à certaines règles) l'Idée esthétique d'une totalité systématique enveloppant une indicible plénitude de pensées qui se rapportent à un certain thème – lequel correspond à l'affect dominant dans le morceau considéré. C'est uniquement de cette forme mathématique, bien qu'elle ne soit pas représentée par des concepts déterminés, que dépend la satisfaction que la simple réflexion sur une telle masse de sensations parallèles ou successives associe au jeu de celles-ci comme une condition de sa beauté qui vaut pour tout homme ; et c'est seulement en fonction d'elle que le goût peut revendiquer en sa faveur un droit de s'exprimer à l'avance sur le jugement de chacun.

Reste que les mathématiques n'ont assurément pas la moindre part à l'attrait et au mouvement de l'esprit que produit la musique, mais elles constituent seulement la condition indispensable (*conditio sine qua non*) de la proportion des impressions aussi bien dans leur association que dans leur succession – proportion grâce à laquelle il devient possible de les rassembler et d'empêcher qu'elles ne se détruisent réciproquement, en les accordant au contraire pour donner naissance à une émotion et à une animation continues de l'esprit selon des affects consonant avec elles, et pour ainsi produire une plaisante jouissance personnelle.

Si, en revanche, on apprécie la valeur des beaux-arts d'après la culture qu'ils procurent à l'esprit, et si l'on prend pour critère l'élargissement des pouvoirs qui doivent se combiner dans la faculté de juger pour produire la connaissance, la musique occupe alors, parmi les beaux-arts, la dernière place (alors que, parmi ceux qui sont appréciés en même temps d'après leur agrément, elle obtient peut-être la première), parce qu'elle se borne à jouer avec des sensations. Les arts figuratifs la devancent donc, de ce point de vue, très largement ; car, en disposant l'imagination à un jeu qui soit libre et en même temps adapté pourtant à l'entendement, ils s'acquittent en même temps d'une tâche qui consiste à créer un produit servant aux concepts de l'entendement de véhicule durable et capable de se recommander par lui-même pour opérer la réunion de ces concepts avec la sensibilité, et ainsi procurer pour ainsi dire de l'urbanité aux facultés supérieures de la connaissance. (*330*) Ces deux sortes d'art empruntent des voies tout à fait différentes : la première part de sensations pour aller vers des Idées indéterminées, tandis que la seconde part d'Idées déterminées pour aller vers des sensations. Les derniers sont des arts dont les impressions qui leur correspondent sont *durables*, les premiers ne créent d'impressions que *transitoires*. L'imagination peut rappeler les impressions du premier genre et s'en divertir agréablement ; en revanche, celles du second genre, ou bien s'éteignent complètement, ou bien, quand elles sont involontairement répétées par l'imagination, sont pour nous plus pénibles qu'agréables. En outre, un certain manque d'urbanité s'attache à la musique, dans la mesure où, notamment en vertu de la nature de ses instruments, elle étend ses effets plus loin qu'on ne le lui réclame (au voisinage) et ainsi, en quelque sorte, s'impose, en portant par conséquent atteinte à la liberté d'autres personnes n'appartenant pas à la société musicale – ce que ne sauraient faire les arts qui parlent aux yeux, dans la mesure où l'on n'a qu'à détourner son regard si l'on ne veut pas subir l'impression qu'ils produisent. Il en va à cet égard presque comme du plaisir qu'apporte un parfum se répandant au loin. Celui qui tire de sa poche son mouchoir parfumé régale contre leur gré tous ceux qui sont autour de lui et à côté de lui, et il les force, s'ils veulent respirer, à en jouir eux aussi ; ce pourquoi aussi cet usage est passé de mode *.

Parmi les arts figuratifs, je donnerais la préférence à la *peinture* : en partie parce que, comme art du dessin, elle se trouve au principe de tous les autres arts figuratifs ; en partie parce qu'elle peut pénétrer largement plus avant dans la région des Idées, et aussi élargir davantage, en conformité avec celles-ci, le champ de l'intuition.

Paragraphe 54
Remarque

Entre *ce qui ne plaît que dans le jugement d'appréciation* et *ce qui fait plaisir* (ce qui plaît dans la sensation), il y a, comme nous l'avons souvent montré, une différence essentielle. Le second cas correspond à ce à propos de quoi on ne peut attendre que, comme dans le premier cas, chacun ressente la même chose. Le plaisir (dont la cause peut même parfaitement se trouver dans des Idées) semble toujours *(331)* consister dans un sentiment d'intensification de toute la vie de l'homme, et par conséquent aussi du bien-être physique, c'est-à-dire de la santé ; c'est en ce sens qu'Épicure, qui soutenait que tout plaisir n'est au fond que sensation physique, peut bien, éventuellement, ne pas avoir eu tort, mais simplement ne se comprenait pas lui-même, lorsqu'il mettait la satisfaction intellectuelle, et même la satisfaction pratique, au nombre des plaisirs. Si l'on prend en considération cette dernière diffé-

* Ceux qui ont recommandé le chant des cantiques même pour les dévotions domestiques n'ont pas songé qu'ils créaient un grand désagrément pour le public à la faveur d'un culte aussi *bruyant* (et, par là même, bien souvent, pharisaïque), en contraignant le voisinage soit à chanter, soit à suspendre ses activités intellectuelles.

rence, on parvient à s'expliquer comment un plaisir peut aller
jusqu'à déplaire à celui qui l'éprouve (comme c'est le cas de
la joie d'un homme nécessiteux, mais aux pensées honnêtes,
quand il songe à l'héritage que lui laisse son père qui l'aime,
mais qui fait preuve d'avarice), ou comment une profonde
souffrance peut pourtant plaire à celui qui la subit (la tristesse
d'une veuve devant la mort de son mari plein de mérites),
comment un plaisir peut apporter encore un plaisir supplémentaire (comme celui que nous prenons à des sciences que
nous pratiquons) ou comment une souffrance (par exemple la
haine, l'envie, le désir de vengeance) peut nous apporter encore
un déplaisir supplémentaire. Le plaisir ou le déplaisir reposent
ici sur la raison et ne font qu'un avec l'*approbation* ou la
désapprobation ; mais plaisir et souffrance ne peuvent reposer
que sur le sentiment ou la perspective d'un *bien-être* possible
ou d'une éventuelle *situation pénible* (quelle qu'en soit la
cause).

Tout jeu libre et changeant des sensations (qui n'ont à leur
fondement aucune intention) fait plaisir, parce qu'il favorise
le sentiment de la santé – cela, que nous trouvions ou non
une satisfaction dans le jugement par lequel la raison apprécie
son objet, et même ce plaisir ; et un tel plaisir peut aller
jusqu'à l'affect, quand bien même nous ne prenons aucun
intérêt à l'objet lui-même, du moins nul intérêt qui soit
proportionné au degré de l'affect. Nous pouvons ici opérer
une division en *jeu de hasard*, *jeu avec les sons* et *jeu avec
les pensées*. Le *premier* requiert un *intérêt*, que ce soit pour
la vanité ou pour le profit personnel, qui reste toutefois bien
inférieur à l'intérêt que nous portons à la façon de nous le
procurer ; le *second* exige simplement le changement des
sensations, dont chacune entretient une relation à un affect
sans atteindre cependant le degré d'un affect et éveille des
Idées esthétiques ; le troisième procède seulement du changement des représentations dans la faculté de juger – ce qui
certes ne produit nulle pensée véhiculant avec elle un quelconque intérêt, mais cependant anime l'esprit.

À quel point les jeux peuvent être plaisants sans que l'on
ait nécessairement à leur donner pour soubassement une intention intéressée, c'est ce dont témoignent toutes nos soirées en
société ; car, sans recours au jeu, il n'est pratiquement pas de
société qui soit capable de se divertir. Mais les affects de
l'espoir, de la crainte, de la joie, de la colère, de la moquerie
(*332*) y interviennent en échangeant leurs rôles à chaque
instant, et ils y sont si vifs que, grâce à eux, c'est tout le

processus vital du corps qui paraît se trouver, comme par un mouvement interne, intensifié, ainsi qu'en témoigne l'excitation de l'esprit qui en résulte, quand bien même l'on n'a ni rien gagné ni rien appris. Cela dit, dans la mesure où le jeu de hasard n'est pas un jeu qui mobilise de la beauté, nous entendons le laisser ici de côté. En revanche, la musique et ce qui donne matière à rire sont deux types de jeu avec des Idées esthétiques, ou bien encore des représentations de l'entendement à la faveur desquelles, en définitive, rien ne se trouve pensé et qui ne peuvent apporter un plaisir (il est vrai, un plaisir très vif) que par leur changement – ce par quoi l'on peut reconnaître assez clairement que, dans les deux cas, l'animation est purement physique, bien qu'elle soit suscitée par des Idées de l'esprit et que le sentiment de santé, à la faveur d'un mouvement des viscères qui correspond au jeu auquel on s'adonne, constitue tout le plaisir, apprécié comme si fin et si spirituel, d'une société pleine d'entrain. Ce n'est pas l'appréciation par laquelle on juge de l'harmonie des sons ou des traits d'esprit (où la beauté ne sert que de nécessaire véhicule), mais c'est l'intensification du processus vital dans le corps, la manière dont l'affect remue les viscères et le diaphragme, c'est, en un mot, le sentiment de la santé (que l'on ne peut éprouver hors d'une telle occasion) qui constituent le plaisir que l'on ressent à se trouver capable d'intervenir sur le corps lui aussi par le biais de l'âme, et utiliser celle-ci comme médecin de celui-là.

Dans la musique, ce jeu va de la sensation physique aux Idées esthétiques (aux objets des affects), pour ensuite, de celles-ci, revenir, mais avec une force concentrée, au corps. Dans la plaisanterie (qui, tout comme la musique, mérite d'être mise au nombre des arts agréables plutôt qu'à celui des beaux-arts), le jeu prend pour point de départ des pensées qui, ensemble, dès lors qu'elles veulent aussi s'exprimer de manière sensible, mobilisent également le corps ; et dans la mesure où l'entendement, dans cette présentation où il ne trouve pas ce qu'il attend, soudain se relâche, on ressent dans le corps l'effet de ce relâchement à travers l'oscillation des organes qui favorise le rétablissement de leur équilibre et a une influence bienfaisante sur la santé.

Il faut qu'il y ait, dans tout ce qui doit provoquer un rire vif et éclatant, un élément absurde (ce qui fait par conséquent que l'entendement, en soi, ne peut trouver ici aucune satisfaction). *Le rire est un affect procédant de la manière dont la tension d'une attente se trouve soudain réduite à néant.*

Cette transformation, qui n'est certainement pas réjouissante pour l'entendement, est précisément ce qui provoque pourtant indirectement, pour un instant, une joie très vive. Il faut donc que (*333*) la cause en réside dans l'influence de la représentation sur le corps et dans l'action réciproque du corps et de l'esprit ; et cela, non pas dans la mesure où, objectivement, la représentation est un objet de plaisir (car comment une attente déçue pourrait-elle faire plaisir ?), mais uniquement parce qu'elle produit, en tant que simple jeu des représentations, un équilibre des forces vitales dans le corps.

Quand quelqu'un raconte qu'un Indien qui, à Surate, voyait ouvrir, à la table d'un Anglais, une bouteille d'ale et toute cette bière, transformée en mousse, jaillir de la bouteille, manifestait à grand renfort de cris son profond étonnement et, lorsque l'Anglais lui demandait en quoi il y avait là matière à s'étonner, répondait : « En fait, je ne m'étonne pas que cela sorte de la bouteille, mais que vous ayez pu l'y introduire », nous rions, et cela nous procure une cordiale gaieté : non que nous nous estimions plus intelligents que cet ignorant, ni qu'il y ait là quelque chose dont notre entendement nous ferait remarquer ce que cela a de plaisant ; mais nous étions dans la tension de l'attente, et soudain tout cela s'anéantit.

De même, quand l'héritier d'un riche parent veut organiser pour celui-ci des funérailles très solennelles, mais se plaint qu'il n'arrive pas à mener à bien son projet, car, dit-il, « plus je donne de l'argent à ceux que j'emploie pour paraître affligés, plus ils semblent gais », nous rions alors bien fort, et la raison en est qu'une attente est soudain anéantie. Il faut bien remarquer que cette attente ne doit pas se transformer dans le contraire positif d'un objet attendu – car c'est là, toujours, quelque chose, et cela peut souvent attrister –, mais qu'elle doit s'anéantir. Car si quelqu'un crée en nous une grande attente en racontant une histoire et que, dès la chute, nous découvrons qu'elle était dénuée de vérité, cela nous procure un déplaisir – comme quand, par exemple, on raconte l'histoire de gens qui, sous l'effet d'un grand chagrin, ont vu leurs cheveux devenir gris en une nuit. En revanche si, pour répliquer à une telle histoire, un autre faiseur de plaisanteries raconte de manière très circonstanciée la douleur d'un marchand qui, revenant des Indes en Europe avec tout son pécule sous la forme de marchandises, s'est vu contraint, lors d'une tempête redoutable, de tout jeter par-dessus bord et en conçut un chagrin tel que sa *perruque* en devint grise durant la même nuit, nous rions et cela nous fait plaisir, parce que, pendant un moment, nous jouons avec notre propre méprise concernant un objet qui, au reste, nous est indifférent, ou plutôt nous jouons avec l'idée que nous poursuivons encore en la lançant de-ci, de-là, comme une balle, et en pensant uniquement à l'attraper et à ne pas la laisser échapper. Ce qui (*334*) suscite ici le plaisir, ce n'est pas de confondre un menteur ou un sot ; car, par elle-même, cette dernière histoire, si elle était racontée avec un sérieux affecté, plongerait une société dans un rire franc, tandis que la précédente ne serait d'ordinaire pas digne d'attention.

Il faut remarquer que, dans tous les cas de ce genre, la plaisanterie doit toujours contenir en elle quelque chose qui peut abuser un instant ; ce pourquoi, quand l'apparence se dissipe entièrement, l'esprit revient en arrière pour essayer de la retrouver encore une fois et ainsi, à la faveur de cette succession rapide d'une tension et d'une détente, il se trouve comme ballotté et soumis à une oscillation qui, dans la mesure où le retrait de ce qui, pour ainsi dire, tendait la corde s'est produit de façon soudaine (et non pas par un relâchement graduel), doit avoir provoqué un mouvement de l'esprit et, en harmonie avec lui, un mouvement interne du corps – lequel dure involontairement et suscite de la fatigue, mais aussi de l'amusement (qui sont les effets d'un mouvement favorisant la santé).

Car si l'on admet qu'à toutes nos pensées est associé en même temps, harmonieusement, un quelconque mouvement dans les organes du corps, on comprendra suffisamment comment, à ce soudain déplacement de l'esprit se plaçant, pour considérer son objet, tantôt d'un point de vue, tantôt de l'autre, peut correspondre une alternance de tension et de relâchement des parties élastiques de nos viscères qui se communique au diaphragme (de manière comparable à ce que ressentent les gens chatouilleux) : à la faveur de cette alternance, les poumons rejettent l'air en une succession rapide d'expirations, en produisant ainsi un mouvement qui favorise la santé et qui – bien plutôt que ce qui se passe dans l'esprit – est la véritable cause du plaisir pris à une pensée qui, au fond, ne représente rien. Voltaire disait que le ciel nous a donné deux choses pour équilibrer les multiples désagréments de la vie : l'*espoir* et le *sommeil* [98]. Il aurait pu y ajouter le *rire*, si les moyens de le susciter chez des gens raisonnables étaient simplement aussi faciles à trouver, et si l'esprit ou l'originalité dans la fantaisie, qui lui sont nécessaires, n'étaient pas aussi rares qu'est répandu le talent de composer des œuvres *casse-tête*, comme celles des rêveurs mystiques, *casse-cou*, comme celles des génies, ou *crève-cœur*, comme celles des auteurs de romans larmoyants (ou encore des moralistes du même type).

On peut donc, me semble-t-il, accorder sans doute à Épicure que tout plaisir, quand bien même il est provoqué par l'intermédiaire de concepts qui *(335)* éveillent des Idées esthétiques, est une sensation *animale*, c'est-à-dire physique – sans pour autant porter le moins du monde préjudice au sentiment *spirituel* du respect pour les idées morales, lequel sentiment n'est pas un plaisir, mais une estime de soi (de l'humanité en nous) qui nous élève au-dessus du besoin de plaisir, et sans porter préjudice non plus au sentiment moins noble du *goût*.

Un mixte de ces deux sentiments se trouve dans la *naïveté*, qui correspond à une manifestation de la franchise originellement naturelle à l'humanité contre l'art de feindre devenu seconde nature. On rit de la simplicité qui ne s'entend pas encore à dissimuler, et l'on se réjouit en tout cas aussi de la simplicité de la nature qui joue un tour à cet art. On attendait la manière habituelle d'une expression artificielle et agencée avec soin en vue de produire la belle apparence, et voici que surgit la nature non corrompue, innocente, que l'on ne s'attendait pas du tout à rencontrer ici et que celui qui l'a fait apercevoir ne s'attendait pas non plus à dévoiler.

Que la belle, mais fausse apparence, qui, d'ordinaire, a tant d'importance dans notre jugement s'anéantisse ici soudainement, qu'en quelque sorte ce qu'il y a de fourbe en nous-mêmes s'en trouve démasqué, cela met l'esprit en mouvement successivement selon deux directions opposées, et ce mouvement imprime en même temps au corps une secousse salutaire. Mais que quelque chose qui a infiniment plus de valeur que toute manière d'emprunt, à savoir la pureté de la mentalité (du moins la disposition à une telle pureté), n'ait en tout cas pas entièrement disparu de la nature humaine, cela mêle le sérieux et l'estime à ce jeu de la faculté de juger. Cela dit, étant donné que c'est là un phénomène qui ne se manifeste que très brièvement et que le voile de l'art de la dissimulation se trouve bientôt à nouveau tiré, il vient se mêler ici en même temps un regret qui consiste en une émotion de tendresse susceptible de se combiner très aisément avec un tel rire cordial et qui est même, de fait, bien souvent associée à lui – dédommageant ainsi habituellement celui qui donne matière à rire de l'embarras où il se trouve de ne pas avoir encore acquis la malice et la rouerie des hommes.

Parler d'un art consistant à être *naïf*, c'est donc une contradiction ; pour autant, représenter la naïveté dans un personnage poétique, cela relève assurément d'un art possible et
beau, bien que fort rare. Il ne faut pas confondre la naïveté
et une franche simplicité qui ne gâte pas la nature par des
artifices, pour cette unique raison qu'elle ignore ce qu'est l'art
du savoir-vivre.

Au nombre des choses qui engendrent la gaieté apparentée
de près au plaisir du rire et qui relèvent de l'originalité de
l'esprit, sans participer du talent des beaux-arts, on peut aussi
inscrire le *comique*. (*336*) Celui-ci, bien compris, désigne en
effet le talent de pouvoir se placer délibérément dans une
certaine disposition d'esprit où toutes les choses apparaissent
entièrement différentes de ce qu'elles sont à l'ordinaire (voire
selon une perspective inversée) et se trouvent pourtant jugées
conformément à certains principes rationnels correspondant à
une telle disposition d'esprit. Celui qui est soumis involontairement à de tels changements est *lunatique* ; en revanche,
celui qui peut y procéder délibérément et d'une manière qui
se rapporte à une fin (en vue de produire une présentation
vivante au moyen d'un contraste suscitant le rire), celui-là,
comme ce qu'il nous propose, est qualifié de *comique*. Cette
manière appartient cependant davantage aux arts d'agrément
qu'aux beaux-arts, parce que l'objet de ces derniers doit
toujours témoigner en soi de quelque dignité et requiert donc
un certain sérieux dans la façon de présenter les choses, ainsi
que du goût dans la façon de les juger.

DEUXIÈME SECTION

DIALECTIQUE DE LA FACULTÉ DE JUGER ESTHÉTIQUE

Paragraphe 55

(337) Une faculté de juger qui doit être dialectique ne peut qu'être, tout d'abord, ratiocinante, c'est-à-dire qu'il faut que ses jugements prétendent à l'universalité, et cela a priori * : car c'est dans l'antithétique de tels jugements que consiste la dialectique. C'est pourquoi l'impossibilité d'accorder entre eux des jugements esthétiques des sens (sur l'agréable et le désagréable) n'est pas dialectique. Même le conflit des jugements de goût, dans la mesure où chacun se réclame uniquement de son propre goût, ne constitue nulle *dialectique* du goût – étant donné que personne ne songe à ériger son jugement en règle universelle. En ce sens, il ne reste pas d'autre concept d'une dialectique susceptible de concerner le goût que celui d'une dialectique de la *critique* du goût (et non pas du goût lui-même) vis-à-vis de ses *principes* : car, sur le fondement de la possibilité des jugements de goût en général, des concepts se trouvant en conflit les uns avec les autres interviennent de manière naturelle et inévitable. Une critique transcendantale du goût ne contiendra donc une partie capable de porter le nom de « dialectique de la faculté de juger esthétique » que dans la mesure où il pourrait se trouver une antinomie des principes de ce pouvoir rendant douteuse sa légalité, et par conséquent aussi sa possibilité interne.

---

* On peut nommer « jugement ratiocinant » (*judicium ratiocinans*) tout jugement qui se proclame universel ; car, en tant que tel, il peut servir de majeure dans un syllogisme. En revanche, ne peut être nommé « jugement de raison » (*judicium ratiocinatum*) que celui qui est pensé comme la conclusion d'un syllogisme, et par conséquent comme fondé a priori.

Paragraphe 56
Présentation de l'antinomie du goût

(*338*) Le premier lieu commun du goût est contenu dans la proposition à l'aide de laquelle chaque personne dépourvue de goût pense se prémunir contre tout reproche : *chacun possède son propre goût*. Cela équivaut à dire que le principe de détermination de ce jugement est simplement subjectif (plaisir ou douleur), et que le jugement n'a nul droit à l'assentiment nécessaire d'autrui.

Le second lieu commun du goût, qui est lui aussi utilisé même par ceux qui accordent au jugement de goût le droit de prononcer des sentences susceptibles de valoir pour tous, est celui-ci : *du goût, on ne peut disputer*. Ce qui veut dire : le principe de détermination d'un jugement de goût peut certes être aussi objectif, mais il ne se peut ramener à des concepts déterminés ; par conséquent, sur le jugement lui-même, rien ne peut être *décidé* par des preuves, bien que l'on puisse parfaitement et légitimement en *discuter*. Car *discuter* et *disputer* sont assurément identiques en ceci qu'il y est recherché, par résistance réciproque aux jugements, à produire entre ceux-ci l'accord, mais ils sont différents en ce que, si l'on dispute, on préfère produire cet accord d'après des concepts déterminés intervenant comme raisons démonstratives et qu'on admet par conséquent des *concepts objectifs* comme fondements du jugement. En revanche, dans les cas où cela est considéré comme infaisable, on juge tout autant qu'il est impossible de disputer.

On voit facilement qu'entre ces deux lieux communs manque une proposition qui, certes, n'est pas au nombre des proverbes en usage, mais fait cependant partie du sens commun – savoir : *du goût, on peut discuter* (bien que l'on ne puisse en disputer). Or, cette proposition contient le contraire de la première qui a été énoncée. Car, là où il doit être permis de discuter, il faut qu'on ait l'espoir de parvenir à un accord ; en conséquence, on doit pouvoir compter sur des fondements du jugement qui ne possèdent pas seulement une validité personnelle, et donc ne sont pas simplement subjectifs – ce à quoi s'oppose alors, directement, ce principe selon lequel *chacun possède son propre goût*.

Il se manifeste donc, du point de vue du principe du goût, l'antinomie suivante :

1. *Thèse.* Le jugement de goût ne se fonde pas sur des concepts ; car, sinon, il serait possible d'en disputer (de décider par des preuves).

2. *Antithèse.* Le jugement de goût se fonde sur des concepts ; car, sinon, il ne serait même pas possible, malgré la diversité qu'il présente, d'en (*339*) jamais discuter (de prétendre à l'assentiment nécessaire d'autrui à ce jugement).

Paragraphe 57
Solution de l'antinomie du goût

Il n'y a pas d'autre possibilité, pour résoudre le conflit entre ces principes qui sont au soubassement de chaque jugement de goût (lesquels principes ne sont autres que les deux caractéristiques du jugement de goût exposées plus haut dans l'*Analytique*), que de montrer que le concept auquel on rapporte l'objet dans ce genre de jugement n'est pas pris selon le même sens dans les deux maximes de la faculté de juger esthétique : ce double sens ou ce double point de vue de l'appréciation est nécessaire à notre faculté de juger transcendantale, mais l'apparence qui engendre la confusion de l'un avec l'autre est, en tant qu'illusion naturelle, elle aussi inévitable.

Il faut que le jugement de goût se rapporte à quelque concept ; car, sinon, il ne pourrait absolument pas prétendre à une validité nécessaire pour chacun. Mais il ne peut précisément pas être démontrable *à partir* d'un concept, pour cette raison qu'un concept peut être soit déterminable, soit, tout aussi bien, indéterminé en soi et en même temps indéterminable. De la première sorte est le concept d'entendement, qui est déterminable par des prédicats de l'intuition sensible qui peut lui correspondre ; mais de la seconde sorte est le concept du suprasensible comme concept transcendantal de raison qui se trouve au fondement de toute intuition et qui ne peut donc être davantage déterminé dans le registre théorique.

Or, le jugement de goût porte sur des objets des sens, mais non pas pour en déterminer un *concept* à destination de l'entendement ; car ce n'est pas un jugement de connaissance. Il constitue donc, en tant que représentation intuitive singulière rapportée au sentiment de plaisir, simplement un jugement personnel, et comme tel il serait donc limité, quant à sa validité, au seul individu qui prononce le jugement : l'objet est *pour moi* un objet de satisfaction, tandis que, pour d'autres, il peut en aller autrement – à chacun son goût.

Cependant, dans le jugement de goût, un élargissement de la représentation de l'objet (en même temps aussi du sujet) est sans nul doute contenu, sur quoi nous fondons une extension de cette sorte de jugements comme nécessaires pour chacun : en conséquence, il doit nécessairement y avoir un concept (*340*) au fondement de ces jugements ; mais il doit s'agir d'un concept qui ne se peut aucunement déterminer par une intuition, un concept par lequel on ne peut rien connaître, et qui par conséquent ne peut fournir aucune *preuve* pour le jugement de goût. Or, c'est à un tel concept que correspond le simple concept rationnel pur du suprasensible qui est au fondement de l'objet (et également du sujet qui juge) comme objet des sens, par conséquent en tant que phénomène. Car, si l'on n'admettait pas un tel point de vue, il serait impossible de sauver la prétention du jugement de goût à une validité universelle ; si le concept sur lequel il se fonde n'était qu'un concept simplement confus de l'entendement, comme par exemple celui de perfection, auquel on pourrait faire correspondre l'intuition sensible du beau, il serait possible, du moins en soi, de fonder le jugement de goût sur des preuves – ce qui contredit la thèse.

Or, toute contradiction disparaît si je dis que le jugement de goût se fonde sur un concept (celui d'un fondement en général de la finalité subjective de la nature pour la faculté de juger) à partir duquel toutefois rien, en ce qui concerne l'objet, ne peut être connu ni prouvé, parce qu'il est en soi indéterminable et impropre à la connaissance ; cependant, le jugement reçoit de ce concept en même temps de la validité pour tous (même si, chez chacun, c'est un jugement singulier, accompagnant immédiatement l'intuition), parce que son principe déterminant se trouve peut-être dans le concept de ce qui peut être considéré comme le substrat suprasensible de l'humanité.

Seule importe, pour la résolution d'une antinomie, la possibilité que deux propositions se contredisant en apparence ne se contredisent pas en fait, mais puissent coexister, quand bien même l'explication de la possibilité de leur concept dépasse notre pouvoir de connaître. Que cette apparence soit en outre naturelle et inévitable pour la raison humaine, de même que ce qui fait qu'elle est et reste inévitable, bien qu'après la résolution de la contradiction apparente elle cesse de tromper, cela se peut aussi, par là, rendre compréhensible.

Le concept sur lequel la validité universelle d'un jugement doit se fonder, nous le prenons en effet selon une même signification dans les deux jugements qui se contredisent, et pourtant nous en énonçons deux prédicats opposés. Dans la thèse, il faudrait dire les choses ainsi : le jugement de goût ne se fonde pas sur des concepts *déterminés* ; et dans l'antithèse : le jugement de goût se fonde pourtant sur un concept, bien qu'il s'agisse certes d'un concept (*341*) *indéterminé* (à savoir celui du substrat suprasensible des phénomènes) – et dès lors il n'y aurait entre thèse et antithèse nulle contradiction.

Nous ne pouvons faire davantage que lever cette contradiction entre les prétentions antithétiques du goût. Donner un principe du goût qui soit déterminé et objectif, d'après lequel les jugements de celui-ci pourraient être guidés, examinés et prouvés, est absolument impossible ; car il ne s'agirait plus dès lors d'un jugement de goût. Le principe subjectif, à savoir l'Idée du suprasensible en nous, peut seulement être indiqué comme l'unique clé permettant de résoudre l'énigme de ce pouvoir dont les sources nous restent cachées à nous-mêmes, mais rien ne peut le rendre plus compréhensible.

Au fondement de l'antinomie ici construite et aplanie se trouve le concept exact du goût, à savoir celui d'une faculté de juger esthétique simplement réfléchissante ; et les deux principes qui se contredisent en apparence ont été réconciliés dans la mesure où *les deux peuvent être vrais*, ce qui suffit. Si l'on admettait en revanche pour principe déterminant du goût (à cause de la singularité de la sensation qui est au fondement du jugement de goût), comme c'est le cas chez certains, l'*agrément*, ou, comme d'autres le souhaitent (à cause de sa validité universelle), le principe de la *perfection*, et si l'on voulait établir d'après ces hypothèses la définition du goût, il en naîtrait une antinomie qui ne pourrait être absolument aplanie qu'à condition de montrer que *ces deux propositions* antithétiques (mais non pas simplement de façon contradictoire) sont *fausses* – ce qui prouverait dès lors que le concept sur lequel chacune est fondée se contredit lui-même. On voit ainsi que la solution de l'antinomie de la faculté de juger esthétique emprunte une démarche semblable à celle que le Critique adopte dans la résolution des antinomies de la raison pure théorique ; et qu'ici aussi, comme dans la *Critique de la raison pratique*, les antinomies nous forcent, contre notre gré, à regarder au-delà du sensible et à chercher dans le suprasensible le point de convergence de tous nos pouvoirs a priori – dans la mesure où il ne reste pas d'autre issue pour mettre la raison en accord avec elle-même.

Remarque I

Étant donné que, dans la philosophie transcendantale, nous trouvons ainsi souvent l'occasion de distinguer les Idées des concepts de l'entendement, il peut (*342*) être utile d'introduire des expressions techniques appropriées à leur différence. Je crois qu'on ne verra aucune objection à ce que j'en propose quelques-unes.

Les Idées, dans leur signification la plus générale, sont des représentations rapportées à un objet selon un certain principe (subjectif ou objectif), dans la mesure où elles ne peuvent cependant jamais devenir une connaissance de celui-ci. Elles sont rapportées soit à une intuition, selon un principe simplement subjectif de l'accord des pouvoirs de connaissance entre eux (de l'imagination et de l'entendement) – et elles s'appellent alors *esthétiques* –, soit à un concept selon un principe objectif, mais sans pouvoir toutefois jamais donner lieu à une connaissance de l'objet – et elles s'appellent alors Idées de la raison, auquel cas le concept est un concept *transcendant*, qui est différent du concept d'entendement, auquel une expérience lui correspondant adéquatement peut toujours être soumise et qui est dit, pour ce motif, *immanent*.

Une *Idée esthétique* ne peut devenir une connaissance parce qu'elle est une *intuition* (de l'imagination) pour laquelle on ne peut jamais trouver un concept qui lui soit adéquat. Une *Idée de la raison* ne peut jamais devenir une connaissance parce qu'elle contient un *concept* (du suprasensible) pour lequel on ne peut jamais fournir une intuition qui lui soit conforme.

Or, je crois que l'on pourrait nommer l'Idée esthétique une représentation *inexponible* de l'imagination, tandis que l'Idée de la raison se pourrait nommer un concept *indémontrable* de la raison. De l'une comme de l'autre, on suppose qu'elles ne sont pas entièrement sans fondement, mais que (d'après la définition donnée ci-dessus d'une Idée en général) elles sont produites conformément à certains principes du pouvoir de connaissance dont elles relèvent (des principes subjectifs pour les premières, objectifs pour les secondes).

Des *concepts de l'entendement* doivent toujours, comme tels, être *démontrables* (si l'on entend par « démontrer », comme dans l'antinomie, simplement le fait de *présenter*), ce qui veut dire que l'objet qui leur correspond doit toujours pouvoir être donné dans l'intuition (pure ou empirique) ; car c'est seulement par là qu'ils peuvent devenir des connaissances. Le concept de la *grandeur* peut être donné dans l'intuition a priori de l'espace, par exemple dans l'intuition d'une ligne droite, etc. ; le concept de la *cause* par l'impénétrabilité, le choc des corps, etc. Par conséquent, l'un comme l'autre peuvent être attestés par une intuition empirique, c'est-à-dire que la pensée peut en être montrée (démontrée, indiquée) par un exemple – et cela doit (*343*) pouvoir se produire, vu que, dans le cas contraire, on n'est pas certain que la pensée ne soit pas vide, c'est-à-dire sans aucun *objet*.

On se sert communément, en logique, des expressions « démontrable » ou « indémontrable » uniquement à l'égard des *propositions*, alors que le premier cas pourrait être désigné de façon plus appropriée par la dénomination de *propositions qui ne sont certaines que médiatement* et le second par celle de *propositions immédiatement certaines* ; car la philosophie pure possède aussi des propositions des deux sortes, si l'on entend par là des propositions vraies susceptibles d'être prouvées et d'autres qui ne peuvent l'être. Simplement, à partir de fondements a priori, elle peut certes, en tant que philosophie, prouver, mais non pas démontrer, si du moins on ne veut pas s'écarter entièrement de la signification de ce terme, en vertu de laquelle démontrer (*ostendere, exhibere*) a le même sens que (aussi bien en prouvant que même simplement en définissant) présenter en même temps son concept dans l'intuition – laquelle intuition, si elle est a priori, signifie la construction de ce concept, tandis que, si elle est empirique, elle correspond à l'exhibition de l'objet, telle qu'elle assure la réalité objective du concept. Ainsi dit-on d'un anatomiste qu'il démontre le mécanisme de l'œil humain quand il rend intuitif, à travers la décomposition analytique de cet organe, le concept qu'il a d'abord exposé de façon discursive.

Par voie de conséquence, le concept rationnel du substrat suprasensible de tous les phénomènes en général, ou encore le concept de ce qui doit être mis au fondement de notre arbitre dans son rapport à la loi morale, à savoir le concept de la liberté transcendantale, est déjà selon son espèce un concept indémontrable et une Idée de la raison, tandis que la vertu ne l'est que selon le degré : car, dans le premier cas, en soi, absolument rien ne peut être donné qui, dans l'expérience, lui corresponde quant à la qualité, alors que, dans le second, aucun produit de l'expérience procédant de cette causalité n'atteint le degré que l'Idée de la raison prescrit comme règle.

De même que l'*imagination* n'atteint jamais avec ses intuitions le concept donné dans une Idée de la raison, de même l'*entendement*, à l'occasion d'une Idée esthétique, n'atteint jamais par ses concepts toute l'intuition interne de l'imagination, que celle-ci relie à une représentation donnée. Or, étant donné que ramener une représentation de l'imagination à des concepts équivaut à l'*exposer*, l'Idée esthétique peut être désignée comme une représentation *inexponible* de l'imagination (dans son libre jeu). J'aurai dans la suite l'occasion d'expliquer en détail encore quelques points concernant cette sorte d'Idées, mais pour l'instant je remarque simplement que les deux sortes (*344*) d'Idées, celles de la raison aussi bien que les Idées esthétiques, doivent nécessairement avoir leurs principes, et cela, toutes les deux, dans la raison, les premières dans les principes objectifs, les secondes dans les principes subjectifs de son usage.

On peut par conséquent définir le *génie* aussi par le pouvoir d'avoir des *Idées esthétiques* – par quoi est en même temps indiquée la raison pour laquelle, dans les produits du génie, c'est la nature (du sujet), et non pas une fin réfléchie, qui donne sa règle à l'art (de la production du beau). Car, dans la mesure où le beau ne doit pas être jugé d'après des concepts, mais d'après la disposition finale de l'imagination à s'accorder avec le pouvoir des concepts en général, ce n'est ni une règle ni un précepte qui peuvent servir de mesure subjective à cette finalité esthétique, mais inconditionnée, intervenant dans les beaux-arts, tels qu'ils doivent avoir pour légitime prétention de plaire à tous, mais c'est uniquement ce qui, dans le sujet, n'est que nature et ne peut être saisi sous des règles ou des concepts, à savoir le substrat suprasensible de tous ses pouvoirs (que n'atteint nul concept de l'entendement) – par conséquent, ce en relation avec quoi rendre concordants tous nos pouvoirs de connaître constitue la fin ultime donnée par l'intelligible à notre nature. C'est même uniquement ainsi qu'il est possible qu'un principe subjectif et doté cependant d'une validité universelle a priori se trouve au fondement de cette finalité à laquelle on ne peut prescrire nul principe objectif.

Remarque II

La remarque importante qui va suivre s'impose ici d'elle-même : il y a en effet *trois sortes d'antinomies* de la raison pure, qui convergent toutes en ceci qu'elles contraignent la raison pure à s'écarter de la présupposition au demeurant très naturelle selon laquelle les objets des sens sont tenus pour les choses en soi elles-mêmes, à ne les faire valoir bien plutôt que comme des phénomènes et à leur supposer un substrat intelligible (quelque chose de suprasensible dont le concept est seulement une Idée et ne permet nulle connaissance véritable). Sans une telle antinomie, la raison ne pourrait jamais se résoudre à admettre un tel principe, rétrécissant à ce point le champ de sa spéculation, ni non plus les sacrifices où tant d'espérances par ailleurs très brillantes doivent totalement se dissiper ; car, même maintenant, alors qu'en guise de dédommagement de cette perte un usage d'autant plus vaste lui est offert dans le registre pratique, elle ne semble pas (*345*) pouvoir sans douleur se séparer de ces espérances et se déprendre de ce à quoi elle était depuis si longtemps attachée.

Qu'il y ait trois sortes d'antinomies, cela a pour fondement l'existence de trois pouvoirs de connaître : l'entendement, la faculté de juger et la raison, dont chacun (comme pouvoir supérieur de connaître) doit posséder ses principes a priori ; car la raison, dans la mesure où elle porte des jugements sur ces principes eux-mêmes et sur leur usage, exige inlassablement, vis-à-vis d'eux tous, l'inconditionné correspondant au conditionné donné, lequel inconditionné ne se peut cependant jamais trouver si l'on considère le sensible comme appartenant aux choses en soi et si l'on ne place pas bien plutôt à son soubassement, en tant que simple phénomène, quelque chose de suprasensible (le substrat intelligible de la nature en dehors de nous et en nous) comme chose en soi. Il y a donc : 1. une antinomie de la raison pour *le pouvoir de connaître* en ce qui concerne l'usage théorique de l'entendement tel qu'il conduit jusqu'à l'inconditionné ; 2. une antinomie de la raison pour *le sentiment de plaisir et de peine* en ce qui concerne l'usage esthétique de la faculté de juger ; 3. une antinomie pour *le pouvoir de désirer* en ce qui concerne l'usage pratique de la raison en elle-même législatrice – cela dans la mesure où tous ces pouvoirs possèdent leurs principes suprêmes a priori et doivent également, conformément à une exigence incontournable de la raison, juger et déterminer leur objet *de façon inconditionnée*.

Pour ce qui regarde deux antinomies de ces pouvoirs supérieurs de connaissance, celle de l'usage théorique et celle de l'usage pratique, nous avons déjà montré ailleurs ce qu'elles ont d'*inévitable* si de tels jugements ne renvoient pas à un substrat suprasensible des objets donnés comme phénomènes, et aussi, en revanche, comment elles peuvent être *résolues* dès qu'intervient la référence à un tel substrat. En ce qui concerne alors l'antinomie dans l'usage de la faculté de juger conformément à l'exigence de la raison et pour ce qu'il en est de la solution donnée ici, il n'y a pas d'autre moyen de l'éviter qu'*ou bien* de nier qu'il y ait au fondement du jugement esthétique de goût un quelconque principe a priori, de telle manière que toute prétention à la nécessité d'un assentiment universel soit une illusion infondée et vaine, et qu'un jugement de goût ne mérite d'être tenu pour juste que parce qu'*il se trouve* que beaucoup s'accordent à son endroit, et cela même, à vrai dire, non pas parce que l'on *présume* derrière cet accord l'existence d'un principe a priori, mais parce que (comme c'est le cas pour le goût du palais) les sujets sont, par accident, identiquement (*346*) organisés ; *ou bien* il faudrait admettre que le jugement de goût correspond à proprement parler à un jugement dissimulé de la raison sur la perfection découverte dans une chose et le rapport du divers contenu en elle à une fin, et que par conséquent ce jugement ne serait désigné comme esthétique que du fait de la confusion qui s'attache à notre réflexion, bien qu'il s'agisse au fond d'un jugement téléologique : auquel cas, on pourrait déclarer nulle et non avenue la solution de l'antinomie par référence à des Idées transcendantales et concilier ainsi ces lois du goût avec les objets des sens considérés non pas simplement comme phénomènes, mais même comme choses en soi. Cela dit, il a été montré à plusieurs reprises dans l'exposition des jugements de goût à quel point aussi bien l'un que l'autre de ces subterfuges sont de peu d'efficacité.

Si l'on accorde alors à notre déduction qu'elle est du moins sur la bonne voie, quand bien même elle n'a pas encore été suffisamment éclairée dans tous ses moments, trois Idées se manifestent : *premièrement*, celle du suprasensible en général, sans plus de détermination, en tant que substrat de la nature ; *deuxièmement*, l'Idée de ce même suprasensible comme principe de la finalité subjective de la nature pour notre pouvoir de connaître ; *troisièmement*, l'Idée de ce même suprasensible comme principe des fins de la liberté et principe de l'accord de ces fins avec la liberté dans le registre moral.

Paragraphe 58
De l'idéalisme de la finalité de la nature aussi bien que de l'art comme constituant le principe unique de la faculté de juger esthétique

On peut situer tout d'abord le principe du goût dans le fait que celui-ci juge toujours selon des fondements de détermination empiriques, tels par conséquent qu'ils sont uniquement donnés a posteriori par l'intermédiaire des sens, ou bien l'on peut admettre qu'il juge à partir d'un fondement a priori. Le premier cas correspondrait à l'*empirisme* de la critique du goût, le second au *rationalisme* de cette critique. D'après le premier, l'objet de notre satisfaction ne serait pas distinct de l'*agréable* ; d'après le second, il ne serait pas, si le jugement reposait sur des concepts déterminés, distinct du *bien* ; et ainsi toute *beauté* provenant du monde se trouverait-elle niée et il ne resterait à sa place qu'un mot particulier, pour désigner peut-être un certain mélange des deux sortes de satisfaction que l'on vient de mentionner. Simplement (*347*) nous avons montré qu'il y a aussi des fondements a priori de la satisfaction, qui peuvent donc coexister avec le principe du rationalisme, quand bien même ils ne peuvent être saisis dans des concepts déterminés.

Le rationalisme du principe du goût est en revanche ou bien celui du *réalisme* de la finalité, ou bien celui de son *idéalisme*. Or, parce qu'un jugement de goût n'est pas un jugement de connaissance et que la beauté n'est pas une propriété de l'objet considéré pour lui-même, le rationalisme du principe du goût ne peut jamais être situé dans le fait que la finalité soit pensée dans ce jugement comme objective, c'est-à-dire que le jugement, théoriquement, et donc aussi logiquement (bien que simplement dans un acte d'appréciation confus), porte sur la perfection de l'objet : au contraire, le jugement porte dans le sujet, de manière uniquement *esthétique*, sur l'accord de sa représentation dans l'imagination avec les principes essentiels de la faculté de juger en général. Par conséquent, même d'après le principe du rationalisme, le jugement de goût et la différence intervenant, à son propos, entre le réalisme et l'idéalisme peuvent être situés uniquement dans le fait que soit, dans le premier cas, cette finalité subjective est considérée comme une *fin* réelle (intentionnelle) de la nature (ou de l'art), consistant à s'accorder avec notre faculté de juger ; soit, dans le second cas, seulement comme un accord présentant de lui-même, sans fin et de manière contingente, une dimension de finalité vis-à-vis du besoin de la faculté de juger en ce qui concerne la nature et ses formes produites selon des lois particulières.

En faveur du réalisme de la finalité esthétique de la nature, dans la mesure où l'on admettrait volontiers qu'une Idée du beau a dû intervenir au fondement de sa production dans la cause productrice, c'est-à-dire une *fin* au profit de notre imagination, plaident très fortement les belles formations présentes dans le règne de la nature organisée. Les fleurs, les configurations mêmes de tout ce qui pousse, la délicatesse des formations animales de toutes espèces, telle qu'elle ne répond à nulle nécessité pour leur propre usage, mais donne l'impression d'avoir été choisie pour notre goût, notamment la diversité si plaisante et charmante à nos yeux et la composition harmonieuse des couleurs (chez le faisan, le crustacé, les insectes, jusqu'aux fleurs les plus communes), qui, en concernant simplement la surface et, en celle-ci, pas même la configuration de ces créatures – laquelle pourrait pourtant être encore nécessaire pour les fins internes de celles-ci –, semblent avoir entièrement pour fin la contemplation extérieure : il y a là un ensemble d'éléments qui donnent (*348*) un grand poids au mode d'explication qui consiste à admettre des fins réelles de la nature pour notre faculté de juger esthétique.

En revanche s'opposent à cette hypothèse, non seulement la raison d'après sa maxime selon laquelle il faut éviter de tous côtés, le plus possible, l'inutile multiplication des principes, mais encore la nature elle-même, qui montre dans ses libres formations partout une tendance mécanique à la production de formes paraissant en quelque sorte faites pour l'usage esthétique de notre faculté de juger, sans donner la moindre raison de présumer qu'il est besoin en outre d'autre chose que de son mécanisme, simplement comme nature, pour que de telles formes puissent présenter, vis-à-vis de notre jugement d'appréciation, une dimension de finalité, même sans l'intervention à leur fondement d'aucune Idée. Cela dit, par *libre formation de la nature*, j'entends celle par laquelle, à partir d'un *fluide en repos*, par volatilisation ou par séparation d'une de ses parties (parfois simplement la matière calorique), le reste prend, à travers sa solidification, une forme ou un tissu (une figure ou une texture) déterminé, qui se différencie selon la diversité spécifique des matières et qui est exactement le même quand la matière est identique. Mais, pour cela, se trouve supposé ce que l'on entend toujours par une véritable fluidité, à savoir que la matière y est entièrement dissoute, sans qu'elle puisse être considérée comme un simple mélange de particules solides qui y seraient seulement en suspension.

La formation s'accomplit alors par *précipitation*, c'est-à-dire par une soudaine solidification, sans passage graduel de l'état fluide à l'état solide, mais pour ainsi dire par un saut – lequel passage se nomme aussi *cristallisation*. L'exemple le plus commun de ce type de formation est celui de l'eau qui gèle, où se forment d'abord de petites aiguilles bien droites de glace qui se réunissent sous des angles de soixante degrés, alors que d'autres viennent se disposer de la même manière en chaque point de ces angles, jusqu'à ce que tout soit devenu glace – tant et si bien que, pendant ce temps, l'eau se trouvant entre les petites aiguilles ne devient pas progressivement plus solide, mais est aussi parfaitement fluide que par une bien plus grande chaleur, tout en ayant pourtant parfaitement le froid de la glace. La matière qui se sépare et qui s'échappe soudain au moment de la solidification est un quantum notable de calorique, dont la disparition, dans la mesure où il était nécessaire simplement à la fluidité, ne laisse en rien la glace maintenant présente plus froide que l'eau qui, peu avant, était à sa place sous une forme fluide.

Beaucoup de sels, ainsi que de pierres possédant des figures cristallines, sont produits de la même manière, sans que l'on sache par quel moyen (*349*), à partir d'éléments terreux en dissolution. De même les configurations adéonoïdes de bien des minéraux, de la galène cubique, de la blende rouge [99], etc., se forment aussi, selon toute vraisemblance, dans l'eau et par précipitation des parties, dans la mesure où elles se trouvent contraintes par quelque cause d'abandonner ce véhicule et de se réunir en constituant des figures extérieures déterminées.

Mais, intérieurement aussi, toutes les matières qui n'étaient fluides que sous l'effet de la chaleur, et qui ont acquis de la solidité en refroidissant, montrent, quand on les casse, une texture déterminée, et elles conduisent ainsi à estimer que, si leur propre poids et la pression de l'air ne les en avaient empêchées, elles auraient également montré, extérieurement, leur propre configuration spécifique : observation que l'on a faite à propos de quelques métaux qui étaient extérieurement durcis après fusion, mais qui, à l'intérieur, restaient fluides, après la décantation de la partie interne encore fluide et la tranquille cristallisation corrélative du reste. Un bon nombre de ces cristallisations minérales, comme les druses de spath, l'hématite rouge, les fleurs de mars, produisent souvent des formes plus belles que celles que l'art pourrait jamais ne serait-ce que concevoir ; et les stalactites de la grotte d'Antiparos sont simplement le produit d'une eau suintant à travers des couches de gypse.

La matière fluide est, selon toute apparence, en général plus vieille que la matière solide, et aussi bien les plantes que les corps des animaux se sont formés à partir d'une matière alimentaire fluide, dans la mesure où elle-même se forme en repos : processus qui, il est vrai, s'est développé, dans le second cas, d'abord selon une certaine disposition originelle orientée par référence à des fins (et cette disposition, comme on le montrera dans la seconde partie, doit être jugée, non pas esthétiquement, mais téléologiquement, d'après le principe du réalisme), mais qui en outre s'est pourtant aussi, peut-être, accompli par précipitation et libre formation, en conformité avec la loi universelle de l'affinité des matières. Or, tout comme les fluidités dont les vapeurs se sont dissoutes dans une atmosphère, qui est un mélange des divers gaz, produisent, quand elles se séparent de celle-ci par la perte de chaleur, des cristaux de neige qui, en raison de la diversité du mélange gazeux, sont d'une configuration souvent très artistiquement découpée et supérieurement belle, de même on peut sans doute penser, sans retirer quoi que ce soit au principe téléologique qui intervient pour apprécier l'organisation, qu'en ce qui concerne les fleurs, les plumes d'oiseau, les coquillages, aussi bien dans leur forme que dans leur couleur, la beauté peut être attribuée à la nature et à son pouvoir de produire en toute liberté des formes, même d'une façon esthétiquement finalisée, sans fin particulière orientée vers ce produit, selon des lois chimiques, en retenant la (*350*) matière requise pour l'organisation.

Cela dit, ce qui prouve directement que le principe de l'*idéalité* de la finalité caractérisant le beau naturel est celui que nous prenons toujours pour fondement dans le jugement esthétique lui-même et ne nous permet d'utiliser aucun réalisme d'une fin de la nature pour notre faculté représentative comme fondement d'explication, c'est que, dans l'appréciation portée sur la beauté en général, nous cherchons en nous-mêmes la mesure du jugement a priori et que la faculté de juger esthétique, vis-à-vis du jugement consistant à apprécier si quelque chose est beau ou non, est elle-même législatrice – ce qui ne pourrait se produire dans l'hypothèse du réalisme de la finalité de la nature, parce que nous devrions alors apprendre de la nature ce que nous aurions à trouver beau et que le jugement de goût serait soumis à des principes empiriques. Car, en fait, il n'est pas question, dans un tel jugement, de ce qu'est la nature, ni même de ce qu'elle est pour nous en tant que fin, mais de la façon dont nous l'appréhendons. Il s'agirait toujours d'une finalité objective de la nature si elle se trouvait formée pour la satisfaction que nous prenons à ces formes – au lieu d'une finalité subjective reposant sur le jeu de l'imagination en sa liberté, où c'est nous qui accueillons la nature avec faveur, sans que pour sa part elle nous fasse la moindre faveur. La propriété de la nature de contenir pour nous l'occasion de percevoir, dans le jugement par lequel nous apprécions certains de ses produits, la finalité interne intervenant dans le rapport entre les facultés de notre esprit, et cela sous la forme d'une finalité devant être déclarée nécessaire et susceptible de valoir universellement, ne peut être une fin naturelle, ou plutôt elle ne peut être jugée par nous comme constituant une telle fin : car, sinon, le jugement qui serait ainsi déterminé aurait pour fondement l'hétéronomie, et non pas, comme il convient à un jugement de goût, la liberté et l'autonomie.

Dans les beaux-arts, le principe de l'idéalisme de la finalité est encore plus clairement reconnaissable. Car, ici, qu'un réalisme esthétique de la finalité, fondé sur des sensations, ne se puisse admettre (car il s'agirait alors d'arts de l'agréable, et non plus des beaux-arts), c'est un point que l'art a en commun avec la belle nature. Cela étant, que la satisfaction par des Idées esthétiques ne doive pas dépendre de la réalisation de fins déterminées (sur le modèle d'un art mécaniquement intentionnel), par conséquent que, même dans le rationalisme du principe, l'idéalité des fins, et non pas leur réalité, doive servir de fondement, cela se perçoit déjà aussi au fait que les beaux-arts, comme tels, ne doivent pas être considérés comme un (351) produit de l'entendement ou de la science, mais du génie, et que c'est donc par des Idées esthétiques, essentiellement distinctes des Idées rationnelles de fins déterminées, qu'ils reçoivent leur règle.

De même que l'*idéalité* des objets des sens comme phénomènes est l'unique manière d'expliquer la possibilité que leurs formes puissent être déterminées a priori, de même aussi l'*idéalisme* de la finalité dans le jugement d'appréciation porté sur le beau naturel et artistique est la seule présupposition grâce à laquelle la Critique peut expliquer la possibilité d'un jugement de goût qui exige a priori de posséder une validité pour chacun (sans cependant fonder sur des concepts la finalité représentée dans l'objet).

Paragraphe 59
De la beauté comme symbole de la moralité

Présenter la réalité de nos concepts requiert toujours des intuitions. Si ce sont des concepts empiriques, celles-ci se nomment des *exemples*. Si ce sont des concepts purs de l'entendement, elles sont appelées des *schèmes*. Quant à réclamer que soit présentée la réalité objective des concepts de la raison, c'est-à-dire des Idées, et cela en vue de parvenir à leur connaissance théorique, c'est là désirer quelque chose d'impossible, parce qu'une intuition ne peut absolument pas leur être fournie qui leur soit adéquate.

Toute *hypotypose* (présentation, *subjectio sub adspectum*), comme opération consistant à rendre sensible quelque chose, se dédouble : ou bien elle est *schématique*, là où, à un concept que saisit l'entendement, est donnée a priori l'intuition qui lui correspond ; ou bien elle est *symbolique*, là où, à un concept que seule la raison peut penser et auquel nulle intuition sensible ne peut être adéquate, se trouve soumise une intuition telle que la manière dont procède avec elle la faculté de juger est simplement analogue au procédé qu'elle observe dans la schématisation, c'est-à-dire qu'elle s'accorde avec lui uniquement selon la règle de ce procédé, et non pas selon l'intuition elle-même, par conséquent simplement selon la forme de la réflexion, et non pas selon le contenu.

C'est un usage du mot *symbolique* qui est certes admis par les logiciens modernes, mais qui est absurde et inexact, que de l'opposer au mode de représentation *intuitif* ; car le mode de représentation symbolique n'est qu'une espèce du mode intuitif. Ce dernier (le mode intuitif de représentation) peut, de fait, être divisé en mode schématique et en mode symbolique de représentation *(352)*. L'un et l'autre sont des hypotyposes, c'est-à-dire des présentations *(exhibitiones)* : il ne s'agit pas là de simples *caractères*, c'est-à-dire de désignations des concepts par l'intermédiaire de signes sensibles qui les accompagnent, ne contenant absolument rien qui appartienne à l'intuition de l'objet, mais servant seulement aux concepts de moyen de reproduction d'après la loi de l'association de l'imagination, par conséquent dans une perspective subjective ; ce sont alors ou bien des mots, ou bien des signes visibles (algébriques, voire mimiques), en tant que simples *expressions* pour des concepts *.

Toutes les intuitions que l'on soumet a priori à des concepts sont donc ou bien des *schèmes*, ou bien des *symboles* : les premiers contiennent des présentations directes du concept, les seconds des présentations indirectes. Les schèmes accomplissent cette opération de manière démonstrative, les symboles par la médiation d'une analogie (pour laquelle on se sert aussi d'intuitions empiriques), où la faculté de juger procède à une double démarche qui consiste, premièrement, à appliquer le concept à l'objet d'une intuition sensible, et, ensuite, deuxièmement, à appliquer la simple règle de la réflexion sur cette intuition à un tout autre objet dont le premier est seulement le symbole. Ainsi représente-t-on un État monarchique par un corps animé s'il est gouverné selon des lois internes du peuple, mais par une simple machine (comme, par exemple, un moulin à bras) s'il est gouverné par une volonté singulière absolue ; mais, dans les deux cas, la représentation est seulement *symbolique*. Car, entre un État despotique et un moulin à bras, il n'y a assurément aucune ressemblance, mais il y en a bel et bien une entre les règles de la réflexion sur eux et sur leur causalité. Cette opération a jusqu'à maintenant encore été peu analysée, bien qu'elle mérite une profonde recherche ; ce n'est simplement pas ici le lieu de s'y arrêter. Notre langue est pleine de telles présentations indirectes selon une analogie, dans lesquelles l'expression contient, non pas proprement le schème pour le concept, mais seulement un symbole pour la réflexion. Ainsi en va-t-il des mots *fondement* (appui, base), *dépendre* (être suspendu à quelque chose de plus élevé), *découler de* (au lieu de suivre), *substance* (selon l'expression de Locke : le support des accidents) et d'innombrables autres hypotyposes non schématiques, mais symboliques, et des expressions intervenant pour désigner des concepts, non pas par l'intermédiaire [100] d'une intuition directe, mais seulement selon une analogie avec celle-ci, c'est-à-dire par transfert de la réflexion sur (*353*) un objet de l'intuition à un tout autre concept auquel peut-être une intuition ne saurait jamais correspondre de façon directe. Si l'on peut nommer déjà connaissance un simple mode de représentation (ce qui sans doute est permis s'il ne

* La dimension intuitive de la connaissance doit être opposée à la dimension discursive (et non pas à la dimension symbolique). La première est en effet soit *schématique* par démonstration, soit *symbolique* comme présentation selon une simple analogie.

s'agit pas d'un principe pour la détermination théorique de l'objet tel qu'il est en soi, mais pour la détermination pratique de ce que l'Idée de cet objet doit être pour nous et pour l'usage qui s'en peut faire en référence à une fin), toute notre connaissance de Dieu est simplement symbolique et celui qui la considère comme schématique (avec tous les attributs d'entendement, de volonté, etc., qui ne prouvent leur réalité objective qu'à propos d'êtres intramondains) sombre dans l'anthropomorphisme en même temps que dans le déisme, par quoi on ne peut absolument rien connaître, même pas du point de vue pratique.

Cela étant, je dis que le beau est le symbole du bien moral, et que c'est seulement à cet égard (celui d'une relation qui est naturelle à chacun et que chacun attend également de tout autre comme constituant son devoir) qu'il plaît en faisant preuve d'une prétention à l'assentiment de tous les autres – ce en quoi l'esprit est en même temps conscient d'un certain ennoblissement et d'une certaine élévation au-delà de la simple capacité d'éprouver un plaisir par l'intermédiaire d'impressions des sens, et estime également la valeur des autres d'après une maxime semblable de leur faculté de juger [101]. Il s'agit là de l'*intelligible* vers lequel le goût, comme l'a indiqué le précédent paragraphe, tourne son regard – autrement dit : ce par référence à quoi nos pouvoirs supérieurs de connaître s'accordent et sans lequel, entre leur nature et les prétentions qu'élève le goût, surgiraient de franches contradictions. Dans ce pouvoir, la faculté de juger ne se voit pas, comme c'est le cas par ailleurs dans l'appréciation empirique, soumise à une hétéronomie des lois de l'expérience : vis-à-vis des objets d'une satisfaction aussi pure, elle se donne à elle-même la loi [102], comme le fait la raison vis-à-vis du pouvoir de désirer, et, aussi bien du fait de cette possibilité interne inscrite dans le sujet que du fait de la possibilité externe d'une nature s'accordant avec celle-ci, elle se voit rapportée à quelque chose dans le sujet lui-même et en dehors de lui, qui n'est ni nature, ni liberté, mais qui est lié pourtant au fondement de ces dernières [103], à savoir le suprasensible, en lequel le pouvoir théorique s'allie en une unité avec le pouvoir pratique d'une manière commune à tous et inconnue. Nous entendons indiquer quelques éléments de cette analogie, non sans en même temps faire remarquer les différences qui y interviennent.

1. Le beau plaît *immédiatement* (mais seulement dans l'intuition réfléchissante (*354*), et non pas dans le concept, comme c'est le cas pour la moralité). 2. Il plaît *de façon*

entièrement désintéressée (le bien moral est certes lié nécessairement à un intérêt, mais non pas à un intérêt qui précède le jugement sur la satisfaction, alors qu'en fait l'intérêt auquel il est lié en est le produit). 3. La *liberté* de l'imagination (donc de la sensibilité de notre pouvoir) est représentée, dans l'appréciation du beau, comme s'accordant avec la légalité de l'entendement (dans le jugement moral, la liberté de la volonté est pensée comme l'accord de cette dernière avec elle-même selon des lois universelles de la raison). 4. Le principe subjectif de l'appréciation du beau est représenté comme *universel*, c'est-à-dire comme possédant une validité pour chacun, sans être pour autant représenté comme connaissable par un concept universel (le principe objectif de la moralité est lui aussi déclaré universel, c'est-à-dire comme destiné à tous les sujets, en même temps que concernant toutes les actions de ces sujets, et en cela il est déclaré susceptible d'être connu par un concept universel). Par conséquent, le jugement moral n'est pas seulement capable de mobiliser des principes constitutifs déterminés, mais c'est *uniquement* par la fondation des maximes sur ces principes et leur universalité qu'il est possible.

Même le sens commun est accoutumé à prendre en compte cette analogie, et nous désignons souvent de beaux objets de la nature ou de l'art par des termes qui semblent avoir pour fondement une appréciation morale. Nous disons que des édifices ou des arbres sont remplis de majesté et grandioses, ou que des campagnes sont riantes et gaies ; les couleurs elles-mêmes sont dites innocentes, modestes, délicates, parce qu'elles éveillent des sensations qui contiennent quelque chose d'analogue à la conscience d'un état d'âme produit par des jugements moraux. Le goût rend en quelque sorte possible le passage de l'attrait sensible à l'intérêt moral habituel, cela sans un saut trop brutal, dans la mesure où il représente l'imagination, même dans sa liberté, comme susceptible d'être déterminée selon une dimension de finalité pour l'entendement et enseigne à trouver jusque dans des objets des sens même dépourvus d'attrait sensible une libre satisfaction.

Paragraphe 60
Appendice
De la méthodologie du goût

La division d'une Critique en doctrine des éléments et en méthodologie, laquelle précède la science, ne se peut appliquer à la critique du goût (*355*) parce qu'il n'y a ni ne peut y avoir aucune science du beau et que le jugement de goût n'est pas déterminable par des principes. Car ce qui concerne en tout art la dimension scientifique, qui tend à la *vérité* dans la présentation de son objet, est assurément la condition indispensable (*conditio sine qua non*) des beaux-arts, mais non point les beaux-arts eux-mêmes. Il y a donc pour les beaux-arts seulement une *manière* (*modus*), mais non pas une *méthode* (*methodus*). Le maître doit faire le premier ce que l'élève doit faire, et en montrant comment il doit le faire ; et les règles générales auxquelles il ramène finalement sa manière de procéder peuvent plutôt servir à lui faire se remémorer, à l'occasion, les principaux moments de ce procédé qu'à le lui prescrire. Encore faut-il cependant que soit pris en considération un certain idéal que l'art doit avoir sous les yeux, bien qu'il ne l'atteigne jamais complètement dans son exercice. C'est uniquement par l'éveil de l'imagination de l'élève en vue de la conformité avec un concept donné, et cela en lui faisant remarquer l'insuffisance de l'expression par rapport à l'Idée, que le concept même n'atteint pas, parce qu'elle est esthétique, et en pratiquant une critique aiguisée, que l'on peut éviter que les exemples qui sont proposés à l'élève soient d'emblée tenus par lui pour des archétypes ou pour des modèles à imiter, qui ne seraient soumis à nulle norme supérieure ni à son propre jugement – tant et si bien que le génie, mais aussi, avec lui, la liberté de l'imagination elle-même seraient étouffés dans cette légalité sans laquelle il n'y aurait ni beaux-arts ni goût juste et personnel capable d'en juger.

La propédeutique à tous les beaux-arts, dans la mesure où c'est le suprême degré de leur perfection qui est en jeu, semble consister non dans des préceptes, mais dans la culture des facultés de l'âme par l'intermédiaire de ces connaissances préparatoires que l'on nomme *humaniora*, vraisemblablement parce que *humanité* signifie d'une part le sentiment universel de *sympathie*, d'autre part le pouvoir de parvenir à *se communiquer* de manière à la fois très intime et universelle – lesquelles qualités, quand elles se combinent, constituent la sociabilité conforme à l'humanité, par laquelle elle se distingue de ce qu'il y a de borné chez l'animal. L'époque aussi bien que les peuples dans lesquels le vif penchant pour la sociabilité *régie par le droit*, qui constitue un peuple en une communauté durable, s'affrontaient aux grandes difficultés inscrites dans la lourde tâche de réunir la liberté (et donc aussi l'égalité) avec une contrainte (plutôt sous la forme du respect et de la soumission dus au devoir que par crainte) : une telle époque et un tel peuple devaient (356) commencer par inventer l'art de la communication réciproque des Idées entre la partie la plus cultivée et la partie la plus inculte, la manière d'adapter le développement et le raffinement de la première à la simplicité et à l'originalité naturelles de la seconde, en découvrant ainsi entre la culture supérieure et la simple nature le moyen terme qui constitue aussi pour le goût, en tant que sens commun des hommes, la mesure exacte impossible à indiquer par des règles générales.

Il sera difficile pour une époque future de se passer de ces modèles, étant donné qu'elle s'éloignera toujours davantage de la nature et qu'elle finira par être à peine en mesure, si elle n'en possédait pas des exemples durables, de former un concept de l'heureuse réunion dans un seul et même peuple de la contrainte légale requise par la plus haute culture avec la force et la justesse de la libre nature ressentant sa propre valeur.

Cela dit, étant donné que le goût est au fond un pouvoir d'appréciation de l'incarnation sensible des Idées morales (grâce à une certaine analogie de la réflexion sur ces deux choses), et puisque c'est aussi de ce pouvoir, ainsi que de la plus grande réceptivité (qui se doit elle-même fonder sur le goût) au sentiment dérivé de ces Idées (qui se nomme le sentiment moral), que découle ce plaisir dont le goût proclame qu'il vaut pour l'humanité en général, et non pas simplement pour quelque sentiment personnel propre à chacun, il apparaît clairement que la vraie propédeutique pour la fondation du goût est le développement des Idées morales et la culture du sentiment moral ; car c'est uniquement si la sensibilité vient à s'accorder avec ce dernier que le goût authentique peut recevoir une forme déterminée et immuable.

DEUXIÈME PARTIE

CRITIQUE DE LA FACULTÉ DE JUGER TÉLÉOLOGIQUE

Paragraphe 61
De la finalité objective de la nature

(*359*) On a, en fonction de principes transcendantaux, de bonnes raisons d'admettre une finalité subjective de la nature dans ses lois particulières, quant à sa compréhensibilité pour la faculté de juger humaine et quant à la possibilité de la liaison des expériences particulières en un système de la nature : on peut donc s'attendre ici, parmi les multiples produits de la nature, à ce que certains soient possibles qui, comme s'ils étaient disposés tout à fait proprement pour notre faculté de juger, contiennent des formes spécifiques convenant à celle-ci et servant, par leur diversité comme par leur unité, pour ainsi dire à fortifier et à entretenir les forces de l'esprit (qui sont en jeu dans l'usage de ce pouvoir) – formes auxquelles on donne dès lors le nom de *belles* formes.

Mais que des choses de la nature se servent réciproquement de moyens en vue de fins et que leur possibilité même ne soit suffisamment compréhensible que par cette espèce de causalité, nous n'en trouvons aucune raison dans l'Idée générale de la nature comme ensemble des objets des sens. Car, dans le cas précédent, la représentation des choses pouvait tout à fait bien, parce qu'elle est quelque chose qui fait partie de nous-mêmes, être conçue aussi a priori comme convenant et servant à l'accord qui s'établit, selon une relation de finalité interne, entre nos pouvoirs de connaître [104] ; mais de quelle façon des fins qui ne sont pas les nôtres et qui n'appartiennent pas non plus à la nature (laquelle nous ne considérons pas comme un être intelligent) peuvent ou doivent cependant constituer une forme tout à fait particulière de causalité, ou du moins une légalité tout à fait particulière de celle-ci, cela ne se peut aucunement présumer a priori avec quelque fondement. Qui plus est, même l'expérience ne peut nous en prouver l'effectivité ; il faudrait pour cela l'intervention préalable d'un sophisme qui ferait jouer simplement le concept d'une fin inscrite dans (*360*) la nature des choses, sans extraire toutefois ce concept des objets et de leur connaissance par l'expérience, mais en l'utilisant donc davantage pour rendre la nature concevable par analogie avec un principe subjectif de la liaison des représentations en nous que pour la connaître à partir de fondements objectifs.

En outre, la finalité objective, comme principe de la possibilité des choses de la nature, bien loin qu'elle soit rattachée selon des liens *nécessaires* à son concept, est plutôt cela même à quoi l'on fait référence de façon privilégiée pour prouver la contingence de celle-ci (de la nature) et de sa forme. Car, si l'on évoque par exemple la structure d'un oiseau, la cavité présente dans ses os, la disposition de ses ailes en vue du mouvement et de sa queue pour diriger son vol, etc., on dit que tout cela est au plus haut degré contingent selon le simple *nexus effectivus* qui règne dans la nature, sans recourir de surcroît à une forme particulière de causalité, à savoir celle des fins (*nexus finalis*) ; cela revient à dire que la nature, considérée comme simple mécanisme, aurait pu se structurer de mille autres manières sans rencontrer précisément l'unité selon un tel principe, et que l'on ne peut donc espérer trouver le moindre fondement a priori de cette unité qu'en dehors du concept de la nature, et non pas en lui.

C'est pourtant de façon légitime qu'est tiré de l'étude de la nature le jugement d'appréciation téléologique, du moins à titre problématique ; mais ce n'est que pour le soumettre, selon l'analogie avec la causalité d'après des *fins*, aux principes de l'observation et de la recherche, sans prétendre l'*expliquer* par là. Une telle appréciation relève donc de la faculté de juger réfléchissante, et non pas de la faculté de juger déterminante. Le concept des liaisons et des formes de la nature selon des fins est en tout cas, pour le moins, *un principe supplémentaire* pour soumettre les phénomènes naturels à des règles, là où les lois de la causalité selon le simple mécanisme de la nature ne suffisent pas. Car nous mettons en avant un fondement téléologique là où nous attribuons en propre à un concept de l'objet, comme s'il se trouvait dans la nature (et non pas en nous) de la causalité à l'égard d'un objet, ou plutôt quand nous nous représentons la possibilité de l'objet selon l'analogie avec une telle causalité (du type de celle que nous rencontrons en nous), en pensant par conséquent la nature comme *technique* en vertu de son propre pouvoir ; en revanche, si nous ne lui attribuons pas un tel mode d'action, sa causalité devrait être représentée comme un mécanisme aveugle. Si nous supposions au contraire à la nature des causes agissant *intentionnellement* ; si par conséquent *(361)* nous mettions au fondement de la téléologie, non pas seulement un principe *régulateur* pour la simple appréciation des phénomènes auxquels on pourrait penser que la nature est soumise d'après ses lois particulières, mais aussi, ce faisant, un principe *constitutif* de la dérivation de ses produits à partir de leurs causes, le concept d'une fin naturelle n'appartiendrait plus à la faculté de juger réfléchissante, mais à la faculté de juger déterminante ; mais, dès lors, en fait, il n'appartiendrait plus du tout, proprement, à la faculté de juger (comme le concept de beauté en tant que finalité subjective formelle), mais il introduirait, comme concept de la raison, une nouvelle causalité dans la science de la nature – nouvelle causalité que nous n'empruntons cependant qu'à nous-mêmes, et que nous attribuons à d'autres êtres, sans vouloir pourtant admettre qu'ils sont de la même espèce que nous.

ANALYTIQUE DE LA FACULTÉ DE JUGER TÉLÉOLOGIQUE

Paragraphe 62
**De la finalité objective, qui est simplement formelle,
à la différence de la finalité objective matérielle**

(*362*) Toutes les figures géométriques qui sont tracées selon un principe manifestent une finalité objective variée, souvent admirée : elle consiste dans la capacité à résoudre de multiples problèmes d'après un principe unique, ainsi que dans la capacité à résoudre chacun de ces problèmes selon des solutions qui sont même, en soi, infiniment diverses. La finalité est ici, manifestement, objective et intellectuelle, et non pas simplement subjective et esthétique. Car elle exprime la propriété que possède la figure d'engendrer de nombreuses formes que l'on se propose comme fins, et elle est connue par la raison. Cela étant, la finalité ne rend pas pour autant possible le concept de l'objet lui-même, c'est-à-dire qu'il n'est pas considéré comme possible seulement par égard à cet usage [105].

Dans une figure aussi simple que le cercle réside le principe permettant de résoudre une foule de problèmes dont chacun exigerait pour soi des préparatifs de multiples sortes, alors que la solution de ces problèmes résulte en quelque sorte d'elle-même, comme l'une des propriétés infiniment nombreuses et remarquables de cette figure. Si, par exemple, il s'agit de construire un triangle à partir d'une base qui serait donnée et de l'angle qui lui est opposé, le problème est indéterminé, c'est-à-dire qu'il se peut résoudre d'une infinité de manières diverses. Reste que le cercle les contient pourtant toutes ensemble, en tant qu'il constitue le lieu géométrique de tous les triangles qui sont conformes à cette solution. Ou encore : deux lignes doivent se couper l'une l'autre de telle manière que le rectangle formé à partir des deux segments de l'une soit égal au rectangle formé à partir des deux segments de l'autre – problème dont la solution présente, apparemment, bien des difficultés. Cependant, toutes les lignes qui se coupent à l'intérieur du cercle dont (*363*) la circonférence limite chacune d'elles se divisent d'elles-mêmes selon cette proportion. Les autres lignes courbes fournissent elles aussi d'autres solutions qui manifestent une finalité et auxquelles il n'était pas pensé dans la règle qui définit leur construction. Toutes les sections coniques sont, en elles-mêmes et dans leur comparaison, fécondes en principes permettant de résoudre une foule de problèmes possibles, si simple que soit la définition qui détermine leur concept. C'est une véritable joie que de voir le zèle avec lequel les géomètres anciens étudiaient les propriétés des lignes de ce genre, sans se laisser égarer par la question qui serait celle d'esprits bornés se demandant à quoi pourrait bien servir cette connaissance. Par exemple, ils étudiaient les propriétés de la parabole sans connaître la loi de la pesanteur terrestre, qui leur aurait fourni l'application de ces propriétés à la trajectoire des corps lourds (dont la direction peut être considérée comme parallèle à la pesanteur dans leur mouvement) ; ou les propriétés de l'ellipse sans pressentir que l'on pouvait aussi trouver une pesanteur dans les corps célestes et sans connaître la loi qui les régit selon les différences de distance par rapport au centre d'attraction – loi qui fait qu'ils décrivent cette ligne dans un mouvement libre. Alors qu'ils travaillaient ainsi, à leur insu, pour la postérité, ils se réjouissaient de constater que se trouvait inscrite dans l'essence des choses une finalité qu'ils pouvaient en tout cas présenter tout à fait a priori dans sa nécessité. Platon, lui-même maître en cette science, fut pris d'enthousiasme devant une telle propriété originaire des choses que nous pouvons découvrir en faisant l'économie de toute expérience, et devant le pouvoir que possède l'esprit de puiser dans son principe suprasensible l'harmonie des êtres (à quoi s'ajoutent encore les propriétés des nombres, avec lesquelles l'âme joue dans la musique) : cet enthousiasme l'éleva, au-delà des concepts de l'expérience, jusqu'à des Idées qui ne lui semblaient explicables que par une communauté intellectuelle avec l'origine de tous les êtres. Rien d'étonnant qu'il ait exclu de son école ceux qui ignoraient la géométrie, étant donné qu'il pensait déduire de l'intuition pure présente au cœur de l'esprit humain ce qu'Anaxagore concluait des objets de l'expérience et de leur liaison finalisée. Car c'est dans la nécessité de ce qui obéit à un principe de finalité et qui se trouve constitué comme s'il était intentionnellement disposé pour notre usage, mais qui apparaît cependant appartenir à l'essence des choses sans nulle prise en compte de notre usage, c'est dans une telle nécessité que réside précisément le fondement de la grande admiration qui se peut porter à la nature, non pas tant hors de nous que dans notre propre raison ; en ce sens, il est bien (*364*) pardonnable que cette admiration suscitée par un malentendu ait pu s'accroître peu à peu, jusqu'à prendre la forme de l'exaltation de l'esprit.

Cela dit, cette finalité intellectuelle, bien qu'elle soit objective (et non pas, comme la finalité esthétique, subjective), se peut cependant très bien comprendre – mais seulement de manière générale – en sa possibilité comme simplement formelle (et non pas réelle), c'est-à-dire comme une finalité intervenant sans qu'il soit nécessaire pour autant de poser une fin à son fondement, ni par conséquent une téléologie. Le cercle est une intuition qui a été déterminée par l'entendement selon un principe : l'unité de ce principe que j'admets arbitrairement et que je pose à son fondement comme concept, appliquée à une forme de l'intuition (l'espace) qui se rencontre également en moi simplement comme représentation et a priori, rend compréhensible l'unité de nombreuses règles résultant de la construction de ce concept et qui, de bien des points de vue possibles, possèdent une dimension de finalité, sans qu'à cette finalité il soit besoin de supposer une *fin* ou quelque autre principe. Il n'en va pas ici comme lorsque, dans un ensemble de *choses* extérieures à moi défini par certaines limites, par exemple un jardin, je rencontre dans les arbres, les parterres de fleurs, les allées, de l'ordre et de la régularité que je ne peux espérer déduire a priori à partir de la délimitation que j'effectue d'un certain espace d'après une règle quelconque : car ce sont là des choses existantes qui doivent être données empiriquement pour pouvoir être connues, et non pas une simple représentation inscrite en moi et déterminée selon un principe a priori. En conséquence, cette dernière finalité (celle qui est empirique) dépend, en tant que *réelle*, du concept d'une fin.

Mais le fondement de l'admiration que l'on ressent vis-à-vis d'une finalité perçue néanmoins dans l'essence des choses (en tant que leurs concepts peuvent être construits) se peut aussi très bien apercevoir, et même considérer comme légitime. Les diverses règles dont l'unité (à partir d'un principe) suscite cette admiration sont, globalement, synthétiques et elles ne sont pas déduites d'un *concept* de l'objet, par exemple du concept du cercle, mais elles exigent au contraire que cet objet soit donné dans l'intuition. Mais, dans ces conditions, cette unité se présente comme si elle possédait empiriquement un fondement des règles qui serait extérieur et distinct de notre faculté de représentation, et donc comme si l'accord de l'objet avec le besoin des règles qui est propre à l'entendement était en soi contingent, et par conséquent possible uniquement par l'intermédiaire d'une fin expressément orientée dans cette direction. Mais, précisément, cette harmonie, parce qu'elle est pourtant connue, abstraction faite de toute cette finalité, non pas empiriquement, mais a priori, devrait d'elle-même conduire à comprendre que l'espace, dont seule la détermination (par l'intermédiaire de l'imagination conformément à un concept) rendait l'objet possible, n'est pas une propriété des choses en dehors de moi, mais un simple mode de représentation en moi, et qu'en ce sens c'est moi qui *introduis la finalité* dans la figure que je trace *en conformité avec un concept*, c'est-à-dire dans mon propre mode de représentation de ce qui m'est extérieurement donné – quel qu'il puisse être en soi : ce n'est pas par ce donné que je suis instruit empiriquement de cette finalité, et par conséquent je n'ai besoin, pour celle-ci, de nulle fin particulière qui serait inscrite en dehors de moi dans l'objet. Mais parce que cette réflexion requiert déjà un usage critique de la raison, et qu'elle ne peut donc être d'emblée contenue dans l'appréciation de l'objet d'après ses propriétés, elle ne me donne immédiatement rien d'autre qu'une synthèse de règles hétérogènes (y compris dans ce qu'elles ont en elles-mêmes de dissemblable) dans un principe qui, sans requérir pour cela un fondement particulier situé hors de mon concept et, en général, hors de ma représentation a priori, est pourtant reconnu a priori par moi comme vrai. Ainsi l'*étonnement* est-il un choc de l'esprit se heurtant à l'incompatibilité d'une représentation et de la règle qu'elle fournit avec les principes inscrits déjà au fondement de cet esprit – choc qui suscite ainsi un doute quant à la question de savoir si notre façon de voir ou de juger a été correcte ; l'*admiration* est en revanche un étonnement qui resurgit toujours indépendamment de la disparition de ce doute. En conséquence, l'admiration est un effet tout à fait naturel de cette finalité observée dans l'essence des choses (en tant que phénomènes), et cet effet ne peut être blâmé, non seulement dans la mesure où la compatibilité de cette forme de l'intuition sensible (qui s'appelle l'espace) avec le pouvoir des concepts (l'entendement) est inexplicable pour nous quant au fait qu'elle est ainsi et non pas autrement, mais aussi parce que cette admiration élargit l'esprit en le rendant capable en quelque sorte de pressentir encore au-delà de ces représentations sensibles quelque chose où peut se trouver, bien que nous n'en ayons pas la connaissance, le fondement ultime de cet accord. Assurément n'est-il pas non plus nécessaire que nous connaissions ce fondement quand il ne s'agit que de la finalité formelle de nos représentations a priori ; mais même le simple fait de devoir élever notre regard dans cette direction suscite en même temps de l'admiration pour l'objet qui nous y force.

On est accoutumé à nommer *beauté* les propriétés évoquées des figures géométriques (*366*) aussi bien que des nombres, en raison d'une certaine finalité qu'elles présentent a priori pour toutes sortes d'usages de la connaissance, alors qu'on n'attend pas, à partir de la simplicité de leur construction, à voir se dégager une telle finalité ; et l'on parle par exemple de telle ou telle *belle* propriété du cercle qui serait découverte de telle ou telle manière. Simplement, ce n'est pas par une appréciation esthétique que nous trouvons que ces propriétés présentent une dimension de finalité : ce n'est pas par une appréciation sans concept qui ferait remarquer une simple finalité *subjective* dans le libre jeu de nos pouvoirs de connaître. Au contraire est-ce une appréciation intellectuelle selon des concepts qui donne à connaître clairement une finalité objective, c'est-à-dire une aptitude à toutes sortes de fins (infiniment diverses). On devrait donc parler plutôt d'une *perfection relative* que d'une beauté des figures mathématiques. La dénomination de *beauté intellectuelle* ne peut pas non plus, d'une façon générale, être légitimement autorisée ; car, sinon, le terme de beauté perdrait nécessairement toute signification déterminée, ou bien la satisfaction intellectuelle serait condamnée à perdre tout privilège par rapport à la satisfaction sensible. C'est bien plutôt une *démonstration* de telles propriétés que l'on serait en droit de nommer *belle*, parce que, par son intermédiaire, l'entendement comme pouvoir des concepts et l'imagination comme pouvoir de leur présentation a priori se sentent renforcés (ce qui, combiné avec la précision qu'introduit la raison, se nomme l'élégance de la démonstration) ; car, en tout cas ici, du moins la satisfaction, bien que le fondement s'en trouve dans des concepts, est-elle subjective, tandis que la perfection implique une satisfaction objective.

Paragraphe 63
De la finalité relative de la nature dans sa différence
par rapport à la finalité interne

L'expérience conduit notre faculté de juger au concept d'une finalité objective et matérielle, c'est-à-dire au concept d'une fin de la nature, uniquement quand il s'agit d'apprécier une relation de cause à effet * que nous ne nous trouvons en mesure de considérer comme conforme à une loi (367) que si nous plaçons au fondement de la causalité de la cause l'Idée de son effet en tant que condition, inscrite à son fondement même, de possibilité de cette causalité. Or, cela peut intervenir de deux manières : ou bien nous considérons immédiatement l'effet comme produit de l'art, ou bien nous le considérons uniquement comme matériau pour l'art d'autres êtres naturels possibles ; donc, nous l'envisageons soit comme fin, soit comme moyen pour l'usage final d'autres causes. La seconde finalité s'appelle l'utilité (pour l'homme) ou aussi convenance (pour n'importe quelle autre créature), et elle est simplement relative ; la première, en revanche, est une finalité interne de l'être naturel.

Les fleuves, par exemple, charrient avec eux toutes sortes de terres utiles à la croissance des plantes, qu'ils déposent parfois à l'intérieur du pays, souvent aussi à leurs embouchures. Le flux, sur de nombreuses côtes, conduit ce limon dans les terres ou le dépose sur ses berges ; et si les hommes, surtout, aident à ce que le reflux ne l'emmène pas à nouveau, la région féconde augmente et le règne végétal s'installe là où, auparavant, poissons et crustacés avaient leur séjour. La plupart de ces accroissements de terre, c'est bel et bien la nature elle-même qui les a effectués sur ce mode et qui continue même encore à y procéder, bien qu'avec lenteur. Or, la question se pose de savoir si l'on doit juger qu'il s'agit là d'une fin de la nature, parce qu'une utilité pour des êtres humains s'y trouve contenue ; car on ne peut faire entrer en ligne de compte l'utilité pour le règne végétal lui-même, étant

---

* Parce que, dans la mathématique pure, il ne peut être question de l'existence, mais seulement de la possibilité des choses, autrement dit d'une intuition correspondant à leur concept, donc nullement de cause et d'effet, toute finalité qui s'y laisse remarquer ne peut donc être considérée que simplement comme formelle, mais jamais comme une fin naturelle.

donné qu'en fait la perte subie par les animaux marins équivaut au gain qu'en tire le continent.

Ou encore, afin de donner un exemple de la convenance de certaines choses de la nature comme moyen pour d'autres créatures (si l'on suppose que ce sont là des fins), il n'y a pas de sol plus profitable aux pins qu'un sol sablonneux. Or, la mer primitive, avant de se retirer des terres, a laissé dans nos pays du Nord tant de bancs de sable derrière elle que, sur ce sol au demeurant inutilisable pour toute culture, de vastes forêts de pins ont pu se développer dont nous reprochons fréquemment à nos ancêtres de les avoir déboisées sans raison ; et dans ces conditions on peut se demander si ce dépôt primitif des bancs de sable constituait une fin de la nature en vue des forêts de pins possibles sur un tel terrain. Ce qui est clair, c'est que, si l'on considère ce dépôt comme une fin de la nature, il faut aussi admettre que ce sable était une telle fin, bien que seulement relative, par rapport à laquelle la mer primitive et son retrait constituaient le moyen ; car, dans la série des termes, subordonnés l'un à l'autre, d'une liaison finale, chaque terme intermédiaire doit être considéré comme (*368*) fin (bien que ce ne soit pas en tant que but final), par rapport à laquelle sa cause la plus proche constitue le moyen. De la même manière, s'il devait y avoir dans le monde du bétail, des moutons, des chevaux, il fallait qu'il y eût de l'herbe sur la terre, mais il fallait aussi, si les chameaux devaient prospérer, que pussent pousser dans les déserts des salsolacées, ou que l'on pût rencontrer cette espèce herbivore ou d'autres en quantité s'il devait y avoir des loups, des tigres et des lions. Par conséquent, la finalité objective qui se fonde sur la convenance n'est pas une finalité objective des choses en elles-mêmes, comme si le sable ne pouvait être compris pour lui-même comme l'effet de sa cause, la mer, sans que l'on suppose une fin à cette dernière et que l'on considère l'effet, à savoir le sable, comme une œuvre de l'art. C'est une finalité simplement relative, simplement contingente pour la chose même à laquelle on l'attribue ; et bien que, parmi les exemples cités, les espèces d'herbes doivent être appréciées pour elles-mêmes comme des produits organisés de la nature, par conséquent comme empreintes d'art, on les considère pourtant, par rapport aux animaux qui s'en nourrissent, comme une simple matière brute.

Cela dit, si l'être humain, par la liberté de sa causalité, trouve que les choses de la nature s'accordent pleinement avec ses intentions souvent insensées (les plumes bigarrées des oiseaux pour décorer son vêtement, les terres de couleur ou les sucs des plantes pour se farder), parfois aussi avec une intention raisonnable, comme c'est le cas du cheval utilisé pour se déplacer, du bœuf, voire, à Minorque, de l'âne et du porc pour labourer, on ne peut pas ici aussi admettre une fin naturelle relative (pour cet usage). Car la raison de l'être humain sait conférer aux choses une dimension de conformité avec ses inventions arbitraires auxquelles il n'était nullement prédestiné lui-même par la nature. C'est seulement *si* l'on admet que des hommes ont le devoir de vivre sur terre qu'il faut en tout cas que du moins les moyens sans lesquels ils ne pouvaient subsister comme animaux, et même comme animaux raisonnables (au plus bas degré que l'on voudra), ne leur manquent pas non plus ; mais, dès lors, les choses de la nature qui sont indispensables à cet effet doivent nécessairement elles aussi être considérées comme des fins naturelles.

On voit aisément par là que la finalité externe (la convenance d'une chose pour d'autres choses) ne peut être envisagée comme une fin naturelle extérieure que sous la condition que l'existence de l'être auquel la chose convient directement ou de manière éloignée soit pour elle-même une fin de la nature. Mais, dans la mesure où cela ne se peut jamais trancher par simple observation de la nature, il s'ensuit que la finalité relative (*369*), bien qu'elle donne hypothétiquement des indications sur les fins naturelles, n'autorise pourtant à prononcer aucun jugement téléologique absolu.

La neige protège les semailles, dans les pays froids, contre le gel ; elle favorise la communauté des hommes (grâce aux traîneaux) ; le Lapon trouve là-bas des animaux (rennes) qui font que cette communauté peut être mise en œuvre et qui trouvent de quoi se nourrir suffisamment dans une mousse desséchée qu'ils doivent eux-mêmes aller chercher sous la neige ; et néanmoins ils se laissent facilement apprivoiser et priver volontiers de la liberté où ils pourraient fort bien subsister. Pour d'autres peuples, dans la même zone glaciale, la mer contient de riches réserves d'animaux qui, outre la nourriture et le vêtement qu'ils leur fournissent, et avec le bois que la mer fait pour ainsi dire flotter jusqu'à eux pour construire leurs habitations, leur donnent aussi des matériaux combustibles pour chauffer leurs huttes. Assurément, il y a là une admirable conjonction de multiples relations de la nature à une fin, et cette fin est le Groenlandais, le Lapon, le Samoyède, le Iakoute, etc. Mais on ne voit pas pourquoi en général des hommes doivent nécessairement vivre dans ces contrées [106]. En ce sens, dire que *ce pourquoi* des vapeurs tombent de l'air sous forme de neige, la mer comprend des courants faisant flotter jusque là-bas du bois qui s'est développé dans des régions plus chaudes et il existe de grands animaux marins remplis d'huile, *c'est que*, dans la cause qui procure tous les produits de la nature, il y avait au fond l'Idée d'un avantage pour certaines misérables créatures, ce serait un jugement très audacieux et arbitraire. Car, si tous ces aspects utiles de la nature n'existaient pas, nous ne déplorerions rien quant à la suffisance des causes naturelles vis-à-vis de cet état de choses ; bien plutôt nous semblerait-il présomptueux et irréfléchi de même simplement réclamer une telle disposition et d'attribuer à la nature une telle fin (étant donné que, même sans cela, l'extrême insociabilité des hommes entre eux a pu, à elle seule, les disperser jusque dans des contrées aussi inhospitalières) [107].

Paragraphe 64
Du caractère spécifique des choses en tant que fins naturelles

Pour apercevoir qu'une chose n'est possible qu'en tant que fin, c'est-à-dire pour être contraint de chercher la causalité de son origine, non pas dans le mécanisme de la nature, mais dans une cause dont le pouvoir d'agir est déterminé par des concepts (*370*), il est requis que sa forme ne soit pas possible d'après de simples lois de la nature, autrement dit des lois qui peuvent être connues de nous par l'entendement seul, appliqué à des objets des sens ; bien au contraire faut-il que même la connaissance empirique de cette forme d'après sa cause et son effet présuppose des concepts de la raison. Cette *contingence* que présente, vis-à-vis de la raison, la forme d'une telle chose par rapport à toutes les lois empiriques de la nature constitue en soi-même – dans la mesure où la raison, qui doit connaître en toute forme d'un produit naturel la nécessité même de cette forme si elle veut aussi apercevoir les conditions liées à sa production, ne peut cependant admettre une telle nécessité dans cette forme donnée – un motif pour n'admettre la causalité produisant cette chose que comme si elle était possible uniquement par la raison ; mais cette dernière est dès lors le pouvoir d'agir d'après des fins (une volonté), et l'objet qui n'est représenté comme possible qu'à partir d'un tel pouvoir ne serait représenté comme possible qu'en tant que fin.

Si quelqu'un, dans un pays lui semblant inhabité, voyait une figure géométrique dessinée dans le sable, par exemple un hexagone régulier, sa réflexion, en se mettant à la recherche d'un concept de cette figure, appréhenderait, bien que de façon obscure, l'unité du principe de sa production par l'intermédiaire de la raison, et ainsi en viendrait-il à juger, d'après celle-ci, que le sable, la mer avoisinante, les vents ou même les animaux dont il connaît les empreintes, ou toute autre cause dépourvue de raison, ne peuvent être le fondement de la possibilité d'une telle figure : car le hasard d'une coïncidence avec un tel concept, qui n'est possible que dans la raison, lui paraîtrait si infiniment grand qu'autant vaudrait qu'il n'y eût à cet égard absolument aucune loi naturelle, en sorte que dès lors il n'y aurait non plus aucune cause résidant dans la simple action mécanique de la nature qui puisse contenir aussi la causalité d'un tel effet, mais que cette causalité ne pourrait résider que dans le concept d'un tel objet en tant que concept que seule la raison peut fournir et avec lequel elle peut comparer l'objet ; par conséquent, cet effet pourrait être absolument considéré comme fin, non pas toutefois comme une fin de la nature, mais comme un produit de l'art (*vestigium hominis video*).

Mais pour apprécier quelque chose que l'on connaît en tant que produit de la nature cependant aussi comme fin, par conséquent comme *fin naturelle*, davantage se trouve d'ores et déjà requis, s'il n'y a là aucune contradiction. Je pourrais dire provisoirement qu'une chose existe comme fin naturelle quand elle est *cause et effet d'elle-même* (bien que ce soit en un double sens) ; (*371*) car il se trouve là une causalité telle qu'elle ne peut être liée avec le simple concept d'une nature sans que l'on suppose à celle-ci une fin qui peut alors être pensée certes sans contradiction, sans toutefois pouvoir être conçue. Nous allons d'abord éclairer la détermination de cette Idée d'une fin naturelle par un exemple, avant de l'analyser entièrement.

Premièrement, un arbre produit un autre arbre selon une loi naturelle connue. Mais l'arbre qu'il produit est de la même espèce ; et ainsi il se produit lui-même selon l'*espèce* dans laquelle, d'un côté en tant qu'effet, de l'autre côté en tant que cause, continuellement produit par lui-même et de même sans cesse se reproduisant, il se conserve en permanence comme espèce.

Deuxièmement, un arbre se produit aussi lui-même comme *individu*. Cette sorte d'effet, nous la nommons, il est vrai, seulement croissance ; mais cela est à prendre en un sens tel que la croissance se distingue totalement de tout accroissement de grandeur selon des lois mécaniques et qu'il faut la considérer comme équivalente, sous un autre nom, à une génération. La matière qu'elle assimile, la plante commence par l'élaborer en lui donnant une qualité spécifique et particulière que ne peut fournir, hors d'elle, le mécanisme de la nature, et ensuite elle se forme elle-même par l'intermédiaire d'une substance qui, dans sa composition, est son produit propre. Bien qu'en effet, pour ce qui est des éléments constitutifs qu'elle reçoit de la nature extérieure, elle ne doive certes être considérée que comme une éduction [108], on doit rencontrer cependant dans l'analyse et la recomposition de cette matière brute une originalité telle, quant au pouvoir dont dispose ce genre d'êtres naturels pour dissocier et former, que tout art en reste infiniment éloigné quand il essaye de reconstituer ces produits du règne végétal à partir des éléments qu'il obtient par leur décomposition ou bien aussi à partir de la matière que la nature leur fournit comme nourriture.

Troisièmement, une partie de cette créature se produit aussi d'elle-même, de telle manière que la conservation d'une partie dépend de la conservation de l'autre, et réciproquement. L'œil d'une feuille d'arbre, enté sur la branche d'un autre, produit sur un pied étranger une végétation de sa propre espèce, et il en va de même pour la greffe sur un autre arbre. C'est pourquoi on peut considérer aussi, sur le même arbre, chaque branche ou chaque feuille comme simplement greffée ou écussonnée sur celui-ci, par conséquent comme un arbre existant pour lui-même qui s'attache simplement à un autre arbre et se nourrit à la manière d'un parasite (*372*). En même temps, les feuilles sont assurément des produits de l'arbre, mais il est pourtant vrai aussi que, de leur côté, elles les conservent ; car le dépouillement réitéré des feuilles le tuerait, et sa croissance dépend de l'action que les feuilles exercent sur le tronc. La capacité que possède la nature, chez ces créatures, de se défendre elle-même contre ce qui inflige une lésion, lorsque le manque d'une partie intervenant dans la conservation des parties voisines est compensé par les autres parties ; les monstruosités ou les difformités dans la croissance, quand certaines parties, parce que surviennent des manques ou des obstacles, se forment d'une manière entièrement nouvelle pour conserver ce qui existe et produire une créature anormale : il y a là des propriétés que je ne veux mentionner ici qu'en passant, bien qu'elles soient parmi les plus étonnantes des créatures organisées [109].

Paragraphe 65
Les choses en tant que fins naturelles
sont des êtres organisés

D'après le caractère indiqué dans le paragraphe précédent, une chose qui, comme produit de la nature, ne doit pourtant, en même temps, être reconnue comme possible qu'en tant que fin naturelle, ne peut que se rapporter à elle-même réciproquement comme cause et comme effet – manière quelque peu impropre et imprécise de s'exprimer qui a besoin d'une déduction à partir d'un concept déterminé.

La liaison causale, dans la mesure où elle est pensée uniquement par l'entendement, est une connexion qui définit une série (de causes et d'effets) toujours descendante ; et les choses elles-mêmes qui, comme effets, en supposent d'autres comme causes ne peuvent en même temps être, de leur côté, causes de celles-ci. Cette liaison causale, on l'appelle celle des causes efficientes (*nexus effectivus*). Mais, en revanche, on peut pourtant penser aussi une liaison causale d'après un concept de la raison (celui de fins) qui, si l'on considérait la connexion comme une série, impliquerait une dépendance aussi bien descendante qu'ascendante, où la chose qui est désignée comme effet mérite pourtant, si on considère la série comme ascendante, le nom de cause de la chose dont elle est l'effet. Dans le registre pratique (à savoir celui de l'art), on trouve aisément de telles connexions, comme par exemple celle-ci : la maison est assurément la cause des sommes d'argent perçues pour sa location, mais c'est aussi, inversement, la représentation de ce revenu possible qui fut la cause de l'édification de cette maison. Une telle connexion causale se nomme celle des causes finales (*nexus finalis*). On pourrait peut-être appeler de manière plus juste la première la connexion des (373) causes réelles, la seconde celle des causes idéales, car par cette dénomination on comprendrait en même temps qu'il ne peut y avoir plus de formes de causalité que ces deux-là.

Pour une chose en tant que fin naturelle, on exige dès lors, *premièrement*, que les parties (quant à leur existence et à leur forme) n'en soient possibles que par leur relation au tout. Car la chose elle-même est une fin, comprise qu'elle est par conséquent sous un concept ou sous une Idée qui détermine nécessairement a priori tout ce qui doit être contenu en elle. Mais, dans la mesure où une chose n'est pensée comme possible que de cette manière, c'est simplement une œuvre d'art, c'est-à-dire le produit d'une cause raisonnable, distincte de la matière (des parties) de ce produit et dont la causalité (dans la production et la liaison des parties) est déterminée par l'Idée d'un tout ainsi rendu possible (et donc non pas par la nature qui existe en dehors de lui).

Mais si une chose, en tant que produit de la nature, doit renfermer en elle-même et en sa possibilité interne une relation à des fins, c'est-à-dire être possible seulement comme fin naturelle et sans la causalité des concepts d'êtres raisonnables existant en dehors d'elle, il est requis pour cela, *deuxièmement*, que les parties de cette chose se relient en l'unité d'un tout à travers la manière dont elles sont mutuellement les unes vis-à-vis des autres cause et effet de leur forme. Car c'est de cette façon uniquement qu'il est possible qu'inversement (réciproquement) l'Idée du tout détermine en retour la forme et la liaison de toutes les parties : non pas en tant que cause – car ce serait alors un produit de l'art –, mais en tant que fondement de la connaissance, pour celui qui porte sur lui un jugement d'appréciation, de l'unité systématique de la forme et de la liaison de tout le divers qui est contenu dans la matière donnée.

D'un corps, donc, qui doit être jugé en soi et quant à sa possibilité interne comme fin naturelle, il est exigé que ses parties se produisent réciproquement dans leur ensemble, aussi bien selon leur forme que selon leur liaison, et qu'elles produisent ainsi par causalité propre un tout dont le concept (dans un être qui posséderait la causalité selon des concepts qui est conforme à un tel produit) pourrait à son tour être jugé inversement comme la cause de ce tout selon un principe et dont, par conséquent, la liaison des *causes efficientes* pourrait être tenue en même temps pour un *effet* produit par des *causes finales*.

Dans un tel produit de la nature, chaque partie, de même qu'elle n'existe que par l'intermédiaire de toutes les autres, est pensée également comme existant *pour* les autres et *pour* le tout, c'est-à-dire comme instrument (organe) – ce qui (*374*), toutefois, n'est pas suffisant (car il pourrait aussi être un instrument de l'art et, en ce sens, n'être représenté comme possible qu'en tant que fin en général) : elle doit en fait être considérée comme un organe *produisant* les autres parties (chaque partie produisant par conséquent les autres, et réciproquement) – ce que ne peut être nul instrument de l'art, mais seulement un instrument de la nature, telle qu'elle fournit toute matière aux instruments (même à ceux de l'art) ; et ce n'est que dans ces conditions et pour cette raison qu'un tel produit, en tant qu'*être organisé* et *s'organisant lui-même*, peut être appelé une *fin naturelle*.

Dans une montre, une partie est l'instrument du mouvement des autres, mais un rouage n'est pas la cause efficiente de la production de l'autre rouage : une partie existe certes pour l'autre, mais elle n'existe pas par elle. Ce pourquoi la cause qui produit ces parties et leur forme n'est pas non plus contenue dans la nature (de cette matière), mais en dehors d'elle, dans un être qui peut produire d'après des Idées un tout possible par sa causalité. Ce pourquoi aussi un rouage d'une montre ne produit pas l'autre rouage, et encore moins une montre d'autres montres, de manière telle qu'elle utiliserait à cette fin d'autres matières (elle les organiserait) ; ce pourquoi elle ne remplace pas non plus, d'elle-même, les parties qui en ont été retirées, ni ne corrige leur absence, dans la première mise en forme de la montre, par l'intervention des autres, ni ne se répare elle-même quand elle est déréglée : toutes opérations que nous pouvons attendre au contraire de la nature organisée. Un être organisé n'est donc pas simplement une machine, étant donné que la machine a exclusivement la force *motrice* ; mais il possède en soi une force *formatrice* qu'il communique aux matières qui n'en disposent pas (il les organise) : c'est donc une force formatrice qui se propage et qui ne peut être expliquée uniquement par le pouvoir moteur (par le mécanisme).

On dit beaucoup trop peu de la nature et de son pouvoir dans les produits organisés quand on nomme ce pouvoir un *analogon* de l'*art* ; car, dans ce cas, on se représente l'artiste (un être raisonnable) comme extérieur à elle. Elle s'organise bien plutôt elle-même et dans chaque espèce de ses produits organisés, en suivant certes dans toute l'espèce un seul et même modèle, mais pourtant aussi avec des écarts appropriés qu'exige, en fonction des circonstances, la conservation de soi-même. On s'approche peut-être davantage de cette qualité insondable quand on la nomme un *analogon de la vie* ; mais, dans ce cas, il faut, ou bien doter la matière comme simple matière d'une propriété (hylozoïsme) qui entre en contradiction avec son essence, ou bien lui associer un principe étranger qui serait avec elle *en communauté* (une âme) : (*375*) auquel cas, alors, si un tel produit doit être un produit de la nature, ou bien la matière organisée se trouve déjà présupposée comme instrument de cette âme, ce qui ne la rend pas plus compréhensible, ou bien il faut faire de l'âme l'artiste de cette construction et ainsi soustraire le produit à la nature (physique). Précisément parlant, l'organisation de la nature n'a donc rien d'analogue avec une quelconque causalité dont nous avons connaissance *. La beauté de la nature, parce qu'elle n'est attribuée aux objets qu'en relation à la réflexion sur l'intuition *externe* de ceux-ci, donc uniquement à cause de la forme de leur surface, peut à juste titre être nommée un *analogon* de l'art. Mais une *perfection naturelle interne*, du type de celle que possèdent les choses qui ne sont possibles que comme *fins de la nature* et qui s'appellent, pour cette raison, des êtres organisés, ne se peut penser ni expliquer par aucune analogie avec un quelconque pouvoir physique, c'est-à-dire naturel, qui soit connu de nous – et dans la mesure où nous appartenons nous-mêmes à la nature au sens large, elle ne peut même pas être pensée et expliquée par l'intermédiaire d'une analogie où la conformité avec l'art humain serait précise.

Le concept d'une chose en tant que fin naturelle en soi n'est donc pas un concept constitutif de l'entendement ou de la raison, mais il peut pourtant être un concept régulateur pour la faculté de juger réfléchissante, permettant d'orienter la recherche sur des objets de ce type et de réfléchir sur leur principe suprême à l'aide d'une analogie éloignée avec notre causalité selon des fins en général – cela, non pas, certes, en vue de la connaissance de la nature ou de son fondement originaire, mais plutôt en vue de la connaissance qui est celle de ce pouvoir pratique de la raison par analogie avec lequel nous considérions la cause de cette finalité.

Les êtres organisés sont donc les seuls, dans la nature, qui, quand on les considère aussi en eux-mêmes et sans les mettre

* On peut en revanche jeter quelque lumière sur une certaine liaison, qui se rencontre toutefois davantage dans l'Idée que dans la réalité, en recourant à une analogie avec les fins naturelles immédiates que l'on a indiquées. Ainsi, à propos de la transformation complète qui s'est trouvée récemment entreprise d'un grand peuple en un État, on s'est servi fréquemment du mot *organisation* d'une manière fort appropriée pour l'institution des magistratures, etc., et même du corps politique tout entier. Car chaque membre, à vrai dire, ne doit pas, dans un tel tout, être simplement moyen, mais il doit aussi, en même temps, être fin, et tandis qu'il coopère à la possibilité du tout, il doit en retour être déterminé, quant à sa place et à sa fonction, par l'Idée du tout [110].

en relation à d'autres choses, doivent pourtant être pensés comme possibles uniquement en tant que fins de la nature, et (*376*) ce sont les seuls qui, ainsi, procurent en premier lieu une réalité objective au concept d'une *fin* qui n'est pas une fin pratique, mais est une fin de la *nature*, et qui dès lors fournissent à la science de la nature le fondement d'une téléologie, c'est-à-dire d'une manière d'apprécier ses objets d'après un principe particulier que, sinon, l'on ne serait aucunement justifié à introduire en cette science (parce que l'on ne peut absolument pas apercevoir a priori la possibilité d'un tel type de causalité).

Paragraphe 66
Du principe du jugement d'appréciation porté sur la finalité interne dans les êtres organisés

Ce principe, qui constitue en même temps la définition des êtres organisés, est le suivant : *un produit organisé de la nature est celui dans lequel tout est fin et réciproquement aussi moyen.* Il n'y a rien en lui qui soit là pour rien, sans fin, ou qui se doive attribuer à un mécanisme aveugle de la nature.

Ce principe se doit certes dériver, quant à ce qui le suscite, de l'expérience, je veux dire : de cette expérience qui est méthodiquement mise en place et se nomme observation ; mais, à cause de l'universalité et de la nécessité qu'il affirme d'une telle finalité, il ne peut reposer simplement sur des fondements empiriques, mais doit nécessairement avoir pour fondement quelque principe a priori, quand bien même celui-ci ne serait que régulateur et ces fins résideraient uniquement dans l'Idée de celui qui juge, et nullement dans une cause efficiente. On peut donc appeler ce principe une *maxime* du jugement qui apprécie la finalité interne d'êtres organisés.

Ceux qui dissèquent les végétaux et les animaux pour étudier leur structure et pouvoir découvrir pour quelles raisons et à quelle fin de telles parties leur ont été données, pourquoi une telle disposition et combinaison de ces parties et pourquoi précisément cette forme interne, admettent – on le sait – comme incontournablement nécessaire cette maxime : rien, dans une telle créature, n'est là *pour rien*, et ils confèrent à cette maxime la même valeur qu'au principe fondamental de toute la science de la nature : rien ne se produit *par hasard*. Ils peuvent en fait tout aussi peu renoncer à ce principe téléologique qu'au principe physique universel, parce que, tout comme, si l'on abandonnait ce dernier, il n'y aurait plus du tout d'expérience en général, de même, si l'on abandonnait le premier principe fondamental, il ne subsisterait plus de fil conducteur pour l'observation d'un type de choses naturelles que nous avons d'ores et déjà pensées téléologiquement sous le concept de fins de la nature.

(*377*) Car ce concept conduit la raison dans un tout autre ordre de choses que celui d'un simple mécanisme de la nature, qui ne parvient plus ici à nous satisfaire. Une Idée doit être au fondement de la possibilité du produit de la nature. Mais, étant donné que cette Idée est une unité absolue de la représentation, alors que la matière est une multiplicité de choses, qui ne peut fournir par elle-même aucune unité déterminée de la composition, il faut que la fin de la nature s'étende à *tout* ce qui se trouve dans son produit. Car, dès lors que nous rapportons un tel effet, *dans sa globalité*, à un fondement de détermination suprasensible situé au-delà du mécanisme aveugle de la nature, il nous faut aussi juger cet effet tout entier d'après ce principe, et il n'existe nulle raison pour admettre que la forme d'une telle chose dépende encore pour partie du principe du mécanisme, car, dans ce cas, à la faveur du mélange de principes hétérogènes, il ne resterait absolument aucune règle d'appréciation qui soit sûre.

Il est toujours possible que, par exemple dans un corps animal, maintes parties puissent être comprises comme des concrétions d'après de simples lois mécaniques (comme la peau, les os, les cheveux). Pour autant, force est de toujours juger de manière téléologique la cause qui procure la matière appropriée, la modifie dans ce sens, lui donne forme et la dépose aux endroits convenables, en sorte que tout dans ce corps doive être considéré comme organisé et que tout soit aussi, à son tour, organe dans une certaine relation à la chose elle-même.

Paragraphe 67
Du principe du jugement qui apprécie téléologiquement la nature en général comme système des fins

Nous avons dit plus haut de la finalité *externe* des choses de la nature qu'elle ne nous justifie pas suffisamment à les utiliser aussi en tant que fins de la nature, d'après le principe des causes finales, comme fondements d'explication de leur existence, ni non plus à utiliser leurs effets contingents possédant dans l'Idée une dimension de finalité comme fondements de leur existence. Ainsi ne peut-on tenir d'emblée pour des fins de la nature les *fleuves* pour cette seule raison qu'ils favorisent les communications entre les peuples à l'intérieur des terres, ni les *montagnes* parce qu'elles en contiennent les sources et la provision de neige servant à les alimenter dans les périodes sans pluie, ni encore la *pente* des terres qui fait s'écouler ces eaux et (*378*) permet au sol de s'assécher : car, quand bien même cette forme de la surface de la Terre était très nécessaire pour que pussent apparaître et se conserver le règne végétal et le règne animal, elle ne contient cependant en elle-même rien dont la possibilité nous contraindrait à admettre une causalité d'après des fins. La même remarque vaut à propos des végétaux que l'homme utilise pour subvenir à ses besoins ou pour son plaisir, pour les animaux, le chameau, le bœuf, le cheval, le chien, etc., qu'il peut utiliser de manières si diverses, d'une part pour se nourrir, d'autre part pour s'en servir, et qui lui sont pour la plus grande part absolument indispensables. Entre des choses dont on n'a pas de raison de considérer que l'une est pour elle-même fin, le rapport externe ne peut être apprécié comme final qu'hypothétiquement.

Juger une chose, d'après sa forme intérieure, comme constituant une fin de la nature, c'est tout autre chose que de tenir l'existence de cette chose pour une fin de la nature. Pour la dernière affirmation, nous n'avons pas besoin simplement du concept d'une fin possible, mais il faut la connaissance de la fin finale (*scopus*) de la nature [111], laquelle connaissance exige une relation de la nature à quelque chose de suprasensible qui dépasse largement toute notre connaissance téléologique de la nature ; car la fin de l'existence de la nature elle-même doit être recherchée au-delà de la nature. La forme interne d'un simple brin d'herbe peut constituer, pour notre pouvoir humain de juger, une preuve suffisante de ce que son origine n'est possible que selon la règle des fins. Mais si on laisse cela de côté pour considérer seulement l'usage que d'autres êtres naturels en font, si donc on néglige l'observation de l'organisation interne et on ne prend en vue que les relations externes présentant une dimension de finalité – comment l'herbe est nécessaire au bétail, comment celui-ci est nécessaire à l'homme comme moyen de son existence – et si l'on ne voit pas pourquoi il serait en fait nécessaire que des hommes existent (ce à quoi il pourrait bien, à songer par exemple aux habitants de la Nouvelle-Hollande ou de la Terre de Feu, ne pas être si aisé de répondre), on ne parvient alors à aucune fin catégorique, mais toute cette relation de finalité repose au contraire sur une condition qui doit toujours être repoussée et qui, en tant qu'inconditionnée (l'existence d'une chose comme fin finale) [112], réside tout à fait en dehors de la vision physico-téléologique du monde. Mais, dans ce cas, une telle chose n'est pas non plus une fin de la nature ; car elle ne se doit pas considérer (pas plus que son espèce tout entière) comme un produit de la nature.

C'est donc seulement la matière, en tant qu'elle est organisée, qui introduit nécessairement avec elle le concept d'elle-même comme une fin de la nature, parce que cette forme qui lui est spécifique est en même temps produit de la nature. Mais ce concept (*379*) conduit alors avec nécessité à l'Idée de la totalité de la nature comme constituant un système structuré d'après la règle des fins – Idée à laquelle doit dès lors être subordonné tout mécanisme de la nature d'après des principes de la raison (du moins pour ainsi soumettre à examen le phénomène naturel). Ce principe de la raison lui appartient seulement de façon subjective, c'est-à-dire comme maxime : tout dans le monde est bon à quelque chose, rien n'y existe pour rien ; et l'on est, par l'exemple que donne la nature dans ses produits organiques, autorisé, voire invité à ne rien attendre d'elle et de ses lois qui ne soit, dans sa totalité, conforme à une fin.

Il est évident que ce n'est pas là un principe pour la faculté de juger déterminante, mais seulement pour la faculté de juger réfléchissante, qu'il est régulateur et non pas constitutif, et que nous obtenons par là, uniquement, un fil conducteur pour considérer les choses de la nature en relation à un fondement de détermination qui est déjà donné, selon un nouvel ordre de légalité, et pour élargir la connaissance de la nature d'après un autre principe, savoir celui des causes finales, sans que soit pour autant porté atteinte à celui du mécanisme de sa finalité. Au reste, il n'est nullement décidé par là si quelque chose que nous jugeons d'après ce principe est *intentionnellement* fin de la nature : si les herbes existent pour le bœuf ou pour le mouton, et si ce dernier et les autres choses naturelles existent pour les hommes. Il est bon de considérer aussi de ce point de vue même les choses qui nous sont désagréables et, sous certains rapports, contraires. Ainsi pourrait-on dire par exemple que la vermine qui torture les hommes dans leurs vêtements, leurs cheveux ou leurs lits, constitue, par une sage disposition de la nature, une incitation à la propreté, laquelle est déjà par elle-même un important moyen contribuant à la conservation de la santé. Ou encore que les moustiques et autres insectes qui piquent, en rendant les déserts d'Amérique si pénibles pour les sauvages, sont autant d'aiguillons de l'activité pour ces êtres sans expérience, en vue de drainer les marais, d'éclaircir les épaisses forêts qui arrêtent la circulation de l'air et par là, en même temps que par la culture du sol, d'assainir leur séjour. Même ce qui semble à l'homme être contre nature dans son organisation interne ouvre une perspective divertissante et parfois aussi instructive, quand on le traite de ce point de vue, sur un ordre téléologique des choses – à quoi ne nous aurait pas conduits à elle seule, sans un tel principe, la considération purement physique. De même qu'il en est qui estiment que le tænia est donné à l'homme ou à l'animal dans lequel il habite pour en quelque sorte compenser une certaine insuffisance de ses organes vitaux (*380*), de même je demanderais volontiers si les rêves (sans lesquels il n'est jamais de sommeil, bien que l'on ne s'en souvienne que rarement) ne peuvent constituer de la part de la nature une disposition où entrerait de la finalité, dans la mesure où, lors de la détente de toutes les forces motrices du corps, ils servent, par l'intermédiaire de l'imagination et de sa grande activité (laquelle, dans cette situation, s'élève le plus souvent jusqu'à l'affect), à mouvoir de l'intérieur les organes vitaux ; de même aussi, cette activité, quand l'estomac est trop plein et que ce mouvement est d'autant plus nécessaire, se développe en général dans le sommeil nocturne avec une vivacité d'autant plus grande – en sorte que, par conséquent, sans cette force motrice interne et cette perturbation fatigante pour laquelle nous nous plaignons des rêves (qui pourtant sont en fait, peut-être, des remèdes), le sommeil pourrait fort bien être, même dans un état de santé, une complète extinction de la vie.

Même la beauté de la nature, c'est-à-dire son accord avec le libre jeu de nos pouvoirs de connaître dans l'appréhension et l'appréciation de la manière dont elle se manifeste, peut de cette façon être considérée comme finalité objective de la nature dans sa totalité, en tant que système dont l'homme est un membre, dès lors simplement qu'à travers les fins naturelles que les êtres organisés nous fournissent l'appréciation téléologique de la nature nous a légitimés à forger l'Idée d'un vaste système des fins de la nature. Nous pouvons considérer comme une faveur * que la nature nous a accordée le fait qu'elle ait distribué aussi richement, à travers les choses utiles, par surcroît de la beauté et du charme, et pour cela nous pouvons l'aimer, tout comme nous pouvons la considérer avec respect à cause de son incommensurabilité et nous sentir nous-mêmes, dans cette considération, ennoblis – exactement comme si la nature avait installé et décoré sa scène majestueuse proprement dans cette intention.

Nous voulons, dans ce paragraphe, dire uniquement que, dès lors que nous avons découvert dans la nature un pouvoir de donner naissance à des produits qui ne peuvent être pensés par nous que d'après le concept des causes finales, nous pouvons aller plus loin et juger que même ses produits (ou bien leur rapport, quoique final) (*381*), qui ne rendent pas précisément nécessaire de découvrir au-delà du mécanisme des causes aveuglément efficientes un autre principe pour leur possibilité, appartiennent pourtant à un système des fins : car la première Idée déjà, en ce qui concerne son fondement, nous conduit au-delà du monde sensible, dans la mesure où, de fait, l'unité du principe suprasensible doit être considérée comme valant, non pas seulement pour certaines espèces d'êtres naturels, mais pour la totalité de la nature en tant que système.

Paragraphe 68
Du principe de la téléologie comme principe interne de la science de la nature

Ou bien les principes d'une science lui sont intérieurs, et ils sont alors nommés domestiques (*principia domestica*) ; ou bien ils sont fondés sur des concepts qui ne peuvent trouver leur place qu'en dehors d'elle, et ce sont des principes étrangers (*principia peregrina*). Les sciences qui contiennent ce dernier

* Dans la partie esthétique, il a été dit que *nous regardions la belle nature avec faveur* en éprouvant pour sa forme un plaisir entièrement libre (désintéressé). Car dans ce simple jugement de goût n'est nullement prise en compte la question de savoir à quelle fin ces beautés de la nature existent, si c'est pour susciter en nous un plaisir ou s'il n'intervient là nulle relation à nous-mêmes comme fins. Dans un jugement téléologique, en revanche, nous sommes attentifs aussi à cette relation et nous pouvons alors envisager comme *une faveur de la nature* le fait qu'elle ait voulu, en établissant de si nombreuses belles formes, être pour nous un élément favorable au progrès de la culture.

type de principes mettent au fondement de leurs doctrines des lemmes (*lemmata*) ; autrement dit, elles empruntent quelque concept à une autre science et, avec lui, le fondement d'une organisation.

Toute science est par elle-même un système, et il ne suffit pas d'y construire selon des principes, et donc de procéder techniquement, mais il faut aussi s'y mettre à l'œuvre architectoniquement, comme s'il s'agissait d'un édifice existant pour lui-même, et la traiter non pas comme une dépendance et comme une partie d'un autre édifice, mais comme un tout en soi, bien que l'on puisse ensuite instaurer un passage de celui-ci à celui-là, ou réciproquement.

Quand on introduit donc pour la science de la nature et dans son contexte le concept de Dieu, afin de s'expliquer la finalité inscrite en la nature, et qu'après cela on se sert en retour de cette finalité pour prouver qu'un Dieu existe, il n'y a plus de consistance interne dans aucune de ces deux sciences et un diallèle trompeur rend chacune d'elles incertaine par la confusion qui s'introduit dans leurs limites réciproques.

L'expression de « fin de la nature » écarte déjà suffisamment ce brouillage pour que la science de la nature et l'occasion qu'elle fournit d'une appréciation *téléologique* de ses objets ne se confondent pas avec la considération de Dieu et une déduction *théologique* ; et ce n'est pas un point à considérer comme dénué d'importance si l'on traite comme interchangeables cette expression de « fin de la nature » (*382*) et celle d'une « fin divine dans l'organisation de la nature », ou bien si l'on donne cette dernière expression pour plus convenable et plus appropriée à une âme pieuse, sous prétexte qu'il faudrait pourtant bien enfin en arriver à déduire ces formes finales dans la nature à partir de la sagesse d'un créateur du monde ; au contraire faut-il nous borner scrupuleusement et modestement à l'expression qui dit uniquement juste ce que nous savons, c'est-à-dire celle de fin de la nature. Car, avant de nous interroger encore sur la cause de la nature elle-même, nous trouvons dans la nature et dans le cours de sa production des produits qui y sont engendrés selon des lois bien connues de l'expérience, d'après lesquelles la science de la nature doit juger ses objets, par conséquent aussi rechercher la causalité de ceux-ci selon la règle des fins qui s'y trouvent présentes. C'est pourquoi il lui faut ne pas dépasser ses limites pour intégrer en elle, comme un principe domestique, ce dont le concept ne rencontre aucune expérience susceptible de lui être conforme et que l'on ne doit oser aborder qu'après l'achèvement de la science de la nature.

Les propriétés naturelles qui se peuvent démontrer a priori, et dont la possibilité peut donc être comprise à partir de principes universels sans nul recours à l'expérience, ne peuvent aucunement, bien qu'elles impliquent une finalité technique, être mises au compte, parce qu'elles sont absolument nécessaires, de la téléologie de la nature, comme une méthode qui appartiendrait à la physique pour la résolution de ses questions. Des analogies arithmétiques, géométriques, de même que les lois mécaniques universelles, si étrange et si digne d'admiration que puisse nous apparaître en elles l'union de diverses règles totalement indépendantes les unes des autres en un principe unique, ne prétendent pour autant aucunement constituer en physique des fondements d'explication téléologique ; et si elles méritent d'être prises en considération dans la théorie universelle de la finalité des choses de la nature en général, celle-ci s'inscrirait pourtant ailleurs, à savoir dans la métaphysique, et ne constituerait pas un principe interne de la science de la nature : reste qu'il est non seulement permis, mais même inévitable, avec les lois empiriques des fins naturelles dans les êtres organisés, de se servir de la *façon téléologique de juger* comme principe de la doctrine de la nature vis-à-vis d'une classe particulière de ses objets.

Pour demeurer exactement dans ses limites, la physique fait totalement abstraction de la question de savoir si les fins naturelles sont *intentionnelles* ou *inintentionnelles* ; car ce serait s'immiscer dans une affaire étrangère *(383)* (à savoir celle de la métaphysique). Il suffit que, se conformant à des lois naturelles que nous pouvons penser uniquement sous l'Idée des fins prise comme principe, il y ait des objets qui ne soient *explicables* que de cette manière et qui ne se puissent *connaître* que sur ce mode selon leur forme interne, voire seulement en leur intériorité. Pour ne pas se rendre soupçonnable d'avoir donc eu même la moindre prétention de vouloir mêler à nos principes de connaissance un élément qui ne relève pas du tout de la physique, à savoir une cause surnaturelle, on parle certes de la nature, dans la téléologie, comme si la finalité y était intentionnelle, mais de telle matière cependant que l'on attribue cette intention à la nature, c'est-à-dire à la matière : par quoi l'on veut indiquer (puisqu'il ne peut y avoir aucun malentendu sur ce point, étant donné que, de soi-même, personne ne va attribuer à une matière inanimée une intention au sens propre du terme) que ce mot ne désigne ici qu'un principe de la faculté de juger réfléchissante, et non pas déterminante, et qu'il ne doit pas introduire un fondement particulier de causalité, mais vient seulement ajouter encore, pour l'usage de la raison, une autre méthode de recherche que celle qui s'établit d'après des lois mécaniques, cela pour compléter ce que cette dernière a d'insuffisant, même pour la recherche empirique de toutes les lois particulières de la nature. C'est pourquoi dans la téléologie, en tant qu'elle est rapportée à la physique, l'on parle tout à fait légitimement de la sagesse, de l'économie, de la prévoyance, de la bienfaisance de la nature, sans pour autant faire d'elle un être raisonnable (parce que ce serait absurde) ; mais aussi sans avoir la hardiesse de vouloir placer au-dessus d'elle un autre être raisonnable en tant que maître d'œuvre, parce que cette volonté serait démesurée * : en fait, ce qui ainsi doit être désigné, c'est uniquement une sorte de causalité de la nature, par analogie avec la nôtre dans l'usage technique de la raison, pour avoir sous les yeux la règle d'après laquelle il faut explorer certains produits de la nature.

Cela dit, pourquoi la téléologie ne constitue-t-elle pas cependant, de manière habituelle, une véritable partie de la science théorique de la nature, mais est-elle référée à la théologie comme propédeutique ou comme passage à celle-ci ? Les choses se passent ainsi pour (*384*) maintenir l'étude de la nature selon son mécanisme dans le cadre de ce que nous pouvons soumettre à l'observation ou aux expériences, de telle façon que nous puissions le produire nous-mêmes à la manière de la nature, du moins à la ressemblance de ses lois ; car on ne comprend complètement que ce que l'on peut faire soi-même et mettre en œuvre selon des concepts. Reste que l'organisation, comme fin interne de la nature, dépasse infiniment tout pouvoir d'une semblable présentation par l'art ; et, en ce qui concerne les dispositions externes de la nature tenues pour correspondant à une finalité (par exemple les vents, la pluie, etc.), sans doute la physique en examine-t-elle le mécanisme, mais elle ne peut aucunement présenter leur

* Le mot allemand *vermessen* est un mot parfait, plein de signification. Un jugement à l'occasion duquel on omet d'évaluer ses forces (celles de l'entendement) peut parfois, dans son énoncé, prendre une allure très modeste, tout en ayant de grandes prétentions et en étant pourtant très démesuré (*vermessen*). De ce type sont la plupart des jugements par lesquels on prétend exalter la sagesse divine en lui supposant, dans les œuvres de la création et de la conservation, des intentions qui, à vrai dire, doivent faire honneur à la sagesse personnelle du raisonneur.

relation à des fins, pour autant que cette relation doit être une condition appartenant de façon nécessaire à la cause, parce que cette nécessité de la connexion concerne entièrement la liaison de nos concepts, et non pas la constitution des choses.

DIALECTIQUE DE LA FACULTÉ DE JUGER TÉLÉOLOGIQUE

Paragraphe 69
Qu'est-ce qu'une antinomie de la faculté de juger ?

(385) La faculté de juger *déterminante* n'a pas par elle-même de principes qui fondent des *concepts d'objets*. Elle n'est pas autonomie ; car elle se borne à *subsumer* sous des lois données ou des concepts en tant que principes. C'est la raison pour laquelle elle n'est en outre pas exposée à un danger résidant dans une antinomie qui lui serait propre, ni à un conflit de ses principes. Ainsi la faculté de juger transcendantale, qui contenait les conditions pour subsumer sous des catégories, n'était-elle pas pour elle-même *nomothétique*, mais elle énonçait seulement les conditions de l'intuition sensible sous lesquelles de la réalité (une application) peut être fournie à un concept donné en tant que loi de l'entendement – ce en quoi elle ne pouvait jamais se trouver en désaccord avec elle-même (du moins quant aux principes).

Simplement, la faculté de juger *réfléchissante* doit subsumer sous une loi qui n'est pas encore donnée et qui n'est donc, en fait, qu'un principe de la réflexion sur des objets pour lesquels, objectivement, nous manquons totalement d'une loi ou d'un concept de l'objet qui puisse suffire à titre de principe pour les cas qui se présentent. Or, étant donné qu'aucun usage des pouvoirs de connaître ne peut être autorisé s'il ne fait intervenir des principes, il faudra qu'en de tels cas ce soit la faculté de juger réfléchissante qui se serve à elle-même de principe – lequel principe, parce qu'il n'est pas objectif et ne peut offrir un fondement, pour la connaissance de l'objet, qui soit suffisant par rapport à notre intention, doit servir comme principe simplement subjectif pour l'usage final des pouvoirs de connaître, c'est-à-dire pour réfléchir sur un type d'objets. Eu égard à de tels cas, la faculté de juger réfléchissante possède donc ses maximes, et plus précisément des maximes nécessaires en vue de la connaissance des lois de la nature (386) dans l'expérience pour parvenir grâce à elles à des concepts, ces derniers dussent-ils être des concepts de la raison, si elle a absolument besoin de tels concepts pour simplement connaître la nature selon ses lois empiriques. Entre ces maximes nécessaires de la faculté de juger réfléchissante, un conflit peut alors avoir lieu, par conséquent une antinomie servant de soubassement à une dialectique qui peut être nommée, quand chacune des deux maximes qui se contredisent a son fondement dans la nature des pouvoirs de connaître, une dialectique naturelle et une apparence inévitable qu'il faut dévoiler et dissoudre dans la Critique, afin qu'elle ne trompe pas [113].

Paragraphe 70
Présentation de cette antinomie

Dans la mesure où la raison a affaire à la nature comme ensemble global des objets des sens externes, elle peut se fonder sur des lois qu'en partie l'entendement prescrit luimême a priori à la nature, et qu'en partie il peut étendre à l'infini par l'intermédiaire des déterminations empiriques apparaissant dans l'expérience. Pour l'application du premier type de lois, à savoir les lois *universelles* de la nature matérielle en général, la faculté de juger n'a besoin d'aucun principe particulier de la réflexion ; car alors elle est déterminante, parce qu'un principe objectif lui est donné par l'entendement. En revanche, en ce qui concerne les lois particulières qui ne peuvent nous être connues que par expérience, il peut y avoir entre elles une si grande diversité et hétérogénéité que la faculté de juger doive se servir à elle-même de principe, ne serait-ce même que pour se mettre en quête d'une loi dans les phénomènes de la nature et pour la découvrir – étant donné qu'elle en a besoin comme fil conducteur, quand bien même elle ne doit qu'espérer une connaissance cohérente de l'expérience selon une légalité générale de la nature, donc l'unité de cette dernière suivant des lois empiriques. Vis-à-vis de cette unité contingente des lois particulières, il peut se produire que la faculté de juger, dans sa réflexion, parte de deux maximes dont l'une lui est fournie a priori par le simple entendement, alors que l'autre est suscitée par des expériences particulières qui mettent en jeu la raison pour ménager, selon un principe particulier, les conditions d'un jugement d'appréciation sur la nature physique et ses lois. Il arrive alors que ces deux sortes de maximes semblent ne pas pouvoir aisément coexister (*387*), et que par conséquent une dialectique s'instaure qui induit en erreur la faculté de juger dans le principe de sa réflexion.

La première de ces maximes est la *thèse* : Toute production de choses matérielles et de leurs formes doit être jugée comme possible d'après des lois simplement mécaniques.

La deuxième maxime est l'*antithèse* : Quelques produits de la nature matérielle ne peuvent pas être jugés comme possibles d'après des lois simplement mécaniques (le jugement qui les apprécie requiert une tout autre loi de la causalité, à savoir celle des causes finales).

Si l'on transformait alors ces principes fondamentaux, régulateurs pour la recherche, en principes constitutifs de la possibilité des objets eux-mêmes, ils s'énonceraient de cette façon :

Thèse : Toute production de choses matérielles est possible d'après des lois simplement mécaniques.

Antithèse : Quelques productions de ces choses ne sont pas possibles d'après des lois simplement mécaniques.

Ainsi qualifiées, comme principes objectifs pour la faculté de juger déterminante, ces propositions se contrediraient, et l'une des deux serait nécessairement fausse – auquel cas ce serait alors certes une antinomie, non pas toutefois de la faculté de juger, mais bien plutôt une contradiction dans la législation de la raison. Mais la raison ne peut démontrer ni l'un ni l'autre de ces principes, parce que nous ne pouvons avoir aucun principe déterminant a priori de la possibilité des choses d'après des lois simplement empiriques de la nature.

Pour ce qui concerne, en revanche, la première maxime énoncée d'une faculté de juger réfléchissante, elle ne contient en fait pas la moindre contradiction. Car, quand je dis : je dois *juger* tous les événements survenant dans la nature matérielle, par conséquent aussi toutes les formes, en tant que produits de cette nature, quant à leur possibilité, selon des lois simplement mécaniques, je ne dis pas par là qu'*ils ne sont possibles que d'après ces lois* (à l'exclusion de toute autre espèce de causalité) – mais cela veut seulement indiquer que *je dois*, dans chaque cas, réfléchir sur ces événements et ces formes *d'après le principe* du simple mécanisme de la nature, et qu'il me faut par conséquent explorer ce principe aussi loin que je le puis, parce que, à défaut de le mettre au fondement de la recherche, il ne peut y avoir aucune véritable connaissance de la nature. Cela n'empêche pas alors, quand l'occasion se présente, à savoir vis-à-vis de certaines formes naturelles (et même, à l'occasion de celles-ci, vis-à-vis de la nature entière), de se mettre en quête d'un principe (*388*), et de réfléchir sur ces formes à l'aide d'un tel principe, qui serait tout à fait différent de l'explication d'après le mécanisme de la nature, à savoir le principe des causes finales. Car la réflexion selon la première maxime n'est pas pour autant abolie : bien plutôt est-il imposé de la poursuivre aussi loin qu'on le peut – et il n'est pas non plus affirmé par là que ces formes ne seraient pas possibles d'après le mécanisme de la nature. Simplement est-il affirmé que *la raison humaine*, en observant cette maxime et en procédant de cette façon, ne pourra jamais découvrir le moindre fondement de ce qui constitue ce qu'il y a de spécifique dans une fin naturelle, quand bien même elle découvrira sans nul doute d'autres connaissances de lois naturelles ; par là, est laissée dans l'indécision la question de savoir si, dans le fondement interne, inconnu de nous, de la nature elle-même, la liaison physico-mécanique et la liaison finale ne pourraient pas, dans les mêmes choses, se rassembler dans un seul principe : le fait est simplement que notre raison n'est pas en mesure de procéder à cette réunion en un tel principe, et que la faculté de juger, en tant que faculté de juger *réfléchissante* (à partir d'un principe subjectif), et non pas comme faculté de juger déterminante (suivant un principe objectif de la possibilité des choses en elles-mêmes), se trouve contrainte, pour certaines formes présentes dans la nature, de penser comme fondement de leur possibilité un autre principe que celui du mécanisme naturel.

Paragraphe 71
Préparation à la résolution de l'antinomie présentée ci-dessus

Nous ne pouvons nullement prouver l'impossibilité de la production des produits organisés de la nature par le simple mécanisme naturel, parce que nous ne parvenons pas à voir selon son premier fondement interne l'infinie diversité des lois particulières de la nature, qui sont pour nous contingentes, puisqu'elles ne peuvent être connues qu'empiriquement, et qu'ainsi nous ne pouvons absolument pas atteindre le principe interne, pleinement suffisant, de la possibilité d'une nature (principe qui réside dans le suprasensible). Savoir donc si le pouvoir producteur de la nature ne suffirait pas tout aussi bien pour ce que nous jugeons comme formé ou lié d'après l'Idée de fins que pour ce dont nous croyons qu'il n'a besoin que d'un mécanisme de la nature, et si, en fait, il y a au fondement des choses comme fins naturelles véritables (telles que nous devons nécessairement les apprécier) une tout autre espèce de causalité originaire ne pouvant aucunement être contenue dans la nature matérielle ou dans son substrat intelligible, à savoir un entendement architectonique (*389*) : sur ces questions, notre raison, très étroitement bornée vis-à-vis du concept de causalité quand il doit être spécifié a priori, ne peut nous donner le moindre renseignement. Mais que, par rapport à notre pouvoir de connaître, le simple mécanisme de la nature ne puisse pas non plus fournir de fondement d'explication pour la production d'êtres organisés, c'est tout aussi indubitablement certain. *Pour la faculté de juger réfléchissante*, le principe fondamental est donc tout à fait juste selon lequel, concernant la connexion si manifeste des choses d'après des causes finales, une causalité différente du mécanisme se devrait penser, savoir une cause du monde (intelligente) agissant selon des fins. Dans le premier cas, ce principe est une simple maxime de la faculté de juger, pour laquelle le concept de cette causalité est une simple Idée à laquelle on n'entreprend nullement de donner de la réalité, mais qu'on utilise simplement comme fil conducteur de la réflexion – une Idée qui, à cet égard, reste toujours disponible pour tous les fondements d'explication mécanistes et ne se perd pas en dehors du monde sensible ; dans le second cas, le principe fondamental serait un principe objectif que la raison prescrirait et auquel la faculté de juger devrait se soumettre quand elle procède à une détermination, mais en se perdant hors du monde sensible, dans le transcendant, et en risquant d'être induite en erreur.

Toute apparence d'antinomie entre les maximes du mode d'explication proprement physique (mécanique) et du mode d'explication téléologique (technique) repose donc sur ceci que l'on confond un principe fondamental de la faculté de juger réfléchissante avec celui de la faculté de juger déterminante, et l'*autonomie* de la première (qui ne vaut que subjectivement pour notre usage de la raison eu égard aux lois particulières de l'expérience) avec l'*hétéronomie* de la seconde, qui doit s'orienter selon les lois (universelles ou particulières) fournies par l'entendement.

Paragraphe 72
Des différents types de systèmes sur la finalité de la nature [114]

La justesse du principe fondamental selon lequel, sur certaines choses de la nature (êtres organisés) et leur possibilité, c'est d'après le concept des causes finales qu'il faudrait juger, ne serait-ce que lorsqu'on réclame un *fil conducteur* pour apprendre à connaître par observation leur constitution, sans s'élever jusqu'à la recherche de leur origine première, *(390)* personne ne l'a encore mise en doute. La question se pose donc simplement de savoir si ce principe a une valeur simplement subjective, c'est-à-dire s'il constitue une simple maxime subjective de notre faculté de juger ou s'il est un principe objectif de la nature d'après lequel appartiendrait à celle-ci, outre son mécanisme (selon les simples lois du mouvement), une autre espèce encore de causalité, à savoir celle des causes finales auxquelles les premières (les forces motrices) seraient soumises comme constituant seulement des causes intermédiaires.

Cela dit, on pourrait laisser cette question ou ce problème d'ordre spéculatif totalement indécidé et non résolu : car, si nous nous contentons d'utiliser ces maximes à l'intérieur des limites de la simple connaissance de la nature, elles nous suffisent pour étudier la nature aussi loin que des forces humaines peuvent aller, et pour partir à la recherche de ses secrets les plus cachés. Il y a donc sans doute un certain pressentiment de notre raison, ou bien, pour ainsi dire, un signe que nous adresse la nature, afin de nous faire penser que, par l'intermédiaire de ce concept des causes finales, nous pourrions bien aller au-delà de la nature et la rattacher elle-même au point le plus élevé dans la série des causes, si nous abandonnions l'enquête sur la nature (bien que nous n'y soyons guère avancés) ou du moins si nous y renoncions pour quelque temps et tentions d'abord d'apercevoir où nous conduit cette notion étrangère à la science de la nature qu'est le concept des fins naturelles.

Or, c'est ici qu'inévitablement cette maxime incontestée se transformerait en un problème ouvrant un vaste champ à des débats pour savoir si la liaison finale, dans la nature, *prouve* pour celle-ci une espèce particulière de la causalité ou si, considérée en soi et selon des principes objectifs, elle ne se confond pas plutôt avec le mécanisme de la nature, ou encore si elle repose sur le même fondement : ce qui se passerait alors, ce serait simplement que, dans la mesure où ce fondement est souvent, dans maints produits de la nature, trop profondément caché pour notre recherche, nous mettrions à l'épreuve un principe subjectif, à savoir celui de l'art, c'est-à-dire de la causalité d'après des Idées, pour attribuer ces produits à la nature d'après l'analogie – moyen de secours qui nous réussit assurément dans bien des cas, semble certes échouer dans quelques-uns, mais qui, en tout état de cause, ne nous autorise pas à introduire dans la science de la nature un mode d'activité particulier, distinct de la causalité d'après des lois purement mécaniques de la nature elle-même. Nous allons diviser le procédé (la causalité) de la nature, en lui donnant le nom de *technique* à cause de l'apparence finale que nous trouvons dans ses produits, en technique *intentionnelle* (*technica intentionalis*) et technique *inintentionnelle* (*technica inintentionalis*). La première doit signifier que le (*391*) pouvoir producteur de la nature d'après des causes finales devrait être tenu pour une espèce particulière de causalité ; la seconde, qu'elle se confond entièrement, dans son principe, avec le mécanisme de la nature et que sa rencontre contingente avec nos concepts de l'art et leurs règles, comme condition simplement subjective pour en juger, est faussement interprétée comme une espèce particulière de la production naturelle.

Si nous parlons maintenant des systèmes d'explication de la nature du point de vue des causes finales, force est bien de remarquer qu'ils sont tous en conflit les uns avec les autres au plan dogmatique, c'est-à-dire à propos des principes objectifs de la possibilité des choses (que ce soit par des causes agissant intentionnellement ou par des causes agissant de façon purement inintentionnelle), mais qu'ils ne s'opposent pas sur la maxime subjective portant simplement sur le fait de juger les causes de tels produits présentant une dimension de finalité : dans ce dernier cas, des principes *disparates* pourraient bien encore, sans doute, être associés, au lieu que, dans le premier, des principes *contradictoirement opposés* se suppriment réciproquement et ne peuvent coexister.

Les systèmes, du point de vue de la technique de la nature, c'est-à-dire de sa force productrice selon la règle des fins, sont de deux types : ils relèvent de l'*idéalisme* ou du *réalisme* des fins naturelles. L'idéalisme réside dans l'affirmation que toute finalité de la nature est *inintentionnelle* ; le second, dans celle qu'une certaine dimension de finalité (dans les êtres organisés) est *intentionnelle* – d'où se pourrait alors tirer la conséquence, fondée elle aussi à titre d'hypothèse, que la technique de la nature, également en ce qui concerne tous ses autres produits dans leur relation avec la nature comme totalité, est intentionnelle, c'est-à-dire constitue une fin.

1. L'*idéalisme* de la finalité (j'entends ici, toujours, la finalité objective) est alors, ou bien celui de la *casualité*, ou bien celui de la *fatalité* de la détermination de la nature dans la forme finale de ses produits. Le premier principe concerne la relation de la matière au fondement physique de sa forme, à savoir les lois du mouvement ; le second, sa relation à ce qui constitue le fondement *hyperphysique* de la matière et de la nature tout entière. Le système de la *casualité*, qui est attribué à Épicure ou à Démocrite, est, si on le prend à la lettre, si manifestement absurde qu'il ne saurait nous retenir ; en revanche, le système de la fatalité (dont on fait de Spinoza l'auteur, bien que, selon toute apparence, ce système soit beaucoup plus ancien), qui se réfère à quelque instance suprasensible à laquelle notre intelligence ne peut donc s'élever, n'est pas aussi aisé à réfuter, parce que son concept de l'être originaire n'est absolument pas compréhensible. Mais, pour autant, il est clair qu'en ce système la liaison finale présente dans le monde doit être considérée comme inintentionnelle (*392*) (parce qu'elle est dérivée d'un être originaire, mais non pas de son entendement, et par conséquent pas non plus d'une intention de celui-ci, mais de la nécessité de sa nature et de l'unité du monde qui en procède), et qu'en ce sens le fatalisme de la finalité est en même temps un idéalisme de celle-ci.

2. Le *réalisme* de la finalité de la nature est en outre soit *physique*, soit *hyperphysique*. Le premier fonde les fins aperçues dans la nature sur l'*analogon* d'un pouvoir agissant intentionnellement, à savoir *la vie de la matière* (vie présente en elle ou introduite par un principe vivifiant interne, une âme du monde), et il s'appelle l'*hylozoïsme*. Le second dérive les fins du fondement originaire de l'univers conçu comme un être intelligent (originairement vivant) produisant de façon intentionnelle, et il s'agit du *théisme* *.

---

* On voit par là que, dans la plupart des objets spéculatifs de la raison pure, les écoles philosophiques, en ce qui concerne les affirmations dogmatiques, ont globalement essayé toutes les solutions qui sont possibles sur une certaine question. A propos de la finalité de la nature, ainsi a-t-on essayé tantôt la *matière inanimée* ou un *Dieu inanimé*, tantôt une *matière vivante* ou même un *Dieu vivant*. Pour nous, il ne nous reste qu'à nous abstenir, si cela devait être nécessaire,

Paragraphe 73
Aucun des systèmes mentionnés n'accomplit ce qu'il prétend

Que veulent tous ces systèmes ? Ils veulent expliquer nos jugements téléologiques sur la nature et se mettent à l'œuvre de manière telle qu'un des camps nie la vérité de ces jugements, et les explique par conséquent comme un idéalisme de la nature (représentée comme art) ; l'autre camp les reconnaît pour vrais et promet d'exposer la possibilité d'une nature d'après l'Idée des causes finales.

1. Les systèmes qui combattent pour l'idéalisme des causes finales dans la nature, d'un côté, admettent certes bien, dans son principe, une causalité d'après les lois du mouvement (par laquelle les choses naturelles existent conformément à des fins) ; mais, d'un autre côté, ils nient en elle l'*intentionnalité*, c'est-à-dire (*393*) le fait qu'elle soit intentionnellement déterminée à cette production finalisée, autrement dit : qu'une fin soit la cause. C'est là le type d'explication pratiqué par Épicure, en vertu duquel la différence entre une technique de la nature et la simple mécanique se trouve totalement niée et où le hasard aveugle se trouve accepté comme fondement d'explication, non seulement pour l'accord des produits fabriqués avec nos concepts de fin, donc la technique, mais même pour la détermination des causes de cette production d'après les lois du mouvement, donc leur mécanisme – rien ne se trouvant ainsi expliqué, pas même l'apparence, dans notre jugement téléologique, tant et si bien que le prétendu idéalisme ne s'y trouve nullement démontré.

D'autre part, *Spinoza* veut nous dispenser de toute interrogation sur le fondement de la possibilité des fins de la nature et retirer toute réalité à cette Idée, en les faisant apparaître, non pas du tout comme des produits, mais comme des accidents inhérents à un Être originaire, et en attribuant à cet Être, en tant que substrat de ces choses naturelles, non pas de la causalité vis-à-vis d'elles, mais seulement une subsistance – assurant certes ainsi aux formes de la nature (en vertu de la nécessité inconditionnée de l'Être originaire, en même temps

de toutes ces *affirmations objectives* et à peser de manière critique notre jugement, simplement en relation à notre pouvoir de connaître, pour procurer à leur principe une valeur de maxime – valeur non dogmatique, mais pourtant suffisante pour un usage sûr de notre raison.

que de toutes les choses naturelles, en tant qu'accidents qui lui sont inhérents) l'unité de fondement qui est requise pour toute finalité, mais leur soustrayant en même temps la contingence sans laquelle nulle *unité finale* ne peut être pensée et supprimant, avec cette contingence, tout ce qui est *intentionnel*, de même qu'il retire au fondement originaire des choses naturelles toute intelligence.

Mais le spinozisme n'accomplit pas ce qu'il veut. Il veut indiquer un fondement explicatif de la connexion finale (qu'il ne nie pas) des choses naturelles, et il indique seulement l'unité du sujet auxquelles elles sont toutes inhérentes. Mais, quand bien même on va lui accorder pour les choses du monde ce mode d'existence, reste que cette unité ontologique n'est pas encore pour autant *unité finale* et ne rend aucunement celle-ci compréhensible. Cette dernière est en effet une sorte tout à fait particulière d'unité qui ne résulte nullement de la connexion des choses (êtres du monde) dans un sujet (l'être originaire), mais implique absolument la relation à une *cause* possédant de l'intelligence, et même si l'on réunit toutes ces choses dans un sujet simple, cela ne présente jamais pour autant une relation finale – sauf à entendre par ces choses, premièrement, des *effets* internes de la substance en tant que *cause*, deuxièmement, des effets de cette substance comme jouant le rôle de cause par l'intermédiaire de son *entendement*. Sans ces conditions formelles, toute unité est simple nécessité de la nature et, si elle est cependant attribuée aux choses que nous (*394*) nous représentons comme extérieures les unes aux autres, il s'agit d'une nécessité aveugle. Mais, si l'on veut nommer finalité de la nature ce que l'école appelle la perfection transcendantale des choses (en relation à leur essence propre), en vertu de laquelle toutes les choses ont en elles-mêmes tout ce qui est requis pour être telle chose, et non pas une autre, on n'a affaire alors qu'à un jeu puéril où les mots remplacent les concepts. Car, si toutes les choses doivent être pensées comme des fins, alors être une chose et être une fin se confondent, et il n'y a au fond rien qui mériterait particulièrement d'être représenté comme fin.

On voit bien dès lors que Spinoza, en rapportant nos concepts de ce qu'il y a de final dans la nature à la conscience de notre appartenance à un Être incluant tout (et cependant, en même temps, simple) et en cherchant cette forme uniquement dans l'unité de cet Être [115], devait bien avoir l'intention d'affirmer, non pas le réalisme, mais seulement l'idéalisme de la finalité de la nature, mais qu'en tout cas il ne put lui-même mettre en œuvre cette intention, parce que la simple représentation de l'unité du substrat ne peut pas même produire l'Idée d'une finalité ne serait-ce qu'inintentionnelle.

2. Ceux qui, non seulement affirment le *réalisme des fins naturelles*, mais pensent aussi l'expliquer, croient pouvoir appréhender une espèce particulière de causalité, à savoir celle de causes agissant intentionnellement, ou du moins sa possibilité ; sinon, ils ne pourraient entreprendre une telle démarche explicative. Car, pour autoriser même l'hypothèse la plus osée, du moins faut-il que la *possibilité* de ce que l'on admet comme fondement soit *assurée*, et il faut que l'on puisse garantir à son concept sa réalité objective.

Or, la possibilité d'une matière vivante (dont le concept contient une contradiction, parce que l'absence de vie, *inertia*, constitue le caractère essentiel de la matière) n'est pas même pensable ; la possibilité d'une matière animée et de la nature tout entière comme constituant un animal ne peut au mieux, en cas de besoin, être utilisée en tant que telle (en vue de construire une hypothèse de finalité pour la nature prise en grand) que si elle se manifeste à nous en petit dans l'expérience à travers son organisation : reste que la possibilité ne peut nullement en être comprise a priori. Il faut donc introduire un cercle dans l'explication pour vouloir dériver la finalité de la nature dans les êtres organisés à partir de la vie de la matière, tandis que l'on ne connaît à son tour cette vie nulle part ailleurs que dans des êtres organisés et que, sans (395) l'expérience de ceux-ci, on ne peut se faire nul concept de leur possibilité. L'hylozoïsme n'accomplit donc pas ce qu'il promet.

Le *théisme*, enfin, parvient tout aussi peu à fonder dogmatiquement la possibilité de fins naturelles comme clé de la téléologie, bien que, vis-à-vis de tous les fondements d'explication de ces fins, il ait l'avantage d'être le mieux à même, grâce à l'entendement qu'il attribue à l'être originaire, de soustraire la finalité de la nature à l'idéalisme et d'introduire une finalité intentionnelle pour la production de celle-ci.

De fait, il faudrait ici que soit prouvée d'une façon suffisante pour la faculté de juger déterminante l'impossibilité de l'unité finale dans la matière par le simple mécanisme de celle-ci, pour être légitimé à en poser le fondement, d'une manière déterminée, au-delà de la nature. Mais tout ce que nous pouvons comprendre, c'est que, suivant la nature et les bornes de nos pouvoirs de connaître (puisque nous ne comprenons pas le premier principe interne lui-même de ce mécanisme), nous ne devons en aucune façon rechercher dans la matière un principe de relations de finalité déterminées, mais qu'il ne reste pour nous aucune autre manière de juger la génération de ses produits en tant que fins naturelles que celle qui s'opère par référence à un entendement suprême comme cause du monde. Mais c'est là, seulement, un fondement pour la faculté de juger réfléchissante, et non pour la faculté de juger déterminante, et il ne peut absolument pas légitimer une affirmation objective.

Paragraphe 74
La cause de l'impossibilité de traiter dogmatiquement du concept d'une technique de la nature réside dans le caractère inexplicable d'une fin naturelle

Nous procédons dogmatiquement avec un concept (quand bien même il serait empiriquement conditionné) lorsque nous le considérons comme contenu sous un autre concept de l'objet qui constitue un concept de la raison et lorsque nous le déterminons conformément à ce concept. Mais nous procédons avec un concept de façon simplement critique lorsque nous le considérons en relation à notre pouvoir de connaître, donc par rapport aux conditions subjectives permettant de le penser, sans entreprendre de décider quoi que ce soit sur son objet. Procéder dogmatiquement avec un concept, c'est en ce sens la démarche qui convient pour la faculté de juger déterminante ; procéder de façon critique, celle qui convient simplement pour la faculté de juger réfléchissante.

(396) Or, le concept d'une chose en tant que fin naturelle est un concept qui subsume la nature sous une causalité qui ne se peut penser que par la raison, pour juger d'après ce principe ce qui est donné de l'objet dans l'expérience. Mais, afin de l'utiliser dogmatiquement pour la faculté de juger déterminante, il nous faudrait tout d'abord être assurés de la réalité objective de ce concept, vu que, sinon, nous ne pourrions subsumer sous lui aucune chose de la nature. Reste que le concept d'une chose comme fin naturelle est certes un concept empiriquement conditionné, c'est-à-dire un concept qui n'est possible que sous certaines conditions données dans l'expérience dont on ne peut au demeurant l'abstraire, mais ce n'est un concept possible, dans l'appréciation de l'objet, que d'après un principe de la raison. Il ne peut donc aucunement, en tant qu'il constitue un tel principe, être perçu dans sa réalité

objective (c'est-à-dire de façon qu'en conformité avec lui un objet soit possible) et dogmatiquement fondé ; et nous ne savons pas s'il s'agit là d'un concept ratiocinant et objectivement vide (*conceptus ratiocinans*), ou d'un concept de la raison, fondant une connaissance et confirmé par la raison (*conceptus ratiocinatus*). Il ne peut donc faire l'objet d'un traitement dogmatique pour la faculté de juger déterminante, c'est-à-dire que, non seulement il ne peut être décidé si des choses de la nature, considérées comme fins naturelles, requièrent ou non pour leur production une causalité d'une tout autre sorte (celle qui s'opère d'après des intentions), mais on ne peut en outre même pas poser la question, dans la mesure où le concept d'une fin naturelle n'est aucunement démontrable quant à sa réalité objective par la raison (autrement dit : il n'est pas constitutif pour la faculté de juger déterminante, mais il est simplement régulateur pour la faculté de juger réfléchissante).

Qu'il ne soit pas constitutif, c'est en tout cas ce qui apparaît clairement dès lors qu'en tant que concept d'un *produit de la nature* il comprend en soi, pour une seule et même chose envisagée en tant que fin, une nécessité naturelle et pourtant, indissolublement, une contingence de la forme de l'objet (relativement aux simples lois de la nature) ; par conséquent, s'il ne doit pas y avoir là de contradiction, il lui faut contenir un fondement pour la possibilité de la chose dans la nature, et pourtant aussi un fondement de la possibilité de cette nature elle-même et de sa relation à quelque chose qui est une nature non empiriquement connaissable (suprasensible), et par conséquent, pour nous, ne se peut aucunement connaître [116] – cela, afin d'être jugé selon une autre sorte de causalité que celle du mécanisme naturel, quand on veut définir sa possibilité. En ce sens, dans la mesure où le concept d'une chose comme fin naturelle outrepasse les limites de la *faculté de juger déterminante*, quand on considère l'objet par la raison (bien qu'il puisse assurément être immanent pour la faculté de juger réfléchissante vis-à-vis (*397*) des objets de l'expérience), et comme on ne peut par conséquent lui procurer la réalité objective requise pour les jugements déterminants, on comprend ainsi comment tous les systèmes que l'on peut ne serait-ce qu'imaginer pour traiter dogmatiquement du concept des fins naturelles et de la nature comme constituant un tout cohérent par l'intermédiaire des causes finales ne peuvent jamais être décisifs sur le moindre point, ni en procédant à des affirmations à portée objective, ni en procédant à des négations à portée objective : la raison en est que, quand des choses sont subsumées sous un concept qui est simplement problématique, les prédicats synthétiques de ce concept (par exemple ici : savoir si la fin de la nature, que nous nous représentons en vue de la production des choses, est intentionnelle ou inintentionnelle) doivent fournir sur l'objet des jugements de même qualité (problématiques), qu'ils soient affirmatifs ou négatifs, étant donné que l'on ne sait pas si l'on juge sur quelque chose ou sur rien. Le concept d'une causalité par l'intermédiaire de fins (l'art) possède assurément de la réalité objective, tout autant que celui d'une causalité d'après le mécanisme de la nature. Mais le concept d'une causalité de la nature d'après la règle des fins, mais davantage encore celui de la causalité d'un être tel que rien du même type ne peut nous être donné dans l'expérience, à savoir le concept d'un être qui soit fondement originaire de la nature, peut certes être pensé sans contradiction, mais il est incapable pourtant d'avoir la moindre utilité pour des déterminations dogmatiques : car, dans la mesure où il ne peut être tiré de l'expérience et n'est même pas requis pour la possibilité de celle-ci, sa réalité objective ne peut être garantie par rien. Mais, à supposer même que cela soit possible, comment puis-je mettre encore au nombre des produits de la nature des choses qui sont précisément données pour des produits d'un art divin, alors que c'est l'incapacité de la nature à produire de tels objets selon ses lois qui rendait justement nécessaire la référence à une cause différente d'elle ?

Paragraphe 75
Le concept d'une finalité objective de la nature est un principe critique de la raison pour la faculté de juger réfléchissante

C'est pourtant tout différent que de dire : la production de certaines choses de la nature, ou même de la nature tout entière, n'est possible que par une cause qui se détermine d'après des intentions à agir, ou de dire : je ne peux, *d'après la constitution spécifique de mes pouvoirs de connaître,* juger autrement, quant à la possibilité de ces choses et de leur (*398*) production, qu'en recourant à la pensée, pour celles-ci, d'une cause agissant de manière intentionnelle, par conséquent d'un être qui exerce sa capacité de produire par analogie avec la causalité d'un entendement. Dans le premier cas, je veux décider quelque chose sur l'objet, et je suis obligé de manifester la réalité objective d'un concept que j'ai admis ; dans le second, la raison détermine seulement l'usage de mes pouvoirs de connaître d'une manière qui soit appropriée à leurs caractéristiques propres et aux conditions essentielles de leur extension aussi bien que de leurs limites. Le premier principe est donc un principe fondamental *de portée objective* pour la faculté de juger déterminante, le second un principe fondamental *de portée subjective* pour la seule faculté de juger réfléchissante, par conséquent une maxime de celle-ci que la raison lui impose.

De fait, il nous est indispensable de mettre à la base de la nature le concept d'une intention, dès lors simplement que nous voulons l'explorer dans ses produits organisés par une observation assidue ; et ce concept est donc déjà une maxime absolument nécessaire pour l'utilisation empirique de notre raison. Il est évident qu'une fois qu'un tel fil conducteur pour étudier la nature a été admis et qu'on l'a trouvé sûr, il nous faut pour le moins essayer de mettre aussi en œuvre pour la totalité de la nature la maxime mentionnée de la faculté de juger — étant donné que devraient encore, d'après cette maxime, se pouvoir découvrir maintes lois de la nature qui, sinon, nous resteraient cachées à cause de ce qu'a de limité notre pénétration jusqu'au cœur du mécanisme de la nature. Cela dit, concernant ce dernier usage, cette maxime de la faculté de juger est certes utile, mais non point indispensable, parce que la nature ne nous est pas donnée en totalité comme organisée (au sens le plus strict, indiqué plus haut, de ce terme). En revanche, vis-à-vis des produits de la nature, qu'il faut juger comme ayant été formés uniquement de manière intentionnelle ainsi et non pas autrement, si l'on entend acquérir ne serait-ce même qu'une connaissance empirique de leur constitution interne, cette maxime de la faculté de juger réfléchissante est essentiellement nécessaire : car même la pensée de ces produits comme choses organisées est impossible si ne s'y trouve pas rattachée celle d'une production intentionnelle.

Or, le concept d'une chose dont nous nous représentons l'existence ou la forme comme possibles sous la condition d'une fin est lié de manière inséparable à celui d'une contingence de cette chose (d'après les lois de la nature). De là vient que les choses naturelles que nous ne trouvons possibles que comme fins constituent aussi la preuve la plus importante de la contingence de l'univers et sont l'unique raison probante, valant aussi bien pour l'entendement commun que *(399)* pour le philosophe, quand il s'agit d'établir qu'il dépend et tire son origine d'un être existant hors du monde et assurément (à cause de cette forme finale) intelligent : ainsi la téléologie ne trouve-t-elle, pour ses recherches, le point d'aboutissement de ses explications que dans une théologie.

Mais que prouve en définitive même la téléologie la plus aboutie de toutes ? Prouve-t-elle qu'un tel être intelligent existe ? Elle prouve uniquement, en fait, qu'en vertu de la constitution de nos pouvoirs de connaître, donc dans la liaison de l'expérience avec les principes suprêmes de la raison, nous ne pouvons nous forger absolument aucun concept de la possibilité d'un tel monde si nous ne nous représentons pas une cause suprême de ce monde *qui agirait intentionnellement*. Objectivement, nous ne pouvons donc pas démontrer la proposition : il existe un être originaire intelligent ; mais ce n'est possible que subjectivement, pour l'usage de notre faculté de juger dans sa réflexion sur les fins de la nature qui ne peuvent être pensées d'après aucun autre principe que celui d'une causalité intentionnelle d'une cause suprême.

Si nous voulions démontrer au plan dogmatique cette proposition suprême, à partir de fondements téléologiques, nous nous exposerions à des difficultés dont nous ne pourrions nous dégager. Car il faudrait mettre à la base de ces conclusions la proposition : les êtres organisés dans le monde ne sont pas possibles autrement que par une cause agissant de façon intentionnelle. Mais alors il nous faudrait inévitablement vouloir soutenir que, dans la mesure où c'est uniquement sous l'Idée des fins que nous pouvons poursuivre ces choses dans leur liaison causale et connaître celle-ci dans sa légalité, nous serions légitimés aussi à faire cette même supposition pour tout être pensant et connaissant – à titre de condition nécessaire, inhérente par conséquent à l'objet, et non pas seulement à notre subjectivité. Mais avec une telle affirmation nous n'aboutissons à rien. Car, étant donné que nous n'*observons* pas véritablement les fins dans la nature comme des fins *intentionnelles*, mais que c'est seulement dans la réflexion sur les produits de la nature que nous ajoutons ce concept comme un fil conducteur pour la faculté de juger, elles ne nous sont pas données par l'objet. Il nous est même a priori impossible de légitimer un tel concept comme susceptible d'être accepté dans sa réalité objective. Reste donc purement et simplement une proposition reposant uniquement sur des conditions subjectives, à savoir celles de la faculté de juger réfléchissant en conformité avec nos pouvoirs de connaître – proposition qui, si on l'exprimait comme une proposition pourvue d'une validité dogmatique objective, s'énoncerait ainsi : Il y a un Dieu ; mais, pour (*400*) nous, êtres humains, seule est autorisée la formulation limitée : Nous ne pouvons aucunement nous représenter et nous rendre compréhensible la finalité qui doit être placée au fondement de notre connaissance de la possibilité interne de multiples choses naturelles qu'en nous les représentant, ainsi que le monde en général, comme produits d'une cause intelligente (d'un Dieu).

Si, cela dit, cette proposition fondée sur une maxime incontournablement nécessaire de notre faculté de juger suffit parfaitement pour tout usage, aussi bien spéculatif que pratique, de notre raison vis-à-vis de toute fin *humaine*, j'aimerais bien savoir pourquoi, dès lors, nous ressentons comme une perte le fait de ne pouvoir démontrer – j'entends : à partir de fondements objectifs purs (qui dépassent malheureusement notre pouvoir) – que cette même proposition possède aussi une validité pour des êtres supérieurs. Il est en effet tout à fait certain que nous ne pouvons même pas connaître de façon suffisante les êtres organisés et leur possibilité interne suivant des principes simplement mécaniques de la nature, bien moins encore nous les expliquer ; et c'est même si certain que l'on peut sans hésiter dire qu'il est absurde pour des êtres humains même simplement de concevoir un tel projet, ou d'espérer que puisse un jour surgir encore un Newton qui rende compréhensible ne serait-ce qu'un brin d'herbe d'après des lois naturelles que nulle intention n'a ordonnées ; bien au contraire faut-il absolument refuser ce savoir aux hommes. Mais, dans ces conditions, juger que dans la nature également, si nous pouvions pénétrer jusqu'à son principe dans la spécification des lois générales que nous en connaissons, ne pourrait se trouver caché un principe suffisant de la possibilité d'êtres organisés sans que se doive mettre une intention à la base de leur production (donc dans le simple mécanisme de la nature), ce serait à nouveau de notre part une attitude trop démesurée ; car d'où prétendons-nous le savoir ? Les vraisemblances n'ont nullement à être prises en compte là où il s'agit de jugements de la raison pure. Nous ne pouvons donc prononcer, ni pour affirmer ni pour nier, de jugements objectifs sur la proposition voulant qu'un être agissant de façon intentionnelle en tant que cause du monde (par conséquent, en tant que son auteur) se trouve au fondement de ce que nous nommons à bon droit fins naturelles ; simplement est-il assuré que, si en tout cas nous devons juger du moins d'après ce qu'il nous est permis de voir par notre nature propre (d'après les conditions et les

limites de notre raison), nous ne pouvons placer au fondement
de la possibilité de ces fins naturelles absolument rien d'autre
qu'un être intelligent – ce qui correspond à la maxime de
notre faculté de juger réfléchissante, par conséquent à un
fondement subjectif, (*401*) mais indissolublement inhérent à
l'espèce humaine.

Paragraphe 76
Remarque

Cette considération, qui mérite très fortement d'être développée en détail dans la philosophie transcendantale, ne peut
s'intégrer ici que de façon épisodique, comme explicitation
(et non comme preuve de ce qui vient d'être exposé).

La raison est un pouvoir des principes et vise, dans sa plus
extrême exigence, l'inconditionné, tandis que, pour sa part,
l'entendement se borne à être toujours à son service sous une
certaine condition, qui doit être donnée. Reste que, sans des
concepts de l'entendement, auxquels de la réalité objective
doit être fournie, la raison ne peut en aucun cas juger objectivement (synthétiquement) et ne contient par elle-même, en
tant que raison théorique, aucun principe constitutif, mais des
principes simplement régulateurs. On prend bien vite conscience que, là où l'entendement ne peut suivre, la raison
outrepasse ses limites et se manifeste dans des Idées qui sont
certes fondées (comme principes régulateurs), mais non pas
dans des concepts possédant une valeur objective – alors que
l'entendement, qui ne peut lui emboîter le pas, mais qui serait
cependant nécessaire pour conférer de la validité à des objets,
limite la validité de ces Idées de la raison simplement au
sujet, encore que toutefois d'une manière universelle pour tous
les sujets de cette espèce, donc qu'il la limite à la condition
selon laquelle, d'après la nature (humaine) de notre pouvoir
de connaître ou même, en général, d'après le concept que
nous pouvons *nous* faire du pouvoir d'un être raisonnable fini,
on ne puisse ni ne doive penser autrement, sans affirmer pour
autant que le fondement d'un tel jugement réside dans l'objet.
Nous allons évoquer des exemples qui ont assurément trop
d'importance et présentent aussi trop de difficultés pour être
ici imposés d'emblée au lecteur comme des propositions
démontrées, mais qui peuvent lui donner matière à réflexion
et servir à l'explicitation de ce qui ici est proprement notre
préoccupation.

Il est incontournablement nécessaire pour l'entendement humain de distinguer possibilité et effectivité des choses. La raison s'en trouve dans le sujet et dans la nature de ses pouvoirs de connaître. Car, si, pour l'emploi de ces deux termes, deux éléments tout à fait hétérogènes n'étaient pas requis, l'entendement pour les concepts et l'intuition sensible pour les objets qui leur correspondent, il n'y aurait nulle distinction de ce type (*402*) (entre le possible et l'effectif). De fait, si notre entendement était intuitif, il n'aurait pas d'autres objets que l'effectif. Les concepts (qui concernent simplement la possibilité d'un objet) et les intuitions sensibles (qui nous donnent quelque chose, sans toutefois, pour autant, le faire connaître comme objet) disparaîtraient dans leur dualité. Or, toute notre distinction entre le simple possible et l'effectif repose sur la manière dont le premier signifie uniquement la position de la représentation d'une chose relativement à notre concept et, en général, au pouvoir de penser, tandis que le second signifie la position de la chose en elle-même (en dehors de ce concept). Aussi, la distinction entre des choses possibles et des choses effectives en est-elle une qui n'a de valeur que simplement subjective, pour l'entendement humain, étant donné que nous pouvons toujours penser quelque chose qui cependant n'existe pas, ou nous représenter quelque chose comme donné, bien que nous n'en ayons encore aucun concept. Ainsi les propositions du type : Des choses peuvent être possibles sans être effectives ; ou, par conséquent : On ne peut nullement conclure de la simple possibilité à l'effectivité, valent de manière très juste pour la raison humaine, sans prouver pour autant que cette différence est présente dans les choses mêmes. Que cette conclusion, en effet, ne s'en puisse tirer, donc que ces propositions possèdent certes une valeur aussi pour des objets, dans la mesure où notre pouvoir de connaître, en tant qu'il est conditionné par la sensibilité, s'occupe aussi des objets des sens, mais non pas pour des choses en général, c'est ce qui se dégage clairement de l'incessante exigence de la raison d'admettre quelque instance (le fondement originaire) comme existant de manière inconditionnellement nécessaire, et dans laquelle possibilité et effectivité ne doivent plus du tout être distinguées – Idée pour laquelle notre entendement ne dispose d'absolument aucun concept, c'est-à-dire ne peut découvrir aucune manière de se représenter une telle chose et son mode d'existence. Car, s'il *la* pense (il peut bien la penser comme il le veut), elle est représentée simplement comme possible. S'il en a une cons-

cience comme étant donnée dans l'intuition, elle est alors
effective, sans que, cette fois, il se fasse une quelconque
représentation de sa possibilité. Ce pourquoi le concept d'un
être absolument nécessaire est certes une Idée indispensable
de la raison, mais un concept problématique, inaccessible pour
l'entendement humain. Mais il a toutefois une valeur pour
l'utilisation de nos pouvoirs de connaître, en vertu de leur
constitution propre, mais non pas, par conséquent, à l'égard
de l'objet, et donc pour tout être connaissant : je ne peux en
effet supposer chez tout être connaissant la pensée et l'intuition
comme constituant deux conditions distinctes de l'exercice de
ses pouvoirs de connaître, ni par conséquent la distinction de
la possibilité et de l'effectivité des choses (*403*). Pour un
entendement où une telle distinction n'entrerait pas en ligne
de compte, cela aurait cette signification : tous les objets que
je connais *sont* (existent) ; et la possibilité de certains objets
qui, pourtant, n'existeraient pas, c'est-à-dire leur contingence
au cas où ils existeraient, de même aussi que la nécessité qu'il
faudrait en distinguer, ne pourraient aucunement apparaître
dans la représentation d'un tel être. Ce qui fait toutefois qu'il
est si difficile pour notre entendement de parvenir avec ses
concepts au même résultat que la raison, c'est simplement
que, pour lui, en tant qu'entendement humain, ce que la raison
érige en principe, comme appartenant à l'objet, outrepasse ses
limites (c'est-à-dire est impossible pour les conditions subjectives de sa connaissance). Pour autant, garde toujours ici sa
validité cette maxime selon laquelle tous les objets dont la
connaissance dépasse le pouvoir de l'entendement, nous les
pensons en fonction des conditions subjectives, nécessairement
inhérentes à notre nature (c'est-à-dire à la nature humaine),
de l'exercice des pouvoirs appartenant à cette nature ; et si
les jugements portés de cette façon (comme il ne peut en aller
autrement à l'égard des concepts transcendant nos limites) ne
peuvent être des principes constitutifs qui déterminent l'objet
quant à sa constitution, ils resteront des principes cependant
régulateurs, immanents et assurés dans leur usage, ainsi qu'appropriés au dessein qui est celui de l'être humain.

De même que la raison, dans la considération théorique de
la nature, doit admettre l'Idée d'une nécessité inconditionnée
de son fondement originaire, de même aussi, dans la considération pratique, elle présuppose sa causalité inconditionnée
propre (vis-à-vis de la nature), c'est-à-dire la liberté, dans la
mesure où elle est consciente de son commandement moral.
Mais, parce que ici la nécessité objective de l'action en tant

que devoir est opposée à celle qu'elle aurait en tant qu'événement, si le fondement s'en trouvait dans la nature et non dans la liberté (c'est-à-dire dans la causalité de la raison), et parce que l'action procédant d'une nécessité morale absolue est considérée physiquement comme tout à fait contingente (c'est-à-dire que ce qui *devrait* nécessairement se produire bien souvent n'a pourtant pas lieu), il est clair que, s'il est nécessaire que les lois morales soient représentées comme des commandements (et les actions qui s'y conforment comme des devoirs), et si la raison exprime cette nécessité, non par un *être* (avoir lieu), mais par un *devoir-être*, cela procède uniquement de la constitution subjective de notre pouvoir pratique. Les choses ne se produiraient pas ainsi si la raison était considérée sans la sensibilité (comme condition subjective de son application à des objets de la nature) d'après sa causalité, par conséquent en tant que cause dans un monde intelligible s'accordant intégralement avec la loi morale (*404*), où il n'y aurait nulle différence entre devoir et faire, entre une loi pratique énonçant ce qui est possible par nous et une loi théorique énonçant ce qui est effectif par notre intermédiaire. Or, bien qu'un tel monde intelligible, où tout serait effectif par cela seul qu'il est possible (en tant que bien), et que même la liberté, en tant que condition formelle de ce monde, constitue pour nous un concept transcendant qui n'a pas de valeur en tant que principe constitutif destiné à déterminer un objet et sa réalité objective, cette liberté, en vertu de la constitution de notre nature (en partie sensible) et de notre pouvoir, nous sert pourtant, ainsi qu'à tous les êtres raisonnables se rapportant au monde sensible (pour autant que nous pouvons nous les représenter en fonction de la nature de notre raison), de *principe régulateur* universel qui ne détermine pas objectivement la constitution de la liberté en tant que forme de la causalité, mais qui – et cela avec une valeur qui n'est pas moindre que s'il en allait réellement ainsi – érige pour chacun en commandement la règle d'agir d'après cette Idée.

De même peut-on aussi, en ce qui concerne le cas évoqué ici, admettre qu'entre le mécanisme de la nature et la technique de la nature, c'est-à-dire la connexion finale intervenant en elle, nous ne trouverions aucune différence si notre entendement n'était pas tel qu'il dût aller du général au particulier, faisant ainsi que la faculté de juger ne peut reconnaître aucune finalité du point de vue du particulier et ne peut par conséquent prononcer aucun jugement déterminant sans disposer d'une loi générale sous laquelle elle puisse le subsumer. Mais, comme le particulier, en tant que tel, contient quelque chose de contingent vis-à-vis du général et que la raison exige cependant aussi de l'unité dans la liaison des lois particulières de la nature, c'est-à-dire de la légalité (laquelle légalité du contingent se nomme finalité), alors que la déduction des lois particulières à partir des lois générales, eu égard à ce qu'elles contiennent en elles de contingent, est impossible a priori par détermination du concept de l'objet, le concept de la finalité de la nature dans ses produits sera un concept nécessaire pour la faculté humaine de juger vis-à-vis de la nature, mais non pas un concept touchant à la détermination des objets eux-mêmes, donc un principe subjectif de la raison pour la faculté de juger, lequel, en tant que régulateur (et non pas constitutif), vaut avec autant de nécessité pour notre *faculté humaine de juger* que s'il était un principe objectif.

Paragraphe 77
(*405*) De la propriété de l'entendement humain en vertu de laquelle le concept d'une fin naturelle devient pour nous possible

Nous avons indiqué, dans la remarque, des propriétés de notre pouvoir de connaître (y compris de notre pouvoir supérieur de connaître) que nous sommes facilement entraînés à transférer aux choses elles-mêmes comme s'il s'agissait de prédicats objectifs ; mais en fait elles concernent des Idées auxquelles nul objet qui leur corresponde ne peut être donné dans l'expérience et qui, dès lors, ne pouvaient servir que comme principes régulateurs dans la continuation de cette dernière. Ainsi en va-t-il assurément avec le concept d'une fin naturelle en ce qui concerne la cause de la possibilité d'un tel prédicat, laquelle ne peut résider que dans l'Idée ; mais ce qui en résulte et qui est conforme à cette cause (le produit lui-même) est pourtant donné dans la nature, et le concept d'une causalité de celle-ci comme être agissant d'après des fins semble faire de l'Idée d'une fin naturelle un principe constitutif de cette fin – ce en quoi elle possède quelque chose qui la distingue de toutes les autres Idées.

Cet élément distinctif consiste alors en ceci : l'Idée ainsi pensée n'est pas un principe de la raison pour l'entendement, mais pour la faculté de juger, et elle ne constitue par conséquent que l'application d'un entendement en général aux objets possibles de l'expérience – et cela quand le jugement ne peut être déterminant, mais simplement réfléchissant, et que par conséquent l'objet est certes donné dans l'expérience, d'une manière telle cependant que l'on ne puisse toutefois porter sur lui, conformément à l'Idée, aucun jugement qui soit jamais *déterminé* (encore moins de manière adéquate), mais que l'on puisse seulement réfléchir sur lui.

Ce qui est en jeu est donc une propriété de *notre* entendement (humain) vis-à-vis de la faculté de juger dans la réflexion de celle-ci sur les choses de la nature. Mais, s'il en est ainsi, l'Idée d'un autre entendement possible que l'entendement humain doit intervenir au fondement du raisonnement (de même que, dans la *Critique de la raison pure*, nous devions avoir dans l'esprit une autre intuition possible, si la nôtre devait être tenue pour une espèce particulière d'intuition, à savoir celle pour laquelle les objets ne valent que comme phénomènes), afin que l'on puisse dire : certains produits de la nature *doivent nécessairement*, d'après la constitution particulière de notre entendement, *être considérés par nous*, quant à leur possibilité, comme engendrés intentionnellement et en tant que fins, sans qu'il soit prétendu pour autant qu'il existerait effectivement une cause particulière (*406*) qui aurait la représentation d'une fin pour fondement de détermination, par conséquent sans qu'il soit exclu qu'un autre entendement (supérieur) que l'entendement humain puisse aussi rencontrer dans le mécanisme de la nature, c'est-à-dire dans une liaison causale pour laquelle un entendement n'est pas admis exclusivement comme cause, le fondement de la possibilité de tels produits de la nature.

Il s'agit donc ici du rapport de *notre* entendement à la faculté de juger, au sens où nous y recherchons, pour cet entendement, une certaine contingence de constitution telle qu'elle se pourrait observer comme sa propriété, à la différence des autres entendements possibles.

Cette contingence se trouve tout naturellement dans le *particulier* que la faculté de juger doit ramener sous le *général* constitué par les concepts de l'entendement ; car le particulier n'est pas déterminé par le général de *notre* entendement (humain), et de combien de manières différentes des choses diverses, qui pourtant s'accordent dans une caractéristique commune, peuvent se présenter à notre perception, c'est là un fait contingent. Notre entendement est un pouvoir des concepts, c'est-à-dire un entendement discursif, pour lequel le type de particulier qui peut lui être donné dans la nature et qui peut être inscrit sous des concepts, ainsi que le degré de diversité dont témoigne ce particulier, sont contingents. Mais, étant donné qu'à la connaissance appartient en tout cas aussi l'intuition, et qu'un pouvoir de *spontanéité complète de l'intuition* serait un pouvoir de connaître distinct de la sensibilité et totalement indépendant d'elle, constituant par conséquent un entendement dans le sens le plus général du terme, on peut penser aussi un entendement *intuitif* (négativement, c'est-à-dire comme entendement non discursif), lequel ne va pas du général au particulier, et ainsi au singulier (par concepts), et pour lequel ne se rencontre pas cette contingence de l'accord de la nature dans ses produits avec l'entendement selon des lois *particulières* – une contingence qui rend si difficile pour notre entendement le fait de ramener la diversité de ces lois à l'unité de la connaissance : c'est là une tâche dont notre entendement ne peut s'acquitter que grâce à l'accord des caractéristiques naturelles avec notre pouvoir des concepts, lequel accord est très contingent, mais dont un entendement intuitif n'a pas besoin.

Notre entendement a donc cette propriété, vis-à-vis de la faculté de juger, que dans la connaissance dont il est la source le particulier n'est pas déterminé par le général et qu'il ne peut donc être dérivé uniquement de celui-ci ; mais ce particulier présent dans la diversité de la nature (*407*) doit cependant s'accorder avec le général (à travers des concepts et des lois), pour pouvoir lui être subsumé – selon un accord qui, dans de telles conditions, ne peut qu'être très contingent et sans principe déterminé pour la faculté de juger.

Afin, cependant, de pouvoir du moins penser la possibilité d'un tel accord des choses de la nature avec la faculté de juger (accord que nous nous représentons comme contingent, par conséquent comme possible uniquement grâce à une fin qui s'y rapporte), il nous faut penser en même temps un autre entendement vis-à-vis duquel (et cela avant de lui attribuer une quelconque fin) nous puissions nous représenter comme *nécessaire* cet accord des lois de la nature avec notre faculté de juger qui, pour notre entendement, ne se peut penser que par la liaison des fins.

Car notre entendement a la propriété qu'il lui faut dans sa connaissance, par exemple celle des causes d'un produit, aller du *général analytique* (des concepts) au particulier (l'intuition empirique donnée) – démarche à travers laquelle il ne détermine rien quant à la diversité de ce dernier, mais doit attendre cette détermination pour la faculté de juger de la subsomption de l'intuition empirique (si l'objet est un produit de la nature) sous le concept. Or, nous pouvons aussi nous forger la pensée d'un entendement qui, parce qu'il n'est pas, comme le nôtre, discursif, mais intuitif, va du *général synthétique* (de l'intuition d'un tout comme tel) au particulier, c'est-à-dire du tout aux parties, et qui donc, comme c'est le cas aussi de sa représentation du tout, ne contient pas en lui la *contingence* de la liaison des parties pour rendre possible une forme déterminée du tout, là où une telle contingence est requise par notre entendement qui, lui, doit aller des parties comme fondements pensés dans leur généralité aux diverses formes possibles qui doivent leur être subsumées comme des conséquences. Par opposition, en vertu de la constitution de notre entendement, un tout réel de la nature est à considérer uniquement comme effet des forces motrices concurrentes des parties. Si nous ne voulons donc pas nous représenter la possibilité du tout comme dépendant des parties, ainsi qu'il convient à notre entendement discursif, mais nous représenter, selon l'entendement intuitif (archétypique), la possibilité des parties (dans leur constitution et dans leur liaison) comme dépendant du tout, cela ne peut se produire, en raison de la même propriété de notre entendement, de telle manière que le tout soit le fondement de la possibilité de la connexion des parties (ce qui, dans le mode discursif de la connaissance, serait une contradiction), mais seulement de telle manière que la *(408) représentation* d'un tout contienne le fondement de la possibilité de la forme de ce tout et de la connexion des parties qui sont les siennes. Or, dans la mesure où le tout est un effet (*produit*) dont la *représentation* est considérée comme la *cause* de sa possibilité, tandis que le produit d'une cause dont le fondement de détermination est simplement la représentation de son effet s'appelle fin, il en résulte que c'est uniquement une conséquence de la constitution particulière de notre entendement qui fait que nous nous représentons des produits de la nature comme possibles d'après un autre type de causalité que celui des lois naturelles de la matière, à savoir uniquement d'après la causalité des fins et des causes finales, et que ce principe ne concerne pas la possibilité de ces choses mêmes (considérées même comme phénomènes) d'après ce mode de production, mais seulement la possibilité de leur jugement pour notre entendement. Où nous apercevons en même temps pourquoi, dans la connaissance de la nature, nous ne nous satisfaisons pas durablement d'une explication des produits de la nature par une causalité finale, dans la mesure où, à travers cette explication, nous entendons simplement juger la production de la nature d'une manière qui soit conforme à notre pouvoir de la juger, c'est-à-dire à la faculté de juger réfléchissante, et non pas aux choses elles-mêmes, tel que ce serait le cas pour la faculté de juger déterminante. À vrai dire, il n'est pas nécessaire, en l'occurrence, de démontrer qu'un tel *intellectus archetypus* est possible, mais simplement que nous sommes conduits, en confrontant notre entendement discursif, qui a besoin d'images (*intellectus ectypus*), et la contingence d'une telle constitution, à cette Idée (d'un *intellectus archetypus*), et que celle-ci ne contient en outre pas de contradiction.

Or, si nous considérons un tout matériel, selon sa forme, comme un produit des parties et de leurs forces et du pouvoir qu'elles ont de se lier d'elles-mêmes (y compris à d'autres matières, qu'elles s'adjoignent réciproquement), nous nous représentons un mode mécanique de la production de ce tout. Mais, sur ce mode, il ne s'en dégage nul concept d'un tout comme fin, dont la possibilité interne suppose absolument l'Idée d'un tout, dont dépendent précisément la constitution et le mode d'action des parties, à la manière dont nous devons nous représenter un corps organisé. Mais il n'en résulte pas, comme on l'a montré, que la production mécanique d'un tel corps soit impossible ; car cela reviendrait à dire qu'il serait impossible (c'est-à-dire contradictoire) *pour tout entendement* de se représenter une telle unité dans la connexion du divers sans que l'Idée de celle-ci en constitue en même temps la cause productrice, c'est-à-dire sans production intentionnelle. C'est pourtant bien là (*409*) ce qui, de fait, en résulterait si nous étions autorisés à considérer des êtres matériels comme des choses en soi. Car alors l'unité qui constitue le fondement de la possibilité des formations naturelles serait purement et simplement l'unité de l'espace, lequel toutefois n'est pas un fondement réel des productions, mais seulement leur condition formelle – cela, bien que l'espace ait quelque ressemblance avec le fondement réel que nous cherchons, en ceci qu'aucune partie ne peut y être déterminée, si ce n'est en relation avec le tout (dont la représentation réside donc au fondement de la possibilité des parties). Mais, dans la mesure où il est pourtant du moins possible de considérer le monde matériel comme simple phénomène et de penser quelque chose, en tant que chose en soi (quelque chose qui n'est pas phénomène), comme substrat, à condition toutefois de supposer à cet égard une intuition intellectuelle correspondante (bien qu'elle ne soit pas la nôtre), il y aurait un fondement réel suprasensible, quoiqu'il nous soit inconnaissable, pour la nature à laquelle nous-mêmes appartenons et dans laquelle nous considérerions donc selon des lois mécaniques ce qui, en elle, est nécessaire en tant qu'objet des sens, tandis que, dans la nature en tant qu'objet de la raison (savoir la totalité de la nature comme système), nous considérerions en même temps selon des lois téléologiques l'accord et l'unité des lois particulières et des formes selon ces lois que nous devons juger comme contingentes par rapport aux lois mécaniques : ainsi jugerions-nous la nature selon deux sortes de principes, sans que le type mécanique d'explication soit exclu par le type téléologique, comme s'il existait entre eux une contradiction.

Ainsi se peut-il apercevoir aussi, comme on pouvait au demeurant déjà aisément le supposer, mais difficilement le soutenir et le démontrer avec certitude, que le principe d'une déduction mécanique de productions naturelles finales était susceptible de coexister avec le principe téléologique, mais non point du tout de rendre celui-ci superflu : en d'autres termes, on peut, vis-à-vis d'une chose que nous devons juger comme fin naturelle (un être organisé), assurément essayer toutes les lois de la production mécanique connues, ainsi que celles qui sont à découvrir, et espérer légitimement avoir un bon résultat, sans jamais toutefois se trouver dispensé d'une référence, pour la possibilité d'un tel produit, à un principe de production tout à fait différent, à savoir celui de la causalité finale ; et absolument aucune raison humaine (ni aucune raison finie qui serait qualitativement semblable à la nôtre, mais lui serait en outre très supérieure par le degré) ne peut espérer comprendre à partir de causes simplement mécaniques la production ne serait-ce même que d'un brin d'herbe. Car si la connexion téléologique des causes et (*410*) des effets est tout à fait indispensable à la faculté de juger pour la possibilité d'un tel objet, fût-ce même simplement pour l'étudier selon le fil conducteur de l'expérience ; si, pour des objets extérieurs en tant que phénomènes, ne peut nullement être trouvé un principe suffisant se rapportant à des fins, mais que ce principe, qui réside aussi dans la nature, ne doit pourtant être recherché que dans le substrat suprasensible de celle-ci, tel que toute compréhension possible nous en est interdite, alors il nous est absolument impossible de puiser dans la nature elle-même des fondements explicatifs pour des liaisons finales, et il est nécessaire, en vertu de la constitution du pouvoir humain de connaître, d'en chercher le fondement ultime dans un entendement originaire comme cause du monde.

Paragraphe 78
De la réunion du principe du mécanisme universel de la matière avec le principe téléologique dans la technique de la nature

Il importe infiniment à la raison de ne pas laisser de côté le mécanisme de la nature dans ses productions et de ne pas le négliger dans leur explication : car, sans celui-ci, on ne peut obtenir aucune intelligence de la nature des choses. Quand bien même on nous accorde qu'un suprême architecte a créé immédiatement les formes de la nature telles qu'elles existent depuis toujours, ou qu'il a prédéterminé celles qui, dans le cours de la nature, se forment continuellement d'après le même modèle, notre connaissance de la nature ne s'en trouve pas pour autant, le moins du monde, augmentée, étant donné que nous ne connaissons aucunement le mode d'action de cet être, ni ses Idées, qui doivent contenir les principes de la possibilité des êtres naturels, et que nous ne pouvons à partir de lui, comme de haut en bas (a priori), expliquer la nature. Mais si, en partant des formes des objets de l'expérience, donc de bas en haut (a posteriori), nous voulions, parce que nous croyons y rencontrer de la finalité, nous référer, pour l'expliquer, à une cause agissant selon des fins, nous produirions une explication totalement tautologique et nous abuserions la raison avec des mots, sans compter en outre que, là où nous nous égarerions, en suivant ce mode d'explication, dans le transcendant, dans un domaine où la connaissance de la nature ne peut nous suivre, la raison serait entraînée dans une exaltation poétique dont c'est précisément sa destination la plus éminente que de l'empêcher.

(*411*) De l'autre côté, c'est une maxime tout aussi nécessaire de la raison que de ne pas laisser de côté le principe des fins dans les produits de la nature, étant donné que, même s'il ne nous rend pas vraiment plus compréhensible la modalité de leur genèse, il constitue cependant un principe heuristique pour explorer les lois particulières de la nature ; à supposer même que l'on ne veuille en faire aucun usage pour expliquer par là la nature elle-même, en continuant à nommer ses fins seulement des fins naturelles, bien qu'elles présentent manifestement une unité finale intentionnelle, c'est-à-dire sans chercher au-delà de la nature le fondement de la possibilité de ces fins. Mais parce qu'il faut bien pourtant en venir finalement à la question qui porte sur cette possibilité, il est également nécessaire pour elle de penser un mode particulier de causalité qui ne se rencontre pas dans la nature, tout comme le mécanisme des causes naturelles a le sien, dans la mesure où, à la réceptivité dont témoigne la nature vis-à-vis de plusieurs autres formes que celles que la nature est capable de recevoir en vertu de ce mécanisme, doit venir s'ajouter encore la spontanéité d'une cause (qui ne peut donc être matière) sans laquelle nul fondement de ces formes ne peut être indiqué. Certes, la raison, avant de franchir ce pas, doit procéder avec circonspection et ne pas chercher à expliquer comme téléologique toute technique de la nature, c'est-à-dire son pouvoir producteur, tel que s'y manifeste une finalité de la forme pour notre simple appréhension (comme dans les corps réguliers), mais il lui faut continuer à considérer ce pouvoir comme possible de façon purement mécanique ; reste que vouloir totalement exclure sur cette base le principe téléologique et, là où, pour la recherche rationnelle de la possibilité des formes naturelles à travers leurs causes, la finalité se manifeste de façon tout à fait indéniable comme relation à une autre espèce de la causalité, vouloir pourtant toujours suivre le simple mécanisme ne peut que conduire la raison à divaguer de manière tout aussi fantasmatique et parmi des pouvoirs de la nature aussi chimériques que ce serait le cas si un mode d'explication purement téléologique, ne tenant absolument pas compte du mécanisme naturel, la faisait basculer dans l'exaltation.

Vis-à-vis d'une seule et même chose de la nature, les deux principes ne se peuvent relier, comme principes réciproques de l'explication (déduction) de l'un à partir de l'autre, c'est-à-dire qu'ils ne peuvent s'unir comme principes dogmatiques et constitutifs de la connaissance de la nature pour la faculté de juger déterminante. Si, par exemple à propos d'un ver, j'admets qu'il est à considérer comme produit du simple mécanisme de la matière (de la formation nouvelle qu'elle opère par elle-même, quand ses éléments sont libérés par putréfaction), je ne peux dès lors déduire le même produit à partir de cette même matière comme à partir d'une causalité (*412*) capable d'agir selon des fins. Inversement, si j'accepte d'envisager le même produit comme une fin naturelle, je ne peux compter sur un mode de production mécanique de celui-ci et admettre un tel mode de production comme principe constitutif pour l'appréciation de ce produit quant à sa pos-

sibilité – en réunissant ainsi les deux principes. Car un mode
d'explication exclut l'autre, et cela à supposer même qu'objectivement les deux fondements de la possibilité d'un tel
produit reposent sur un fondement unique et que nous ne
prenions pas celui-ci en compte. Le principe qui doit rendre
possible la compatibilité de ces deux fondements dans l'appréciation de la nature qui s'accomplit d'après eux ne peut
être posé que dans ce qui réside hors d'eux (par conséquent
aussi en dehors de la représentation empirique possible de la
nature), mais qui contient pourtant leur fondement, c'est-à-
dire dans le suprasensible, et chacun de ces modes d'explication doit lui être référé. Étant donné alors que, de ce
principe, nous ne pouvons avoir que le concept indéterminé
d'un fondement rendant possible l'appréciation de la nature
selon des lois empiriques, mais que, pour le reste, nous ne
pouvons le déterminer plus précisément par aucun prédicat,
il en résulte que la réunion des deux principes ne saurait
reposer sur un fondement de l'*explication* (*explicatio*) d'un
produit selon des lois données pour la faculté de juger déterminante, mais seulement sur un fondement de l'*exposition*
(*expositio*) de cette possibilité pour la faculté de juger réfléchissante. Car expliquer signifie déduire d'un principe qu'il
faut donc pouvoir connaître et indiquer clairement. Or, certes,
le principe du mécanisme de la nature et celui de la causalité
de la nature d'après des fins doivent nécessairement se combiner dans un seul et même principe supérieur, et en découler
tous les deux, vu que, sinon, ils ne pourraient coexister dans
l'observation de la nature. Mais, si ce principe objectif qu'ils
auraient objectivement en commun et qui justifierait donc
aussi la communauté des maximes qui en dépendent à propos
de l'étude de la nature est de telle sorte qu'il peut certes être
indiqué, mais ne peut jamais être connu avec précision, ni
indiqué clairement pour que l'on puisse en user dans des cas
qui se présentent, on ne peut, dans ces conditions, tirer d'un
tel principe aucune explication, c'est-à-dire aucune déduction
claire et précise de la possibilité d'un produit de la nature qui
serait possible selon ces deux principes hétérogènes. Or, le
principe commun de la déduction mécanique d'un côté et de
la déduction téléologique de l'autre est le *suprasensible*, que
nous devons poser à la base de la nature en tant que phénomène. De celui-ci toutefois, nous ne pouvons nous forger le
moindre concept positif déterminé. En ce sens, comment,
d'après (*413*) lui, en tant que principe, la nature (suivant ses
lois particulières) constitue pour nous un système qui se puisse

connaître comme possible aussi bien d'après le principe de la production physique qu'en vertu de celui des causes finales, cela ne se peut aucunement expliquer ; tout ce que l'on peut envisager, s'il se trouve qu'apparaissent des objets de la nature que nous ne pouvons penser quant à leur possibilité d'après le principe du mécanisme (lequel revendique toujours un être de la nature) sans nous appuyer sur des principes fondamentaux de type téléologique, c'est simplement de rechercher avec assurance des lois de la nature conformément aux deux principes (dès lors que la possibilité de leur produit est connaissable pour notre entendement à partir de l'un ou de l'autre principe), sans se heurter au conflit apparent qui surgit entre les principes de l'appréciation de ce produit : car du moins la possibilité que l'un et l'autre puissent s'unir aussi objectivement en un seul principe est garantie (dans la mesure où ils concernent des phénomènes qui présupposent un fondement suprasensible).

Quoique, par conséquent, aussi bien le mécanisme que le technicisme téléologique (intentionnel) de la nature vis-à-vis du même produit et de sa possibilité puissent se subsumer sous un principe supérieur commun de la nature d'après des lois particulières, nous ne pouvons cependant, puisque ce principe est *transcendant*, du fait de ce qu'a de limité notre entendement, réunir les deux principes dans l'*explication* de la même production de la nature, quand bien même la possibilité interne de ce produit n'est *compréhensible* [117] que par une causalité selon des fins (ainsi qu'il en est pour les êtres organisés). On en reste donc au principe fondamental, établi plus haut, de la téléologie : en vertu de la constitution de l'entendement humain, nulle autre cause ne peut être admise, pour la possibilité d'êtres organisés dans la nature, qu'une cause agissant de façon intentionnelle, et le simple mécanisme de la nature ne peut aucunement suffire pour l'explication de ces produits de celle-ci – sans que pour autant l'on entende ainsi décider quoi que ce soit quant à la possibilité de telles choses.

Dans la mesure, en effet, où ce principe n'est qu'une maxime de la faculté de juger réfléchissante, et non pas déterminante, et qu'il ne vaut donc pour nous que subjectivement, et non pas objectivement, pour la possibilité de cette sorte de choses (où les modes de production des deux sortes pourraient bien être combinés en un seul et même fondement) ; dans la mesure en outre où, sans concept d'un mécanisme de la nature devant en même temps s'y rencontrer et s'ajoutant au mode de production conçu de manière téléologique, une telle production ne pourrait aucunement être appréciée comme produit de la nature, (*414*) la maxime mentionnée plus haut implique en même temps la nécessité d'une union des deux principes dans l'appréciation des choses comme fins naturelles, mais non pas pour remplacer l'une par l'autre en totalité ou en partie. Car, à la place de ce qui (par nous, du moins) n'est pensé comme possible qu'en vertu d'une intention ne se peut admettre aucun mécanisme ; et à la place de ce qui est reconnu comme nécessaire d'après le mécanisme ne se peut admettre nulle contingence qui exigerait une fin comme fondement de sa détermination : au contraire est-il permis simplement de subordonner une de ces maximes (le mécanisme) à l'autre (le technicisme intentionnel), ce qui peut fort bien se faire en vertu du principe transcendantal de la finalité de la nature.

Car, là où des fins sont conçues comme fondements de la possibilité de certaines choses, force est bien d'admettre aussi des moyens dont la loi d'action n'exige pour elle rien qui présuppose une fin, et qui peut par conséquent être mécanique, mais constituer en même temps aussi une cause subordonnée d'effets intentionnels. Ce pourquoi même dans des produits organiques de la nature, et a fortiori si, du fait de leur nombre infini, nous admettons la dimension de l'intentionnel dans la liaison des causes naturelles d'après des lois particulières comme constituant aussi (du moins à travers une hypothèse légitime) le *principe universel* de la faculté de juger réfléchissante pour la nature en tant que totalité (le monde), une vaste et même une universelle réunion des lois mécaniques avec les lois téléologiques se peut penser dans les productions de la nature, sans entraîner de confusion entre les principes de leur appréciation et sans que l'un soit mis à la place de l'autre : car, dans une appréciation téléologique, la matière, même si la forme qu'elle reçoit n'est appréciée comme possible qu'en vertu d'une intention, peut, d'après sa nature, être aussi, conformément à des lois mécaniques, subordonnée en tant que moyen à la représentation de la fin ; cependant, étant donné que le fondement de cette compatibilité réside dans ce qui n'est ni l'un ni l'autre (ni le mécanisme, ni la liaison finale), mais constitue le substrat suprasensible de la nature, dont nous ne connaissons rien, les deux modes de représentation de la possibilité de tels objets ne doivent pas, pour notre raison (la raison humaine), être confondus, mais nous ne pouvons les apprécier autrement que comme trouvant leur fondement, selon la connexion des causes finales, dans un entendement supérieur – ce par quoi rien n'est donc retiré au mode d'explication téléologique.

Cela étant, parce qu'est tout à fait indéterminée, et aussi, pour notre raison, à jamais indéterminable la question de savoir jusqu'à quel point le mécanisme de la nature agit en elle comme moyen en vue de (*415*) n'importe quelle intention finale ; et dans la mesure où, d'après le principe intelligible, mentionné plus haut, de la possibilité d'une nature en général, on peut tout à fait admettre qu'elle est pleinement possible en vertu de deux sortes de lois qui s'accordent universellement (les lois physiques et celles des causes finales), bien que nous ne puissions nullement comprendre comment c'est possible : nous ne savons pas non plus jusqu'où va le mode d'explication mécanique tel qu'il est possible pour nous, mais la seule certitude réside en ceci que, si loin que nous puissions nous avancer dans ce mode d'explication, il sera en tout cas toujours insuffisant pour des choses où nous reconnaissons des fins naturelles et qu'en ce sens il nous faudra, en vertu de la constitution de notre entendement, subordonner ces fondements pris globalement à un principe téléologique.

C'est là qu'obtient sa fondation le droit, ainsi que, du fait de l'importance que possède l'étude de la nature d'après le principe du mécanisme pour l'usage théorique de notre raison, la vocation qui est la nôtre, d'expliquer tous les produits et événements de la nature, même ceux qui sont les plus finalisés, de manière mécanique, aussi loin que cela reste en notre pouvoir (dont nous ne pouvons indiquer quelles sont les limites dans ce genre d'examen) ; encore faut-il néanmoins, ce faisant, ne jamais perdre de vue que les choses que nous ne pouvons même simplement soumettre à examen qu'en les subsumant sous le concept de fin de la raison [118] doivent en tout être finalement subordonnées, conformément à la constitution essentielle de notre raison, indépendamment de ces causes mécaniques, à la causalité selon des fins.

MÉTHODOLOGIE DE LA FACULTÉ DE JUGER TÉLÉOLOGIQUE [119]

Paragraphe 79
Si la téléologie doit être traitée comme appartenant à la doctrine de la nature

(*416*) Chaque science doit avoir sa place déterminée dans l'encyclopédie de toutes les sciences. Si c'est une science philosophique, elle doit se voir assigner sa place dans la partie théorique ou dans la partie pratique de la philosophie, et si elle a sa place dans la première, cette place doit lui être assignée soit dans la doctrine de la nature, en tant qu'elle examine ce qui peut être objet de l'expérience (donc objet de la doctrine des corps, de la doctrine des âmes et de la cosmologie générale), soit dans la doctrine de Dieu (doctrine du fondement originaire du monde comme ensemble de tous les objets de l'expérience).

La question se pose dès lors de savoir quelle place attribuer à la téléologie. Appartient-elle à la science de la nature (proprement dite) ou à la théologie ? Nécessairement, ce doit être à l'une des deux, car nulle science ne peut intervenir pour le passage de l'une à l'autre, vu que ce passage désigne simplement l'articulation ou l'organisation du système, et non pas une place dans ce système.

Que la téléologie n'appartienne pas à la théologie comme une de ses parties, bien que ce soit en celle-ci que l'usage le plus important puisse en être fait, c'est clair par soi-même. Car la téléologie a pour objet les productions de la nature et leur cause ; et, bien qu'elle se réfère à cette cause comme à un fondement situé hors de la nature et au-delà d'elle (un auteur divin), elle agit cependant ainsi, non pour la faculté de juger déterminante, mais seulement pour la faculté de juger réfléchissante dans l'observation de la nature (en vue de guider l'appréciation des choses, dans le monde, par une telle Idée conforme à l'entendement humain et intervenant comme principe régulateur).

(*417*) Mais tout aussi peu apparaît-elle également appartenir à la science de la nature, laquelle a besoin de principes déterminants, et non pas seulement réfléchissants, pour indiquer des fondements objectifs des effets de la nature. En effet, pour la théorie de la nature, autrement dit pour l'explication mécanique des phénomènes de celle-ci par leurs causes efficientes, on ne gagne rien en considérant la nature selon la relation réciproque des fins. Le fait de poser des fins de la nature vis-à-vis de ses produits, dans la mesure où ils constituent un système structuré selon des concepts téléologiques, n'appartient proprement qu'à la description de la nature, laquelle est établie suivant un fil conducteur particulier : il y a certes là, de la part de la raison, une grandiose entreprise, instructive et utile à bien des égards du point de vue pratique, mais elle n'apporte absolument aucun éclairage sur la genèse et sur la possibilité interne de ces formes, ce qui pourtant est proprement l'affaire de la science théorique de la nature.

La téléologie comme science n'appartient donc à aucune doctrine, mais seulement à la critique, et plus précisément à la critique d'un pouvoir particulier de connaissance, à savoir la faculté de juger. Mais, dans la mesure où elle contient des principes a priori, elle peut et doit indiquer la méthode selon laquelle il faut juger de la nature d'après le principe des causes finales ; et, en ce sens, sa méthodologie a du moins une influence négative sur la démarche adoptée dans la science théorique de la nature, ainsi que sur la relation que celle-ci peut avoir, dans la métaphysique, avec la théologie comme propédeutique de cette dernière.

Paragraphe 80

**De la nécessaire subordination du principe du mécanisme
au principe téléologique dans l'explication d'une chose
comme fin naturelle**

(*417*) Le *droit* d'*aller à la recherche* d'un mode d'explication simplement mécanique pour tous les produits de la nature est en soi totalement illimité ; mais le *pouvoir* d'*y arriver* selon cette seule démarche est, en vertu de la constitution de notre entendement, en tant qu'il a affaire à des choses considérées comme des fins naturelles, non seulement très borné, mais aussi clairement limité : tant et si bien que, d'après un principe de la faculté de juger, on ne peut aucunement aboutir, par la seule première méthode, à l'explication de ces choses, et que par conséquent l'appréciation de tels produits doit inévitablement, toujours, être en même temps subordonnée par nous à un principe téléologique.

(*418*) Il est dès lors raisonnable, et même méritoire, de suivre le mécanisme naturel, pour parvenir à une explication des produits de la nature, aussi loin qu'il est possible d'aller avec vraisemblance, et même' de ne pas renoncer à cette tentative parce qu'il serait *en soi* impossible de rencontrer sur son chemin la finalité de la nature, mais parce que c'est impossible *pour nous*, en tant qu'êtres humains ; il y faudrait en effet une autre intuition que l'intuition sensible et une connaissance déterminée du substrat intelligible de la nature, à partir de quoi précisément pourrait être indiqué un fondement du mécanisme des phénomènes d'après des lois particulières, ce qui dépasse entièrement notre pouvoir.

Pour que le chercheur dans le domaine des sciences de la nature ne travaille donc pas en pure perte, il lui faut, dans l'appréciation des choses dont le concept comme fins naturelles est fondé de manière indubitable (les êtres organisés), placer toujours au fondement une organisation originaire qui se sert de ce mécanisme lui-même pour produire d'autres formes organisées ou pour développer la sienne en des formes nouvelles (qui cependant s'ensuivent toujours de cette fin, et conformément à elle).

Il est louable de parcourir, par l'intermédiaire d'une anatomie comparée, la vaste création des natures organisées, pour voir s'il ne se trouve pas là quelque chose qui ressemble à un système, et cela d'après le principe même de la génération – sans qu'il nous soit nécessaire de nous en tenir au simple principe de l'appréciation (lequel n'apporte aucun éclairage pour la compréhension de leur production) et de renoncer en ce domaine, par découragement, à une *compréhension de la nature*. La manière dont de si nombreuses espèces animales s'accordent dans un certain schéma commun qui semble être, non seulement à la base de leur squelette, mais aussi de l'agencement des autres parties, où une simplicité admirable du plan a pu produire, par le raccourcissement d'une partie et l'allongement d'une autre, par l'enveloppement de celle-ci et le développement de celle-là, une si grande diversité d'espèces, fait surgir dans l'esprit un rayon d'espoir, certes faible, mais en vertu duquel on pourrait bien arriver, dans ce domaine, à quelque résultat avec le principe du mécanisme de la nature, sans quoi il ne saurait y avoir au demeurant en général aucune science de la nature. Cette analogie des formes, dans la mesure où, malgré toute la diversité qu'elles présentent, elles semblent être produites conformément à un modèle originaire commun, fortifie la présomption d'une parenté réelle qui existerait entre elles dans la production par une mère primitive commune, cela à travers la manière dont les espèces animales se rapprochent graduellement les unes (*419*) des autres, depuis celle où le principe des fins semble être le mieux établi, à savoir l'homme, jusqu'au polype, et même de celui-ci jusqu'aux mousses et aux lichens, et enfin jusqu'au plus bas degré qui nous soit connu de la nature, jusqu'à la matière brute : c'est de celle-ci et de ces forces que semble provenir selon des lois mécaniques (semblables à celles d'après lesquelles elle agit dans les cristallisations) toute la technique de la nature, qui nous est, dans les êtres organisés, si incompréhensible que nous nous croyons tenus de penser pour en rendre compte un autre principe.

Il est donc loisible ici à l'*archéologue* de la nature de faire surgir à partir des traces subsistantes des plus anciennes révolutions de la nature, d'après tout le mécanisme qu'il en connaît ou qu'il lui prête, cette grande famille de créatures (car ainsi faudrait-il se la représenter si cette parenté globale dite universelle doit avoir quelque fondement). Il peut faire naître du sein de la terre, qui venait de sortir de son état chaotique (semblable à un grand animal), d'abord des créatures de forme faiblement finalisée, et de celles-ci à leur tour d'autres qui se seraient formées d'une façon plus appropriée à leur lieu de reproduction et à leurs relations mutuelles ; jusqu'à ce que cette matrice elle-même, comme raidie, se soit sclérosée et ait limité ses productions à des espèces déterminées, non exposées à dégénérer ultérieurement, et que la diversité reste telle qu'elle s'était mise en place à l'issue de l'opération de cette féconde force formatrice. Simplement l'archéologue de la nature doit-il à cette fin attribuer à une telle mère universelle une organisation qui, vis-à-vis de toutes ces créatures, possède une dimension de finalité, vu que, dans le cas contraire, la forme finalisée des produits du règne animal et du règne végétal ne se pourrait aucunement penser dans sa possibilité *. Dès lors (*420*), il n'a toutefois fait que

---

* Une hypothèse de ce type se peut nommer une aventure audacieuse de la raison ; et il doit y avoir, même parmi les plus pénétrants, bien peu de chercheurs, dans le domaine des sciences de la nature, dont une telle idée n'ait pas parfois traversé l'esprit. Car la chose n'est pas aussi absurde que la *generatio aequivoca*, par laquelle on entend la production d'un être organisé par le mécanisme de la matière brute inorganisée. Ce serait en fait toujours une *generatio*

situer plus loin le fondement de l'explication et ne peut prétendre avoir rendu la production de ces deux règnes indépendante de la condition des causes finales.

Même en ce qui concerne la transformation à laquelle certains individus des espèces organisées sont accidentellement soumis, elle ne peut être appréciée comme il convient, si l'on observe que leurs caractéristiques ainsi transformées deviennent héréditaires et se trouvent intégrées dans la force de reproduction, autrement que comme un développement occasionnel d'une disposition finale originellement inscrite dans l'espèce en vue de son autoconservation : car la production de son semblable, du fait de la finalité interne complète d'un être organisé, est intimement liée à la condition de ne rien admettre dans la force de reproduction qui n'appartienne aussi, au sein d'un tel système de fins, à une des dispositions originellement non développées. Si l'on s'écarte en effet de ce principe, on ne peut savoir avec certitude si plusieurs éléments de la forme pouvant maintenant se rencontrer dans une espèce ne pourraient pas être d'une origine tout aussi contingente et dépourvue de fin ; et le principe de la téléologie – savoir : dans un être organisé, n'apprécier comme dépourvu de finalité rien de ce qui se conserve dans sa reproduction – ne pourrait que devenir par là fort peu fiable dans l'application et, inévitablement, il ne vaudrait que pour la souche primitive (que, toutefois, nous ne connaissons plus).

Contre ceux qui trouvent nécessaire d'admettre pour toutes les fins naturelles de ce genre un principe téléologique du jugement d'appréciation, c'est-à-dire un entendement architectonique, Hume élève l'objection qu'on pourrait tout aussi légitimement se demander comment en fait un tel entendement

---

univoca au sens le plus général du terme, dans la mesure où quelque chose d'organique uniquement serait produit à partir d'un autre être organique, bien qu'il s'agisse, au sein de ce genre, d'êtres spécifiquement différents – comme si, par exemple, certains animaux aquatiques se transformaient peu à peu en animaux de marécages et à partir de là, après quelques générations, en animaux terrestres. A priori, selon le jugement de la simple raison, cela n'est pas contradictoire. Simplement, aucun exemple n'en est fourni par l'expérience, d'après laquelle bien plutôt toute production que nous connaissons est *generatio homonyma*, et non pas simplement *univoca*, par opposition à la production à partir d'une matière inorganisée, mais va jusqu'à donner naissance à un produit qui est semblable, dans son organisation même, à son producteur, tandis que la *generatio heteronyma*, si loin que s'étende notre connaissance empirique de la nature, ne se rencontre nulle part.

est possible, c'est-à-dire comment les diverses sortes de pouvoirs et de propriétés qui définissent la possibilité d'un entendement possédant en même temps une puissance exécutive peuvent s'être trouvées réunies, d'une manière qui évoque si fortement une finalité, chez un même être. Simplement, cette objection est nulle et non avenue. Car toute la difficulté qui entoure la question portant sur la première production d'un être contenant en soi-même des fins, et compréhensible uniquement par l'intermédiaire de ces fins, repose sur la recherche d'une unité de fondement pour la liaison de la diversité des éléments *extérieurs les uns aux autres* compris dans ce produit ; si l'on situe en effet ce fondement dans (*421*) l'entendement d'une cause productrice en tant que substance simple, cette question, dans la mesure où elle est téléologique, obtient une réponse suffisante ; mais si, en revanche, la cause est simplement cherchée dans la matière comme agrégat de nombreuses substances extérieures les unes aux autres, l'unité du principe pour la forme intérieurement finalisée de sa formation fait entièrement défaut ; et l'*autocratie* de la matière dans des productions qui ne peuvent être comprises par notre entendement que comme fins est un mot sans signification.

De là vient que ceux qui cherchent pour les formes objectivement finales de la matière un fondement suprême de leur possibilité sans lui accorder justement un entendement font pourtant volontiers de l'univers une substance unique englobant tout (panthéisme), ou bien (ce qui en est seulement une explicitation plus précise) un ensemble de multiples déterminations inhérentes à une *unique substance* simple (spinozisme), cela dans le seul but de découvrir cette condition de toute finalité qu'est l'*unité* du fondement. Par quoi ils satisfont certes à *une* condition du problème, à savoir l'unité dans la liaison finale, par l'intermédiaire du concept purement ontologique d'une substance simple, mais pour l'*autre* condition, à savoir la relation de celle-ci à sa conséquence en tant que *fin*, à travers laquelle ce fondement ontologique doit être déterminé avec plus de précision, ils n'apportent rien, et par conséquent laissent *toute* la question sans réponse. Aussi reste-t-elle absolument non résolue (pour notre raison) si nous ne nous représentons pas ce fondement originaire des choses comme *substance* simple, ni la propriété qu'il doit avoir pour la constitution spécifique des formes naturelles, à savoir l'unité de fin, comme celle d'une substance intelligente, ainsi que le rapport de cette substance à ces formes (du fait de la contingence que nous trouvons dans tout ce que nous nous représentons comme possible uniquement en tant que fin) comme la relation d'une *causalité*.

Paragraphe 81
**De l'association du mécanisme au principe téléologique
dans l'explication d'une fin naturelle
comme produit de la nature**

De même que le mécanisme de la nature, d'après le précédent paragraphe, à lui seul ne peut suffire pour penser la possibilité d'un être organisé (*422*), mais qu'il doit être (du moins en vertu de la constitution de notre pouvoir de connaître) subordonné originairement à une cause agissant intentionnellement, tout aussi peu le simple fondement téléologique d'un tel être est-il suffisant pour en même temps le considérer et le juger comme un produit de la nature si le mécanisme de celle-ci n'est pas associé à ce fondement, en quelque sorte comme l'instrument d'une cause agissant intentionnellement, aux fins de laquelle la nature dans ses lois mécaniques est cependant subordonnée. La possibilité d'une telle réunion de deux sortes de causalité tout à fait différentes, celle de la nature dans son universelle légalité avec une Idée qui vient restreindre celle-ci à une forme particulière pour laquelle elle ne contient en soi absolument aucun fondement, notre raison ne la comprend pas ; elle réside dans le substrat suprasensible de la nature, duquel nous ne pouvons rien déterminer positivement, si ce n'est qu'il s'agit là de l'être en soi, dont nous connaissons simplement le phénomène. Mais le principe en vertu duquel tout ce que nous admettons comme appartenant à cette nature (*phaenomenon*), et comme un produit de celle-ci, il nous faut aussi le penser comme lui étant lié d'après des lois mécaniques, reste inentamé dans sa force : car, sans cette sorte de causalité, des êtres organisés comme des fins de la nature ne seraient cependant pas des produits de la nature.

Cela dit, si l'on admet le principe téléologique de la production de ces êtres (comme il ne peut en être autrement), on peut fonder la cause de leur forme finale interne soit sur l'*occasionnalisme*, soit sur le *praestabilisme*. Selon le premier, la cause suprême du monde fournirait immédiatement, conformément à son Idée, à l'occasion de chaque accouplement, la mise en forme organique des matières qui s'y trouvent mélangées ; d'après le second, elle aurait inscrit dans les produits initiaux de sa sagesse uniquement la disposition par l'intermédiaire de laquelle un être organique produit son semblable et l'espèce se conserve en permanence, en ce sens que la disparition des individus est continuellement compensée par la nature qui, en même temps, travaille à leur destruction. Si l'on admet l'occasionnalisme de la production d'êtres organisés, c'est la nature tout entière qui par là se trouve conduite à sa perte, et avec elle tout usage de la raison consistant à porter un jugement sur la possibilité d'une telle sorte de produits ; ce pourquoi l'on peut supposer qu'aucun de ceux qui attachent quelque intérêt à la philosophie n'acceptera ce système.

Le *praestabilisme* peut, de son côté, procéder de deux façons. Il considère en effet tout être organique engendré par son semblable (*423*) ou bien comme l'*éduction*, ou bien comme la *production* du premier. Le système des générations par simple éduction s'appelle le système de la *préformation individuelle*, ou encore *théorie de l'évolution* ; celui des générations par production est nommé le système de l'*épigénèse*. Ce dernier système peut aussi être appelé celui de la *préformation générique*, parce que le pouvoir producteur des géniteurs, donc leur forme spécifique, était en tout cas *virtualiter* préformé d'après les dispositions internes finalisées qui étaient échues en partage à leur race. Conformément à quoi il serait même mieux d'appeler la théorie qui s'oppose à la préformation individuelle théorie de l'*involution* (ou de l'emboîtement).

Les défenseurs de la *théorie de l'évolution*, qui soustraient tout individu à la force formatrice de la nature pour le faire advenir immédiatement de la main du Créateur, ne voulurent cependant pas avoir l'audace de penser que cela se produit selon l'hypothèse de l'occasionnalisme, de sorte que l'accouplement serait une simple formalité à travers laquelle une cause suprême du monde, douée d'un entendement, aurait résolu de former à chaque fois de ses mains, sans médiation, un fruit et de ne le laisser à la mère que le développement et l'entretien de celui-ci. Ils se déclarèrent en faveur de la préformation, comme s'il n'était pas équivalent de faire s'accomplir la genèse de telles formes de manière surnaturelle, soit au début, soit dans le cours du monde, et comme si l'on ne faisait pas bien plutôt par la création occasionnelle l'économie d'un grand nombre de dispositions surnaturelles qui étaient nécessaires afin que l'embryon formé au commencement du monde ne pâtît point, durant toute la période le conduisant jusqu'à son développement, des forces destructrices de la nature et pût se maintenir dans son intégrité ; de même, par l'occasionnalisme, un nombre de tels êtres préformés incommensurablement plus grand que celui des êtres qui devaient jamais se développer, et en même temps un nombre égal de créations, étaient rendus non nécessaires et inutiles. Simplement voulurent-ils pourtant laisser ici quelque chose à la nature, pour ne pas verser dans une complète *hyperphysique* capable de se dispenser de toute explication naturelle. Certes, ils tenaient encore fermement à leur hyperphysique, dans la mesure où ils trouvaient même dans des monstruosités (qu'il serait impossible pourtant de tenir pour des fins de la nature) une finalité digne d'étonnement, ne dût-elle avoir d'autre but que de choquer un anatomiste, comme peut le faire une finalité sans fin, et de lui faire éprouver un étonnement désolé. Ils ne purent cependant, d'aucune manière, inclure la production des bâtards dans le système de la préformation (*424*), mais il leur fallut bien concéder en outre à la semence du mâle, à laquelle ils n'avaient au demeurant accordé rien d'autre que la propriété mécanique de servir de premier moyen de nutrition à l'embryon, une force formatrice orientée de manière finale qu'ils ne voulaient pourtant, vis-à-vis du produit entier d'un accouplement entre deux créatures de la même espèce, accorder à aucune des deux.

Si, en revanche, on ne reconnaissait pas d'emblée le grand avantage que le défenseur de l'épigenèse possède sur le précédent du point de vue des fondements empiriques servant de preuve à sa théorie, la raison serait cependant déjà remarquablement prévenue en faveur de son mode d'explication, dans la mesure où il considère la nature, pour les choses que l'on ne peut originairement se représenter comme possibles que d'après la causalité finale, du moins en ce qui concerne la reproduction, comme autoproduction, et non pas simplement comme développement, et qu'ainsi, en tout cas, avec un investissement le plus limité possible de surnaturel, cette explication abandonne à la nature tout ce qui s'ensuit du premier commencement (mais sans déterminer quelque chose à propos de ce premier commencement, sur lequel la physique échoue en général, quelle que soit la chaîne des causes dont elle veuille faire l'essai).

Concernant cette théorie de l'épigenèse, personne n'a fait plus que M. le conseiller aulique Blumenbach, tant pour ce qui est de lui apporter des preuves que pour fonder les principes authentiques de son application, et cela en partie à travers la limitation d'un usage de ceux-ci qui était souvent trop dépourvu de mesure. C'est à la matière organisée qu'il fait débuter tout mode d'explication physique de ces formations. Car, que la matière brute se soit formée elle-même originairement selon des lois mécaniques, que de la nature de ce qui est inanimé ait pu surgir de la vie, et que de la matière ait pu d'elle-même s'adapter à la forme d'une finalité se conservant elle-même, il le déclare à juste titre contraire à toute raison ; mais il laisse au mécanisme de la nature, sous ce *principe* pour nous insondable d'une *organisation* originaire, une part indéterminable, pourtant en même temps impossible aussi à méconnaître – ce à l'égard de quoi le pouvoir de la matière dans un corps organisé (à la différence de la *force formatrice* simplement mécanique qui est présente en elle de façon générale) est nommé par lui *tendance formatrice* (se tenant en quelque sorte sous la direction supérieure de la première et recevant d'elle ses instructions).

Paragraphe 82
**Du système téléologique dans les relations extérieures
des êtres organisés**

(*425*) Par la finalité externe, j'entends celle où une chose de la nature sert à une autre de moyen en vue d'une fin. De fait, des choses qui ne possèdent aucune finalité interne ou qui n'en supposent pas pour leur possibilité, par exemple la terre, l'air, l'eau, etc., peuvent cependant être fortement finalisées extérieurement, c'est-à-dire dans leur relation à d'autres êtres ; mais ceux-ci doivent toujours être des êtres organisés, c'est-à-dire des fins naturelles, vu que, sinon, les choses considérées ne pourraient pas non plus être appréciées comme des moyens. Ainsi, l'eau, l'air et la terre ne peuvent pas être considérés comme des moyens en vue de l'amoncellement de montagnes, parce que celles-ci ne contiennent absolument rien qui puisse requérir un fondement de leur possibilité selon des fins – ce par rapport à quoi leur cause ne peut donc jamais être représentée sous le prédicat d'un moyen (qui serait utile à cette fin).

La finalité externe est un concept tout à fait différent du concept de finalité interne, lequel est lié à la possibilité d'un objet indépendamment de la question de savoir si sa réalité effective est elle-même fin ou non. On peut, à propos d'un être organisé, demander encore : « Pourquoi existe-t-il ? », mais il n'est pas facile de le faire à propos de choses dans lesquelles on reconnaît simplement l'effet du mécanisme de la nature. Car, dans les êtres organisés, nous nous représentons déjà, pour leur possibilité interne, une causalité d'après des fins, un entendement créateur, et nous rapportons ce pouvoir d'agir à son fondement de détermination, l'intention. Il n'y a qu'une seule finalité externe qui soit liée avec la finalité interne de l'organisation et qui, sans que la question mérite d'être posée de savoir à quelle fin il a fallu qu'existe précisément cet être ainsi organisé, répond pourtant à une utilité dans la relation extérieure de moyen à fin : c'est l'organisation des deux sexes en relation réciproque pour la reproduction de leur espèce ; car ici, on ne peut continuer encore à demander, comme pour l'individu : « Pourquoi fallait-il qu'existât un tel couple ? » La réponse est : « Celui-ci constitue d'emblée un tout *organisateur*, bien qu'il ne soit pas un tout organisé dans un seul corps. »

Cela dit, quand on demande pourquoi une chose existe, la réponse est qu'ou bien son existence et sa production n'entretiennent absolument aucune relation avec une cause agissant selon des intentions, et dans ce cas on comprend toujours (*426*) son origine à partir du mécanisme de la nature ; ou bien il y a un quelconque fondement intentionnel de son existence (comme être contingent de la nature), et c'est là une pensée que l'on peut difficilement séparer du concept d'une chose organisée : dans la mesure, en effet, où nous devons faire reposer sa possibilité interne sur une causalité des causes finales et sur une Idée qui est au fondement de cette dernière, nous ne pouvons pas penser même l'existence de ce produit autrement que comme une fin. Car l'effet représenté, dont la représentation est en même temps le fondement de détermination de la cause intelligente qui agit pour sa production, s'appelle *fin*. Dans ce cas, on peut donc dire, ou bien que la fin de l'existence d'un tel être naturel est en lui-même, c'est-à-dire qu'il n'est pas seulement fin, mais aussi *fin finale* [120] ; ou bien que ce but est en dehors de lui dans d'autres êtres naturels, c'est-à-dire qu'il n'existe pas, quant à la finalité, comme fin finale, mais nécessairement en même temps comme moyen.

Mais, si nous parcourons la nature tout entière, nous ne trouvons en elle, comme nature, aucun être qui pourrait prétendre au privilège d'être fin finale de la création, et l'on peut même démontrer a priori que ce qui, éventuellement, pourrait constituer pour la nature une *fin dernière* [121] ne pourrait jamais, malgré toutes les déterminations et propriétés envisageables dont on pourrait le pourvoir, constituer cependant, en tant que chose de la nature, une *fin finale*.

Si l'on considère le règne végétal, on pourrait, dans un premier temps, du fait de l'incommensurable fécondité grâce à laquelle il se répand presque sur chaque sol, être porté à penser qu'il faudrait le tenir pour un simple produit du mécanisme que la nature manifeste dans les formations du règne minéral. Mais une connaissance plus poussée de l'organisation indescriptiblement sage de ce règne ne nous permet pas de nous attacher à cette pensée, mais au contraire suscite la question : « Pourquoi ces créatures existent-elles ? » Si la réponse que l'on se donne est alors : « Pour le règne animal, qui s'en nourrit, en sorte qu'il a pu ainsi se répandre sur la terre à travers des espèces si diverses », la question resurgit : « Pourquoi donc ces animaux herbivores existent-ils ? » La réponse pourrait être : « Pour les bêtes de proie, qui ne peuvent se nourrir que de ce qui est vivant. » Au terme, la question est la suivante : « À quoi servent tous les précédents règnes de la nature ? » Ils servent à l'être humain, pour l'utilisation diversifiée que son entendement lui apprend à faire de toutes ces créatures ; et il est ici la fin dernière [122] de la création sur terre, parce qu'il est le seul être sur (*427*) cette terre qui peut se forger un concept des fins et peut par sa raison, à partir d'un agrégat de choses formées de manière finalisée, construire un système des fins.

On pourrait aussi, avec le chevalier Linné, suivre la voie apparemment inverse, et dire que les animaux herbivores existent pour modérer la croissance exubérante du règne végétal, par laquelle beaucoup de leurs espèces risqueraient d'être étouffées ; les animaux de proie, pour imposer des limites à la voracité des herbivores ; l'homme, enfin, pour qu'en chassant les animaux de proie et en diminuant leur nombre il instaure un certain équilibre entre les forces productrices et les forces destructrices de la nature. Et ainsi l'homme, quand bien même il peut aussi, sous un certain rapport, mériter la dignité d'une fin, occuperait cependant, sous un autre rapport, lui aussi simplement le rang d'un moyen.

Si l'on se donne pour principe une finalité objective dans la diversité d'espèces qui caractérise les créatures terrestres et dans les relations extérieures qu'elles entretiennent entre elles, en tant qu'êtres construits conformément à une fin, il est rationnel de penser alors dans cette relation à nouveau une certaine organisation et un système de tous les règnes de la nature selon des causes finales. Seulement, ici, l'expérience semble contredire franchement la maxime de la raison, notamment en ce qui concerne une fin dernière de la nature, qui cependant est requise pour la possibilité d'un tel système et que nous ne pouvons situer nulle part ailleurs que dans l'homme, étant donné que, vis-à-vis de celui-ci comme constituant l'une des nombreuses espèces animales, la nature n'a bien plutôt pas fait, à l'égard de ses forces destructrices aussi bien que productrices, la moindre exception à la soumission de tout, sans l'intervention d'une seule fin, à leur mécanisme.

Le premier aspect qui, dans une organisation visant un tout finalisé des êtres naturels existant sur la terre, aurait à être agencé de façon intentionnelle, ce devrait être leur séjour, le sol et l'élément sur lequel et dans lequel il leur faudrait accomplir leur développement. Simplement, une connaissance plus précise de la constitution de ce soubassement de toute production organique n'indique que des causes agissant de façon totalement inintentionnelle, et même détruisant, plutôt que favorisant, la production, l'ordre et les fins. Non seulement la terre et la mer contiennent des vestiges d'anciennes et puissantes destructions qui les ont atteintes, ainsi que toutes les créatures qu'elles portaient ou contenaient ; mais c'est leur structure tout entière, les couches de l'une et les limites de l'autre, qui présentent entièrement l'apparence du produit de forces sauvages et omnipotentes d'une nature œuvrant dans un état chaotique. De manière si finalisée que puissent sembler maintenant être disposées la forme, la structure et la déclivité des terres pour recueillir les eaux de pluie, pour faire jaillir des sources entre des couches de diverses sortes (destinées à différents types de produits) et pour tracer le cours des fleuves, leur étude plus approfondie montre pourtant que tout cela n'est intervenu que comme l'effet d'éruptions soit volcaniques soit torrentielles, voire de soulèvements de l'océan – ce, aussi bien en ce qui concerne la première production de cette forme qu'en ce qui touche surtout à sa transformation ultérieure, marquée par le déclin de ses productions organiques initiales *.
Or, si le séjour, le sol maternel (de la terre) et le sein maternel

---

* Si le nom qui s'est trouvé admis d'*histoire de la nature* doit demeurer pour désigner une description de la nature, on peut appeler, par opposition à l'art, *archéologie de la nature* ce que l'histoire de la nature montre littéralement, à savoir une représentation de ce que fut jadis l'*ancien* état de la terre, à propos duquel, bien que l'on ne puisse espérer aucune certitude, on ose cependant à bon droit émettre des hypothèses. Relèveraient de l'archéologie les pétrifications, de même que de l'art relèveraient les pierres taillées, etc. Étant donné que l'on travaille effectivement et constamment (bien que, comme il convient, lentement) à une telle archéologie (sous le nom de théorie de la terre), ce nom ne serait pas donné à une étude de la nature

(de la mer) n'indiquent pour toutes ces créatures rien d'autre qu'un mécanisme totalement inintentionnel de sa production, comment et de quel droit pouvons-nous, pour ces derniers produits, réclamer et affirmer une autre origine ? Bien que l'homme, comme l'examen le plus précis des vestiges de ces dévastations naturelles semble (selon les jugements de Camper) le prouver, ne fût pas compris dans ces révolutions, il est pourtant si dépendant des autres créatures terrestres que, si l'on admet un mécanisme de la nature dominant universellement les autres créatures, il doit être considéré comme s'y trouvant compris avec elles, quand bien même son entendement a pu le sauver (en grande partie, du moins) de ces dévastations de la nature.

Cet argument semble cependant prouver davantage que ce qu'on visait en le proposant : non pas simplement que l'homme n'est pas fin dernière de la nature et, pour la même raison, que l'agrégat des choses naturelles organisées, sur la terre, ne peut être un système de fins ; mais que les produits de la nature tenus auparavant pour des fins naturelles n'ont pas d'autre origine que le mécanisme de la nature.

(429) Seulement, dans la solution fournie plus haut de l'antinomie entre les principes du mode mécanique et du mode téléologique de production des êtres naturels organisés, nous avons vu que, vis-à-vis de la nature formatrice d'après ses lois particulières (pour construire l'ensemble systématique desquelles la clé, toutefois, nous manque), ce sont simplement des principes de la faculté de juger réfléchissante, à savoir des principes qui ne déterminent pas en soi l'origine de ces êtres, mais qui disent uniquement que, d'après la constitution de notre entendement et de notre raison, nous ne pouvons penser l'origine de ce genre d'êtres autrement que selon des causes finales : en conséquence, non seulement le plus grand effort, voire la témérité dans les tentatives pour les expliquer de façon mécanique, sont permis, mais nous y sommes même invités par la raison, bien que nous sachions ne jamais pouvoir y parvenir, cela pour des raisons subjectives qui tiennent à la nature particulière et à la limitation de notre entendement (et non pas parce que le mécanisme de la production contredirait en soi une origine d'après des fins) ; enfin, nous l'avons vu aussi, dans le principe suprasensible de la nature (aussi bien en dehors de nous qu'en nous) peut très bien régner la

qui serait pure fantaisie, mais à une recherche à laquelle la nature elle-même nous invite et nous incite.

compatibilité des deux façons de se représenter la possibilité de la nature, dans la mesure où le mode de représentation d'après des causes finales est seulement une condition subjective de l'usage de notre raison, quand elle veut non seulement établir l'appréciation des objets uniquement comme phénomènes, mais rapporter ces phénomènes eux-mêmes, avec leurs principes, au substrat suprasensible, pour trouver possibles certaines lois de leur unité qu'elle ne peut pas se représenter autrement que par l'intermédiaire de fins (la raison en possédant aussi qui sont suprasensibles).

Paragraphe 83
De la fin dernière de la nature comme système téléologique

Nous avons montré, dans ce qui précède, que nous possédons un motif suffisant pour apprécier l'homme, non pas simplement comme tous les êtres organisés de la nature, mais aussi comme constituant ici, sur terre, la fin *dernière* de la nature, en relation à laquelle toutes les autres choses naturelles constituent un système de fins, et cela selon des principes de la raison, certes non pas pour la faculté de juger déterminante, mais pour la faculté de juger réfléchissante. Si, désormais, il faut trouver en l'homme lui-même ce qui doit être, en tant que fin, accompli par sa connexion avec la nature, il peut seulement s'agir ou bien d'une fin *(430)* telle qu'elle puisse elle-même être réalisée par la nature dans sa bienfaisance, ou bien de l'aptitude ou de l'habileté à toutes sortes de fins pour lesquelles la nature (extérieurement et intérieurement) pourrait être utilisée par l'homme. La première fin de la nature serait le *bonheur*, la seconde la *culture* de l'homme.

Le concept du bonheur n'est pas un concept que l'homme abstrait de ses instincts et qu'il tire ainsi de l'animalité présente en lui ; mais c'est une simple *Idée* d'un état à laquelle il veut rendre adéquat cet état sous des conditions simplement empiriques (ce qui est impossible). Il se forge cette Idée lui-même, et cela de manières très diverses, par l'intermédiaire de son entendement étroitement enchevêtré avec l'imagination et les sens ; il modifie même ce concept si souvent que la nature, même si elle était soumise entièrement à son arbitre, ne pourrait cependant accepter absolument aucune loi déterminée, universelle et fixe, pour s'accorder avec ce concept fluctuant, ainsi qu'avec la fin que chacun se propose selon son arbitre. Mais, même si nous voulions ou bien réduire cette fin au véritable besoin naturel, dans lequel notre espèce est entièrement d'accord avec elle-même, ou bien, de l'autre côté, intensifier encore au plus haut point l'habileté à réaliser des fins imaginées, ce que l'homme entend par bonheur et qui constitue en fait la fin naturelle dernière qui lui est personnelle (et non pas la fin de la liberté) ne serait pourtant jamais atteint par lui ; car sa nature n'est pas telle qu'elle puisse s'arrêter et trouver sa satisfaction dans la possession et la jouissance. D'autre part, c'est se tromper largement que de croire que la nature l'a élu pour son favori particulier et qu'elle l'a comblé de plus de bienfaits que tous les animaux ; au contraire, dans ses effets pernicieux, tels que la peste, la faim, les périls provoqués par l'eau, le froid, les attaques d'autres animaux grands et petits, etc., elle l'a tout aussi peu ménagé que n'importe quelle espèce animale ; bien plus encore, ce qu'il y a d'incohérent dans les *dispositions naturelles* présentes en lui l'expose à des tourments qu'il s'invente lui-même et le plonge, lui et ses semblables, par l'oppression de la tyrannie, la barbarie des guerres, etc., dans une détresse telle, et il travaille lui-même tellement, autant qu'il en la capacité, à la destruction de sa propre espèce que même avec la nature la plus bienveillante en dehors de nous, la fin de celle-ci, si elle résidait dans le bonheur de notre espèce, ne pourrait pas être atteinte sur terre dans un système de la nature, parce que la nature en nous n'en est pas capable. L'homme n'est donc jamais qu'un membre dans la chaîne des fins naturelles : il est certes principe par rapport à mainte *(431)* fin à laquelle la nature semble l'avoir destiné dans sa disposition, et dans la mesure où il se pose lui-même comme tel ; mais il est pourtant aussi moyen pour la conservation de la finalité dans le mécanisme des autres membres. En tant qu'il est le seul être sur terre qui possède un entendement, par conséquent un pouvoir de se proposer arbitrairement [123] des fins, il est assurément celui à qui revient le titre de seigneur de la nature et, si l'on considère celle-ci comme un système téléologique, il est quant à sa destination la fin dernière de la nature ; mais cela n'intervient toujours que de façon conditionnelle, à savoir sous la condition qu'il le comprenne et qu'il ait la volonté d'établir, entre la nature et lui-même, une relation finale telle qu'elle puisse se suffire à elle-même indépendamment de la nature et constituer par conséquent une fin qui soit finale, mais ne doive nullement être recherchée dans la nature.

Cela dit, pour découvrir où nous devons situer, pour l'homme du moins, cette *fin dernière* de la nature, il nous faut rechercher ce que la nature peut faire pour le préparer à ce qu'il doit nécessairement faire lui-même pour être fin finale et pour l'isoler de toutes les fins dont la possibilité repose sur des conditions qu'il est permis d'attendre simplement de la nature. De cette dernière sorte est le bonheur terrestre, par quoi l'on entend l'ensemble de toutes les fins de l'être humain qui sont possibles en lui et en dehors de lui par la nature ; cela correspond à la dimension matérielle de toutes ses fins terrestres – dimension qui le rend incapable, s'il en fait tout le but qu'il se propose, de poser à sa propre existence une fin finale et de s'y accorder. Il reste donc, de toutes les fins qui peuvent être les siennes dans la nature, uniquement la condition formelle, subjective, à savoir : l'aptitude à se proposer des fins en général, et (indépendamment de la nature dans sa détermination finale en général) à utiliser la nature comme moyen d'une manière qui soit conforme aux maximes de ses fins libres en général – ce qu'au demeurant la nature peut effectuer en vue de la fin finale extérieure à elle et qui peut donc être considéré comme sa fin dernière. La production de l'aptitude d'un être raisonnable à de quelconques fins en général (résidant par conséquent dans sa liberté) est la *culture*. En ce sens, seule la culture peut être la fin dernière que l'on a des raisons d'attribuer à la nature vis-à-vis de l'espèce humaine (et non son propre bonheur sur terre, ou même simplement le fait d'être le principal instrument pour instituer de l'ordre et de l'harmonie dans la nature dépourvue de raison qui se trouve en dehors de lui).

Mais toute culture n'est pas suffisante pour que se trouve réalisée cette fin dernière de la nature. La culture de l'*habileté* est sans doute la principale condition subjective de l'aptitude à réaliser des fins en général, mais (*432*) elle n'est pourtant pas suffisante pour faire progresser la *volonté* dans la détermination et le choix de ses fins, laquelle volonté, pourtant, appartient essentiellement à l'ensemble de ce qui se définit comme une aptitude à des fins. La condition dernière de l'aptitude, que l'on pourrait nommer la culture de la discipline, est négative et consiste dans la libération de la volonté à l'égard du despotisme des désirs, qui nous rend, en nous attachant à certaines choses de la nature, incapables de choisir nous-mêmes, puisque nous faisons que deviennent des chaînes les pulsions que la nature nous avait données simplement en guise de fils conducteurs pour que nous ne négligions pas en nous la destination correspondant à l'animalité ou que nous n'y portions pas atteinte, puisque nous sommes cependant assez libres pour endosser ou pour rejeter ces pulsions, pour les développer ou pour les restreindre, selon ce qu'exigent les fins de la raison.

L'habileté ne peut être bien développée dans l'espèce humaine que par la médiation de l'inégalité entre les hommes, dans la mesure où le plus grand nombre, sans avoir pour cela particulièrement besoin de l'art, prend en charge les nécessités de la vie en quelque sorte mécaniquement, pour la commodité et le loisir d'autres hommes qui travaillent aux dimensions moins nécessaires de la culture, à savoir la science et l'art — le grand nombre se trouvant maintenu par ces derniers dans un état d'oppression, de travail dur et de jouissance rare, formant ainsi une classe à laquelle toutefois, peu à peu, s'étendent maints éléments de la culture de la classe supérieure. Au fil des progrès d'une telle culture (dont le point culminant, quand le penchant au superflu commence à nuire à l'indispensable, s'appelle luxe), les misères, cependant, croissent des deux côtés avec une égale puissance, d'un côté à cause de la violence exercée par autrui, de l'autre à cause d'une insatiabilité interne ; mais la détresse éclatante est cependant combinée avec le développement des dispositions naturelles dans l'espèce humaine, et la fin de la nature elle-même, bien qu'elle ne soit pas notre fin, est cependant atteinte ici. La condition formelle sous laquelle seulement la nature peut atteindre cette intention finale [124] qui est la sienne réside en cette constitution, dans le rapport des hommes entre eux, où, au préjudice que se portent les unes aux autres les libertés en conflit, est opposée une puissance légale dans un tout qui s'appelle *société civile* [125] ; car c'est uniquement en elle que se peut accomplir le plus grand développement des dispositions naturelles. Reste toutefois que, pour une telle constitution, quand bien même les hommes seraient assez intelligents pour la découvrir et assez sages pour se soumettre volontairement à sa contrainte, serait requis en outre un tout *cosmopolite*, c'est-à-dire un système de tous les États qui courent le risque de se nuire réciproquement. En l'absence d'un tel système et du fait de l'obstacle (*433*) que la passion des honneurs, du pouvoir et de la richesse oppose ne serait-ce qu'à la possibilité d'un tel projet tout particulièrement chez ceux qui ont le pouvoir entre leurs mains, la guerre (où en partie les États se déchirent et se disloquent en plus petits, et où en partie un État se réunit à d'autres, plus restreints, et tend à former un tout plus vaste) est inévitable : celle-ci, de même qu'elle est une tentative inintentionnelle des hommes (suscitée par des passions sans frein), constitue pourtant une tentative profondément mystérieuse, peut-être intentionnelle, de la sagesse suprême, sinon pour instituer, du moins pour préparer une légalité qui soit compatible avec la liberté des États, et par là une unité d'un système des États qui soit moralement fondée – et, malgré les tourments effroyables qu'elle inflige au genre humain et ceux encore plus grands peut-être dont, en temps de paix, sa préparation continuelle l'accable, elle est cependant un mobile supplémentaire (tandis que l'espérance en l'état de repos qui correspondrait au bonheur du peuple s'éloigne toujours davantage) de développer jusqu'à leur plus extrême degré tous les talents qui servent à la culture.

En ce qui concerne la discipline des penchants pour lesquels la disposition naturelle est tout à fait finalisée en vue de notre destination comme espèce animale, mais qui rendent très difficile le développement de l'humanité, il se manifeste pourtant aussi, du point de vue de cette seconde exigence requise pour la culture, une aspiration finalisée de la nature à un perfectionnement qui nous rend capables de fins supérieures à celles que la nature elle-même peut fournir. Nul ne peut contester le surcroît de maux que le raffinement du goût, tel qu'il conduit jusqu'à son idéalisation, et même le luxe dans les sciences, tel qu'il nourrit la vanité, répandent sur nous par l'intermédiaire d'une foule insatisfaite de penchants ainsi produits ; mais, en revanche, il ne faut pas non plus méconnaître la fin de la nature qui consiste à gagner toujours davantage sur la grossièreté et la violence des penchants qui appartiennent en nous plutôt à l'animalité et sont le plus fortement opposés à notre destination supérieure (les penchants à la jouissance), et qui est de ménager une place pour le développement de l'humanité. Les beaux-arts et les sciences, qui, par un plaisir susceptible d'être universellement communiqué, ainsi que par la politesse et le raffinement requis pour la société, rendent l'être humain, sinon moralement meilleur, du moins plus civilisé, gagnent très largement sur la tyrannie du penchant sensuel et préparent ainsi l'homme à une maîtrise où seule la raison doit avoir du pouvoir, tandis que les maux que nous infligent pour une part la nature, pour une part l'intraitable égoïsme des hommes, mobilisent en même temps les forces de l'âme (*434*), les accroissent et les fortifient afin qu'elles ne s'y abandonnent pas et nous font ainsi sentir une aptitude cachée en nous à des fins supérieures *.

* La valeur que possède *pour nous* la vie quand elle est estimée uniquement d'après *ce dont on jouit* (d'après la fin naturelle constituée

Paragraphe 84
De la fin finale de l'existence d'un monde,
c'est-à-dire de la création elle-même

Fin finale est la fin qui n'a besoin d'aucune autre comme condition de sa possibilité.

Si, pour la finalité de la nature, son simple mécanisme est admis comme fondement d'explication, on ne peut pas demander pourquoi les choses, dans le monde, existent ; car il ne s'agit dès lors, selon un tel système idéaliste, que de la possibilité physique des choses (et ce serait une simple ratiocination sans objet que de les penser comme des fins) : que l'on réfère cette forme des choses au hasard ou à une nécessité aveugle, dans les deux cas la question est vide. Mais, si nous admettons comme réelle la liaison finale présente dans le monde, et si nous admettons pour elle une espèce particulière de causalité, à savoir celle d'une cause *agissant de façon intentionnelle*, nous ne pouvons en rester à la question : « Pourquoi certaines choses du monde (êtres organisés) ont-elles telle ou telle forme et sont-elles placées dans la nature dans telle ou telle relation avec d'autres ? » Au contraire, à partir du moment où l'on pense un entendement qui doit être considéré comme la cause de la possibilité de telles formes, telles qu'on les trouve effectivement dans les choses, force est aussi de s'interroger en même temps sur le (*435*) fondement objectif qui peut avoir déterminé cet entendement producteur à produire un tel effet – lequel fondement objectif constitue

---

par la somme de tous les penchants, c'est-à-dire le bonheur) est facile à déterminer. Elle tombe au-dessous de zéro ; car qui voudrait vraiment recommencer sa vie sous les mêmes conditions ou même selon un plan nouveau élaboré par lui (conforme cependant au cours de la nature), mais qui ne serait disposé que pour la jouissance ? Quelle valeur possède la vie en fonction de ce qu'elle contient en elle si elle est menée d'après la fin que la nature se propose à notre sujet, et qui consiste dans *ce que l'on fait* (et non pas simplement en fonction de ce dont on jouit), tandis que nous ne sommes pourtant toujours que des moyens en vue de fins finales indéterminées, cela a été montré plus haut. Il ne reste donc rien que la valeur que nous donnons nous-mêmes à notre vie, non pas simplement par ce que nous faisons, mais aussi par ce que nous faisons qui soit conforme à une fin, d'une manière si indépendante de la nature que même l'existence de la nature ne puisse être fin qu'à cette condition.

dès lors la fin finale en vertu de laquelle de telles choses existent.

J'ai dit plus haut que la fin finale n'est pas une fin que la nature pourrait suffire à mettre en œuvre et à produire conformément à l'Idée de cette fin, parce qu'elle est inconditionnée. Car il n'est rien dans la nature (comme être sensible) dont le fondement de détermination présent en elle ne soit toujours, à son tour, conditionné ; et cette affirmation ne vaut pas seulement pour la nature en dehors de nous (la nature matérielle), mais aussi pour la nature en nous (la nature pensante) – cela dit, bien entendu, en tant que je considère en moi uniquement ce qui est nature. Or, une chose qui doit exister nécessairement, du fait de sa constitution objective, en tant que fin finale d'une cause intelligente, ne peut qu'être telle que, dans l'ordre des fins, elle ne dépende d'aucune autre condition que de sa simple Idée.

Mais nous n'avons qu'une seule et unique espèce d'êtres dans le monde dont la causalité soit téléologique, c'est-à-dire orientée vers des fins et pourtant, en même temps, de telle nature que la loi d'après laquelle il leur faut se définir des fins est représentée par eux-mêmes comme inconditionnée et indépendante de conditions naturelles, mais comme nécessaire en soi. L'être de cette espèce est l'homme, mais considéré comme noumène ; il est le seul être de la nature dans lequel nous pouvons cependant, en vertu de sa constitution spécifique, reconnaître un pouvoir suprasensible (la *liberté*), et même la loi de la causalité, en même temps que l'objet de celle-ci, qu'il peut se proposer comme fin suprême (le souverain bien dans le monde).

Cela dit, à propos de l'homme (et ainsi de tout être raisonnable dans le monde) comme être moral, on ne peut poser à nouveau la question de savoir pourquoi (*quem in finem*) il existe. Son existence contient en soi la fin suprême à laquelle, autant qu'il lui est possible, il peut soumettre la nature tout entière, ou du moins vis-à-vis de laquelle il ne lui est pas permis de se tenir pour soumis à une quelconque influence de la nature. Si, dans ces conditions, certaines choses du monde, en tant qu'êtres dont l'existence dépend d'autre chose, requièrent une cause suprême agissant selon des fins, c'est l'homme qui est la fin finale de la création ; car, sans lui, la chaîne des fins subordonnées les unes aux autres ne serait pas complètement fondée ; et c'est uniquement en l'homme, mais même en lui seulement comme sujet de la moralité, que se peut rencontrer la législation inconditionnée à l'égard des fins, laquelle (*436*) le rend donc capable, lui seul, d'être une fin finale à laquelle la nature tout entière est téléologiquement subordonnée *.

Paragraphe 85
De la théologie physique

La *théologie physique* est la tentative de la raison pour, à partir des *fins* de la nature (qui ne peuvent être connues qu'empiriquement), conclure à la cause suprême de la nature et à ses propriétés. Une *théologie morale* (théologie éthique) serait la tentative pour conclure, à partir de la fin morale des êtres raisonnables dans la nature (telle qu'elle peut être connue a priori), à cette cause et à ses propriétés.

La première précède, de manière naturelle, la seconde. Car, si nous voulons conclure *téléologiquement* de choses présentes dans le monde à une cause du monde, il faut que des fins de

---

* Il serait possible que le bonheur des êtres raisonnables dans le monde soit une fin de la nature, et dans ce cas il serait aussi sa *fin dernière*. Du moins ne peut-on apercevoir a priori pourquoi la nature ne serait pas disposée ainsi, puisque cet effet serait parfaitement possible par l'intermédiaire de son mécanisme, en tout cas pour autant que nous puissions le voir. Mais la moralité et une causalité d'après des fins qui lui soit subordonnée, c'est là chose impossible d'après les causes naturelles ; car le principe de leur destination pour l'action est suprasensible, et c'est donc le seul possible dans l'ordre des fins qui, vis-à-vis de la nature, soit absolument inconditionné et qui seul, par là, qualifie son sujet pour être *fin finale* de la création, auquel toute la nature soit subordonnée. Le *bonheur*, en revanche, n'est, ainsi qu'on l'a montré dans le précédent paragraphe d'après le témoignage de l'expérience, pas même une *fin de la nature* à l'égard des hommes, accompagnée d'un privilège par rapport aux autres créatures : tant s'en faut par conséquent qu'il dût être une *fin finale de la création*. Les hommes peuvent bien toujours en faire leur fin subjective dernière. Mais si, à propos de la fin finale de la création, je demande : pourquoi des hommes doivent-ils exister ? il s'agit alors d'une fin objective suprême, telle que la raison la plus élevée l'exigerait pour sa création. Si l'on répond que c'est afin qu'existent des êtres auxquels cette cause suprême puisse dispenser ses bienfaits, on contredit la condition à laquelle la raison de l'être humain soumet même son désir le plus intime de bonheur (à savoir l'accord avec sa propre législation morale intérieure). Cela prouve que le bonheur pourrait être seulement une fin conditionnée, donc que l'homme ne pourrait être fin finale de la création que comme être moral ; mais, en ce qui concerne son état, le bonheur n'y est associé que comme une conséquence, selon le degré d'accord existant entre l'homme et cette fin comme fin de son existence.

la nature soient d'abord données pour lesquelles (*437*) nous avons à rechercher ultérieurement une fin finale et pour celle-ci, ensuite, le principe de la causalité de cette cause suprême.

C'est d'après le principe téléologique que peuvent et doivent s'accomplir de nombreuses recherches sur la nature, sans que l'on ait matière à s'interroger sur le fondement de la possibilité d'agir conformément à des fins que nous rencontrons dans divers produits de la nature. Mais, si l'on veut en avoir un concept, nous n'avons pour cela absolument aucune compréhension allant plus loin que ne le fait simplement la maxime de la faculté de juger réfléchissante – savoir que, même si un seul produit organique de la nature nous était donné, nous ne pourrions, d'après la constitution de notre pouvoir de connaître, en penser nul autre fondement que celui d'une cause de la nature elle-même (que ce soit de la nature tout entière, ou même simplement de cette dimension de la nature) qui contient par son entendement la causalité de ce produit : il s'agit là d'un principe d'appréciation, par lequel nous ne sommes certes pas plus avancés dans l'explication des choses naturelles et de leur origine, mais qui nous ouvre pourtant sur la nature une certaine perspective pour pouvoir déterminer peut-être plus précisément le concept autrement si peu fécond d'un être originaire.

Or, je dis que la théologie physique, si loin qu'elle puisse être poussée, ne peut pourtant rien nous révéler quant à une *fin finale* de la création ; car elle n'accède même pas à la question qui porte sur une telle fin. Ainsi peut-elle certes justifier le concept d'une cause intelligente du monde en tant que concept qui, subjectivement, est seul approprié à la constitution de notre pouvoir de connaître quand il s'agit de la possibilité des choses que nous pouvons nous rendre compréhensibles selon des fins ; mais elle ne peut davantage déterminer ce concept, ni du point de vue théorique ni du point de vue pratique ; et sa tentative ne réalise pas son intention, qui est de fonder une théologie, mais elle ne demeure toujours qu'une téléologie physique, parce que la relation y est et doit être toujours considérée comme conditionnée dans la nature – ce qui fait qu'elle ne peut même pas soulever la question de la fin pour laquelle la nature elle-même existe (dont le fondement doit nécessairement être cherché en dehors de la nature), alors que c'est de l'Idée déterminée de cette fin que dépendent pourtant le concept déterminé de cette cause suprême, cause intelligente du monde et, par conséquent, la possibilité d'une théologie.

À quelle fin les choses du monde entretiennent-elles des relations réciproques d'utilité ? À quoi la diversité présente dans une chose sert-elle pour cette chose même ? Comment peut-on avoir même un motif d'admettre que rien dans le monde n'est là pour rien, mais que tout, dans la nature, sert à quelque chose, sous la condition que certaines choses (en tant que fins) doivent exister – ce vis-à-vis de quoi notre raison (*438*) n'a en son pouvoir, à l'égard de la faculté de juger, pas d'autre principe de la possibilité de l'objet de son inévitable appréciation téléologique que celui qui consiste à subordonner le mécanisme de la nature à l'architectonique d'un créateur intelligent du monde : tel est tout ce que permet, avec beaucoup de superbe, la considération téléologique du monde, et cela à notre plus grande admiration. Mais, parce que les *data*, par conséquent les principes, pour *déterminer* ce concept d'une cause intelligente du monde (en tant qu'artiste suprême), sont simplement empiriques, ils ne permettent pas de conclure à d'autres propriétés que celles que, dans les effets de cette cause, nous fait voir l'expérience – laquelle, dans la mesure où elle ne peut jamais saisir la totalité de la nature comme système, ne peut que se heurter souvent (en apparence) à ce concept et à des arguments contradictoires, sans jamais, malgré notre capacité à embrasser du regard, empiriquement, le système tout entier en tant qu'il concerne la simple nature, pouvoir nous élever au-dessus de la nature jusqu'à la fin de son existence même et, par là, au concept déterminé de cette suprême intelligence.

Si l'on restreint le problème qu'il s'agit de résoudre dans une théologie physique, sa solution semble facile. À gaspiller en effet le concept d'une *divinité* en l'utilisant pour tout être raisonnable conçu par nous et qui – qu'il y en ait un ou plusieurs – posséderait des propriétés nombreuses et très importantes, mais justement pas toutes celles qui sont requises pour la fondation d'une nature en général s'accordant avec la fin la plus considérable possible ; ou si l'on tient pour un obstacle négligeable de devoir combler dans une théorie, par des ajouts arbitraires, les déficiences des arguments, et que, là où on est fondé uniquement à admettre *beaucoup* de perfection (et que signifie « beaucoup », pour nous ?), on se tient pour autorisé à supposer *toute la perfection possible* : c'est alors que la téléologie physique élève des prétentions de poids à la gloire de fonder une théologie. Mais, si l'on exige d'indiquer ce qui nous pousse et, en outre, nous autorise à procéder à ces ajouts, nous chercherons en vain un fondement justificatif dans les principes de l'usage théorique de la raison, laquelle exige absolument, pour l'explication d'un objet de l'expérience, de ne pas attribuer à celui-ci davantage de propriétés qu'on ne saurait trouver de *data* empiriques pour leur possibilité. À la faveur d'un examen plus poussé, nous verrions qu'au sens propre une Idée d'un être suprême, qui repose sur un usage tout différent de la raison (l'usage pratique), constitue en nous a priori un fondement, et que cette Idée nous pousse à compléter la représentation déficiente que se forge une téléologie physique du fondement originaire des fins présentes dans la nature – en conduisant dès lors jusqu'au (*439*) concept d'une divinité ; et nous ne nous imaginerions pas faussement que nous avons mis en place cette Idée, mais aussi, avec elle, une théologie, par l'intermédiaire de l'usage théorique de la raison, tel qu'il intervient dans la connaissance physique du monde, et bien moins encore que nous en avons démontré la réalité.

On ne peut pas adresser aux Anciens un reproche d'une telle ampleur s'ils pensaient leurs dieux comme très divers, en partie par leur pouvoir, en partie dans leurs desseins et dans leurs volontés, mais en même temps comme étant tous aussi, y compris même leur chef suprême, limités comme peuvent l'être les hommes. Car, quand ils considéraient la disposition et le cours des choses dans la nature, ils trouvaient certes un motif suffisant pour admettre comme cause de la nature quelque chose de plus que l'élément mécanique et pour conjecturer derrière la machinerie de ce monde certaines intentions de causes supérieures ne se pouvant penser autrement que comme surhumaines. Mais, parce qu'ils trouvaient fortement confondus, dans le monde, le bien et le mal, la dimension de la finalité et la dimension inverse, du moins pour notre intelligence, et puisqu'ils ne pouvaient se permettre pourtant d'admettre secrètement, en direction de l'Idée arbitraire d'un créateur souverainement parfait, des fins jouant un rôle de fondement, sages et bienfaisantes, dont ils ne voyaient pas la preuve, le jugement qu'ils portaient sur la cause suprême du monde pouvait difficilement être autre, dans la mesure où ils procédaient de façon tout à fait conséquente selon des maximes de l'usage simplement théorique de la raison. D'autres qui, en tant que physiciens, voulaient en même temps être des théologiens pensaient trouver une satisfaction pour la raison en se préoccupant de l'unité absolue, exigée par la raison, du principe des choses naturelles, cela par l'intermédiaire de l'Idée d'un être dans lequel, comme substance unique, toutes ces choses ne seraient que des déterminations inhérentes : cette substance, certes, ne serait pas cause du monde par son entendement, mais c'est en elle cependant, comme sujet, que se devrait rencontrer toute l'intelligence des êtres du monde ; il s'agissait par conséquent d'un être qui, certes, ne produisait pas quelque chose selon des fins, mais dans lequel pourtant toutes les choses, en vertu de l'unité du sujet dont elles étaient simplement des déterminations, devaient nécessairement se rapporter, même sans fin ni intention, les unes aux autres de manière finalisée. Ainsi introduisirent-ils l'idéalisme des causes finales en transformant l'unité, si difficile à produire, d'une multiplicité de substances liées de façon finale par substitution de l'inhérence *dans une* substance à la dépendance causale *vis-à-vis d'une* substance – système qui, dès lors, considéré du côté des êtres du monde dans leur dimension d'inhérence, est le *panthéisme*, tandis que, considéré (plus tard) du côté du sujet subsistant unique comme être originaire, il correspond au *spinozisme*, mais ne résolvait pas tant la (*440*) question du fondement premier de la finalité de la nature qu'il ne la déclarait nulle et non avenue, étant donné que ce dernier concept, privé de toute sa réalité, devenait simplement l'interprétation erronée d'un concept ontologique universel d'une chose en général.

D'après des principes seulement théoriques de l'usage de la raison (sur lesquels seulement se fonde la théologie physique), ne peut jamais être produit, à propos d'une divinité, le concept qui suffirait pour notre appréciation téléologique de la nature. Car, ou bien nous déclarons que toute téléologie est une simple illusion de la faculté de juger dans l'appréciation de la liaison causale des choses, et nous nous réfugions dans le principe unique d'un simple mécanisme de la nature, laquelle – du fait de l'unité de la substance dont elle constitue simplement la diversité des déterminations – ne ferait que nous sembler contenir une relation universelle à des fins ; ou bien si, au lieu de cet idéalisme des causes finales, c'est au principe fondamental du réalisme de ce type particulier de causalité que nous voulons demeurer attachés, nous pouvons bien placer au fondement des fins naturelles de multiples êtres originaires intelligents, ou seulement un seul : cela dit, dès lors que, pour fonder le concept de cet être, nous ne disposons de rien d'autre que de principes empiriques extraits de la liaison finale effective dans le monde, nous ne pouvons d'une part trouver aucun remède contre la discordance que la nature laisse apparaître en de multiples exemples du point de vue de l'unité finale, et d'autre part en tirer jamais, sur le mode où nous le dégageons en nous autorisant de la simple expérience, le concept d'une cause intelligente unique avec une précision suffisante pour une quelconque théologie utilisable de quelque manière que ce soit (théoriquement ou pratiquement).

La téléologie physique nous pousse certes à chercher une théologie, mais elle ne peut en produire aucune, aussi loin que nous puissions explorer la nature par l'expérience et soutenir par des Idées de la raison (qui, pour des problèmes physiques, doivent nécessairement être théoriques) la liaison finale que nous y découvrons. En quoi cela constitue-t-il un appui, se plaindra-t-on légitimement, que de fonder toutes ces organisations sur une vaste intelligence, pour nous incommensurable, et de la faire disposer ce monde d'après des intentions, si la nature ne nous dit rien, ni ne peut jamais rien nous dire, de l'intention finale sans laquelle nous ne pouvons pourtant mettre en place aucun point de relation commun à toutes ces fins naturelles, aucun principe téléologique suffisant, en partie pour parvenir à une connaissance rassemblant les fins dans un système, en partie pour nous faire de l'entendement suprême comme cause d'une telle nature un (*441*) concept qui puisse servir d'étalon à notre faculté de juger réfléchissant sur elle de manière téléologique ? Dans ces conditions, je disposerais certes d'un *entendement artiste* pour des fins dispersées, mais nullement d'une *sagesse* pour une fin finale qui doit pourtant contenir proprement le fondement de détermination de cet entendement. Or, en l'absence d'une fin finale que seule la raison pure peut fournir a priori (parce que toutes les fins, dans le monde, sont empiriquement conditionnées et ne peuvent contenir que ce qui est bon pour ceci ou pour cela, en tant qu'objectif contingent, et non pas ce qui est bon absolument) et qui seule m'enseignerait ce que j'ai à me représenter comme propriétés de la cause suprême, quel degré il me faut lui attribuer et quelle relation à la nature, pour apprécier celle-ci comme un système téléologique ; comment et de quel droit je puis élargir à mon gré et compléter jusqu'à l'Idée d'un être entièrement sage et infini mon concept très limité de cet entendement originaire, que je peux fonder sur ma connaissance restreinte du monde, de la puissance que possède cet être originaire d'amener ses Idées à l'effectivité, de sa volonté de le faire, etc. ? Ce serait, si cela devait intervenir, supposer en moi-même de l'omniscience, pour pouvoir apercevoir les fins de la nature dans leur complet enchaînement et penser en outre tous les autres plans possibles, vis-à-vis desquels, par comparaison, le plan présent devrait nécessairement être apprécié avec raison comme constituant le meilleur. Car, sans cette connaissance complète de l'effet, je ne peux conclure à nul concept déterminé de la cause suprême, lequel ne se peut rencontrer que dans celui d'une intelligence infinie à tous égards, et il m'est impossible d'apporter une fondation à la théologie.

Nous pouvons donc, quel que soit l'élargissement possible de la téléologie physique, bel et bien dire, selon le principe fondamental mentionné plus haut, qu'il nous est impossible, en vertu de la constitution et des principes de notre pouvoir de connaître, de penser la nature, dans ses dispositions finales qui nous sont devenues connues, autrement que comme le produit d'un entendement auquel celle-ci est soumise. Quant à savoir toutefois si cet entendement peut bien avoir eu, vis-à-vis de la nature comme totalité et de sa production, encore une intention finale (qui, dans ces conditions, ne résiderait pas dans la nature du monde sensible), l'étude théorique de la nature ne peut jamais nous le dévoiler ; bien au contraire, en dépit de toute la connaissance que nous avons de la nature, reste indécidée la question de savoir si cette cause suprême constitue partout selon une fin finale le fondement originaire de celle-ci, ou si elle ne joue pas plutôt ce rôle par l'intermédiaire d'un entendement déterminé par la simple nécessité de sa nature à la production de certaines formes (*442*) (par analogie avec ce que, chez les animaux, nous nommons l'instinct artiste) – sans qu'il soit nécessaire de lui attribuer pour cela ne serait-ce même que de la sagesse, encore bien moins une sagesse suprême associée à toutes les autres propriétés requises pour la perfection de son produit.

En ce sens, la théologie physique est donc une téléologie physique mal comprise, qui ne peut servir que de préparation (propédeutique) à la théologie et ne saurait suffire à cette fin qu'avec l'adjonction d'un principe d'une autre espèce dont elle puisse se soutenir, et non pas par elle-même, comme son nom veut l'indiquer.

Paragraphe 86
De la théologie morale

Il est un jugement dont même l'entendement le plus commun ne peut se déprendre quand il réfléchit sur l'existence des choses dans le monde et sur l'existence du monde lui-même –

savoir que toutes les diverses créatures, de quelque ampleur que soit l'art de leur organisation et si diverses que soient les modalités selon lesquelles elles peuvent se rapporter les unes aux autres d'après des liens de finalité, et même l'ensemble des multiples systèmes qu'elles constituent, que nous nommons de manière incorrecte des mondes, n'existeraient pour rien s'il n'y avait en eux des hommes (des êtres raisonnables en général) : autrement dit, sans les hommes, la création entière serait un simple désert, inutile et dépourvu de fin finale. Mais ce n'est pas non plus par rapport au pouvoir de connaître de l'être humain (raison théorique) que l'existence de tout le reste, dans le monde, obtient seulement sa valeur, par exemple pour qu'il y ait quelqu'un qui puisse *contempler* le monde. Car, si cette contemplation du monde ne le conduisait à se représenter rien que des choses dépourvues de fin finale, le fait que le monde soit connu ne saurait donner à son existence une valeur ; et il faut déjà lui supposer une fin finale, en relation avec laquelle la contemplation du monde elle-même puisse prendre une valeur. Ce n'est pas non plus par rapport au sentiment de plaisir et de la somme des plaisirs que nous pensons comme donnée une fin finale de la création – autrement dit : ce n'est pas le bien-être, la jouissance (qu'elle soit corporelle ou spirituelle), bref, le bonheur, qui constitue ce d'après quoi nous apprécions cette valeur absolue. Car que l'homme, dès lors qu'il existe, fasse pour lui-même du bonheur son objectif final, cela ne fournit aucun concept de ce pourquoi il existe en général, ni n'indique quelle valeur il a lui-même pour qu'il rende son existence agréable. Il lui faut donc déjà être présupposé comme fin finale de la création pour avoir un fondement rationnel en vertu duquel la nature devrait nécessairement s'accorder avec son bonheur quand elle est considérée comme un tout absolu d'après les principes des fins. Ainsi n'est-ce que le pouvoir de désirer, non pas celui qui rend l'être humain dépendant de la nature (par l'intermédiaire des penchants sensibles), ni celui du point de vue duquel la valeur de son existence repose sur ce qu'il reçoit et dont il jouit – mais la valeur que seul il peut se donner lui-même, et qui consiste dans ce qu'il fait, dans la manière et dans les principes d'après lesquels il agit, non comme membre de la nature, mais dans la *liberté* de son pouvoir de désirer, c'est-à-dire une volonté bonne, qui est ce par quoi seulement son existence peut avoir une valeur absolue et ce par rapport à quoi l'existence du monde peut avoir une *fin finale*.

Tel est ce avec quoi s'accorde aussi le jugement le plus commun de la saine raison humaine : savoir que l'homme ne pourrait être que comme être moral une fin finale de la création, dès lors que l'on amène à apprécier cette question et que l'on incite à en rechercher une solution. À quoi sert, dira-t-on, que cet homme ait tant de talent, qu'il en use avec tant d'activité, qu'il exerce ainsi une utile influence sur la communauté et ait donc une grande valeur eu égard aussi bien à sa fortune qu'au profit des autres, s'il ne possède aucune volonté bonne ? Il est un objet de mépris, si on le considère dans son intériorité ; et si la création ne doit pas être entièrement dépourvue de fin finale, il est inévitable que lui qui, comme être humain, lui appartient, soit cependant, en tant qu'homme méchant, hors d'état, dans un monde soumis à des lois morales et conformément à celles-ci, de réaliser sa fin subjective, le bonheur – seule condition sous laquelle son existence peut être compatible avec la fin finale.

Or, si nous rencontrons dans le monde des dispositions finales et si, comme la raison l'exige inévitablement, nous subordonnons les fins seulement conditionnées à une fin suprême inconditionnée, c'est-à-dire à une fin finale, on voit sans peine, tout d'abord, qu'il n'est pas question alors d'une fin de la nature (interne à celle-ci) dans la mesure où elle existe, mais de la fin de son existence avec toutes ses dispositions, par conséquent de la fin dernière de la *création* [126], ainsi que proprement, dans celle-ci, de la condition suprême sous laquelle seulement une fin finale (c'est-à-dire le fondement de détermination d'un entendement suprême pour la production des êtres du monde) peut intervenir.

(444) Comme, cela dit, nous ne reconnaissons l'homme qu'en tant qu'être moral pour la fin de la création, nous avons d'abord une raison, ou du moins la condition principale, pour considérer le monde comme un tout structuré d'après des fins et comme un *système* de causes finales ; mais, surtout, nous disposons, pour la relation, qui nous est nécessaire du fait de la constitution de notre raison, des fins naturelles à une cause intelligente du monde, d'un *principe* permettant de penser la nature et les propriétés de cette cause première, en tant que fondement suprême dans le règne des fins, et ainsi d'en déterminer le concept – ce que la téléologie physique ne pouvait faire, étant donné qu'elle ne parvenait à susciter que des concepts indéterminés de cette cause, par conséquent inutilisables pour l'usage tant théorique que pratique.

À partir de ce principe ainsi déterminé de la causalité de l'être originaire, il nous faut le penser, non seulement comme intelligence législatrice pour la nature, mais aussi comme puissance légiférant souverainement dans un règne moral des fins. Relativement au *souverain bien* qui n'est possible que sous son autorité, à savoir l'existence d'êtres raisonnables sous des lois morales, nous penserons cet être originaire comme *omniscient*, pour que même ce qu'il y a de plus intérieur dans l'intention (qui constitue la valeur proprement morale des actions des êtres raisonnables du monde) ne lui soit pas caché ; nous le penserons comme *tout-puissant*, pour qu'il puisse rendre la nature entière conforme à cette fin suprême ; nous le penserons comme absolument *bon* et en même temps *juste*, parce que ces deux propriétés (qui, dans leur réunion, composent la sagesse) constituent les conditions de la causalité d'une cause suprême du monde en tant que souverain bien, sous des lois morales ; et de même nous faut-il penser en lui toutes les autres propriétés transcendantales, comme l'*éternité*, l'*omniprésence*, etc. (car la bonté et la justice sont des qualités morales), qui sont supposées relativement à une telle fin finale. C'est sur ce mode que la téléologie *morale* comble les lacunes de la téléologie *physique* et constitue la première fondation d'une théologie, étant donné que la téléologie physique, si elle renonçait aux emprunts inaperçus qu'elle fait à la téléologie morale, mais devait procéder de manière conséquente, ne pourrait fonder par elle-même qu'une *démonologie*, incapable du moindre concept déterminé avec précision.

Cela dit, le principe de la mise en relation du monde, à cause de la destination morale finale de certains êtres présents en lui, avec une cause suprême conçue comme une divinité, n'obtient pas ce résultat uniquement parce qu'il complète l'argument physico-téléologique, et donc le prend nécessairement comme fondement ; mais il suffit aussi *par lui-même* à produire ce résultat en orientant l'attention (*445*) sur les fins de la nature et en poussant à explorer l'art incompréhensiblement grand qui est caché derrière les formes de celles-ci, pour apporter incidemment une confirmation, dans les fins naturelles, aux Idées que fournit la raison pure pratique. Car le concept d'êtres du monde placés sous des lois morales est un principe a priori d'après lequel l'homme doit nécessairement se juger. Qu'en outre, s'il y a partout une cause du monde agissant intentionnellement et orientée vers une fin, ce rapport moral doive être tout aussi nécessairement la condition de possibilité d'une création que peut l'être le rapport obéissant à des lois physiques (à condition, bien sûr, que cette cause intelligente possède aussi une fin finale), la raison voit aussi là, a priori, un principe fondamental qui lui est nécessaire pour l'appréciation téléologique de l'existence des choses. Dès lors, il s'agit seulement de savoir si nous disposons pour la raison (qu'il s'agisse de la raison spéculative ou de la raison pratique) de quelque fondement suffisant pour attribuer à la cause suprême agissant selon des fins une *fin finale*. Car, que d'après la constitution subjective de notre raison, et cela quelle que soit la manière dont nous puissions toujours ne serait-ce que penser la raison d'autres êtres, cette fin finale ne puisse être nulle autre que *l'homme soumis à des lois morales*, cela peut a priori avoir pour nous valeur de certitude, tandis qu'en revanche les fins de la nature dans l'ordre physique ne peuvent aucunement être connues a priori, et que notamment on ne peut d'aucune manière comprendre le fait qu'une nature ne puisse exister sans de telles fins.

Remarque

Supposons un homme dans les instants où son esprit se trouve disposé au sentiment moral. Si, entouré par une belle nature, il jouit avec tranquillité et sérénité de son existence, il ressent en lui un besoin d'en être reconnaissant à quelqu'un. Ou bien si, se trouvant à une autre occasion dans la même disposition d'esprit, il se voit assiégé de devoirs qu'il ne peut et ne veut satisfaire que par sacrifice délibéré, il ressent en lui un besoin d'avoir ainsi, en même temps, exécuté quelque chose qui lui était commandé et d'avoir obéi à un maître suprême. Ou encore, supposons qu'il ait, éventuellement par irréflexion, omis de faire son devoir, sans pour autant en être tenu pour responsable aux yeux des hommes : cependant, les reproches sévères qu'il va s'adresser à lui-même produiront en lui le même discours que s'ils étaient prononcés par un juge auquel il aurait pour cela à (*446*) rendre des comptes. En un mot : il a besoin d'une intelligence morale pour avoir, vis-à-vis de la fin en vue de laquelle il existe, un être qui, conformément à cette fin, soit la cause de lui-même et du monde. Raffiner pour dégager, derrière ces sentiments, quelques mobiles est vain ; car ces sentiments sont liés immédiatement avec l'intention morale la plus pure, parce que la *reconnaissance*, l'*obéissance* et l'*humilité* (soumission à un châtiment mérité) sont des dispositions particulières de l'esprit au devoir, et l'esprit qui est enclin à l'élargissement de son intention morale ne fait ici que penser volontairement un objet qui n'est pas dans le monde pour, quand c'est possible, manifester aussi son devoir envers celui-ci. Il est donc tout au moins possible, et la raison en réside même dans la pensée morale, de se représenter un pur besoin moral de l'existence d'un être sous l'autorité duquel notre moralité acquiert davantage de force ou (du moins d'après notre représentation) davantage d'étendue en gagnant en effet un nouvel objet pour son exercice : il s'agit du besoin d'admettre un être moralement législateur, extérieur au monde, en dehors de toute considération de preuve théorique, sans se soucier non plus, bien moins encore, de l'intérêt égoïste, mais pour un motif purement moral libre de toute influence étrangère (un motif qui est donc à vrai dire uniquement subjectif), sur la simple recommandation d'une raison pure pratique légiférant par elle-même. Et quand bien même un tel état de l'esprit se produirait rarement ou ne s'attacherait pas longtemps à lui, mais seulement de manière fugitive, et sans avoir d'effet durable, ou quand bien même, privé de toute réflexion sur l'objet représenté aussi obscurément et en l'absence d'effort pour le ramener sous des concepts clairs, il s'évanouirait, on ne peut pourtant méconnaître ce qui en constitue le fondement, à savoir la disposition morale présente en nous, comme principe subjectif, qui nous pousse à ne pas trouver notre satisfaction dans la considération du monde, avec sa finalité, par l'intermédiaire des causes naturelles, mais à supposer à la base de cette finalité une cause souveraine gouvernant la nature selon des principes moraux. À quoi vient encore s'ajouter le fait que nous nous sentons forcés par la loi morale à tendre vers une fin suprême universelle, mais que pourtant nous nous sentons, nous et la nature tout entière, impuissants à l'atteindre – alors que c'est uniquement dans la mesure où nous tendons vers elle que nous pouvons juger être en conformité avec la fin finale d'une cause intelligente du monde (s'il existe une telle cause) ; et ainsi est-ce un pur fondement moral de la raison pratique qui conduit à admettre cette cause (étant donné que c'est possible sans contradiction), sauf à courir le risque en tout cas de considérer cette tendance, dans ses effets, comme totalement vaine, et dès lors de la laisser s'épuiser.

(*447*) Tout ce que l'on vient d'observer signifie ici, simplement, que c'est la peur qui, certes, a pu commencer à produire des *dieux* (démons), mais que c'est la raison qui, par la médiation de ses principes moraux, a pu être la première à produire le concept de *Dieu* (même si l'on était, comme c'est le cas communément, très ignorant dans la téléologie de la nature, ou même très dubitatif à cause de la difficulté qu'il y avait à accorder les phénomènes sur ce point contradictoires par un principe suffisamment confirmé) ; et que la finalité interne *morale* à laquelle son existence se trouve destinée comblait les lacunes de la connaissance de la nature, cependant que, pour la fin finale de l'existence de toutes les choses, dont le principe n'est satisfaisant pour la raison que du point de vue *éthique*, elle invitait à penser la cause suprême comme dotée de propriétés la rendant capable de soumettre la nature entière à cette unique intention (dont elle est simplement l'instrument) (c'est-à-dire à la penser comme une *divinité*).

Paragraphe 87
De la preuve morale de l'existence de Dieu

Il y a une *téléologie physique* qui fournit un argument suffisant pour notre faculté de juger réfléchissante théorique en vue d'admettre l'existence d'une cause intelligente du monde. Mais nous trouvons aussi en nous-mêmes, et davantage encore dans le concept d'un être raisonnable en général doué d'une liberté (de sa causalité), une *téléologie morale*, laquelle cependant, puisque la relation finale présente en nous-mêmes peut être déterminée a priori, ainsi que sa loi, et par conséquent être reconnue comme nécessaire, n'a besoin à cet égard d'aucune cause intelligente extérieure à nous pour cette légalité intérieure – pas plus que, vis-à-vis de ce que nous trouvons de finalisé dans les propriétés géométriques des figures (pour tout exercice possible de l'art), nous n'avons à tourner notre regard vers un entendement suprême qui le leur attribue. Mais cette téléologie morale nous concerne pourtant en tant qu'êtres du monde, liés par conséquent à d'autres choses dans le monde, qu'il nous est prescrit par ces mêmes lois morales d'apprécier soit comme fins, soit comme objets vis-à-vis desquels nous sommes nous-mêmes fin finale. Or, de cette téléologie morale, qui concerne la relation de notre propre causalité à des fins, et même à une fin finale qu'il nous faut viser dans le monde, en même temps que la relation réciproque du monde à cette fin morale et la (*448*) possibilité externe de sa mise en œuvre (ce pour quoi nulle téléologie physique ne peut nous servir de guide), surgit alors nécessairement la question de savoir si elle force notre appréciation rationnelle à aller au-delà du monde et à chercher, pour cette relation de la nature à ce qu'il y a de moral en nous, un principe suprême intelligent, pour nous représenter la nature comme finale aussi dans sa relation avec la législation morale intérieure et sa mise en œuvre possible. Par conséquent, il existe en tout état de cause une téléologie morale, et celle-ci se rattache d'une part à la *nomothétique* de la liberté et d'autre part à celle de la nature, de manière tout aussi nécessaire que la législation civile à la question de savoir où l'on doit chercher le pouvoir exécutif – et en général elle est impliquée partout où la raison doit indiquer un principe de l'effectivité d'un certain ordre légal des choses qui ne serait possible que d'après des Idées. Nous allons commencer par exposer le progrès qu'accomplit la raison en allant de cette téléologie morale et de son rapport à la téléologie physique jusqu'à la théologie, et ensuite nous proposerons des considérations sur la possibilité et la force de ce type de raisonnement.

Quand on admet l'existence de certaines choses (ou même simplement de certaines formes des choses) comme contingente, par conséquent comme n'étant possible que par l'intermédiaire de quelque chose d'autre qui en constitue la cause, on peut chercher pour cette causalité le fondement suprême, et donc pour le conditionné le fondement inconditionné, soit dans l'ordre physique, soit dans l'ordre téléologique (d'après le *nexus effectivus* ou le *nexus finalis*). Autrement dit, on peut demander : « Quelle est la cause productrice suprême ? » ; ou bien : « Quelle est sa fin suprême (absolument inconditionnée), c'est-à-dire la fin finale de sa production ou de tous ses produits en général ? » Où l'on présuppose dès lors, bien évidemment, que cette cause est capable de se représenter des fins, par conséquent qu'elle est un être intelligent, ou du moins qu'elle devrait être pensée par nous comme agissant d'après les lois d'un tel être.

Or, si l'on continue à s'engager dans ce dernier ordre, il y a un *principe fondamental* auquel même la raison humaine la plus commune est forcée immédiatement de donner son assentiment – savoir que, s'il doit y avoir partout une *fin finale* que la raison doit nécessairement indiquer a priori, il ne peut s'agir que de l'homme (tout être raisonnable du monde) *sous des lois morales* *. Car (ainsi juge tout un chacun), si le monde était constitué (*449*) uniquement d'êtres inanimés, ou

---

* Je dis à dessein : sous des lois morales. Ce n'est pas l'homme d'après des lois morales, c'est-à-dire un homme tel qu'il se comporte en conformité avec ces lois, qui est la fin finale (*449*) de la création. Car, avec la dernière expression, nous dirions davantage que ce que

bien simplement en partie d'êtres vivants, mais dépourvus de raison, l'existence d'un tel monde n'aurait absolument aucune valeur, parce qu'il n'existerait en lui aucun être qui ait le moindre concept d'une valeur. Si, en revanche, il existait aussi des êtres raisonnables, mais dont la raison ne serait en mesure de valoriser l'existence des choses que dans le cadre du rapport de la nature à eux-mêmes (à leur bien-être), sans cependant pouvoir se conférer à elle-même une telle valeur originairement (dans la liberté), il y aurait certes des fins (relatives) dans le monde, mais nulle fin finale (absolue), parce que l'existence de tels êtres raisonnables serait toujours, en tout cas, dépourvue de fin. Or, la constitution particulière des lois morales réside en ceci qu'elles prescrivent sans condition quelque chose comme fin pour la raison, par conséquent exactement comme le concept d'une fin finale l'exige ; et l'existence d'une raison telle qu'elle puisse, dans la relation de finalité, être pour elle-même la loi suprême, en d'autres termes l'existence d'êtres raisonnables sous des lois morales, peut seule ainsi (*450*) être

---

nous savons, à savoir qu'il est au pouvoir d'un créateur de faire que l'homme se comporte toujours conformément aux lois morales – ce qui présuppose un concept de la liberté et de la nature (vis-à-vis de laquelle on ne peut penser qu'un auteur qui lui soit extérieur) devant nécessairement contenir une idée du substrat suprasensible de la nature et de son identité avec ce que la causalité par liberté rend possible dans le monde : idée qui dépasse largement ce que notre raison peut apercevoir. C'est seulement de l'*homme sous des lois morales* que nous pouvons dire, sans outrepasser les limites de notre intelligence : son existence constitue la fin finale du monde. Cela s'accorde parfaitement aussi avec le jugement de la raison humaine réfléchissant moralement sur le cours du monde. Nous croyons percevoir les traces d'une sage relation de finalité jusque dans le mal, dès lors que nous voyons que le scélérat qui a commis un crime ne meurt pas avant d'avoir subi le châtiment justement administré de ses méfaits. D'après nos concepts de la libre causalité, la bonne et la mauvaise conduite dépendent de nous ; mais nous plaçons la sagesse suprême du gouvernement du monde dans le fait que, pour la première, l'occasion et, pour l'une comme pour l'autre, les conséquences dépendent de lois morales. C'est en cela que réside proprement la gloire de Dieu, qui n'a donc pas été sans justesse nommée par les théologiens la fin dernière de la création [127]. Encore est-il à remarquer que nous n'entendons par le mot de création, lorsque nous nous en servons, rien d'autre que ce qui a été dit ici, à savoir la cause de l'*existence* d'un *monde*, ou des choses qui sont présentes en lui (des substances) – ce qui, au demeurant, correspond au sens propre de ce terme (*actuatio substantiae est creatio*) et n'implique donc pas encore la présupposition d'une cause agissant librement, par conséquent intelligente (de laquelle avant tout nous voulons démontrer l'existence).

pensée comme fin finale de l'existence d'un monde. À l'opposé, s'il n'en est pas ainsi, ou bien, pour l'existence de ce monde, il n'y a aucune fin dans sa cause, ou bien son existence a pour fondement des fins sans fin finale.

La loi morale comme condition rationnelle formelle de l'usage de notre liberté nous oblige par elle-même, sans dépendre d'une quelconque fin comme condition matérielle ; mais elle nous détermine aussi, et certes a priori, une fin finale vers laquelle elle nous oblige à tendre – et cette fin finale est le *souverain bien* tel que, *dans le monde*, il est possible par la liberté.

La condition subjective sous laquelle l'homme (ainsi que, d'après tous nos concepts, tout être raisonnable fini) peut se poser, sous cette loi, une fin finale est le bonheur. Par conséquent, le bien physique le plus élevé possible, dans le monde, et qu'il nous faut promouvoir, autant qu'il nous est possible, en tant que fin finale, c'est le *bonheur* sous la condition objective de l'accord de l'être humain avec la loi de la *moralité*, comprise comme ce qui le rend digne d'être heureux.

Ces deux exigences de la fin finale qui nous est proposée par la loi morale, il nous est toutefois impossible, en fonction de tous les pouvoirs de notre raison, de nous les représenter comme *liées* l'une à l'autre par de simples causes naturelles et d'une manière qui soit adéquate à l'Idée de la fin finale telle que nous la pensons. En ce sens, le concept de la *nécessité pratique* d'une telle fin par l'application de nos forces ne s'accorde pas avec le concept théorique de la *possibilité physique* de sa réalisation, si nous ne relions pas à notre liberté une autre causalité (à titre de moyen) que la causalité de la nature.

Par conséquent, il nous faut admettre une cause morale du monde (un auteur du monde) pour nous proposer, conformément à la loi morale, une fin finale ; et dans la mesure où cette loi est nécessaire, dans la même mesure (c'est-à-dire au même degré et pour la même raison) il est nécessaire d'admettre aussi la première proposition – savoir qu'il y a un Dieu *.

---

* Cet argument moral ne peut fournir une preuve *objectivement* valide de l'existence de Dieu, ni démontrer au sceptique qu'il y a un *(451)* Dieu ; mais elle lui montre que, s'il veut penser de façon moralement conséquente, il lui *faut nécessairement* admettre parmi les maximes de sa raison pratique le fait d'accepter cette proposition. Ce qui ne veut pas dire en outre qu'il serait nécessaire *pour la moralité* d'admettre le bonheur de tous les êtres raisonnables du

*

Cette preuve, à laquelle on peut facilement donner la forme
de la précision logique, ne veut pas dire qu'il est aussi nécessaire d'admettre l'existence de Dieu (*451*) que de reconnaître
la validité de la loi morale ; par conséquent, que celui qui ne
peut se persuader de la première pourrait se juger délivré des
obligations inhérentes à la seconde. Non ! c'est uniquement
l'*intention* de réaliser dans le monde, par l'obéissance à la loi
morale, une fin finale (un bonheur des êtres raisonnables qui
convergerait harmonieusement avec l'obéissance aux lois
morales pour constituer le souverain bien du monde) qui
devrait dès lors être abandonnée. Tout être raisonnable devrait
toujours se reconnaître comme strictement lié à la prescription
morale ; car les lois de celle-ci sont formelles et commandent
inconditionnellement, sans considérer les fins (comme matière
du vouloir). Mais la seule exigence de la fin finale, telle que
la raison pratique la prescrit aux êtres du monde, est une fin
irrésistible inscrite en eux par leur nature (en tant qu'êtres
finis) – fin que la raison veut soumise à la seule loi morale
comme condition inviolable, ou encore ne veut savoir univer-
salisée que, là encore, d'après cette loi, de manière à faire
ainsi de la promotion du bonheur en accord avec la moralité
la fin finale. Promouvoir cette fin autant qu'il est (en ce qui
concerne le premier élément) en notre pouvoir, et cela quel
que puisse être le résultat de cet effort, tel est ce qui nous
est ordonné par la loi morale. Le remplissement de ce devoir
consiste dans la forme de la volonté capable de sérieux, non
pas dans les moyens de la réussite.

À supposer donc qu'un homme se persuade – ébranlé en
partie par la faiblesse de tous les arguments spéculatifs si
prisés, en partie par les multiples irrégularités qui se présentent
à lui dans la nature et dans le monde sensible – de la
proposition selon laquelle Dieu n'existe pas, il serait néanmoins
à ses propres yeux un vaurien s'il voulait pour autant tenir
les lois du devoir pour simplement imaginaires, sans valeur,
dépourvues de force obligatoire, et s'il entendait se décider à
les transgresser en toute sérénité. Si, par la suite, un tel

---

monde d'une façon qui soit conforme à leur moralité ; au contraire
est-ce là quelque chose qui est rendu nécessaire *par elle*. Il s'agit
par conséquent d'un argument *subjectivement* suffisant, pour des
êtres moraux.

homme pouvait se persuader de ce dont il avait initialement douté, il resterait encore avec une telle mentalité un vaurien, quand bien même il remplirait son devoir aussi ponctuellement, quant au résultat, qu'on peut jamais l'exiger, mais en agissant ainsi par crainte, ou dans le but d'obtenir une récompense, sans la conviction (*452*) de respecter le devoir. À l'inverse, si, dans la foi qui est la sienne, il lui obéit selon sa conscience, loyalement et de façon désintéressée, et si cependant, aussi souvent qu'il fait la tentative d'envisager le cas où il pourrait être persuadé que Dieu n'existe pas, il croit s'être libéré aussitôt de toute obligation éthique, la conviction morale ne peut en lui qu'être de bien médiocre qualité.

Nous pouvons donc poser l'hypothèse d'un honnête homme (par exemple, Spinoza) qui est fermement persuadé qu'il n'y a pas de Dieu et (puisque, du point de vue de l'objet de la moralité, cela a la même conséquence) qu'il n'y a pas non plus de vie future : comment appréciera-t-il sa propre destination finale intérieure à travers la loi morale qu'il respecte en agissant ? De l'obéissance à cette loi, il ne demande pour lui-même aucun avantage, ni dans ce monde, ni dans un autre ; désintéressé, il veut bien plutôt faire le bien, vers lequel cette loi sacrée oriente toutes ses forces. Mais son effort est limité ; et il ne peut à vrai dire attendre de la nature qu'une contribution contingente, de temps en temps, mais jamais un accord ordonné comme selon une loi et obéissant à des règles constantes (comme le sont et doivent l'être intérieurement ses maximes) avec la fin qu'il se sent pourtant obligé de réaliser et poussé à le faire. La tromperie, la violence et la jalousie domineront toujours autour de lui, quand bien même il serait pour sa part honnête, pacifique et bienveillant ; et les gens intègres qu'il pourrait encore rencontrer en dehors de lui seront, quand bien même ils apparaîtraient dignes d'être heureux, cependant soumis par la nature, qui ne prête pas attention à cette dignité, à tous les maux de la misère, des maladies et de la mort prématurée, comme c'est le cas des autres animaux de la terre, et ils le resteront toujours jusqu'à ce qu'une vaste tombe les engloutisse tous ensemble (honnêtes ou malhonnêtes, cela est ici sans importance) et les renvoie, eux qui pouvaient croire être fin finale de la création, dans le gouffre du chaos dépourvu de toute fin qui est celui de la matière d'où ils étaient tirés. En ce sens, la fin que cet homme bien-pensant avait et devait avoir en vue à travers son obéissance à la loi morale, il lui faudrait dès lors l'abandonner comme impossible ; ou bien, s'il veut, même dans ces conditions, rester attaché à l'appel de sa destination morale intérieure et s'il ne veut pas, par l'anéantissement de l'unique fin finale idéale qui soit conforme à la haute exigence de la loi morale, affaiblir le respect que cette loi lui inspire immédiatement en vue de susciter son obéissance (ce qui ne peut se produire sans porter directement préjudice à la conviction morale), (453) il lui faut – et cela lui est effectivement possible, puisque du moins n'y a-t-il là rien de contradictoire – admettre du point de vue pratique, c'est-à-dire pour se forger au moins un concept de la possibilité de la fin finale qui lui est moralement prescrite, l'existence d'un auteur moral du monde, c'est-à-dire de Dieu.

Paragraphe 88
Limitation de la validité de la preuve morale

La raison pure comme pouvoir pratique, c'est-à-dire comme pouvoir de déterminer le libre usage de notre causalité par des Idées (concepts purs de la raison), non seulement contient dans la loi morale un principe régulateur de nos actions, mais fournit aussi par là, en même temps, un principe subjectivement constitutif dans le concept d'un objet que la raison peut seulement penser et qui doit être effectivement réalisé par nos actions dans le monde suivant cette loi. L'Idée d'une fin finale dans l'usage de la liberté d'après des lois morales a ainsi une réalité subjectivement *pratique*. Nous sommes déterminés a priori par la raison à faire progresser de toutes nos forces le Bien du monde, qui consiste dans la liaison du plus grand bien-être des êtres raisonnables du monde avec la condition suprême du Bien moral en lui, c'est-à-dire dans la liaison du bonheur universel avec la moralité la plus conforme à la loi. Dans cette fin finale, la possibilité d'un des éléments, à savoir du bonheur, est empiriquement conditionnée, c'est-à-dire dépendante de la constitution de la nature (cela, qu'elle s'accorde ou non avec cette fin), et donc problématique du point de vue théorique, cependant que l'autre élément, à savoir la moralité, vis-à-vis de laquelle nous sommes affranchis du concours de la nature, est solidement établi a priori quant à sa possibilité et dogmatiquement certain. En ce sens, pour la réalité théorique objective du concept de la fin finale des êtres raisonnables du monde, se trouve exigé que non seulement nous ayons une fin finale qui nous soit proposée a priori, mais aussi que la création, c'est-à-dire le monde même, ait quant à son existence une fin finale – ce qui, si cela pouvait être prouvé a priori, ajouterait la réalité objective à la réalité subjective de la fin finale. Car, si la création a partout une fin finale, nous ne pouvons pas penser cette fin autrement que comme devant s'accorder avec la fin morale (qui seule rend possible le concept d'une fin). *(454)* Or, nous trouvons dans le monde, assurément, des fins, et la téléologie physique les présente en telle quantité que, si nous jugeons d'après la raison, nous sommes en fin de compte fondés à admettre pour principe de l'étude de la nature qu'il n'existe vraiment rien en celle-ci qui soit sans fin ; cela dit, quant à la fin finale de la nature, c'est en vain que nous la cherchons dans celle-ci même. Cette fin finale ne peut et ne doit par conséquent, de même que l'Idée en réside uniquement dans la raison, être recherchée quant à sa possibilité objective même que dans les êtres raisonnables. Or, la raison pratique de ces derniers n'indique pas seulement cette fin finale, mais détermine aussi ce concept du point de vue des conditions sous lesquelles une fin finale de la création peut seulement être pensée par nous.

La question est dès lors de savoir si la réalité objective du concept d'une fin finale de la création ne peut pas aussi être démontrée suffisamment pour les exigences théoriques de la raison pure, d'une manière sinon apodictique pour la faculté de juger déterminante, en tout cas suffisante pour les maximes de la faculté de juger réfléchissante théorique. C'est là le moins que l'on puisse attendre de la philosophie spéculative, qui se fait fort de lier la fin morale avec les fins naturelles par l'intermédiaire de l'Idée d'une fin unique ; mais, même si c'est peu, c'est pourtant encore bien davantage que ce qu'elle peut faire.

D'après le principe de la faculté de juger réfléchissante théorique, nous dirions que, si nous sommes fondés à admettre, pour les produits finalisés de la nature, une cause suprême de la nature, dont la causalité vis-à-vis de l'effectivité de cette dernière (la création) doit être pensée comme d'une autre espèce que celle qui est requise pour le mécanisme de la nature, à savoir comme la causalité d'un entendement, nous serons suffisamment fondés à admettre aussi, par rapport à cet être originaire, non seulement des fins présentes partout dans la nature, mais même une fin finale, sinon pour démontrer l'existence d'un tel être, du moins (comme cela est arrivé dans la téléologie physique) pour nous convaincre que nous pouvons nous rendre compréhensible la possibilité d'un tel monde non seulement selon des fins, mais aussi uniquement en supposant à son existence une fin finale.

Reste qu'une fin finale est seulement un concept de notre raison pratique qui ne peut être déduit d'aucune donnée de l'expérience pour l'appréciation théorique de la nature, ni rapporté à la connaissance de celle-ci. Il n'y a d'usage possible de ce concept que purement et simplement pour la (455) raison pratique selon des lois morales ; et la fin finale de la création est cette constitution du monde qui s'accorde avec ce que nous seuls pouvons indiquer comme déterminé selon des lois, c'est-à-dire avec la fin finale de notre raison pure pratique, et précisément dans la mesure où elle doit être pratique. Or, nous sommes, grâce à la loi morale qui nous impose cette dernière fin, fondés d'un point de vue pratique, c'est-à-dire pour appliquer nos forces à la mise en œuvre de cette fin, à admettre la possibilité, la réalisabilité de cette fin, par conséquent aussi une nature des choses qui s'y accorde (étant donné que, sans l'aide de la nature à propos d'une condition qui, ici, ne dépend pas de nous, la réalisation de cette fin serait impossible). Nous sommes donc fondés moralement à penser que se trouve aussi inscrite dans un monde une fin finale de la création.

Cela dit, cela n'équivaut pas encore à conclure de la téléologie morale à une théologie, c'est-à-dire à l'existence d'un auteur moral du monde, mais seulement à une fin finale de la création, qui se trouve ainsi déterminée. Maintenant, que, pour cette création, c'est-à-dire pour l'existence des choses conformément à une *fin finale*, il faille admettre, première-ment, un être intelligent, mais, deuxièmement, un être non pas simplement intelligent (comme pour la possibilité des choses de la nature que nous étions forcés d'apprécier comme des fins), mais en même temps *moral*, en tant qu'auteur du monde, par conséquent un *Dieu*, c'est là une seconde conclu-sion dont la teneur est telle qu'on voit qu'elle est produite simplement pour la faculté de juger d'après des concepts de la raison pratique, et comme une conclusion destinée à la faculté de juger réfléchissante, et non pas à la faculté de juger déterminante. Car nous ne pouvons avoir la prétention de comprendre, bien que certes, en nous, la raison moralement pratique soit distincte par essence, d'après ses principes, de la raison techniquement pratique, qu'il devrait aussi en être ainsi dans la cause suprême du monde, s'il est admis qu'elle constitue une intelligence, et qu'une sorte de causalité parti-culière exercée par celle-ci, différente de celle qui est requise simplement pour les fins de la nature, serait exigée pour la fin finale ; par conséquent, que nous ayons dans notre fin finale un *fondement moral* pour admettre, non seulement une fin finale de la création (comme effet), mais aussi un *être moral* comme fondement originaire de cette création. En revanche, nous pouvons parfaitement dire qu'*en vertu de la constitution de notre pouvoir rationnel* nous ne pouvons absolument pas nous rendre compréhensible la possibilité d'une telle fin en rapport avec la *loi morale* et son objet, telle qu'elle se présente dans cette fin finale, sans un auteur et souverain du monde qui soit en même temps un législateur moral.

(*456*) La réalité effective d'un auteur suprême du monde, légiférant moralement, n'est ainsi suffisamment démontrée que *pour l'usage pratique* de notre raison, sans que quelque chose soit déterminé au plan théorique à propos de son existence. Car la raison pratique a besoin, pour la possibilité de sa fin (qui, par ailleurs, nous est imposée aussi par sa propre législation), d'une Idée grâce à laquelle soit écarté l'obstacle résultant de l'impuissance à lui obéir d'après le simple concept naturel du monde (d'une manière suffisante pour la faculté de juger réfléchissante) ; et cette Idée obtient par là une réalité pratique, bien que tous les moyens pour lui procurer une telle réalité du point de vue théorique pour l'explication de la nature et la détermination de la cause suprême fassent entièrement défaut pour la connaissance spéculative. Pour la faculté de juger réfléchissante théorique, la téléologie physique prouvait de façon suffisante, à partir des fins de la nature, une cause intelligente du monde ; pour la faculté pratique, la téléologie morale a le même effet grâce au concept d'une fin finale qu'elle est forcée, du point de vue pratique, d'attribuer à la création. La réalité objective de l'Idée de Dieu, comme auteur moral du monde, ne peut certes pas être démontrée *uniquement* par des fins physiques, mais cependant, si sa connaissance est liée à celle de la fin morale, ces fins sont, en vertu de la maxime de la raison pure qui stipule de poursuivre, autant que faire se peut, l'unité des principes, d'une grande importance pour appuyer la réalité pratique de cette Idée à l'aide de celle qu'elle [128] a déjà, du point de vue théorique, pour la faculté de juger.

Il est ici, pour éviter un malentendu facile, extrêmement nécessaire de remarquer que, premièrement, nous ne pouvons *penser* ces propriétés de l'Être suprême que par analogie. Car prétendrions-nous explorer sa nature, alors que l'expérience ne peut rien nous montrer de semblable ? Deuxièmement, il faut remarquer qu'à travers ces propriétés nous pouvons en outre seulement le penser, mais non point par là le connaître

et les lui attribuer du point de vue théorique ; car ce serait à
la faculté de juger déterminante, du point de vue spéculatif
de notre raison, d'apercevoir ce que la cause suprême du
monde est en soi. Mais nous n'avons affaire ici qu'à la question
de savoir quel concept nous pouvons nous en faire d'après la
constitution de notre pouvoir de connaître, et à celle de
déterminer si nous avons à admettre son existence pour procurer également une simple réalité pratique à une fin que la
raison pure pratique, sans nulle présupposition de ce type,
nous impose a priori de réaliser de toutes nos forces, c'est-à-
dire simplement pour pouvoir penser comme possible un effet
qui est visé. Il se peut toujours que ce concept soit transcendant
pour la raison spéculative ; (*457*) de même, les propriétés que
nous attribuons à l'être ainsi pensé peuvent dissimuler en elles,
si on les utilise objectivement, un anthropomorphisme : l'intention qui préside à leur utilisation n'est cependant pas de
déterminer la nature, pour nous inaccessible, de cet être, mais
de nous déterminer par là nous-mêmes, ainsi que notre volonté.
De même que nous désignons une cause d'après le concept
que nous avons de l'effet (mais seulement du point de vue de
sa relation à cet effet) sans pour autant vouloir déterminer
intérieurement la constitution intime de la cause par les
propriétés qui ne doivent nous être connues qu'exclusivement
par de telles causes et ne peuvent nous être données que par
l'expérience ; de même que, par exemple, nous attribuons
entre autres choses à l'âme aussi une *vim locomotivam* parce
qu'il se produit effectivement des mouvements du corps dont
la cause réside dans ses représentations, sans pour autant
vouloir lui attribuer la seule modalité sous laquelle nous
connaissons des forces motrices (c'est-à-dire à travers l'attraction, la pression, le choc, par conséquent le mouvement,
supposant dans chaque cas un être étendu) : de même nous
faut-il donc admettre *quelque chose* qui contienne le fondement de la possibilité et de la réalité pratique, c'est-à-dire de
la réalisabilité d'une fin finale moralement nécessaire ; mais
ce quelque chose, nous pouvons le penser, d'après la teneur
de l'effet attendu de lui, comme un être sage, gouvernant le
monde d'après des lois morales, ainsi que, conformément à la
constitution de notre pouvoir de connaître, comme une cause
des choses distincte de la nature, pour exprimer uniquement
le *rapport* de cet être qui transcende tous nos pouvoirs de
connaître à l'objet de *notre* raison pratique, sans pourtant lui
attribuer par là, du point de vue théorique, l'unique causalité
de ce genre qui nous soit connue, à savoir un entendement et

une volonté, et même simplement sans vouloir distinguer objectivement la causalité que nous pensons en lui à l'égard de ce qui est *pour nous* une fin finale et la causalité à l'égard de la nature (et ses déterminations finales en général) ; bien au contraire ne pouvons-nous admettre cette différence que comme subjectivement nécessaire pour la constitution de notre pouvoir de connaître et comme ne possédant de validité que pour la faculté de juger réfléchissante, et non pas pour la faculté de juger objectivement déterminante. Mais, quand il s'agit du registre pratique, un tel principe *régulateur* (pour la prudence ou la sagesse) – à savoir : se conformer, en agissant, comme à une fin à ce qui, d'après la constitution de notre pouvoir de connaître, ne peut être pensé par nous, d'une certaine manière, que comme possible – est en même temps *constitutif*, c'est-à-dire pratiquement déterminant, alors que le même énoncé, en tant que principe d'appréciation de la possibilité objective des choses, n'est en rien théoriquement déterminant (quant à la question de savoir (*458*) si appartient aussi à l'objet le seul mode de possibilité qui appartient à notre pouvoir de penser), mais est un principe simplement *régulateur* pour la faculté de juger réfléchissante.

Remarque

Cette preuve morale n'est pas un argument qui viendrait d'être inventé, mais c'est tout au plus un argument dont la discussion se trouve renouvelée ; car il est déjà inscrit dans le pouvoir rationnel de l'être humain avant sa première germination et il ne fait que se développer toujours davantage à mesure que la culture de celui-ci progresse. Dès que les hommes commencèrent à réfléchir sur le juste et l'injuste, en un temps où ils négligeaient encore avec indifférence la finalité de la nature et l'exploitaient sans concevoir autre chose que le cours habituel de la nature, il était inévitable qu'on en vînt à juger impossible, selon qu'un homme s'était conduit honnêtement ou avec fausseté, avec équité ou en faisant preuve de violence, qu'il aboutisse au même résultat – et cela quand bien même il n'aurait rencontré jusqu'à la fin de sa vie, du moins de façon visible, aucun bonheur pour ses vertus ni aucun châtiment pour ses crimes. C'est comme s'ils avaient perçu en eux-mêmes une voix leur disant qu'il devait nécessairement en aller autrement ; il fallait donc qu'il y eût aussi, cachée en eux, la représentation, certes obscure, de quelque chose vers quoi ils se sentaient obligés de tendre et avec quoi un tel résultat ne pouvait absolument pas se concilier, ou que, quand ils considéraient le cours du monde comme l'unique ordre des choses, ils ne pouvaient de leur côté rendre compatible avec cette finalité interne par laquelle leur esprit se trouvait déterminé. Or, même s'ils durent se représenter de plusieurs manières encore assez grossières la façon dont une telle irrégularité (qui ne peut qu'être bien plus révoltante pour l'esprit humain que le hasard aveugle dont on voulait faire le principe de l'appréciation de la nature) pouvait être aplanie, ils ne pouvaient cependant jamais concevoir, pour penser la possibilité d'une conciliation de la nature avec leur loi morale intérieure, un autre principe qu'une cause suprême gouvernant le monde selon des lois morales : car une fin finale en eux, imposée comme devoir, et, en dehors d'eux, une nature dépourvue de toute fin finale et où pourtant cette fin doit se réaliser, c'était là une contradiction. Sur la constitution interne de cette cause du monde, ils purent imaginer bien des absurdités ; pour autant, demeura toujours la même cette relation morale inscrite dans le gouvernement du monde, qui est universellement compréhensible pour la raison la moins cultivée, dans la mesure où elle se considère comme pratique, tandis que la raison spéculative est loin de (*459*) pouvoir aller du même pas. Aussi est-ce, selon toute vraisemblance, par l'intermédiaire de cet intérêt moral que fut tout d'abord suscitée l'attention pour la beauté et pour les fins de la nature – en servant excellemment à renforcer ensuite cette Idée, sans toutefois pouvoir la fonder, moins encore à l'écarter, parce que même l'étude des fins de la nature n'acquiert que dans sa relation à la fin finale cet intérêt immédiat qui se manifeste dans de si grandes proportions lorsqu'on admire la nature sans se soucier d'en retirer quelque avantage.

Paragraphe 89
De l'utilité de l'argument moral

La limitation de la raison, vis-à-vis de toutes nos Idées du suprasensible, aux conditions de son usage pratique possède, en ce qui concerne l'Idée de Dieu, une utilité qu'on ne saurait méconnaître : elle évite que la *théologie* n'aille se perdre dans une *théosophie* (dans des concepts transcendants qui égarent la raison) ou qu'elle ne sombre dans la *démonologie* (dans une représentation anthropomorphique de l'être suprême) ;

que la religion n'aboutisse à la *théurgie* (un délire de l'esprit exalté qui s'imagine capable d'avoir le sentiment d'autres êtres suprasensibles et d'exercer en retour sur eux une influence), à l'*idolâtrie* (un délire de la superstition, où l'on imagine pouvoir plaire à l'Être suprême par d'autres moyens qu'une conviction morale) *.

Car, si l'on permet à la vanité ou à la démesure de la ratiocination de déterminer au plan théorique (et d'une manière qui prétend élargir la connaissance) ne serait-ce que la moindre chose en ce qui concerne l'au-delà du monde sensible, si on lui permet de se donner de l'importance à travers des avis sur l'existence et la constitution de la nature divine, sur son entendement et sur sa volonté, sur leurs lois et les propriétés qui en découlent pour le monde, je voudrais alors bien savoir où et à quel endroit (*460*) on voudrait limiter les prétentions de la raison ; car du lieu d'où ces avis ont été tirés, on peut s'attendre à en voir provenir beaucoup d'autres encore (pour peu que l'on fasse, croit-on, un effort de réflexion). La limitation de telles prétentions devrait s'opérer en tout cas d'après un principe certain, et non pas seulement pour ce motif que nous constatons l'échec, jusqu'ici, de toutes les tentatives menées avec ces prétentions ; car cela ne prouve rien contre la possibilité d'une meilleure issue. Or, ici, il n'y a pas d'autre principe possible que d'admettre ou bien qu'il n'est absolument rien, à propos du suprasensible, qui puisse être déterminé théoriquement (si ce n'est, exclusivement, de manière négative), ou bien que notre raison contient en elle une mine encore inexploitée de connaissances d'on ne sait quelle étendue, en réserve pour nous et pour nos descendants, et destinées à élargir le savoir. Mais, en ce qui concerne la religion, c'est-à-dire la morale en relation à Dieu comme législateur, il faudrait, si la connaissance théorique de Dieu devait venir en premier lieu, qu'elle se règle sur la théologie et que non seulement une législation extérieure et arbitraire d'un Être suprême vienne se substituer à une législation intérieure et nécessaire de notre raison, mais qu'en outre dans

* Idolâtrie au sens pratique reste cette religion qui conçoit l'Être suprême avec des propriétés d'après lesquelles quelque chose d'autre que la moralité pourrait être la condition en soi suffisante pour que l'homme puisse se conformer, dans ce qu'il peut faire, à la volonté de cet Être. Car si pur et si dégagé d'images sensibles qu'on soit parvenu à saisir ce concept du point de vue théorique, on se le représente pourtant dès lors, dans le registre pratique, comme une *idole*, c'est-à-dire de manière anthropomorphique quant à la constitution de sa volonté.

cette législation tout ce que notre compréhension de la nature de cet Être suprême peut avoir de déficient s'étende à la prescription morale et défigure la religion en la rendant non morale.

Concernant l'espérance en une vie future, quand, à la place de la fin finale que nous avons à accomplir nous-mêmes conformément à la prescription de la loi morale, nous interrogeons notre pouvoir de connaissance théorique en le prenant pour fil conducteur du jugement rationnel sur notre destination (ce qui n'est considéré comme nécessaire ou acceptable que dans le registre pratique), la doctrine de l'âme ne nous donne à cet égard, tout comme c'était le cas, ci-dessus, de la théologie, rien de plus qu'un concept négatif de notre être pensant : à savoir qu'aucune de ses actions et aucun phénomène du sens interne ne peuvent être expliqués de manière matérialiste ; par conséquent, qu'à propos de la nature de ces phénomènes considérés abstraitement et de la manière dont leur caractère personnel persiste ou non après la mort, absolument aucun jugement déterminant qui élargisse la connaissance n'est possible, à partir de fondements spéculatifs, pour l'ensemble de notre pouvoir théorique de connaître. Dans la mesure, donc, où tout ici demeure abandonné à l'appréciation téléologique de notre existence d'un point de vue pratique qui est nécessaire, et à l'acceptation de notre survie comme condition requise pour la fin finale qui nous est imposée absolument par la raison, on aperçoit en même temps ici l'avantage de la situation (qui, certes, apparaît au premier abord comme une perte) : de même que la théologie ne peut jamais devenir pour nous théosophie (*461*), la *psychologie* rationnelle ne peut jamais devenir *pneumatologie* comme science augmentant la connaissance, tout comme elle est assurée aussi, inversement, de ne pas sombrer dans un *matérialisme* ; bien au contraire est-elle une simple anthropologie du sens interne, c'est-à-dire connaissance de notre moi pensant *dans la vie*, et elle demeure, en tant que connaissance théorique, aussi simplement empirique ; en revanche, la psychologie rationnelle, en ce qui concerne la question de notre existence éternelle, n'est absolument pas une science théorique, mais repose sur une unique conclusion de la téléologie morale – de même que toute son utilisation trouve sa nécessité simplement pour cette dernière à cause de notre destination pratique.

Paragraphe 90
De la modalité de l'adhésion dans une preuve téléologique de l'existence de Dieu

Vis-à-vis de toute preuve, qu'elle soit conduite (comme c'est le cas pour la preuve par l'observation ou l'expérimentation de l'objet) par l'intermédiaire d'une présentation empirique immédiate de ce qui doit être prouvé ou par la raison, a priori, à partir de principes, on exige avant tout, non pas qu'elle *persuade*, mais qu'elle soit capable de *convaincre*, ou du moins qu'elle ait un effet sur la conviction : autrement dit, on exige que l'argument démonstratif ou la conclusion ne soit pas seulement un principe de détermination subjectif (esthétique) de l'assentiment (simple apparence), mais qu'il possède une validité objective et soit un fondement logique de la connaissance ; car, sinon, l'entendement est séduit, mais il n'est pas convaincu. De ce type de preuve apparente relève celle qui est produite dans la théologie naturelle, peut-être avec une bonne intention, mais cependant avec une dissimulation délibérée de sa faiblesse : c'est le cas quand on invoque la grande masse des arguments en faveur d'une origine des choses de la nature selon le principe des fins et qu'on utilise le principe simplement subjectif de la raison humaine, à savoir sa tendance propre à remplacer, dès lors que c'est possible sans contradiction, plusieurs principes par un seul et, là où ne se rencontrent, dans ce principe, que quelques exigences, ou même beaucoup, pour la détermination d'un concept, à ajouter par la pensée celles qui restent pour achever le concept de l'objet grâce à des compléments arbitraires. Car, assurément, si nous rencontrons de si nombreux produits dans la nature qui sont pour nous des indices d'une cause intelligente, pourquoi ne faudrait-il pas penser, au lieu de plusieurs causes de ce type, plutôt une cause unique, et en celle-ci non pas simplement une grande intelligence, (*462*) une grande puissance, etc., mais plutôt l'omniscience, la toute-puissance – bref : pourquoi ne pas la penser comme une cause qui contient en soi le fondement suffisant de telles propriétés pour toutes les choses possibles ? Et pourquoi ne devrions-nous pas attribuer en outre à cet être originaire tout-puissant, non pas seulement un entendement pour les lois et les produits de la nature, mais aussi, en tant que cause morale du monde, la suprême raison moralement pratique, étant donné qu'à travers cet achèvement du concept se trouve indiqué un principe suffisant aussi bien pour la compréhension de la nature que comme sagesse morale, et que nulle objection qui serait fondée ne serait-ce que partiellement ne peut être faite à la possibilité d'une telle Idée ? Si, cela étant, on met en même temps en mouvement ici les tendances morales de l'esprit, et si l'on ajoute par la force de l'éloquence (dont elles sont bien dignes) leur intérêt vivant, il en procède une persuasion à l'égard de la suffisance objective de la preuve, ainsi qu'une apparence salutaire (dans la plupart des cas où on l'utilise) qui conduit à se dispenser entièrement de tout examen de sa rigueur logique et qui suscite même à cet égard de la répugnance et de l'aversion, comme s'il y avait au principe d'un tel examen un doute sacrilège. Il n'y a rien à dire contre cette analyse dans la mesure où l'on considère proprement l'usage populaire. Simplement, étant donné que l'on ne peut ni ne doit pourtant empêcher la division de cette preuve dans les deux parties hétérogènes que cet argument contient, à savoir celle qui appartient à la téléologie physique et celle qui appartient à la téléologie morale, puisque la confusion de ces deux parties interdit de reconnaître où réside le nerf proprement dit de la preuve, ainsi que de savoir en quelle partie et de quelle manière il devrait être élaboré pour pouvoir en défendre la validité devant l'examen le plus rigoureux (même si l'on devait être forcé d'admettre pour une partie la faiblesse de notre compréhension rationnelle), c'est un devoir pour le philosophe (à supposer même qu'il ne prenne aucunement en compte l'exigence de sincérité qui lui est adressée) que de dévoiler l'apparence, quand bien même elle aurait ce caractère salutaire, qu'un tel amalgame peut produire et que d'isoler ce qui appartient seulement à la persuasion et ce qui relève de la conviction (les deux éléments constituant des déterminations de l'assentiment qui diffèrent non seulement par le degré, mais même dans leurs modalités), en vue de présenter ouvertement, dans toute sa clarté, ce qu'est l'attitude de l'esprit dans cette preuve et de pouvoir soumettre cet argument à l'examen le plus rigoureux.

Reste qu'une preuve qui vise à produire une conviction peut à son tour être de deux sortes : ou bien c'est une preuve qui doit établir ce que l'objet est *en soi*, ou bien ce qu'il est *pour nous* (pour nous, hommes en général) en fonction des principes rationnels qui nous sont nécessaires (*463*) pour son appréciation (une preuve κατ'ἀλήθειαν ou κατ'ἀνθρῶπον, ce dernier terme étant pris dans son acception universelle, pour les hommes en général). Dans le premier cas, la preuve est fondée sur des principes suffisants pour la faculté de juger déterminante ; dans le second, simplement pour la faculté de juger réfléchissante. Dans ce dernier cas, elle ne peut, dans la mesure où elle repose uniquement sur des principes théoriques, jamais agir sur la conviction ; mais, si elle adopte pour fondement un principe rationnel pratique (lequel a par conséquent une validité universelle et nécessaire), elle peut parfaitement prétendre à une conviction suffisante du point de vue pratique, c'est-à-dire à une conviction morale. Mais une preuve *agit sur la conviction* sans convaincre encore, quand elle y est conduite seulement sur cette voie, c'est-à-dire quand elle contient pour cela des raisons uniquement objectives, lesquelles, bien que ne suffisant pas encore pour la certitude, sont pourtant d'une espèce telle qu'elles ne servent pas simplement de fondements subjectifs du jugement en vue de la persuasion.

Or, tous les arguments théoriques suffisent ou bien : 1. à la preuve par des *syllogismes* logiquement rigoureux ; ou bien, quand ce n'est pas le cas, 2. au *raisonnement par analogie* ; ou bien, si cela ne peut intervenir, 3. à l'*opinion vraisemblable* ; ou, enfin, à tout le moins, 4. à la reconnaissance comme *hypothèse* d'un fondement explicatif simplement possible. Cela étant, je dis que tous les arguments en général qui agissent sur la conviction théorique ne peuvent produire aucune adhésion de ce genre, de son plus haut jusqu'à son plus bas degré, quand doit être démontrée la proposition portant sur l'existence d'un être originaire conçu comme un Dieu, dans la signification conforme au contenu tout entier de ce concept, c'est-à-dire comme un auteur moral du monde, par conséquent de telle sorte que par lui, en même temps, la fin finale de la création soit donnée.

1. Pour ce qui concerne la preuve *logiquement* juste qui procède du général au particulier, il a été suffisamment montré dans la Critique que, puisque au concept d'un tel être qui est à chercher au-delà de la nature ne correspond aucune intuition pour nous possible, et qu'en ce sens son concept même, en tant qu'il doit être déterminé théoriquement par des prédicats synthétiques, reste pour nous toujours problématique, il ne peut y avoir de cet être absolument nulle connaissance (par laquelle du moins l'étendue de notre savoir théorique serait élargie), et que le concept particulier d'un être suprasensible ne peut aucunement être subsumé sous les principes universels de la nature des choses pour, de ces principes, *(464)* conclure

à un tel être – puisque ces principes valent exclusivement pour la nature comme objet des sens.

2. On peut certes, de deux choses hétérogènes, *penser*, précisément quant au point de leur hétérogénéité, cependant l'une d'elles *par analogie* * avec l'autre ; mais, à partir de ce en quoi elles sont hétérogènes, on ne peut pas par analogie *conclure* de l'une à l'autre, c'est-à-dire transférer à l'autre ce qui est la marque de cette différence spécifique. Ainsi puis-je, par analogie avec la loi de l'égalité de l'action et de la

---

* Une analogie (au sens qualitatif) est l'identité du rapport entre principes et conséquences (causes et effets) dans la mesure où elle se produit malgré la différence spécifique des choses ou des propriétés en soi (c'est-à-dire considérées en dehors de ce rapport) qui contiennent le fondement de conséquences semblables. Ainsi, pour les activités techniques des animaux comparées à celles de l'être humain, nous pensons chez les premiers le fondement (que nous ne connaissons pas) de ces activités comme un *analogon* de la raison, en nous fondant sur des actions semblables de l'être humain (de la raison) ; et nous entendons en même temps indiquer par là que ce qui est au fondement du pouvoir technique des animaux, sous le nom d'instinct, tel qu'il est en fait spécifiquement différent de la raison, possède pourtant un rapport semblable à son effet (à travers la comparaison, par exemple, des constructions du castor et de celles de l'homme). Mais ce n'est pas parce que l'homme use de sa raison dans ses constructions que je peux en conclure que le castor doit lui aussi posséder une raison, et désigner cela comme un raisonnement *par analogie*. En fait, à partir de ce qu'a de semblable le mode d'activité des animaux (dont nous ne pouvons percevoir immédiatement le fondement) quand nous le comparons à celui de l'homme (dont nous avons immédiatement conscience), nous pouvons de manière tout à fait juste conclure *par analogie* que les animaux agissent aussi selon des *représentations* (et qu'ils ne sont pas des machines, comme le veut Descartes), et que malgré leur différence spécifique ils sont cependant, quant au genre (en tant qu'êtres vivants), identiques à l'homme. Le principe qui autorise une telle conclusion réside dans le fait que c'est pour le même motif que nous inscrivons les animaux et l'homme en tant que tel, à propos de la détermination envisagée, en un seul et même genre, dans la mesure où nous les comparons extérieurement d'après leurs actions ; il y a en l'occurrence *par ratio*. De même puis-je penser par analogie avec un entendement la causalité de la cause suprême du monde en comparant les produits finalisés qui sont les siens dans le monde avec les produits humains de l'art ; mais je ne peux conclure par analogie à la présence en lui de ces propriétés, parce que ici le *principe* de la possibilité d'un tel type de raisonnement fait justement défaut, à savoir la *paritas rationis* qui permettrait de compter dans un seul et même genre l'Être suprême et l'homme (du point de vue de leurs causalités respectives). La causalité des êtres du monde, qui est toujours conditionnée de façon sensible (comme c'est le cas pour celle de l'entendement), ne peut être transférée à un être qui n'a en commun avec eux nul autre concept que celui d'une chose en général.

réaction dans l'attraction et la répulsion réciproques entre les (465) corps, penser aussi la communauté des membres d'une république d'après des règles du droit ; mais je ne peux transférer ces déterminations spécifiques (l'attraction ou la répulsion matérielles) à cette communauté et les attribuer aux citoyens pour constituer un système qui s'appelle l'État. De même nous pouvons bien penser la causalité de l'être originaire vis-à-vis des choses du monde, en tant que fins naturelles, par analogie avec un entendement, comme fondement des formes de certains produits que nous nommons œuvres d'art (car cela n'intervient que pour l'usage théorique ou pratique de notre pouvoir de connaître où nous pouvons nous servir de ce concept, selon un certain principe, à propos des choses de la nature, dans le monde) ; mais, du fait que, parmi les choses du monde, un entendement doit être attribué à la cause d'un effet qui est apprécié comme un produit de l'art, nous ne pouvons nullement conclure, selon une analogie, que la même causalité que nous percevons en l'homme revienne aussi, par rapport à la nature elle-même, à un être qui est totalement différent de la nature – parce que cela concerne précisément la dimension même d'hétérogénéité que l'on pense dans le concept de l'être originaire suprasensible entre une cause conditionnée de façon sensible du point de vue de ses effets et un tel être lui-même : le transfert de la propriété à celui-ci ne peut donc s'opérer. Justement dans la mesure où je ne dois me représenter la causalité divine que par analogie avec un entendement (pouvoir que nous ne connaissons dans nul autre être vivant que dans l'homme comme être conditionné par le sensible), il m'est interdit de lui attribuer cet entendement au sens propre *.

3. L'*opinion* n'a aucune place dans les jugements a priori ; au contraire, on connaît, par l'intermédiaire de ceux-ci, quelque chose comme entièrement certain, ou bien on ne connaît rien du tout. Aussi bien, si les arguments donnés, dont nous partons (comme, ici, les fins dans le monde), sont empiriques, on ne peut grâce à eux se forger en tout cas la moindre opinion qui dépasse le monde sensible, ni accorder à des jugements aussi osés la moindre prétention à la vraisemblance. Car la vraisemblance est une partie d'une certitude possible dans une certaine

---

* On ne laisse ainsi pas le moindre élément de côté dans la représentation du rapport de cet être avec le monde, aussi bien en ce qui concerne les conséquences théoriques de ce concept que ses conséquences pratiques. Vouloir étudier ce qu'il est en soi est une audace aussi inutile que vaine.

série de raisons (les raisons de cette série s'y trouvant, comparées à la raison suffisante, comme des parties relativement à
un tout), et par rapport à une telle certitude partielle cette
raison qui n'est pas suffisante (*466*) doit pouvoir être complé-
tée. Mais, parce que de telles raisons doivent être homogènes
en tant que fondements de détermination de la certitude d'un
seul et même jugement, vu que, sinon, elles ne constitueraient
pas ensemble une grandeur (ce qu'est la certitude), il ne peut
se produire qu'une partie d'entre elles se trouve à l'intérieur
des limites de l'expérience possible et une autre partie en
dehors de toute expérience possible. Par conséquent, étant
donné que des arguments purement empiriques ne conduisent
à rien de suprasensible et que rien ne peut venir combler le
manque présent dans la série qu'ils forment, on n'approche
pas le moins du monde du but visé par la tentative pour
parvenir, grâce à eux, au suprasensible et à une connaissance
de celui-ci, et par conséquent il n'y a place pour aucune
vraisemblance dans un jugement porté sur le suprasensible
par l'intermédiaire d'arguments empruntés à l'expérience.

4. Ce qui doit servir à titre d'hypothèse pour expliquer
comment un phénomène donné est possible doit être au moins
quant à sa propre possibilité entièrement certain. Il suffit que,
par l'émission d'une hypothèse, je renonce à la connaissance
de la réalité (laquelle est encore affirmée dans une opinion
donnée pour vraisemblable) : je ne peux abandonner davantage ; la possibilité de ce que je pose au fondement d'une
explication doit du moins n'être exposée à aucun doute, puisque,
si ce n'était pas le cas, on n'en finirait jamais avec les chimères
creuses. Mais admettre la possibilité d'un être suprasensible
déterminé selon certains concepts, alors que n'est fournie pour
cela aucune des conditions requises d'une connaissance, vis-à-
vis de ce qui, en elle, repose sur l'intuition, et que par
conséquent seul le principe de contradiction (qui ne peut
prouver rien d'autre que la possibilité de la pensée, et non
pas celle de l'objet pensé lui-même) reste disponible en tant
que critérium de cette possibilité, cela constituerait une supposition totalement dépourvue de fondement.

Le résultat en est que, pour l'existence de l'être originaire
en tant que divinité, ou pour l'âme comme esprit immortel,
ne se trouve possible à la raison humaine absolument aucune
preuve du point de vue théorique afin de produire ne serait-
ce que le plus petit degré d'adhésion – et cela pour un motif
tout à fait concevable : puisque, pour la détermination des
Idées du suprasensible, il n'y a pour nous aucun matériau,

dans la mesure où il nous faudrait tirer celui-ci des choses appartenant au monde sensible, mais qu'un tel matériau ne serait aucunement approprié à cet objet, il ne reste donc, sans la détermination des Idées, rien de plus que le concept de quelque chose de suprasensible qui contiendrait le fondement dernier du monde sensible – lequel concept ne constitue pas encore une connaissance (comme élargissement du concept) de sa constitution interne.

Paragraphe 91
**De la modalité de l'adhésion produite
par une croyance pratique**

Si nous considérons simplement la manière dont quelque chose peut *pour nous* (d'après la constitution subjective de nos facultés représentatives) être objet de connaissance (*res cognoscibilis*), les concepts ne sont pas alors confrontés avec les objets, mais simplement avec notre pouvoir de connaître et l'usage que nous pouvons faire (d'un point de vue théorique ou pratique) de la représentation donnée ; et la question de savoir si quelque chose est ou non un être connaissable n'est pas une question qui porte sur la possibilité des choses elles-mêmes, mais sur celle de la connaissance de ces choses.

Or, les choses *connaissables* sont de trois sortes : *les choses qui donnent matière à opinion* (*opinabile*), *les faits* (*scibile*) et *les choses qui sont objets de croyance* (*mere credibile*).

1. Les objets des simples Idées de la raison, qui ne peuvent être présentées pour la connaissance théorique dans aucune expérience possible, ne sont pas, dans cette mesure, des *choses connaissables*, et par conséquent on ne peut pas même, à leur égard, *avoir une opinion* – d'autant qu'avoir une opinion a priori est déjà absurde en soi et conduit directement à de pures chimères. Ou bien notre proposition a priori est donc certaine, ou bien elle ne contient absolument rien qui puisse susciter l'adhésion. Ainsi les *choses donnant matière à opinion* sont-elles toujours des objets d'une connaissance d'expérience au moins possible en soi (objets du monde sensible), mais qui se trouve impossible *pour nous* du simple fait du degré selon lequel nous possédons ce pouvoir. Ainsi l'éther des physiciens modernes, fluide élastique pénétrant toutes les autres matières (intimement mêlé à elles), est une simple affaire d'opinion, même s'il est en outre de telle sorte qu'il pourrait être perçu si les sens externes étaient aiguisés au plus haut degré, sans

jamais toutefois pouvoir être présenté dans une quelconque observation ou expérimentation. Admettre que des êtres raisonnables habitent d'autres planètes est une affaire d'opinion ; car, si nous pouvions nous en approcher, ce qui est en soi possible, nous déciderions par expérience s'ils existent ou non ; mais nous ne parviendrons jamais aussi près d'eux, et cela reste donc matière à opinion. Toutefois, exprimer l'opinion qu'il y a dans l'univers matériel de purs esprits pensants dépourvus de corps (si l'on écarte, comme il se doit, certains phénomènes réels donnés pour tels), c'est s'adonner à la fiction, et ce n'est pas du tout (*468*) une affaire d'opinion, mais c'est une simple Idée qui reste, une fois que l'on retire à un être pensant tout ce qui est matériel en lui laissant cependant la pensée. Mais, quant à savoir si cette dernière (que nous connaissons seulement chez l'homme, c'est-à-dire en liaison avec un corps) continue alors d'exister, nous ne pouvons le décider. Une telle chose est un *produit de la ratiocination* (*ens rationis ratiocinatae*) ; il est cependant possible, pour le dernier objet envisagé, de montrer de façon suffisante la réalité objective de son concept, du moins pour l'usage pratique de la raison, parce que cet usage, qui possède a priori ses principes spécifiques et apodictiquement certains, va même jusqu'à l'exiger (le postuler).

2. Les objets de concepts dont la réalité objective peut être prouvée (que ce soit par raison pure ou par expérience, et dans le premier cas à partir de données théoriques ou pratiques, mais dans tous les cas par l'intermédiaire d'une intuition qui leur corresponde) sont des *faits* (*res facti*) *. De ce type sont les propriétés mathématiques des grandeurs (en géométrie), parce qu'elles sont capables d'être *présentées a priori* pour l'usage théorique de la raison. En outre, des choses ou leurs constitutions qui peuvent être démontrées par l'expérience (la nôtre ou celle d'autrui, par l'intermédiaire de témoignages) sont également des faits. Mais – point très remarquable – il se trouve même, parmi les faits, une Idée de la raison (qui, en soi, n'est susceptible d'aucune présentation dans l'intuition, par conséquent pas davantage d'une preuve théorique de sa possibilité) ; et c'est *l'Idée de la liberté*, dont

---

* J'élargis ici, à bon droit me semble-t-il, le concept de *fait* au-delà de la signification habituelle de ce terme. Car il n'est pas nécessaire, mieux : il n'est pas faisable, de limiter cette expression simplement à l'expérience effective quand il est question du rapport des choses à notre pouvoir de connaître, étant donné qu'une expérience seulement possible est déjà suffisante pour parler de ces choses simplement comme objets d'un mode de connaissance déterminé.

la réalité, en tant qu'espèce particulière de la causalité (dont le concept serait transcendant du point de vue théorique), se peut montrer par des lois pratiques de la raison pure et, conformément à celles-ci, dans des actions effectives, par conséquent dans l'expérience. C'est la seule de toutes les Idées de la raison pure dont l'objet soit un fait et qu'il faille mettre au nombre des *scibilia*.

(469) 3. Des objets qui, eu égard à l'usage conforme au devoir de la raison pure pratique (que ce soit à titre de conséquences ou à titre de fondements), doivent être pensés a priori, mais sont transcendants pour l'usage théorique de cette raison, sont simplement des *choses offrant matière à croyance*. C'est le cas du souverain Bien à mettre en œuvre dans le monde par la liberté : son concept ne peut être prouvé quant à sa réalité objective dans aucune expérience qui soit pour nous possible, par conséquent d'une manière qui soit suffisante pour l'usage théorique de la raison ; mais son usage en vue de la meilleure mise en œuvre possible de cette fin est cependant commandé par la raison pure pratique, et il doit par conséquent être admis comme possible. Cette mise en œuvre qui nous est commandée, *en même temps que les seules conditions qui se peuvent penser pour nous de sa possibilité*, à savoir l'existence de Dieu et l'immortalité de l'âme, sont des *choses qui offrent matière à croyance* (*res fidei*), et plus précisément les seuls de tous les objets qui puissent être ainsi nommés *. Car, bien qu'il nous faille nécessairement croire ce que nous ne pouvons apprendre que de l'expérience d'autres personnes *par témoignage*, il ne s'agit pas encore pour autant, en soi, de choses qui offrent matière à croyance ; chez *l'un* de ces témoins, ce fut en effet une expérience personnelle et un fait, ou en tout cas on le suppose. En outre, il doit être possible de parvenir au savoir par cette voie (la croyance historique) ; et les objets de l'histoire et de la géographie, comme tout ce qu'il est du moins possible en général de savoir d'après la constitution de notre pouvoir de connaître, n'appartiennent pas aux choses qui offrent matière à croyance, mais

---

* Les choses qui offrent matière à croyance ne sont cependant pas pour autant des *articles de foi*, si l'on entend sous cette dernière expression des choses offrant matière à croyance pour lesquelles on puisse être obligé à une *profession de foi* (intérieurement ou extérieurement) : la théologie naturelle ne contient rien de tel. Car, puisque ses objets, en tant qu'offrant matière à croyance, ne peuvent (à la manière de faits) se fonder sur des preuves théoriques, il s'agit d'une libre adhésion, c'est-à-dire de la seule qui, comme telle, puisse être compatible avec la moralité du sujet.

aux faits. Seuls des objets de la raison pure peuvent, au reste, être des choses offrant matière à croyance, mais cela non pas en tant qu'objets de la simple raison pure spéculative ; car, dans ce cas, ils ne peuvent pas même être avec certitude mis au nombre des choses, c'est-à-dire des objets de cette connaissance pour nous possible. Ce sont des Idées, c'est-à-dire des concepts dont on ne peut garantir dans le registre théorique la réalité objective. En revanche, la fin finale suprême que nous avons à mettre en œuvre, et qui constitue ce par quoi seulement nous pouvons devenir dignes d'être nous-mêmes fin finale d'une création, est une Idée qui, pour nous, a de la réalité objective d'un point de vue pratique, et c'est une chose ; néanmoins, étant donné qu'à ce concept nous (*470*) ne pouvons procurer cette réalité du point de vue théorique, c'est une simple affaire de croyance de la raison pure, mais en même temps que ce concept, c'est le cas aussi de Dieu et de l'immortalité, en tant qu'ils forment les conditions sous lesquelles seulement nous pouvons, en vertu de la constitution de notre raison (la raison humaine), penser la possibilité de cet effet de l'usage légitime de notre liberté. Cela dit, l'adhésion, en matière de ce qui est objet de croyance, est une adhésion effectuée d'un point de vue purement pratique, c'est-à-dire une croyance morale qui ne prouve rien pour la connaissance théorique, mais seulement pour la connaissance pratique de la raison pure orientée vers l'accomplissement de ses devoirs, et qui n'élargit en rien la spéculation ou les règles pratiques de la prudence telles qu'elles s'énoncent selon le principe de l'amour de soi. Si le principe suprême de toutes les lois morales est un postulat, la possibilité de son objet suprême, par conséquent aussi la condition sous laquelle nous pouvons penser cette possibilité sont ainsi en même temps postulées. Or, par là, la connaissance de cette dernière ne devient ni savoir ni opinion quant à l'existence et la teneur de ces conditions, en tant que mode de connaissance théorique, mais simplement une hypothèse effectuée sous un rapport pratique qui nous est commandé à cet égard pour l'usage moral de notre raison.

Même si nous pouvions en apparence fonder un concept *déterminé* d'une cause intelligente du monde sur les fins de la nature que la téléologie physique nous propose en si grande quantité, l'existence de cet être ne serait pourtant pas encore affaire de croyance. Car, puisque cet être n'est pas admis pour servir à l'accomplissement de mon devoir, mais seulement à l'explication de la nature, il s'agirait là, simplement, de l'opinion et de l'hypothèse les plus conformes à notre raison. Or, cette téléologie ne conduit nullement à un concept déterminé de Dieu, qui au contraire se rencontre uniquement dans celui d'un auteur moral du monde, parce que seul celui-ci indique la fin finale pour laquelle nous ne pouvons tenir compte de notre existence que dans la mesure où nous nous comportons conformément à ce que la loi morale nous impose comme fin finale et qui par conséquent constitue pour nous une obligation. Par suite, ce n'est que grâce à sa relation à l'objet de notre devoir, comme condition de possibilité pour atteindre la fin finale de celui-ci, que le concept de Dieu acquiert le privilège de valoir, dans ce à quoi nous donnons notre adhésion, comme objet de croyance ; en revanche, le même concept ne peut pourtant pas faire valoir son objet comme un fait – cela parce que, bien que la nécessité du devoir soit assurément claire pour la raison pratique, la réalisation de sa fin finale n'est admise toutefois, étant donné qu'elle n'est pas entièrement en notre pouvoir, qu'en vue de l'usage pratique de la (*471*) raison, sans être donc, comme le devoir lui-même, pratiquement nécessaire *.

* La fin finale que la loi morale impose de faire progresser n'est pas le fondement du devoir ; car celui-ci réside dans la loi morale qui, en tant que principe pratique formel, guide de manière catégorique, sans prendre en considération les objets du pouvoir de désirer (la matière du vouloir), par conséquent sans considérer une quelconque fin. Cette constitution formelle de mes actions (soumission de celles-ci au principe de la validité universelle), en laquelle seule consiste leur valeur morale intérieure, est entièrement en notre pouvoir ; et je peux faire parfaitement abstraction de la possibilité ou de l'irréalisabilité des fins que, conformément à cette loi, je suis obligé de faire progresser (étant donné que réside en elles simplement la valeur extérieure de mes actions), comme de quelque chose qui n'est jamais complètement en mon pouvoir, pour ne prendre en vue que ce qui relève de mon action. Reste que l'intention de faire progresser la fin finale de tous les êtres raisonnables (le bonheur, aussi loin qu'il lui est possible de s'accorder avec le devoir) est cependant imposée, précisément par la loi du devoir. Mais la raison spéculative n'en aperçoit pas du tout la réalisabilité (ni du côté de notre propre pouvoir physique, ni du côté de la collaboration de la nature) ; bien plutôt lui faut-il pour de tels motifs, autant que nous puissions en juger raisonnablement, considérer qu'attendre de la nature seule (en nous et en dehors de nous), sans admettre Dieu et l'immortalité, un tel résultat pour notre bonne conduite est une attente infondée et vaine, même si une telle attente procède d'une bonne intention ; et elle doit convenir que, si elle pouvait être pleinement certaine de ce jugement, elle considérerait du point de vue pratique la loi morale elle-même comme une simple illusion de notre raison. Dans la mesure toutefois où la raison spéculative parvient

La *croyance* (comme *habitus*, non comme *actus*) est la manière de penser morale de la raison dans l'adhésion à ce qui est inaccessible pour la connaissance théorique. Elle est en ce sens le principe permanent de l'esprit, tel qu'il consiste à admettre comme vrai ce qu'il est nécessaire de présupposer à titre de condition pour la possibilité de la fin finale morale suprême, à cause de l'obligation qui est la nôtre vis-à-vis de celle-ci * — et cela quand bien même (*472*) nous ne pouvons en apercevoir la possibilité, mais pas davantage non plus l'impossibilité. La croyance (dans son acception la plus simple) est une confiance dans l'atteinte d'un but dont la réalisation est un devoir, mais dont nous ne pouvons *apercevoir* la possibilité d'accomplissement (et par conséquent pas non plus celle des seules conditions qui pour nous soient susceptibles d'être pensées). Ainsi la croyance se rapportant à des objets particuliers qui ne sont pas objets d'un savoir ou d'une opinion possibles (dans ce dernier cas, il faudrait parler, notamment dans le domaine historique, de crédulité, et non de croyance) est essentiellement morale. C'est une libre adhésion, non pas à ce dont on peut trouver des preuves dogmatiques pour la

---

à se convaincre pleinement que cela ne peut jamais arriver, mais qu'en revanche ces Idées dont l'objet est au-delà de la nature peuvent être pensées sans contradiction, elle se trouve forcée, afin de ne pas entrer en contradiction avec elle-même, de reconnaître ces Idées comme réelles pour sa propre loi pratique et pour la tâche qui lui est par là imposée, donc du point de vue pratique.

* C'est là une confiance accordée à la promesse de la loi morale : non pas cependant une promesse qui est contenue dans cette loi, mais une promesse que je viens y ajouter, et cela à partir d'un fondement moralement suffisant. Car une fin finale ne peut être commandée par aucune loi de la raison, sans que celle-ci ne promette en même temps, bien que sans certitude, la possibilité de l'atteindre et ne justifie aussi par là l'adhésion aux seules conditions sous lesquelles notre raison peut simplement penser l'atteinte de la fin. Le mot *fides* exprime lui aussi déjà cela ; seulement, peut sembler délicate la manière de faire entrer cette expression et cette Idée particulière dans la philosophie morale (*472*), étant donné qu'ils y ont été introduits pour la première fois par le christianisme, et que leur adoption pourrait apparaître éventuellement comme une simple imitation flatteuse de sa langue. Mais ce n'est pas le seul cas de ce genre, puisque cette extraordinaire religion, dans la très grande simplicité de son discours, a enrichi la philosophie de concepts moraux largement plus déterminés et plus purs que ceux que celle-ci avait pu fournir jusqu'alors ; au reste, une fois existant, ces concepts ont été *librement* approuvés par la raison et acceptés comme des concepts auxquels elle aurait pu parfaitement arriver d'elle-même et qu'elle aurait pu et dû introduire.

faculté de juger théoriquement déterminante, ni à ce vis-à-vis de quoi nous nous considérons comme soumis à une obligation, mais à ce que nous admettons en vue d'un but conforme aux lois de la liberté : non pas toutefois comme une opinion sans fondement suffisant, mais comme fondé dans la raison (bien que simplement dans son usage pratique), *d'une manière qui suffit pour l'intention de celle-ci*. Car, sans cette croyance, la pensée morale, se heurtant à l'exigence de preuve (à l'égard de la possibilité de l'objet de la moralité) qui est celle de la raison théorique, n'a aucune consistance ferme, mais oscille entre des commandements pratiques et des doutes théoriques. Être *incrédule*, c'est s'attacher à la maxime de ne pas croire les témoignages en général ; mais l'*incroyant* est celui qui, parce que la fondation *théorique* des Idées de la raison fait défaut, leur dénie toute validité. Il juge ainsi de façon dogmatique. Une *incroyance* dogmatique ne peut alors coexister avec le règne d'une maxime morale dans la pensée (car la raison ne peut commander de poursuivre une fin reconnue pour purement chimérique), mais elle peut fort bien coexister avec une *croyance dubitative* pour laquelle la faiblesse de la conviction obtenue par les arguments de la raison spéculative est seulement un obstacle auquel une vision critique des limites de cette raison peut enlever toute influence sur la conduite et (*473*) lui substituer une adhésion pratique qui parvient à s'imposer.

*

Si, à la place de certaines tentatives manquées en philosophie, on veut introduire un autre principe et lui procurer de l'influence, c'est avec une grande satisfaction que l'on peut voir comment et pourquoi ces tentatives devaient échouer.

Dieu, liberté, immortalité de l'âme : ce sont là les problèmes à la solution desquels tendent toutes les entreprises de la métaphysique, comme à leur fin dernière et unique. Ainsi croyait-on que la doctrine de la liberté n'était nécessaire pour la philosophie pratique que comme condition négative, mais qu'en revanche la doctrine de Dieu et celle de la constitution de l'âme, appartenant à la philosophie théorique, devaient être exposées pour elles-mêmes et séparément, afin ensuite d'être reliées ensemble avec ce que la loi morale (qui n'est possible que sous la condition de la liberté) commande et de constituer ainsi une religion. Mais on voit rapidement que ces tentatives devaient inévitablement échouer. Car, à partir de simples concepts ontologiques des choses en général ou de l'existence d'un être nécessaire, ne se peut produire absolument aucun concept d'un être originaire qui soit un concept déterminé par des prédicats susceptibles d'être donnés dans l'expérience et qui pourrait ainsi servir à la connaissance ; mais le concept qui fut fondé sur l'expérience de la finalité physique de la nature ne pouvait à son tour fournir une preuve qui pût suffire pour la morale, par conséquent pour la connaissance d'un Dieu. Tout aussi peu la connaissance de l'âme par l'expérience (dont nous disposons dans cette vie simplement) est-elle à même de procurer un concept de la nature spirituelle, immortelle de celle-ci, par conséquent un concept capable de suffire pour la morale. En tant que tâches scientifiques d'une raison spéculative, la *théologie* et la *pneumatologie*, parce que leur concept est transcendant vis-à-vis de tous nos pouvoirs de connaître, ne peuvent être instituées par aucune donnée et par aucun prédicat empirique. La détermination de ces deux concepts, celui de Dieu aussi bien que celui de l'âme (du point de vue de son immortalité), ne peut s'opérer que par des prédicats qui, bien qu'ils soient eux-mêmes possibles uniquement à partir d'un fondement suprasensible, doivent cependant prouver dans l'expérience leur réalité : car c'est ainsi seulement qu'ils peuvent rendre possible une connaissance d'êtres totalement suprasensibles. Or, le seul concept de ce type que l'on puisse rencontrer dans la raison humaine est celui de (*474*) la liberté de l'homme soumis à des lois morales, en même temps qu'à la fin finale que la liberté lui prescrit par l'intermédiaire de ces lois : lois et fin finale qui permettent d'attribuer, les premières à l'auteur de la nature, la seconde à l'homme, les propriétés contenant la condition nécessaire à la possibilité de l'un comme de l'autre – tant et si bien que, précisément à partir de cette Idée, il peut être conclu à l'existence et à la constitution de ces êtres qui, sinon, nous resteraient entièrement cachés.

Ainsi donc, le motif pour lequel, sur la voie simplement théorique, le projet de démontrer Dieu et l'immortalité a échoué réside en ceci que, sur cette voie (celle des concepts de la nature), absolument aucune connaissance du suprasensible n'est possible. Que la tentative, en revanche, aboutisse en suivant la voie morale (celle du concept de liberté), la raison en est qu'ici l'instance suprasensible qui joue en l'occurrence le rôle de fondement (la liberté) procure, grâce à une loi déterminée de causalité qui en procède, non seulement la matière pour la connaissance de l'autre dimension suprasensible (celle qui consiste dans la fin finale morale et dans les conditions de sa réalisabilité), mais en outre prouve dans des actions sa réalité en tant que fait : c'est aussi, toutefois, précisément la raison pour laquelle la liberté ne peut fournir un élément de preuve possédant une validité que du seul point de vue pratique (qui est aussi le seul dont la religion ait besoin).

Il reste cependant très remarquable ici que, parmi les trois Idées pures de la raison que sont *Dieu*, la *liberté* et l'*immortalité*, celle de la liberté constitue l'unique concept du suprasensible qui prouve sa réalité objective (par l'intermédiaire de la causalité qui s'y trouve pensée) à travers la nature, à la faveur de l'effet qu'il lui est possible de produire en elle, précisément par là en rendant possible la liaison des deux autres avec la nature et l'intégration de toutes les trois pour constituer une religion ; et il est remarquable qu'ainsi nous disposions d'un principe capable de déterminer l'Idée du suprasensible en nous, mais par là même aussi celle du suprasensible en dehors de nous, en vue d'une connaissance qui n'est certes possible que du point de vue pratique, mais que la philosophie simplement spéculative (laquelle, même de la liberté, ne pouvait donner qu'un concept négatif) devait désespérer d'atteindre : dès lors, le concept de la liberté (comme concept fondamental de toutes les lois pratiques inconditionnées) peut élargir la raison au-delà des limites à l'intérieur desquelles chaque concept de la nature (théorique) doit rester enfermé, sans espoir.

*

Remarque générale sur la téléologie

(*475*) Si la question est de savoir quel rang l'argument moral qui prouve l'existence de Dieu uniquement comme objet de croyance pour la raison pure pratique revendique parmi les autres en philosophie, tout l'avoir de la philosophie peut aisément être évalué, dans la mesure où l'on prouve qu'il n'y a pas ici à choisir, mais que son pouvoir théorique doit abandonner de lui-même, devant une critique impartiale, toutes ses prétentions.

C'est sur des faits que doit se fonder en premier lieu toute adhésion, si elle ne doit pas être entièrement dépourvue de fondement ; et une seule différence peut donc intervenir dans la preuve, selon que l'on peut sur ces faits fonder une adhésion, quant à la conséquence qui en est tirée, ayant la valeur d'un *savoir* pour la connaissance théorique ou simplement la valeur d'une *croyance* pour la connaissance pratique. Tous les faits appartiennent soit au *concept de la nature*, qui prouve sa réalité dans les objets des sens, tels qu'ils sont donnés (ou peuvent l'être) avant tous les concepts naturels ; soit au *concept de la liberté*, qui démontre suffisamment sa réalité par la causalité de la raison à l'égard de certains effets qu'elle rend possibles dans le monde sensible et qu'elle postule irréfutablement dans la loi morale. Le concept de la nature (qui relève simplement de la connaissance théorique) est alors, ou bien métaphysique et complètement a priori, ou bien physique, c'est-à-dire a posteriori et ne se pouvant penser, nécessairement, qu'à travers une expérience déterminée. Le concept métaphysique de la nature (qui ne présuppose aucune expérience déterminée) est donc ontologique.

La preuve *ontologique* de l'existence de Dieu à partir du concept d'un être originaire consiste, en ce sens, ou bien à conclure à partir de prédicats ontologiques, par lesquels seulement il peut être pensé comme entièrement déterminé, à l'existence absolument nécessaire, ou bien, à partir de l'absolue nécessité de l'existence d'une chose quelconque, quelle qu'elle soit, à conclure aux prédicats de l'être originaire : car, au concept d'un être originaire appartient, pour qu'il ne soit pas dérivé, l'absolue nécessité de son existence et (pour se représenter celle-ci) la détermination complète par son concept. Or, on croyait trouver ces deux exigences dans le concept de l'Idée ontologique d'un être qui soit *le plus réel de tous*, et c'est ainsi qu'en naquirent deux preuves métaphysiques.

La preuve qui se fonde sur un concept simplement métaphysique de la nature (preuve ontologique proprement dite) concluait du concept de l'être le plus *(476)* réel de tous à son existence absolument nécessaire ; car (c'est le sens de la preuve) s'il n'existait pas, il lui manquerait une réalité, à savoir l'existence. L'autre preuve (qu'on appelle aussi la preuve métaphysico-*cosmologique*) concluait de la nécessité de l'existence d'une chose quelconque (ce qui doit absolument être accordé, dans la mesure où une existence m'est donnée dans la conscience que j'ai de moi-même) à sa détermination absolue en tant qu'être le plus réel de tous : car tout existant est complètement déterminé, tandis que ce qui est absolument nécessaire (à savoir ce que nous devons reconnaître comme tel, par conséquent a priori) devrait être complètement déterminé *par son concept* – ce qui ne se peut rencontrer que dans le concept d'une chose qui est la plus réelle de toutes. Il n'est ici pas nécessaire de dévoiler ce qu'il y a de sophistique dans les deux raisonnements, ce qui a déjà été fait ailleurs ; mais il faut simplement remarquer que de telles preuves, bien qu'elles se puissent défendre par toutes sortes de subtilités dialectiques, ne sortent jamais de l'école pour pénétrer le public et qu'elles ne pourraient avoir la moindre influence sur le simple sens commun.

La preuve ayant pour fondement un concept de la nature qui peut seulement être empirique, mais doit cependant conduire au-delà des limites de la nature comme ensemble des objets des sens, ne peut être que celle qui procède à partir des *fins* de la nature – fins dont le concept ne se peut certes donner a priori, mais peut l'être uniquement par l'expérience : il promet en tout cas du fondement originaire de la nature un concept qui, parmi tous ceux que nous pouvons penser, est le seul à convenir au suprasensible, à savoir celui d'un entendement suprême comme cause du monde, et en outre, de fait, il s'acquitte parfaitement de cette promesse d'après les principes de la faculté de juger réfléchissante, c'est-à-dire conformément à la constitution de notre pouvoir (humain) de connaître. Quant à savoir, cela dit, si une telle preuve, à partir des mêmes données, est en mesure de fournir ce concept d'un Être suprême, c'est-à-dire indépendant et intelligent, comme étant aussi celui d'un Dieu, c'est-à-dire de l'auteur d'un monde sous des lois morales, par conséquent un concept suffisamment déterminé pour l'Idée d'une fin finale de l'existence du monde, c'est là une question dont tout dépend – et cela, que nous réclamions un concept théoriquement suffisant de l'être originaire en vue de la science de la nature considérée dans sa totalité ou un concept pratique pour la religion.

Cet argument tiré de la téléologie physique est digne de respect. Il exerce le même effet de conviction sur le sens commun que sur le plus subtil penseur ; et un Reimarus [129], dans son ouvrage encore indépassé où il développe largement cet argument avec la (*477*) profondeur et la clarté qui lui sont propres, s'est acquis par là un mérite immortel. Simplement, par quel biais cette preuve conquiert-elle une si puissante influence sur l'esprit, et notamment comment obtient-elle, dans l'appréciation opérée par la froide raison (car on pourrait compter pour de la conviction l'émotion et l'élévation de l'esprit suscitées par les merveilles de la nature), une approbation calme et sans réserve ? Ce n'est pas par l'intermédiaire des fins physiques, qui toutes font signe vers un entendement

insondable présent dans la cause du monde ; ces fins sont en
effet insuffisantes à cet égard, étant donné qu'elles ne satisfont
pas le besoin de la raison qui pose ses questions. Car à quoi
bon (demande celle-ci) toutes ces choses qui, dans la nature,
témoignent d'un art ? À quoi bon l'homme lui-même, auquel
il faut nous arrêter comme à la fin dernière de la nature qui
soit pour nous pensable ? À quoi l'existence de la nature dans
sa totalité, et quelle est la fin finale d'un art si grand et si
diversifié ? Que ce soit pour en jouir, ou pour intuitionner,
contempler et admirer (ce qui, si l'on s'en tient à cela, n'est
rien de plus qu'une jouissance d'une espèce particulière), en
tant que ce serait là la dernière fin finale [130] pour laquelle le
monde et l'homme lui-même existent – la raison ne peut s'en
satisfaire : car celle-ci suppose une valeur personnelle, que
l'homme peut seul se donner, comme condition sous laquelle
uniquement lui-même et son existence peuvent être fin finale.
En l'absence d'une telle valeur (qui seule est susceptible
d'avoir un concept déterminé), les fins de la nature ne peuvent
satisfaire son interrogation, notamment parce qu'elles ne
peuvent fournir nul *concept déterminé* de l'Être suprême
compris comme un être suffisant à tout (et, précisément pour
cette raison, unique, *suprême* au sens propre du terme) et des
lois d'après lesquelles son entendement est cause du monde.

Que, donc, la preuve physico-téléologique parvienne à
convaincre exactement comme si elle était en même temps
théologique, cela ne procède pas de l'usage que l'on fait des
Idées des fins de la nature comme autant d'arguments empiriques en faveur d'un entendement *suprême* ; mais, de manière
inaperçue, vient s'y mêler dans la conclusion l'argument moral
présent en tout homme, et qui l'anime si intimement, selon
lequel, à l'être qui se manifeste dans les fins de la nature avec
un art si incompréhensible on attribue également une fin finale,
par conséquent de la sagesse (au demeurant, sans y être
autorisé par la perception de ces fins) – en complétant ainsi,
arbitrairement, cet argument du point de vue des lacunes qui
lui sont encore attachées. En fait, seul l'argument moral
produit donc la conviction, et il n'y parvient même que du
point de vue moral, vis-à-vis duquel chacun ressent (*478*)
intimement son approbation ; quant à l'argument physico-
téléologique, il a uniquement le mérite de conduire l'esprit
dans sa contemplation du monde sur la voie des fins, et cela
en l'orientant vers un auteur *intelligent* du monde, tandis que
la relation morale à des fins et l'Idée d'un tel législateur et
auteur du monde, comme concept théologique, bien qu'il

s'agisse là d'un pur ajout, semblent pourtant se développer tout naturellement à partir de cet argument.

C'est à cela que l'on peut aussi s'en tenir, désormais, dans le *discours* ordinaire. Car, pour le bon sens commun, il est en général difficile de discerner les uns des autres comme hétérogènes, si cette distinction requiert beaucoup de réflexion, les divers principes qu'il mélange, alors qu'en réalité c'est uniquement et exactement à partir d'un seul d'entre eux qu'il conclut. Cela étant, l'argument moral en faveur de l'existence de Dieu ne se borne pas, à proprement parler, à *compléter* l'argument physico-téléologique pour en faire une preuve pleinement élaborée ; il constitue en fait un argument particulier qui *supplée* au manque de conviction résultant de ce dernier, dans la mesure où celui-ci ne fait rien d'autre que d'orienter la raison, dans l'appréciation de la nature et de son organisation contingente, mais admirable, telle qu'elle ne nous est connue que par l'expérience, vers la causalité d'une cause qui en contient le fondement d'après des fins (cause qu'en vertu de la constitution de notre pouvoir de connaître il nous faut penser comme une cause intelligente) : à une telle causalité la raison est rendue attentive, en même temps qu'elle est ainsi rendue réceptive à l'argument moral. Car ce qui est requis par ce dernier concept est si essentiellement différent de ce que peuvent contenir et enseigner les concepts naturels qu'il est besoin d'un argument et d'une preuve spécifiques, en toute indépendance par rapport aux précédents, afin de fournir d'une manière qui soit suffisante pour une théologie le concept de l'être originaire et pour conclure à son existence. L'argument moral (qui ne prouve certes l'existence de Dieu que du point de vue pratique, mais aussi, pourtant, nécessaire, de la raison) conserverait donc encore toute sa force quand bien même nous ne rencontrerions dans le monde aucun matériau pour la téléologie physique, ou un matériau simplement équivoque. Il se peut penser que des êtres raisonnables se voient entourés par une nature ne montrant aucune trace claire d'organisation, mais seulement des effets d'un simple mécanisme de la matière brute – à l'égard desquels, ainsi qu'à propos de la transformation de quelques formes et relations finalisées de façon simplement contingente, il semblerait n'y avoir aucune raison de conclure à un auteur intelligent : dès lors, il semblerait n'y avoir non plus (*479*) aucun motif pour une téléologie physique, et pourtant la raison, qui ne reçoit ici des concepts de la nature rien qui puisse l'orienter, trouverait dans le concept de la liberté et dans les Idées morales se fondant sur lui un

fondement suffisant du point de vue pratique pour postuler le
concept qui leur est approprié d'un être originaire, c'est-à-dire
d'une divinité, et pour postuler que la nature (y compris notre
propre existence) est une fin finale conforme à celle-ci et à
ses lois, vis-à-vis certes du commandement inflexible de la
raison pratique. Mais qu'au sein du monde réel il y ait pour
les êtres raisonnables une riche matière pour une téléologie
physique (ce qui ne serait pas précisément nécessaire), cela
apporte à l'argument moral la confirmation souhaitée, dans la
mesure où la nature peut établir quelque chose d'analogue
aux Idées (morales) de la raison. Car le concept d'une cause
suprême qui possède un entendement (ce qui, au demeurant,
est loin de suffire pour une théologie) obtient ainsi une réalité
qui suffit pour la faculté de juger réfléchissante ; mais un tel
concept n'est pas requis pour fonder la preuve morale, de
même que cette dernière ne sert pas à compléter celui-ci, qui
en lui-même ne se rapporte en rien à la moralité, de manière
à en faire *une* preuve, cela à travers une succession de
raisonnements menés d'après un principe unique. Deux principes aussi hétérogènes que la nature et la liberté ne peuvent
fournir que deux types différents de preuve, dans la mesure
où, de fait, toute tentative pour opérer la démonstration à
partir du premier se trouve insuffisante pour ce qui doit être
démontré.

Si l'argument physico-téléologique suffisait pour la preuve
recherchée, ce serait très satisfaisant pour la raison spéculative ; car il y aurait l'espoir de produire une théosophie (ainsi
devrait-on nommer en effet la connaissance théorique de la
nature divine et de son existence qui suffirait à l'explication
de la constitution du monde, ainsi qu'à celle de la détermination des lois morales). De la même manière, si la psychologie
suffisait pour parvenir grâce à elle à la connaissance de
l'immortalité de l'âme, elle rendrait possible une pneumatologie qui serait tout aussi bienvenue pour la raison spéculative.
Mais ni l'une ni l'autre, malgré les vaines prétentions du désir
de savoir, n'accomplissent ce que souhaite la raison dans son
désir d'une théorie qui devrait être fondée sur une connaissance
de la nature des choses. Quant à dire toutefois si la première
comme théologie, la seconde comme anthropologie, fondées
toutes deux sur le principe moral, c'est-à-dire sur le principe
de la liberté, conformes par conséquent à l'usage pratique de
la raison, ne remplissent pas mieux leur intention finale objective, c'est là une autre question, dont nous n'avons pas ici
nécessairement à poursuivre la discussion.

(480) Cela dit, si l'argument physico-téléologique ne suffit pas pour la théologie, c'est parce qu'il ne fournit, ni ne peut fournir, aucun concept de l'Être suprême qui soit suffisamment déterminé à cet effet – concept qu'il faut au contraire prendre ailleurs, ou dont il faut compenser l'absence par un ajout arbitraire. Vous concluez, à partir de la grande finalité des formes de la nature et de leurs relations, à une cause intelligente du monde, mais quel va être le degré de cette intelligence ? Sans doute ne pouvez-vous pas prétendre qu'il va s'agir de la plus haute intelligence possible ; car cela exigerait que vous admettiez qu'une intelligence plus grande que celle dont vous percevez les preuves dans le monde ne se peut penser – ce qui équivaudrait à vous attribuer à vous-même l'omniscience. De même vous concluez, à partir de la grandeur du monde, à une très grande puissance de son auteur, mais vous conviendrez que cela n'a qu'une signification comparative pour votre faculté de compréhension et que, dans la mesure où vous ne connaissez pas tout le possible pour le comparer avec la grandeur du monde (pour autant que vous la connaissiez), vous ne pouvez d'après une mesure si restreinte conclure à nulle omnipotence de l'auteur, etc. Ainsi ne parvenez-vous par là à aucun concept déterminé d'un être originaire qui puisse convenir pour une théologie ; car un tel concept ne peut être trouvé que dans celui de la totalité des perfections compatibles avec un entendement, ce en vue de quoi vous ne pouvez aucunement vous servir de simples données empiriques ; mais sans un tel concept déterminé, vous ne pouvez pas non plus conclure à un être originaire intelligent *unique*, mais seulement en admettre l'hypothèse (pour quelque usage que ce soit). Dans ces conditions, on peut certes très bien accepter que vous ajoutiez arbitrairement (dans la mesure où la raison n'a rien à objecter contre cela qui soit fondé) que, quand on trouve tant de perfection, il est bien possible d'admettre que toute perfection se trouve réunie dans une cause unique du monde – étant donné que la raison trouve mieux son compte, théoriquement et pratiquement, avec un principe ainsi déterminé. Mais vous ne pouvez cependant vous glorifier d'avoir démontré ce concept de l'être originaire, puisque vous ne l'avez admis qu'en vue d'un meilleur usage de la raison. En ce sens, toutes vos plaintes ou toute votre impuissante colère contre le prétendu sacrilège de mettre en doute la solidité de votre raisonnement ne sont que vaines rodomontades qui voudraient que l'on tînt le doute librement exprimé contre votre argument pour une mise en doute de la vérité sacrée,

cela uniquement pour cacher derrière ce voile la légèreté de cet argument.

La téléologie morale, en revanche, qui n'est pas moins solidement fondée (*481*) que la téléologie physique, et qui mérite bien plutôt de lui être préférée dans la mesure où elle repose a priori sur des principes indissociables de notre raison, conduit à ce que requiert la possibilité d'une théologie, à savoir à un *concept* déterminé de la cause suprême comme cause du monde d'après des lois morales, par conséquent au concept d'une cause satisfaisante pour notre fin finale morale : cela ne requiert rien moins que l'omniscience, l'omnipotence, l'omniprésence, etc., en tant que propriétés naturelles lui appartenant, qui doivent être pensées comme liées à la fin finale morale, laquelle est infinie, et par conséquent comme adéquates à cette fin – et en ce sens la téléologie morale peut entièrement à elle seule nous procurer le concept d'un auteur *unique* du monde qui convienne à une théologie.

C'est de cette manière qu'une théologie conduit aussi, immédiatement, à la *religion*, c'est-à-dire à la *connaissance de nos devoirs comme commandements divins* : car la connaissance de notre devoir et de la fin finale qui nous y est imposée par la raison pouvait d'abord produire de façon déterminée le concept de Dieu, qui est donc, dans son origine déjà, inséparable de l'obligation envers cet être – au lieu que, si le concept de l'être originaire pouvait être trouvé également de manière déterminée sur la voie uniquement théorique (c'est-à-dire le concept de cet être comme simple cause de la nature), il serait ensuite très difficile, peut-être même impossible sans être obligé de faire intervenir une addition arbitraire, d'attribuer à cet être, avec des preuves bien fondées, une causalité selon des lois morales – en l'absence de laquelle toutefois ce concept prétendument théologique ne peut constituer aucun fondement pour la religion. Même si une religion pouvait être fondée sur cette voie théorique, elle serait, du point de vue de l'intention qui l'anime (où réside pourtant ce qui est essentiel en elle), effectivement distincte d'une religion où le concept de Dieu et la conviction (pratique) de son existence procèdent des Idées fondamentales de la moralité. Car si nous devions présupposer l'omnipotence, l'omniscience, etc., d'un auteur du monde comme autant de concepts qui nous seraient fournis en venant d'ailleurs, pour ensuite seulement appliquer nos concepts des devoirs à notre relation avec lui, ces derniers posséderaient très fortement une allure de contrainte et de soumission forcée ; alors que, si le respect pour la loi morale nous représente tout à fait librement, à travers la prescription de notre propre raison, la fin finale de notre destination, nous admettons dans nos perspectives morales une cause qui s'accorde avec cette fin et avec sa mise en œuvre, et cela en lui témoignant le respect le plus authentique, lequel est totalement différent de la crainte pathologique (*482*), et c'est volontiers que nous nous soumettons à cette cause *.

Si l'on demande pourquoi il nous importe de disposer en général d'une théologie, il apparaît clairement qu'elle n'est pas nécessaire pour l'élargissement ou la justification de notre connaissance de la nature, ni d'une quelconque théorie, mais exclusivement pour la religion, c'est-à-dire d'un point de vue subjectif, pour l'usage pratique, notamment moral, de la raison. Or, il se trouve que l'unique argument qui conduit à un concept déterminé de l'objet de la théologie est lui-même moral : non seulement on ne s'en étonnera pas, mais même rien ne manquera pour que l'adhésion résultant de cet argument à ce qui constitue son intention finale soit suffisante si l'on reconnaît qu'un tel argument démontre l'existence de Dieu d'une manière qui suffit uniquement pour notre destination morale, c'est-à-dire du point de vue pratique, et que la spéculation n'y prouve aucunement ses forces et n'élargit pas par là l'étendue de son domaine. Même l'étonnement disparaîtra, ou encore la prétendue contradiction entre la possibilité ici affirmée d'une théologie et ce que la *Critique de la raison pure* disait des catégories, à savoir que celles-ci ne peuvent produire de connaissance que dans leur application aux objets des sens, mais nullement en se trouvant appliquées au suprasensible, si l'on voit que l'on s'en sert ici pour une connaissance de Dieu, non pas dans un but théorique (à propos de ce qu'est en soi sa nature insondable pour nous), mais exclusivement dans un but pratique. Pour mettre fin, à cette occasion, à la fausse interprétation de cette doctrine de la Critique qui est très nécessaire, mais qui, au grand dépit du dogmatique

---

* L'admiration de la beauté, ainsi que l'émotion suscitée par les fins si diverses de la nature qu'un esprit qui réfléchit est en mesure de ressentir avant même de posséder une claire représentation d'un auteur raisonnable du monde, ont en elles quelque chose de semblable à un sentiment *religieux*. Elles semblent donc agir d'abord sur le sentiment moral (de reconnaissance et de vénération envers cette cause inconnue de nous) par une sorte d'appréciation de cette beauté et de ces fins qui serait analogue à l'appréciation morale, et ainsi agir sur l'esprit en suscitant des Idées morales, quand elles inspirent cette admiration qui est liée à un intérêt largement plus grand que celui que peut produire une contemplation simplement théorique.

aveugle, renvoie la raison à ses limites, j'en ajoute ici cette explicitation.

Quand j'attribue à un corps une *force motrice*, par conséquent quand je le (*483*) pense par l'intermédiaire de la catégorie de *causalité*, j'en ai ainsi, en même temps, une *connaissance*, c'est-à-dire que je détermine le concept de celui-ci, comme objet en général, par ce qui, si on le considère en lui-même, lui revient en tant qu'il est objet des sens (comme condition de possibilité de cette relation). Car si la force motrice que je lui attribue est une force de répulsion, il lui revient (quand bien même je ne place pas encore à côté de lui un autre corps contre lequel il exerce cette force) d'occuper un lieu dans l'espace, d'avoir en outre une étendue, c'est-à-dire de l'espace en lui-même, de remplir, qui plus est, cet espace par les forces répulsives de ses parties, enfin d'obéir à la loi de ce remplissement (selon laquelle leur capacité de répulsion doit décroître dans la même proportion où s'accroît l'étendue du corps et où augmente l'espace qu'avec les mêmes parties il remplit par cette force). En revanche, quand je pense un être suprasensible comme constituant le *premier moteur*, donc par l'intermédiaire de la catégorie de causalité à propos de la même détermination du monde (le mouvement de la matière), je ne dois pas le penser comme situé en quelque lieu de l'espace, pas davantage comme étendu, ni ne puis même le penser comme dans le temps et comme existant en même temps que d'autres êtres. Je ne dispose donc d'aucune des déterminations qui pourraient me permettre de comprendre, à travers cet être conçu comme fondement, la condition de possibilité du mouvement. En conséquence, par le prédicat de cause (en tant que premier moteur), je n'obtiens pas la moindre connaissance de cet être considéré en lui-même ; mais j'ai seulement la représentation de quelque chose qui contient le fondement des mouvements se produisant dans le monde, et la relation de cet être à ces mouvements, en tant qu'il constituerait leur cause, dans la mesure où elle ne me fournit par ailleurs rien qui appartienne à la constitution de la chose qui est cause, en laisse le concept totalement vide. La raison en est qu'avec des prédicats ne trouvant leur objet que dans le monde sensible, je peux certes aller jusqu'à l'existence de quelque chose qui doit contenir le fondement de ce monde, mais non pas jusqu'à la détermination de son concept comme être suprasensible qui exclut tous ces prédicats. Ainsi, par la catégorie de causalité, quand je la détermine par le concept d'un *premier moteur*, je ne connais pas le moins du monde ce qu'est Dieu ; peut-être alors parviendrai-je à un meilleur résultat si je pars de l'ordre du monde, non pas simplement pour *penser* sa causalité comme celle d'un *entendement* suprême, mais pour le *connaître* à travers cette détermination du concept ainsi désigné, parce que, par là, la condition embarrassante de l'espace et de l'étendue disparaît. Au demeurant, la grande finalité présente dans le monde nous force à *penser* pour elle une cause suprême et à *penser* sa causalité comme s'accomplissant par l'intermédiaire d'un entendement (*484*) ; mais nous ne sommes pour autant nullement autorisés à lui *attribuer* cet entendement (de même que, par exemple, nous sommes forcés de penser l'éternité de Dieu comme une existence de tout temps, étant donné que, sinon, nous ne pouvons nous faire aucun concept de la simple existence comme d'une grandeur, c'est-à-dire d'une durée ; ou bien il nous faut penser l'omniprésence divine comme existence en tout lieu, afin de nous rendre compréhensible sa présence immédiate pour des choses extérieures les unes aux autres – sans que nous ayons cependant le droit d'attribuer une de ces déterminations à Dieu comme constituant quelque chose que nous connaîtrions en lui). Quand, vis-à-vis de certains produits qui ne sont explicables que par finalité intentionnelle, je détermine la causalité de l'homme en la pensant sous la forme d'un entendement de celui-ci, je n'ai pas de motif pour m'en tenir là, mais je peux lui attribuer ce prédicat comme constituant une propriété humaine bien connue et connaître l'homme à travers cette propriété. Car je sais que des intuitions sont données aux sens de l'être humain et que par l'intermédiaire de l'entendement elles sont subsumées sous un concept, et donc sous une règle ; que ce concept contient seulement la qualité commune (par abstraction du particulier) et qu'il est en ce sens discursif ; que les règles requises pour ranger des représentations données sous une conscience en général sont données par l'entendement même avant ces intuitions, etc. : j'attribue donc cette propriété à l'homme comme une propriété par laquelle je le *connais*. Mais si je veux alors *penser* un être suprasensible (Dieu) comme intelligence, cela ne m'est pas seulement permis à partir d'un certain point de vue sur l'usage de ma raison, mais c'est en outre inévitable ; reste que lui attribuer une intelligence et se flatter de pouvoir, à travers cette intelligence conçue comme une de ses propriétés, le connaître, cela n'est aucunement permis : car je dois dès lors faire abstraction de toutes ces conditions sous lesquelles seulement je connais une intelligence, et par conséquent le prédicat qui sert uniquement à la détermination de l'homme ne peut pas du tout être rapporté à un objet suprasensible – ce qui fait que, par l'intermédiaire d'une causalité ainsi déterminée, l'on ne peut connaître ce que Dieu est. Et ainsi en va-t-il pour toutes les catégories, lesquelles ne peuvent, d'un point de vue théorique, avoir aucune signification pour la connaissance si elles ne sont pas appliquées à des objets d'une expérience possible. Cela étant, par analogie avec un entendement, je peux et même je dois, sans doute en me plaçant d'un autre point de vue, penser même un être suprasensible, sans cependant vouloir par là le connaître au plan théorique ; car si cette détermination de sa causalité concerne dans le monde un effet qui contient une intention moralement nécessaire, mais impossible à réaliser pour des êtres sensibles, alors une connaissance de Dieu et de son existence (théologie) est possible à travers (*485*) des propriétés et des déterminations de sa causalité qui ne sont pensées en lui que par analogie – ce qui, du point de vue pratique, mais aussi *uniquement de ce point de vue* (en tant que moral), possède toute la réalité requise. Ainsi une théologie éthique est-elle sans doute possible ; car la morale peut certes subsister, avec la règle qui est la sienne, sans théologie, mais non pas avec l'intention finale que précisément cette règle lui impose, sauf à laisser à cet égard la raison démunie. En revanche, une éthique théologique (de la raison pure) est impossible : car des lois que la raison ne donne pas originairement elle-même, et dont la mise en œuvre n'est pas elle aussi produite par elle en tant que pouvoir pur pratique, ne peuvent être morales. De même une physique théologique serait un non-sens, parce qu'elle exposerait, non des lois naturelles, mais des dispositions d'une volonté suprême ; par opposition, une théologie physique (proprement physico-téléologique) peut du moins servir de propédeutique à la théologie proprement dite, dans la mesure où, à travers la contemplation des fins naturelles, dont elle présente une riche matière, elle fournit l'occasion de s'élever à l'Idée d'une fin finale que la nature ne peut instituer ; par conséquent, elle peut certes faire ressentir le besoin d'une théologie qui déterminerait le concept de Dieu d'une façon suffisante pour l'usage pratique suprême de la raison, mais non pas la produire, ni la fonder sur ses propres arguments de manière satisfaisante.

NOTES

1. Cette première version de l'Introduction à la *Critique de la faculté de juger* a une curieuse histoire. Dans une lettre du 9 mars 1790 à son éditeur, Kant annonçait à celui-ci que la Préface et l'Introduction lui parviendraient après le reste du manuscrit, parce qu'il souhaitait en rédiger une version plus concise. C'est cette version abrégée qui, de fait, fut publiée avec l'ouvrage à Pâques 1790. Quant à la première rédaction, Kant l'adressa en 1792 à l'un de ses disciples les plus orthodoxes, Jacob Sigismund Beck (1761-1819). Celui-ci, qui avait été l'élève de Kant à Königsberg, puis était devenu professeur de métaphysique à Rostock, consacrait l'essentiel de ses efforts à répandre la pensée du maître, notamment grâce à son *Agrégé explicatif des écrits critiques du professeur Kant* (1793-1796), à ses *Esquisses de la philosophie critique* (1795) ou à son *Commentaire de la Métaphysique des mœurs* (1798). C'est pour faciliter la rédaction du deuxième volume de l'*Abrégé* que Kant lui adressa le manuscrit de la première introduction à la *Critique de la faculté de juger* : Beck en publia un extrait, en appendice de son propre livre, sous le titre *Remarques destinées à introduire à la Critique de la faculté de juger,* qui demeura jusqu'en 1914 l'unique voie d'accès à ce texte. C'est Dilthey qui, en 1889, retrouva le manuscrit à la bibliothèque de l'Université de Rostock : la première édition complète, due à O. Buek, intervint en 1914, dans le tome V de l'édition des œuvres complètes dirigée par E. Cassirer ; le texte fut repris ensuite dans le *Nachlass* de l'édition de l'Académie de Berlin (dont nous suivons ici le tome XX).

2. Ce premier alinéa reprend pour l'essentiel ce que Kant exposait déjà dans l'Architectonique de la raison pure (*Critique de la raison pure,* A 841 / B 869, traduction Alain Renaut, Bibliothèque philosophique, Aubier, Paris, 1997, p. 679) : « La philosophie de la raison pure ou bien est une *propédeutique* (un exercice préliminaire) qui examine le pouvoir de la raison relativement à toute connaissance a priori, et elle s'appelle *critique* ; ou bien, en second lieu, elle est le système de la raison pure (la science), toute la connaissance philosophique (aussi bien vraie qu'apparente) provenant de la raison pure, selon un agencement systématique de l'ensemble, et elle s'appelle *métaphysique* – bien que ce nom puisse aussi être donné à la philosophie pure tout entière, en y incluant la critique, pour réunir aussi bien la recherche de tout ce qui peut jamais être connu a priori que la présentation de ce qui constitue un système de connaissances philosophiques pures de ce genre, mais se dis-

tingue de tout usage empirique de la raison, en même temps que de son usage mathématique. »

3. En 1781, l'Architectonique de la raison pure poursuivait ainsi (A 841 / B 869) : « La métaphysique se divise en métaphysique de l'usage *spéculatif* et métaphysique de l'usage *pratique* de la raison pure, et ainsi est-elle ou bien une *métaphysique de la nature* ou bien une *métaphysique des mœurs*. La première contient tous les principes purs de la raison procédant de simples concepts (donc, à l'exclusion de la mathématique) et portant sur la connaissance *théorique* de toutes *choses* ; la seconde contient les principes qui déterminent a priori et rendent nécessaires le *faire* et le *ne pas faire*. Or la moralité est l'unique légalité des actes qui puisse être dérivée entièrement a priori de principes. Ce pourquoi la métaphysique des mœurs est proprement la morale pure, où nulle anthropologie (nulle condition empirique) ne se trouve prise pour fondement. »

4. C'est ici la *Critique de la raison pratique* qui est à l'arrière-plan du texte, notamment le chapitre I de l'Analytique de la raison pure pratique : « Dans la connaissance de la nature, les principes de ce qui arrive (par exemple, le principe de l'égalité de l'action et de la réaction dans la communication du mouvement) sont en même temps des lois de la nature ; car l'usage de la raison y est théorique et déterminé par la constitution de l'objet. Dans la connaissance pratique, c'est-à-dire dans celle qui a seulement affaire à des principes déterminants de la volonté, les principes que l'on se fait ne sont pas encore pour autant des lois auxquelles on serait immanquablement soumis, parce que, dans l'ordre pratique, la raison a affaire au sujet, à savoir à la faculté de désirer » (AK, V, 19-20, traduction L. Ferry et H. Wismann, Pléiade, II, 1985, p. 628). En 1793, l'opuscule dit *Théorie et pratique* revient sur la définition précise du « pratique » : « Toute occupation ne mérite pas le nom de *pratique*, mais il convient uniquement à cette production d'une fin qui est pensée comme observation de certains principes de conduite représentés dans leur généralité » (AK, VIII, 275, traduction L. Ferry, Pléiade III, 1986, p. 251).

5. « Arbitre » traduit *Willkür*. Bien que présent chez Tissot, l'un des plus anciens traducteurs de Kant, dans sa traduction de la *Doctrine du droit* (voir *Principes métaphysiques du droit*, Libr. de Ladrange, 1855, p. 427), l'emploi du terme « arbitre » en ce sens est certes peu usuel en français (ce pourquoi V. Delbos, suivi par F. Alquié, avait traduit par « faculté d'agir », excessivement éloigné à mon sens de la grille conceptuelle kantienne), mais l'on ne peut plus omettre de considérer aujourd'hui que la traduction trop fréquente de *Willkür* par « libre arbitre » induit, dans le contexte du criticisme, d'indubitables contresens. Il suffit, pour s'en convaincre, de se reporter à la *Critique de la raison pratique*, Première partie, Livre I, Chapitre 1, paragraphe 2, où *Willkür* (traduit fautivement par « libre arbitre » aussi bien chez Gibelin, Vrin, que chez Picavet, PUF, mais correctement par L. Ferry et H. Wismann, Bibliothèque de la Pléiade, t. II) désigne clairement la volonté en tant qu'elle est *déterminable* par des principes déterminants qui peuvent être rationnels ou non : l'« arbitre » (*Willkür*) se définit donc comme le déterminable de la volonté – arbitre qui est « libre » (c'est-à-dire déterminé librement : *freie Willkür*, « libre arbitre ») quand ses principes déterminants

sont rationnels ; en revanche, quand la volonté est déterminée par des impulsions sensibles, c'est-à-dire, dans le langage de Kant, *pathologiquement*, l'arbitre est nommé *arbitrium brutum*. Voir notamment *Introduction à la métaphysique des mœurs*, AK, VI, 213-214.

6. Sur la ruineuse exacerbation de l'inclination (*Neigung*) en passion (*Leidenschaft*), voir le développement de l'*Anthropologie*, AK, VII, 251 *sq.*, traduction A. Renaut, GF-Flammarion, 1993, p. 218 *sq.* : l'inclination y est définie comme « désir sensible qui a la dimension d'une habitude », et la passion comme « inclination qui n'est maîtrisée que difficilement, ou ne parvient pas à l'être, par la raison du sujet ». À la passion comme « maladie de l'âme », pire même que l'« affect » (*Affekt*) dans ce qu'il a de passager, sont consacrés les paragraphes 80 *sq.* : « Si l'affect est une ivresse, la passion est une maladie qui abhorre toute médication et est par conséquent largement plus grave que tous les mouvements passagers de l'esprit qui font naître du moins le projet de se rendre meilleur — au lieu de quoi la passion est un ensorcellement qui exclut l'idée même d'amélioration. »

7. Kant revient sur cet exemple, et sur le problème de la « géométrie pratique », au paragraphe 43 de la *Critique de la faculté de juger*.

8. Cette mise au point de Kant est étrange, dans la mesure où, comme l'ont souligné la plupart des éditeurs, on en perçoit mal la nécessité. La deuxième section de la *Fondation de la métaphysique des mœurs* (AK, IV, 415, traduction A. Renaut, *Métaphysique des mœurs*, GF-Flammarion, 1994, I, p. 89) évoquait bien les « impératifs de l'habileté » comme exprimant que « l'action est bonne en vue de quelque fin *possible* » et en les déclarant « problématiquement pratiques » ; mais Kant précisait déjà (AK, IV, 417, traduction citée, p. 91-92) qu'on pourrait aussi les appeler « techniques » (« se rapportant à l'art ») pour les distinguer des impératifs « pragmatiques » de la prudence (« se rapportant au bien-être »).

9. Ce pourquoi, selon Kant, il y a *deux* parties de la philosophie (métaphysique de la nature, métaphysique des mœurs), mais *trois* critiques.

10. La notion de « pouvoir supérieur de connaître », qui vise à isoler l'ordre du concept et celui de l'intuition (ou de la sensibilité comme « faculté inférieure de connaître »), remonte aux premiers écrits de Kant (*De la fausse subtilité des quatre figures syllogistiques*, 1762), et trouvera son plein développement, en 1798, dans l'*Anthropologie*, paragraphe 7 (AK, VII, p. 140, traduction citée, p. 69) : « Les représentations vis-à-vis desquelles l'esprit se comporte de manière passive, par lesquelles le sujet est donc *affecté* (étant entendu qu'il peut s'affecter lui-même ou être affecté par un objet), appartiennent à la faculté *sensible* de connaître ; en revanche, celles qui contiennent un pur *agir* (la pensée) appartiennent à la faculté *intellectuelle* de connaître. La première est désignée aussi comme la faculté *inférieure* de connaissance, la seconde comme la faculté *supérieure*. »

11. « Structuration » : on a traduit ainsi, le plus souvent possible, *Zusammenhang*, si difficile à rendre sans recourir à des termes renvoyant, dans la langue de Kant, à d'autres originaux allemands

(connexion pour *Verknüpfung*, liaison pour *Verbindung*, ensemble pour *Inbegriff*, ou, bien sûr, système pour *System*).

12. « Principe » traduit *Prinzip* ; « proposition fondamentale » traduit *Grundsatz*. Sur cette distinction technique chez Kant, couramment pratiquée dans la *Critique de la raison pure*, voir notamment A, 300-301, traduction citée, Renaut, p. 333-334. D'une façon générale, *Prinzip* est le terme générique pour toute proposition d'où se dérivent logiquement des conséquences : parmi les « principes », les *Grundsätze* correspondent en général à des propositions qui sont, non pas seulement relativement « principes » (en tant qu'elles sont plus universelles que leurs conséquences), mais absolument « principes », comme c'est le cas des principes de l'entendement pur.

13. *Gemüt*, et non *Geist* : il s'agit de l'esprit au sens de l'ensemble des facultés, intellectuelles ou non.

14. « Capacité d'éprouver quelque chose » : on traduit ainsi, le plus souvent possible, *Empfänglichkeit*.

15. D'une façon générale, tout ce développement présuppose l'*Appendice* à la *Dialectique transcendantale*, lequel, dans la *Critique de la raison pure*, établissait en quel sens l'Idée de système (le système comme Idée) fournit, comme idéal régulateur de notre pouvoir de connaître, le principe heuristique de toute connaissance.

16. Dans la *Critique de la raison pure*, l'*Appendice* à la *Dialectique transcendantale* évoque et commente les formules : *Non datur vacuum formarum, Datur continuum formarum* (A 659/B 687, traduction citée, Renaut, p. 569). Voir aussi A 652 / B 680, p. 565, sur la règle selon laquelle, « il ne faut pas multiplier les principes sans nécessité ».

17. « Examiner par la réflexion » traduit *überlegen*, synonyme de *reflexiren*, mais de racine allemande.

18. Le naturaliste et botaniste suédois C. von Linné (1707-1778) avait ramené, dans ses *Genera plantarum* (1738), les 7 000 plantes qu'il évoque à 24 genres. La démarche du « chevalier Linné » est évoquée aussi au paragraphe 82 de la *Critique de la faculté de juger*.

19. « La première » = la « finalité logique », dans sa distinction d'avec la « finalité réelle » ou « absolue ».

20. Ce pourquoi, à la faculté de juger, ne correspondra pas une partie de la philosophie, puisque nulle classe d'objets spécifiques n'est constituée par elle, mais qu'elle se borne à mettre en relation, d'une manière qui, elle, est certes spécifique, des objets déjà constitués avec certaines exigences de nos facultés de connaître : ainsi, comme Kant s'en est déjà expliqué, n'y aura-t-il pas ici de « doctrine », mais simplement une « critique ».

21. *Für die erstere* : les traductions antérieures (par L. Guillermit, 2ᵉ éd. revue, Vrin, 1975, ou par A. Delamarre, Pléiade, II, 1985) comprennent : « pour le mode de représentation », ce qui est trop vague ; *die erstere*, « la première », renvoie au mode *esthétique* de représentation (*die ästhetische Vorstellungsart*), dans sa distinction (évoquée dans la phrase qui précède la parenthèse) d'avec le mode *logique* de représentation (*die logische Vorstellungsart*).

22. *In demselben* : les traductions, jusqu'ici, ont proposé de lire : « la légalité d'une liaison, en soi contingente, du divers *en ce même divers* », ce qui est grammaticalement possible, mais semble avoir peu de sens. Le renvoi paraît s'accomplir plutôt à la fin (*der Zweck*)

dont il s'agit – puisque la fin constitue précisément ce en quoi (par sa considération comme fin) le divers trouve une légalité.

23. La référence est à AK, V, 71-89, traduction citée, Pléiade, II, p. 695-716 : *Des mobiles de la raison pure pratique*.

24. G. Lehmann, dans son annotation, AK, XX, p. 498, identifie l'allusion comme étant à l'ouvrage de R. Cudworth, *The True Intellectual System of the Universe*, Londres, 1678, où intervenait la notion de « nature plastique » (*plastic nature*).

25. « Esprit » traduit ici *Geist*, c'est-à-dire la dimension proprement spirituelle ou intellectuelle du psychisme.

26. L'ouvrage de Burke, *A Philosophical Inquiry into the Origin of our Ideas of the Sublime and Beautiful* (1756), avait été traduit en allemand par Garve en 1773.

27. Cette critique de la psychologie scientifique a été développée plus largement, en 1786, dans la Préface des *Premiers Principes métaphysiques de la science de la nature* (Pléiade, II, p. 368) ; voir notre analyse, in Présentation de : Kant, *Anthropologie*, GF-Flammarion, 1993, p. 30 *sq*.

28. Cette mise au point vise à distinguer nettement analyse transcendantale et généalogie psychologique. On sait que les premiers recenseurs de la *Critique de la raison pure*, Garve et Feder, avaient reproché à la *Déduction transcendantale*, qui partait de la question de fait (comment le jeu de nos facultés fait-il que nous ayons des objets ?), de n'être guère qu'une psychologie. Kant répondit, dans la deuxième édition, en inversant l'ordre de la déduction subjective et de la déduction objective. À cet égard, le présent passage (à rapprocher de *Prolégomènes à toute métaphysique future*, AK, IV, p. 304, traduction Gibelin, Vrin, 1974, p. 74) creuse encore, si besoin était, l'écart entre la démarche critique et la psychologie : elle annonce, d'autre part, le débat sur le psychologisme qui, un siècle plus tard, consistera, de la part de Dilthey ou de Husserl, à refuser toute confusion entre théorie de la connaissance et psychologie.

29. Dans tout le passage, le « devoir » dont il est question indique, non une nécessité, mais une destination (un *Sollen*).

30. Par « critique de la raison pure au sens le plus général », Kant entend dans cette phrase l'entreprise critique comme telle, qui ici n'en sera précisément pas une de la raison (au sens strict), mais de la faculté de juger.

31. Où l'on perçoit nettement que la *Critique de la faculté de juger* vient s'articuler à la *Critique de la raison pure* au niveau de l'Appendice à la Dialectique transcendantale, consacré à l'usage régulateur des Idées de la raison.

32. Difficile à construire, tout ce membre de phrase, qui, en allemand, est à l'infinitif et n'indique donc pas le sujet de ses verbes, a été traduit jusqu'ici, depuis Barni, comme si les opérations qu'il évoque revenaient à la Critique. Il m'a au contraire semblé plus convaincant de considérer qu'il vient déterminer ce à quoi servent les Idées. D'une part, dans la structure de la phrase, un tel sujet est plus proche. D'autre part, les deux « utilités » évoquées par Kant renvoient clairement au rôle des Idées : 1. Faire apercevoir à l'entendement sa finitude en construisant des objets de pensée soulignant, par ce qu'ils ont d'inaccessible, que ce que l'entendement peut connaître n'épuise pas « la possibilité de toutes les choses en général » ;

2. Orienter l'entendement vers toujours plus de complétude (totalisation) dans l'acquisition et l'organisation des connaissances. On ne voit pas, notamment, comment la deuxième tâche, expressément assignée aux Idées dans l'Appendice à la Dialectique transcendantale, pourrait revenir à la Critique.

33. *Mangelhaftigkeit des Zwecks* : les traductions antérieures proposaient : « ce qu'une telle fin a de défectueux » (Philonenko), ou « le caractère défectueux de cet objectif » (Ladmiral), voire « cette imperfection » (Gibelin). Barni me semble plus convaincant, même s'il est, comme souvent, trop imprécis, en traduisant : « les lacunes de cette étude ». Il serait inconcevable en effet que Kant eût pu désigner la perspective transcendantale (*in transcendantaler Absicht*) comme « défectueuse » ou comme responsable d'une « imperfection » : il faut entendre plutôt que cette perspective est restrictive, donc qu'elle implique des « manques » (*Mangel*) qu'on ne saurait lui reprocher – ce pourquoi je traduis par une périphrase faisant référence à ce que l'objectif (*Zweck*) a de « restreint ».

34. Sur la distinction entre critique et métaphysique (ou doctrine), voir déjà l'« Architectonique de la raison pure », *Critique de la raison pure,* A 841 / B 869, Renaut, p. 679 : « La philosophie de la raison pure ou bien est une *propédeutique* (un exercice préliminaire) qui examine le pouvoir de la raison relativement à toute connaissance pure a priori ; ou bien, en second lieu, elle est le système de la raison pure (la science), toute la connaissance philosophique (aussi bien vraie qu'apparente) provenant de la raison pure selon un agencement systématique de l'ensemble, et elle s'appelle *métaphysique*. » De même (*ibid.*) : « La métaphysique se divise en métaphysique de l'usage *spéculatif* et métaphysique de l'usage *pratique* de la raison pure, et ainsi est-elle ou bien une *métaphysique de la nature* ou bien une *métaphysique des mœurs.* » Au-delà de ces éléments lexicaux, le passage est intéressant par ce qu'il révèle de la manière dont la chronologie des écrits de Kant, telle que prévue par lui-même, s'est trouvée en réalité profondément perturbée. Annoncée dès 1781, la « métaphysique des mœurs » trouvait certes en 1784 dans ce qui se présente comme sa « fondation » la première étape de sa réalisation. Sur la lancée de la *Fondation* (*Grundlegung der Metaphysik der Sitten*), rien ne semblait devoir exclure alors, dans l'esprit de Kant, une mise en chantier immédiate de la « métaphysique » ainsi fondée, c'est-à-dire le passage à la « doctrine » – comme en témoigne l'indication fournie à cet égard par une lettre à Schütz du 13 septembre 1785 : « Je vais maintenant, sans davantage de délai, écrit Kant, me préoccuper de l'achèvement complet de la métaphysique des mœurs » (Kant, *Briefwechsel,* I, p. 383). Or, cet « achèvement complet » a en fait, apparemment contre toute attente de la part de Kant, requis un « délai » de douze ans, puisque *Doctrine du droit* et *Doctrine de la vertu* ne paraîtront pas avant 1797. Toute interprétation de ce retard, concernant la métaphysique des mœurs, se trouve contrainte de prendre en considération les raisons qui ont pu conduire Kant, entre la *Fondation* et la *Métaphysique*, à écrire successivement une *Critique de la raison pratique* (1788) et une *Critique de la faculté de juger* (1790) – bref : à compléter la dimension « critique » ou « propédeutique » de sa philosophie avant de développer, du moins dans le domaine pratique, sa dimension « métaphysique ». Les objec-

tions adressées à la *Fondation de la métaphysique des mœurs* (voir sur ce point notre Présentation de la *Métaphysique des mœurs*, Flammarion-GF, 1994) ont rendu nécessaire l'écriture d'une *Critique de la raison pratique* (1788). Puis la publication de cette deuxième Critique retarda d'autant plus l'achèvement de la *Métaphysique des mœurs* qu'elle allait requérir, comme l'explique toute l'Introduction de Kant à la *Critique de la faculté de juger*, la construction d'une troisième *Critique*, destinée à articuler entre elles les deux premières. Reste qu'ici, en 1790, Kant annonce le passage aux Doctrines et que, pourtant, de 1790 à 1797, le délai peut apparaître encore long – d'autant que Kant ne paraît guère avoir tardé, après la parution de la *Critique de la faculté de juger*, à se mettre au travail (dès 1792, la correspondance annonce la *Doctrine de la vertu*). Mais, d'une part, il faut tenir compte des difficultés intrinsèques de l'entreprise, notamment de la *Doctrine du droit* (voir sur ce point les remarques judicieuses d'A. Philonenko dans la présentation de sa traduction de la *Doctrine de la vertu*, p. 7-8) ; d'autre part, les circonstances politiques ne doivent pas être négligées. Et ce à un double égard :

– Après la mort de Frédéric II (1786), la politique de censure développée par le ministre Wöllner (dont les édits répressifs, pris dès l'avènement de Frédéric-Guillaume II, ne devaient vraiment porter leurs conséquences qu'à partir de l'institution, en 1791, de la « Commission d'examen immédiat ») exposa Kant, lors de la parution de *La Religion dans les limites de la simple raison* (1793), à des démêlés tels qu'il devenait douteux de pouvoir publier librement des ouvrages traitant de morale et de politique (voir V. Delbos, *La Philosophie pratique de Kant*, p. 540 *sq.*). La situation devait heureusement changer avec l'avènement de Frédéric-Guillaume III, en novembre 1797 : les deux parties de la *Métaphysique des mœurs*, qui étaient alors parues depuis quelques mois, ne rencontrèrent nulle difficulté, pas plus qu'en 1798 *Le Conflit des Facultés*.

– Les circonstances politiques, à partir de 1790, furent aussi marquées par la naissance, en Allemagne, du débat sur la Révolution française, ouvert par la publication de l'article critique de Justus Möser « Sur le droit de l'humanité comme fondement de la Révolution française » (*Berlinische Monatsschrift*, juin 1790), puis par les diverses traductions allemandes des *Réflexions sur la Révolution française* de Burke (en 1791, à Vienne, puis, en 1793, à la fois à Vienne et à Berlin, cette dernière traduction étant l'œuvre de Fr. Gentz, assez proche de Kant pour que celui-ci lui eût confié, en 1790, la correction des épreuves de la *Critique de la faculté de juger*), enfin par les *Recherches sur la Révolution française* de Rehberg (1793) (voir ici A. Renaut, « Rationalisme et historicisme juridiques : la première réception de la Déclaration de 1789 en Allemagne », *Droits*, n° 8, 1988, p. 143-149) : on sait que Kant, d'abord discret sur les événements de France, devait intervenir dans le débat dès lors que l'*intelligentsia* allemande basculant progressivement du côté « burkien » (comme en témoigne l'évolution de Gentz), le rationalisme juridique et les acquis des Lumières lui apparurent menacés : chacun à sa manière, l'opuscule dit *Théorie et Pratique* (1793) et le *Projet de paix perpétuelle* (1796) constituèrent ainsi des défenses, au moins partielles, de la Révolution française. Ces interventions directement liées aux circonstances ne purent qu'interférer avec les tâches plus

spéculatives de la rédaction des *Doctrines*. Pour ce qui est de la
« métaphysique de la nature », une telle interférence eut même des
effets plus désastreux encore, puisque au-delà des *Premiers Principes
métaphysiques de la science de la nature* (1786), la métaphysique
de la nature elle-même, comme doctrine, ne fut jamais publiée :
Kant y employa, après 1797, ses ultimes forces, en amassant jusqu'aux
dernières années de sa vie les notes désignées aujourd'hui sous le
nom d'*Opus postumum* (traduction P. Marty, PUF, 1986) et consa-
crées expressément à mener plus loin la « doctrine de la nature »,
mais l'ouvrage, sans lequel « il y aurait une lacune dans la philosophie
critique » (lettre à Garve du 21 décembre 1798, AK, XII, p. 257),
ne fut jamais achevé : en annonçant, dans la Préface de la troisième
Critique, un passage rapide aux doctrines, Kant a donc fait preuve
d'un bel optimisme.

   35. C'est à ces deux ordres de concepts que correspondent la table
des catégories de l'entendement, dans la *Critique de la raison pure*,
et celle des catégories de la liberté, dans la *Critique de la raison
pratique* : elles constituent comme deux ontologies (deux définitions
de l'objectivité, théorique et pratique), auxquelles correspondent les
deux seules parties de la philosophie (philosophie théorique et philosophie pratique).

   36. Cette distinction entre le techniquement pratique et le moralement pratique est déjà à l'œuvre dans la deuxième section de la
Fondation de la métaphysique des mœurs, à travers la distinction
entre les impératifs techniques, pragmatiques et moraux. Sur le sens
de la distinction, et la relation complexe qu'elle induit entre pratique
et théorie, voir A. Philonenko, *Théorie et pratique chez Kant et
Fichte* en 1793, Vrin, 1968, p. 19-24.

   37. En évoquant une simple dépendance (après Gibelin, Philonenko : « la volonté ne dépend pas seulement du concept de la nature,
mais aussi du concept de liberté ») ou soumission (Ladmiral : « la
volonté n'est pas seulement soumise au concept de la nature, mais
aussi au concept de la liberté »), les traductions existantes (sauf, dans
une certaine mesure, celle de Barni : « la volonté ne tombe pas
seulement sous le concept de nature, mais aussi sous celui de liberté »)
laissent échapper qu'il s'agit ici d'un problème de subsomption (*nicht
bloss unter dem Naturbegriffen, sondern auch unter dem Freiheits-
begriffe steht*) : c'est parce que les règles technico-pratiques (donc
les impératifs de l'habileté et de l'art) induisent des actions qui se
laissent subsumer à la fois sous les catégories de l'entendement et
sous celles de la liberté qu'il faut les distinguer des lois de la nature
(mais aussi bien des principes authentiquement moraux, moralement
pratiques, qui induisent des actions où la volonté ne se laisse subsumer
que sous les catégories de la liberté).

   38. Un problème redoutable est à l'arrière-plan de ce membre de
phrase : pour pouvoir être appliquées, les catégories de la liberté
(qui monnayent le concept, c'est-à-dire en fait l'Idée, de liberté selon
les quatre titres de la quantité, de la qualité, de la relation et de la
modalité) doivent, comme les catégories de l'entendement, être représentées, c'est-à-dire « schématisées » ; or, il s'agit ici de « rendre
représentable une chose en soi » (la liberté), ce qui assurément ne se
peut envisager « dans l'intuition » : en conséquence, l'application du
concept de liberté suppose une opération qui n'est qu'un analogue

de la schématisation au sens strict (au sens de la *Critique de la raison pure*) – et c'est à la recherche d'un tel analogue que correspond dans la *Critique de la raison pratique* le développement si complexe consacré à la « Typique de la faculté de juger pure pratique ».

39. Sur cette objection, voir *Critique de la raison pratique*, V, 9-10, traduction citée, Pléiade, II, p. 616.

40. L'allusion est à l'*Énéide* de Virgile, VIII, vers 560 : « Oh, si Jupiter me rendait mes années passées... »

41. Note ajoutée dans la deuxième édition.

42. Étonnant passage, où Kant retravaille son propre lexique, en combinant ici deux usages de ce qu'il nomme « critique de la raison pure » : la « critique de la raison pure » désigne à la fois le genre de la « critique » en général et l'une de ses trois espèces, à savoir, en l'occurrence, visiblement, la « critique de la raison pratique ». Où l'on voit clairement que l'apparition d'une « critique de la faculté de juger », imprévisible à l'époque de la *Critique de la raison pure* comme encore lors de l'écriture de la *Critique de la raison pratique*, impose de vigoureux réaménagements dans la terminologie par laquelle se trouvent désignées les divisions d'un édifice qui n'avait pas été préconçu sous cette forme : restituées à partir de la « critique de la faculté de juger », les deux premières « critiques » (subdivisions de la « critique de la raison pure » au sens *générique*) sont maintenant désignées comme « critique de l'entendement pur » (= la *Critique de la raison pure* de 1781) et comme « critique de la raison pure » au sens *spécifique* de la raison pure pratique (= la *Critique de la raison pratique* de 1788).

43. Sur ces principes (parmi lesquels le fameux « rasoir d'Ockham », stipulant qu'« il ne faut pas multiplier les principes sans nécessité »), il faut se reporter, dans la *Critique de la raison pure*, à l'Appendice à la Dialectique transcendantale, A 643 *sq.*, B 671 *sq.*, Renaut, p. 560 *sq.* (par exemple, sur le « rasoir d'Ockham », p. 565 *sq.*).

44. Le texte porte : « *die Bedingung der Subsumtion unter dem vorgelegten Verstandesbegriff a priori anzugeben* ». Depuis Barni (« fournir la condition qui permet de subsumer sous le concept a priori de l'entendement »), toutes les traductions répètent ici la même erreur de lecture (par exemple, Philonenko : « indiquer la condition de la subsomption sous le concept de l'entendement a priori proposé » ; Ladmiral : « indiquer la condition de la subsomption sous le concept de l'entendement a priori présenté »). Aussi bien le rythme de la phrase allemande *(« a priori anzugeben »*, et non « *unter dem a priori vorgelegten Verstandesbegriff anzugeben* ») que le problème précis évoqué par Kant imposent pourtant une autre lecture. Le problème abordé est en effet celui du critère de la subsomption lorsque la faculté de juger intervient de façon déterminante : ici, la faculté de juger intervient comme un juge qui appliquerait une règle générale (la condition, par exemple la catégorie de causalité) à un cas particulier (le conditionné, par exemple tel phénomène particulier), précisément parce que la condition contient en elle, a priori, la règle de son application (en l'occurrence : le principe de causalité, qui fournit a priori le critère de son application, à savoir la succession irréversible) ; par simple analyse de la règle, la faculté de juger est mise en possession a priori du critère de son application, et elle a donc simplement pour fonction de découvrir dans l'expérience les cas qui

correspondent à la règle. C'est pour cette raison précise (parce que le critère est fourni a priori, par simple analyse de la règle) qu'il n'y aura pas besoin de développer une critique de la faculté de juger *déterminante*, dont le fonctionnement ne pose aucun problème spécifique : il en va tout autrement, bien sûr, de la faculté de juger réfléchissante. Mineur en apparence, ce point de traduction n'engage par conséquent rien de moins que la question de savoir pourquoi la critique de la faculté de juger est critique de la *réflexion* (et non pas de la *détermination*).

45. « Fil conducteur » traduit *Leitfaden*, soit le terme par lequel Kant désigne, depuis la *Critique de la raison pure* (« Appendice à la Dialectique transcendantale »), ce qui a le statut d'un principe régulateur de l'activité de connaître : la finalité, en ce sens, est un tel principe régulateur, et non un concept au sens des catégories de l'entendement.

46. Pour préciser ce qui distingue l'entendement et la réflexion, Kant introduit un correctif à son vocabulaire de l'autonomie en distinguant autonomie et héautonomie : dans le registre de la philosophie pratique, l'autonomie désigne la manière dont la raison pratique se donne à elle-même sa loi ; ici, le terme d'autonomie est utilisé en un sens plus restreint, où l'entendement apparaît comme « autonome » en tant qu'il produit de lui-même des lois *pour la nature*, tandis que la faculté de juger réfléchissante est « héautonome » en ceci qu'elle produit d'elle-même des lois *pour elle-même*.

47. On a traduit le *da* qui ouvre la phrase par « tandis que », et non par « comme » (Philonenko) ou par « dans la mesure où » (Ladmiral) : cette insistance sur la signification adversative est rendue nécessaire par le « *anderseits* » qui suit (« en revanche, de son côté ») et que les traductions antérieures rendaient trop faiblement.

48. La phrase de Kant est ici particulièrement difficile à construire : « *Ein Studium...* », « une recherche » est en apposition à « *etwas* » (« *Es gehört also etwas..., ein Studium...* ») – ce que la répétition du « il faut » a paru pouvoir rendre en français.

49. Ce pourquoi, s'il y aura bien une troisième critique, comme critique de la faculté de juger (esthétique), il n'y correspondra pas pour autant une troisième partie de la philosophie, venant s'ajouter à la partie théorique et à la partie pratique.

50. Kant aborde ici le problème redoutable et passionnant des effets de la liberté dans la nature : s'il existe et s'il doit exister une dimension de l'objectivité où la liberté se phénoménalise et a des « effets », quels peuvent bien être ces « effets » dans une nature pourtant soumise au déterminisme ?

51. Ce caractère « désintéressé » (*ohne alles Interesse*) du jugement de goût, tel que le proclame ici Kant, a fait l'objet de bien des contresens dans l'histoire postérieure de la philosophie – et ce, par la médiation de Schopenhauer, jusque chez Nietzsche écrivant : « Depuis Kant, tout ce qui s'est dit sur l'art, la beauté, etc., a été falsifié par la notion d'absence de tout intérêt propre » (*Nietzsche's Werke*, éd. R. Kröner, XIV, p. 132). Ou encore (*ibid.*, p. 134) : « L'affranchissement de tout intérêt propre est de l'*ego* dépersonnalisé. Il s'agit plutôt, dans l'art, du ravissement d'être de notre monde, de l'affranchissement de tout ce qui est étranger. » En fait, Kant n'entend nullement suggérer que l'art transporte hors de la vie :

comme on le verra dans les paragraphes 54-57, ce qu'il nomme « plaisir de la réflexion » se définit au contraire comme un état que seul l'homme peut éprouver, en vertu du jeu de ses facultés, et cela en société. Bien loin, par conséquent, que cette notion de désintéressement veuille indiquer que le Beau ferait sortir le sujet esthétique des contingences d'une existence spécifiquement humaine, il s'agit simplement d'attirer l'attention sur le fait que, dans la satisfaction prise au Beau, nous ne sommes pas intéressés à l'*existence* de l'objet lui-même : en d'autres termes, nous ne l'appréhendons pas dans la perspective d'une finalité de caractère technique, en l'inscrivant dans un projet qui nous serait propre et dont son existence serait condition de réalisation, mais il s'agit bien davantage de laisser paraître l'objet et d'éprouver, à la « faveur » de son apparition, le plaisir que cette apparition même, hors de tout calcul technique combinant les moyens et les fins, nous procure. Le désintérêt ne renvoie donc ici à nulle indifférence vis-à-vis de l'objet : c'est uniquement son existence comme moyen ou comme fin (= en tant que dimension d'un calcul) qui nous indiffère, mais cette absence d'intérêt pour l'existence instrumentale de l'objet n'empêche pas le jugement de goût, comme le précise la note qui clôt ce paragraphe 2, d'être « intéressant » – au sens où il produit par lui-même un intérêt qui ne lui préexiste pas (tandis que, dans les jugements relevant du calcul, l'intérêt est préexistant, sous la forme d'un désir ou d'un besoin dont je vais juger que l'objet rencontré comme existant permet de les satisfaire).

52. On manquerait la portée de ce paragraphe si l'on ne voyait la rupture qu'il introduit par rapport à la théorie aristotélicienne du plaisir comme satisfaction d'une tendance. Alors que, dans la tradition issue d'Aristote, il n'y a de plaisir que lié à une tendance ou à une activité préalable vers un *telos*, Kant, en distinguant le plaisir pris au Beau et celui qui est pris à l'agréable (où l'objet est utilisé comme moyen en vue d'une fin préexistante), introduit la notion d'un plaisir dégagé de tout processus de réalisation d'une tendance – ce pourquoi, au paragraphe 5, la satisfaction esthétique sera dite « libre », au sens d'une « libre faveur », c'est-à-dire d'une relation désintéressée (= soustraite au calcul technique) à la simple présence de l'objet.

53. Là encore, il faut enregistrer les déplacements importants que ce développement opère par rapport à la théorie classique du plaisir. Comme le rappelle R. Mauzi dans son bel ouvrage sur *L'Idée de bonheur au XVIIIe siècle*, la tradition retenait trois types de plaisir : le plaisir des sens, le plaisir de l'esprit, le plaisir du cœur – dont le plaisir esthétique n'apparaissait guère que comme une combinaison. Ainsi, contre Hutcheson qui s'interrogeait sur l'éventuelle autonomie du plaisir esthétique, Diderot avait-il réaffirmé dans son *Traité du Beau* qu'il ne saurait y avoir de plaisir pris au Beau indépendamment de l'utilité morale de sa contemplation, ainsi que de la connaissance des rapports et des proportions dont témoignerait l'œuvre : l'esthétique se trouvait ainsi, une nouvelle fois, rapportée aux registres éthique et théorique. En ce sens, on ne saurait assez insister sur la rupture que produit la *Critique de la faculté de juger* : en autonomisant le jugement de goût à la fois par rapport au jugement de connaissance et par rapport à la sphère de l'utilité, elle forge au fond la notion même de plaisir proprement esthétique,

comme satisfaction indépendante des autres types de satisfaction que le sujet humain peut éprouver.

54. « Jugements esthétiques » (*ästhetische Urteile*) s'entend ici, évidemment, au sens large, englobant le « goût des sens » (= agréable) et le goût proprement dit, c'est-à-dire le « goût de la réflexion » (= beau).

55. C'est à partir de ce thème selon lequel le jugement de goût « se promet l'adhésion de chacun » et fait donc référence à l'horizon d'un « sens commun » que H. Arendt a pu voir dans la *Critique de la faculté de juger* le lieu véritable de la politique kantienne : de là son insistance sur les paragraphes 39 *sq.*, où sera développé ce thème du « sens commun » esthétique.

56. Paragraphe tout à fait essentiel dans l'économie, non seulement de l'Analytique du Beau, mais même de la troisième *Critique* en général : inaugurant l'analyse du jugement de goût du point de vue de la relation, il fait venir au premier plan cette étrange relation de *finalité* qui en est constitutive. Encore faut-il bien voir, pour comprendre la perspective dans laquelle s'ouvre cette réflexion sur la finalité, que, lorsqu'on se place du point de vue de la relation pour analyser le jugement de goût, l'objectif est toujours de clarifier (comme c'était le cas aussi dans les développements menés des points de vue de la qualité ou de la quantité, et comme cela le sera encore du point de vue de la modalité) l'« énigme » repérée par la Préface – à savoir celle de la liaison entre un certain jugement et un sentiment très particulier de plaisir. En se plaçant du point de vue de la qualité, on avait aperçu que ce plaisir n'est pas intéressé à la réalité de l'objet ; du point de vue de la quantité, il s'était précisé que le plaisir esthétique a quelque chose à voir avec la communication et l'inter-subjectivité (ce qui interviendra à nouveau avec le point de vue de la modalité et la perspective postulée d'une adhésion *nécessaire* de tous) : ici, du point de vue de la relation, il s'agit de comprendre en quoi l'impression d'une finalité dont on ne peut indiquer la fin contribue à la genèse du sentiment de plaisir. Pour ce faire, ce paragraphe 10 va articuler, dans son premier alinéa, une définition générale de la finalité et une définition générale du plaisir – pour ensuite, dans son second alinéa, établir la possibilité (par rapport à cette définition générale de la finalité) que la finalité soit sans fin ; à charge dès lors, pour la suite de l'Analytique : 1. de préciser en quoi la finalité esthétique vient remplir cette possibilité ménagée par la simple analyse du concept général de finalité (paragraphe 11), et 2. de cerner la nature spécifique du sentiment de plaisir qui peut venir se lier énigmatiquement à l'impression d'une *telle* finalité (paragraphe 12). C'est donc dans le paragraphe 10 que sont mises en place les conditions générales de possibilité sur la base desquelles se peut penser le lien, constitutif de l'esthétique, entre finalité et plaisir. Si l'on assiste, dans la *Critique de la faculté de juger*, à l'émergence de la notion d'un plaisir esthétique autonome, il faut par conséquent reconnaître à cet égard une fonction décisive à ce paragraphe, puisqu'il rend possible une analyse de la spécificité du plaisir esthé-tique, autrement dit : de son irréductible autonomie.

57. Hypothèse que Kant a exclue depuis la deuxième *Critique* et son développement sur « le paradoxe de la méthode dans une Critique de la raison pratique » (AK, V, 62 *sq.*, traduction citée, Pléiade, II,

p. 684 *sq.*) : l'objet pratique, qui est équivalent au Bien (puisque l'objet pratique est une fin, et que se proposer une fin revient toujours à se demander si elle est bonne ou mauvaise), ne doit pas pouvoir précéder la loi pratique qui dit qu'il faut le rechercher – vu que, sinon, on ne serait plus à proprement parler dans l'espace pratique, c'est-à-dire dans l'espace de la liberté, puisque ce serait au fond l'objet lui-même qui, en m'apparaissant comme devant être recherché, me déterminerait à agir en vue de l'atteindre. En ce sens, la loi morale (le « il faut ») doit précéder l'objet, être une loi pure, *une loi sans objet*, ou encore une loi qui est son propre objet, une loi qui se commande elle-même – bref : *la loi morale commande la loi*, ce qui signifie qu'elle commande la *Gesetzmässigkeit*, la conformité des maximes de nos actions à la forme de la loi, ou encore l'élévation de la maxime de l'action à la légalité (à la forme de la loi), c'est-à-dire (puisque le propre d'une loi est de valoir dans tous les cas) à l'universalité. Argumentation dont on trouve la trace ici, et qui revenait par conséquent à condamner *doublement* toutes les philosophies morales antérieures – car ces philosophies, en dérivant la loi (le « il faut ») de la position ou de la reconnaissance préalables d'un objet comme étant le bien : 1. fondaient la morale sur un principe hétéronome (puisque c'était alors l'objet qui déterminait la volonté) ; 2. soumettaient la loi morale à des « conditions empiriques », puisque, dans ces conditions, la loi, le « il faut », se déduisait de la reconnaissance d'un objet comme bon, ce qui n'est possible que « d'après son rapport immédiat au sentiment » : dans cette perspective, il fallait en effet que l'objet me fût d'abord apparu comme « objet de plaisir » pour que s'en déduisît l'exigence de le rechercher, donc la loi, laquelle ne pouvait ainsi être a priori, ni déterminer a priori la volonté, mais se trouvait soumise à des conditions empiriques.

58. L. Euler (1707-1783), mathématicien et physicien suisse, professeur à Saint-Pétersbourg et à Berlin.

59. Depuis W. Windelband, qui a repéré plusieurs autres textes allant dans ce sens, la version de la troisième édition a été retenue par tous les éditeurs.

60. « Idée-norme » : on a traduit ainsi *Normal-Idee*, transcrite jusqu'ici (depuis Barni !) par « idée normale » – ce qui présentait pourtant l'inconvénient non négligeable de n'avoir aucun sens.

61. « Jugement porté sur la forme de cet être » (*Beurteilung seiner Gestalt*) : les traductions ont hésité sur l'identification du détenteur de cette « forme » – Barni parlant simplement d'« une forme », Gibelin de la forme d'« un animal d'une certaine espèce », Philonenko, puis Ladmiral, de « sa forme ». Je crois pourtant que l'allemand exclut un indéfini et impose en outre de rechercher dans la phrase un masculin ou un neutre auquel *seiner* pourrait renvoyer : la seule possibilité consiste alors à rapporter *seiner Gestalt* à *eines zu einer besonderen Thierspecies gehörigen Dinges*, c'est-à-dire à l'homme comme « être appartenant à une espèce animale particulière ».

62. *Dargestellt* : « présenté » et non « représenté » (Barni, Gibelin, Philonenko). Il s'agit bien sûr du sens technique de la *Darstellung* comme présentation sensible (incomplète) des Idées.

63. Il n'est sans doute pas nécessaire de rappeler que le Doryphore du sculpteur grec Polyclète représentait un guerrier « porteur de

lance » ; Myron, autre sculpteur grec du Vᵉ siècle, s'était spécialisé dans les représentations animalières.

64. *Darstellung*. Barni, qui percevait bien l'écart avec la représentation (*Vorstellung*), traduisait par « exhibition » (en se fondant sur l'équivalent latin proposé par Kant au paragraphe 59).

65. *Subjectif-allgemein* : Kant vise le caractère subjectif de l'universalité du principe de la réflexion esthétique (de l'Idée de système), c'est-à-dire le fait qu'il s'agit à ses yeux d'une exigence inhérente à tout esprit humain ; parmi les solutions adoptées par mes prédécesseurs, « universellement subjectif » (Gibelin, Philonenko) fait contresens, tandis que « subjectif-universel » (Ladmiral) est un décalque sans signification claire : seul Barni traduisait correctement.

66. Cet auteur anglais (1754-1836), qui avait exploré la Malaisie, réapparaît dans la *Doctrine du droit* (*Métaphysique des mœurs*, traduction citée, II, p. 115).

67. Le texte porte : *zum Erhabenen aber bloss in uns und der Denkungsart, die in die Vorstellung der ersteren Erhabenheit hineinbringt*. Ma compréhension rejoint la version de Barni : le principe « du sublime doit être cherché en nous-mêmes, dans une disposition de l'esprit qui donne à la représentation de la nature un caractère sublime » – ou celle de Gibelin : « pour le sublime, [nous devons chercher un principe] seulement en nous et dans une manière de penser qui projette le sublime dans la représentation de la nature ». En revanche, Philonenko, suivi par Ladmiral, traduit, de façon peu explicable : « Pour le sublime, nous devons seulement chercher en nous un principe comme principe de la manière de penser qui introduit le sublime dans la représentation de la nature. »

68. N. Savary (1750-1788) était égyptologue et traducteur du Coran.

69. *Etwas objektiv Zweckmässiges*. Je choisis cette occurrence particulièrement significative pour souligner que l'usage qui s'est imposé, au fil des traductions, de rendre systématiquement *zweckmässig* par « final » (ce qui, dans de multiples cas, est équivoque, voire dépourvu de sens) m'est apparu devoir être abandonné. « Finalisé », comme c'est le cas ici, est souvent moins obscur ; mais on a dû aussi, parfois, recourir à certaines périphrases – en parlant notamment de ce qui contient ou manifeste une « dimension de finalité ».

70. *Die Unangemessenheit dieses im Fortschreiten unbegränzten Vermögens [...], ein mit dem mindesten Aufwande des Verstandes zur Grössenschätzung taugliches Grundmass zu fassen*. On a ici un bon exemple du sort que la succession des traductions peut réserver à un texte. La dernière version produite, celle de Ladmiral, frôle le non-sens en proposant : « l'impuissance de cette faculté, sans limite dans la progression, à saisir la mesure fondamentale capable d'une évaluation de la grandeur ne nécessitant qu'un effort minimal de l'entendement » ; Philonenko était le moins obscur en évoquant « l'impuissance de cette faculté, sans limite si l'on considère la progression, à saisir la mesure fondamentale convenant au plus petit travail de l'entendement dans l'évaluation de la grandeur » ; enfin, chez Gibelin (« l'impuissance de l'imagination qui progresse sans limite, à saisir et employer avec le moins de peine possible pour l'entendement une mesure fondamentale propre à l'évaluation de la grandeur ») ou Barni

(« l'inaptitude de l'imagination, dont le progrès n'a pas de limites, à saisir et à appliquer une mesure capable de servir à l'estimation de la grandeur, sans donner aucune peine à l'entendement »), la traduction réécrivait franchement le texte.

71. *Bei ihr als Erscheinung zusammengefasste Unendlichkeit.* La formule est difficile. Philonenko la fausse sensiblement en suivant Gibelin pour rendre *zusammengefasste* par « totale ». Ladmiral propose une version peu explicable en évoquant, « dans la nature en tant que phénomène », une « infinité subsumée par la compréhension ». C'est Barni, dont je reprends l'essentiel de la solution, qui était ici le meilleur : « la compréhension de l'infinité de la nature envisagée comme phénomène ».

72. Pour toute cette approche du sublime comme impuissance de l'imagination à « présenter » les Idées, voir la parfaite analyse de L. Ferry, *Homo Aestheticus*, Grasset, 1990, p. 135 *sq.*

73. *Das Überschwengliche für die Einbildungskraft.* De Barni à Philonenko, on a traduit par : le transcendant. Qu'un infiniment grand, par exemple l'espace comme « grandeur infinie donnée », déborde toute appréhension de l'imagination ne doit cependant pas inciter à le confondre avec le Transcendant pur et simple (*das Transzendent*).

74. *Gesetzmässig.* Comme à propos de *zweckmässig*, il faut dénoncer ici les effets de la traduction « mécanique » par « légal », voire, comme ici, par « conforme à la loi » (laquelle ?). Dans le cas présent, « légitime », comme l'avait vu Barni, me semble s'imposer.

75. *Als gegeben.* Depuis Barni, toutes les traductions ont suivi ici la leçon adoptée par Erdmann : *als ganz gegeben*, « comme entièrement donné ». On voit mal la raison de cet ajout, car si Kant écrivait certes plus haut (AK, 254) que la pensée de l'infini comme « entièrement donné » est une exigence inévitable, il indiquait aussi, quelques lignes plus loin, que ce qui est exigé, c'est de pouvoir « même seulement penser l'infini *donné* ». D'une manière générale, ce qui, dans le cas du sublime mathématique, « déborde » l'imagination et la plonge dans un « abîme effrayant », c'est l'expérience négative de l'espace comme cette « grandeur infinie donnée » qu'avait identifiée en lui l'*Esthétique transcendantale*. C'est l'effort pour penser cet « infini donné » et l'échec de cet effort pour surplomber cette « grandeur infinie donnée » (donc le fait que « l'infini donné » n'est jamais « entièrement donné ») qui suscitent le sentiment du sublime.

76. Il s'agit du géographe suisse H. B. de Saussure (1740-1799), célèbre pour son ascension du mont Blanc (1787) et auteur de *Voyages dans les Alpes* (4 vol., traduction allemande, 1781).

77. *Über dieselbe.* Gibelin, Philonenko, puis Ladmiral comprennent que le renvoi est à *Sinnlichkeit*. Je préfère la solution de Barni, qui comprenait que la déterminabilité du sujet par l'Idée de liberté consiste en ce qu'il fait, à travers la sensibilité, l'épreuve d'« obstacles » (*Hindernisse*, dont il convient de respecter le pluriel) « vis-à-vis desquels » il éprouve en même temps sa « supériorité », dans la mesure où il les surmonte. L'autre solution, tout aussi possible grammaticalement, a l'inconvénient de provoquer, pour faire sens, deux déplacements peu convaincants dans la logique de la phrase : 1. Il faut alors comprendre que les obstacles évoqués sont constitués

par la sensibilité elle-même (ce qui n'a guère de sens et induit en outre, comme chez Philonenko, la transformation du pluriel *Hindernisse* en un singulier) ; 2. Il faut lire, ensuite, qu'on triomphe de la sensibilité « en modifiant son état » (ce qui n'est pas clair et laisse penser qu'il s'agit de l'état de la sensibilité – possibilité que l'allemand exclut : *seines Zustandes*), là où l'ordre même des mots suggère de comprendre *Modifikation seines Zustandes* comme ce que le sujet « peut éprouver » : il est « déterminable par l'Idée de liberté » en tant qu'il peut éprouver en lui (*in sich*), par rapport à sa sensibilité, des obstacles et sa supériorité sur ces obstacles dont il triomphe – supériorité qu'il éprouve *als Modifikation seines Zustandes*, « comme modification de son état » (en ce sens, précisément, que cet état n'est plus éprouvé comme un état de limitation). On a évidemment ici une préfiguration du concept fichtéen de la liberté comme épreuve d'une altérité par rapport à la sensibilité et de la victoire sur cette altérité. Dans la même phrase, Barni me semble avoir raison de comprendre *sofern dass* par « en ce sens que » (pour ma part : « dans la mesure où »), plutôt que, comme ses successeurs, par : « tellement [...] que ».

78. La phrase est difficile à construire, et me semble avoir été manquée par les traductions antérieures (*sie* dans *so wie sie* et dans *anderseits wie sie* renvoie au même sujet : les principes, et ne peut être traduit, dans le premier cas, par « elle » = la sensibilité, dans le second par un pluriel renvoyant aux *Gründe*). Je comprends qu'il y a certes une différence entre les principes du beau et du sublime (qui tient à leur orientation vers deux fins distinctes : celles de l'entendement contemplatif, celles de la raison pratique), mais que, malgré tout, ils se rassemblent autour d'une orientation plus profonde vers le sentiment moral – ce qu'explicite la phrase suivante.

79. Phrase non construite (la difficulté étant de faire du membre à l'infinitif le sujet de la phrase) par les précédents traducteurs, qui soit la brisent (Philonenko : « cette Idée [...], nous ne la connaissons pas [...], et elle est évoquée en nous [...] »), soit ajoutent une conjonction (Gibelin, Ladmiral, après Barni, qui proposait : « cette Idée, que certes nous ne déterminons pas davantage, *en sorte que* nous ne pouvons connaître, mais seulement concevoir, la nature comme son exhibition, cette Idée est éveillée en nous [...] »).

80. Exode, XX, 4.

81. *Schwärmerei*. Depuis *Qu'est-ce que s'orienter dans la pensée ?* (1786), le terme, courant dans la langue de l'époque, est utilisé de manière fortement péjorative par Kant pour désigner toute attitude subversive à l'égard de la raison, à commencer par celle du courant philosophique qui, autour de Jacobi, a, lors de la « querelle du panthéisme », défendu, contre les valeurs des Lumières, celles du « génie ». Sur ce thème, voir A. Philonenko, Introduction de sa traduction de *Qu'est-ce que s'orienter dans la pensée ?*, Vrin, 4ᵉ éd., 1978, p. 38-39. Philonenko s'était rallié à la traduction de *Schwärmerei* par « enthousiasme », dont malheureusement la dimension légèrement péjorative me paraît s'être trop perdue aujourd'hui pour rendre ce délire de la raison que constitue aux yeux de Kant la *Schwärmerei* : qui plus est, dans les lignes qui suivent, Kant va distinguer expressément la *Schwärmerei*, qu'il rapproche du délire,

et l'*Enthusiasm*, qu'il compare à la démence – ce pourquoi, dans sa traduction, Philonenko ne pouvait plus, pour *Schwärmerei*, utiliser sa transcription habituelle et laissait fâcheusement le terme en allemand.

82. Il s'agit évidemment d'E. Burke (1729-1797). Les *Recherches philosophiques sur l'origine de nos idées du sublime et du beau* (Vrin, 1990) avaient été publiées en 1757 et traduites en allemand par Garve. Quelques mois après la publication de la *Critique de la faculté de juger*, Burke devait faire paraître, en novembre 1790, l'ouvrage auquel il doit sa célébrité, à savoir ses *Réflexions sur la Révolution de France* qui, traduites en allemand en 1791, puis en 1793, devaient nourrir le courant contre-révolutionnaire (J. Möser, Jacobi, W. Rehberg, etc.).

83. Dans la première édition, la phrase qui précède ce titre est absente, et la Déduction, que le manuscrit faisait figurer sous l'intitulé de « Troisième section », avait été désignée comme « Livre III » par Kiesewetter, un des correcteurs choisis par Kant. Ce dernier, tout en convenant de son erreur (puisque, de fait, les deux « Analytiques » avaient été intitulées par lui Livre I et Livre II), demanda finalement à Kiesewetter de supprimer toute indication.

84. Ch. Batteux (1713-1780), membre de l'Académie française, auteur d'un ouvrage intitulé *Les Beaux-Arts réduits à un même principe* (1746), était un disciple de Boileau. Voir L. Ferry, *op. cit.*, p. 59-60.

85. *Es*. L'identification du terme auquel renvoie le pronom est indécise chez Gibelin et Ladmiral, fautive chez Philonenko (qui traduit : « cet accord », en renvoyant donc au féminin *Zusammenstimmung*, là où le seul neutre pouvant être concerné est *Urteil*). Seul Barni était ici clair et exact.

86. Le contresens est patent chez Gibelin, Philonenko et Ladmiral, qui ne voient pas que *nicht* (*wo sie nicht*) gouverne aussi bien *bloss zu subsumiren hat* et *unter einem Gesetze steht* (à la différence de Barni, qui toutefois modifie la construction). L'idée est évidemment que la faculté de juger est *autonome*.

87. *Welcher* (= *der Anspruch*) *darauf hinaufläuft, die Richtigkeit des Princips aus subjectiven Gründen für jedermann gültig zu urtheilen*. Barni est loin du texte et donne une version très incomplète. Gibelin, Philonenko et Ladmiral manquent la construction, en comprenant que la prétention « affirme seulement (?) l'exactitude du principe consistant à juger à partir de raisons subjectives d'une manière valable pour chacun ».

88. *Selbstthätigkeit*. Le terme sera repris par Fichte pour désigner la liberté. « Activité personnelle » (Gibelin, Philonenko, Ladmiral) fausse le sens en induisant l'idée de particularité. « Spontanéité » (Barni) fait trop songer à la nature en nous, là où il s'agit de la liberté comme autonomie.

89. *Von der Denkungsart, einen zweckmässigen Gebrauch davon zu machen*. Membre de phrase mal construit par les traductions antérieures, qui ne voient pas que toute la fin détermine « manière de penser ». On a en outre ici un bon exemple des effets malencontreux de la traduction mécanique de *zweckmässig*, quand Philonenko parle d'« un usage final » (?) ou Ladmiral d'un usage « conforme à une fin » (laquelle ?).

90. *Arbitre* traduit *Willkür* – que l'on avait transcrit par « libre arbitre » (Philonenko, Ladmiral), par « volonté » (Barni), ou par « vouloir » (Gibelin). L'emploi du terme « arbitre » en ce sens est certes peu usuel en français, mais la traduction trop fréquente de *Willkür* par « libre arbitre » induit, dans le contexte du criticisme, d'indubitables contresens. Il suffit, pour s'en convaincre, de se reporter à la *Critique de la raison pratique*, Première partie, Livre I, chapitre 1, paragraphe 2, où *Willkür* (traduit fautivement par « libre arbitre » aussi bien chez Gibelin, Vrin, que chez Picavet, PUF, mais correctement par L. Ferry et H. Wismann, *Œuvres philosophiques de Kant*, Bibliothèque de la Pléiade, t. II), désigne la volonté en tant qu'elle est *déterminable* par des principes déterminants qui peuvent être rationnels ou non : l'« arbitre » (*Willkür*) se définit donc comme le déterminable de la volonté – arbitre qui est « libre » (c'est-à-dire déterminé librement : *freie Willkür*, « libre arbitre ») quand ses principes déterminants sont rationnels (cas qu'envisage ce passage de la *Critique de la faculté de juger*, en invoquant un arbitre qui prend pour principe la raison) ; en revanche, quand la volonté est déterminée par des impulsions sensibles, c'est-à-dire, dans le langage de Kant, *pathologiquement*, l'arbitre est nommé *arbitrium brutum*. Voir Kant, *Introduction générale à la métaphysique des mœurs*, *Métaphysique des mœurs*, II, traduction citée, p. 161 *sq.*

91. P. Camper (1722-1789), anatomiste hollandais.

92. *Geist.*

93. Les vers qui suivent ont été écrits en français par le souverain (*Œuvres*, X, 203) et sans doute traduits en allemand par Kant lui-même.

94. Vers identifié (AK, V, 529) comme de J. Ph. L. Withof, professeur (notamment d'éloquence) à l'Université de Duisbourg.

95. J.A. Segner (1707-1777), philosophe mathématicien, déjà cité dans l'Introduction à la *Critique de la raison pure*.

96. Il s'agit bien sûr de *History of England*, 6 vol., Londres, 1763, dont il existait une traduction allemande (1767-1771).

97. L'expression est en fait due à Caton l'Ancien.

98. Allusion au chant VII de *La Henriade*.

99. Plus connus aujourd'hui sous les noms de sulfure de plomb et de sulfure de zinc.

100. *Audrücke für Begriffe nicht vermittelst...* Construction manquée par Philonenko (« des expressions pour des concepts formés non par la médiation... ») et Ladmiral (« des expressions pour des concepts réalisés non au moyen... »). Gibelin entretenait l'équivoque. Barni construisait correctement : « des expressions qui servent à désigner des concepts, non pas au moyen de... ».

101. *Ihrer* : « de *leur* faculté de juger » (comme l'avait vu Gibelin) – et non : « de *sa* faculté de juger » (Philonenko, Ladmiral). Barni est loin du texte.

102. *Sie giebt* [...] *ihr selbst das Gesetz* : correctement traduit par Barni et Gibelin, la formule devient, chez Philonenko, puis Ladmiral : « Elle donne elle-même la loi. »

103. *Der letzeren* : les traductions antérieures sont unanimes à transcrire par « cette dernière », alors que la fin de la phrase indique clairement que le suprasensible est envisagé ici comme le fondement

où se réunissent « ces dernières », c'est-à-dire aussi bien la nature que la liberté.

104. *Zu der innerlich zweckmässigen Stimmung unsererr Erkenntnisvermögen* : parler d'« accord intérieurement adéquat (?) de nos facultés de connaître » (Ladmiral) ou simplement d'« accord intérieur de nos facultés de connaître » (Philonenko, après Gibelin), voire de « destination intérieure de nos facultés de connaître » (Barni), c'est manquer la référence à la notion de « finalité interne » (*innere Zweckmässigkeit*), telle qu'elle sera thématisée au paragraphe 63.

105. Le cas de la finalité objective formelle est complexe, dans la mesure où il échappe à la présentation générale des divisions de la finalité. Ce qu'il y a de « finalisé » dans certaines figures géométriques qui ont l'air d'être faites pour résoudre tel ou tel problème (au sens, par exemple, où le cercle semble être fait pour résoudre le problème de savoir comment construire un triangle avec une base donnée et l'angle opposé) participe en effet de la finalité *objective* en ceci que la fin vers laquelle fait signe l'impression de finalité peut donc être indiquée (à la différence des cas de finalité subjective, où la finalité est « sans fin ») ; pourtant, alors que, quand la finalité est objective, c'est la constitution même de l'objet, *en tant qu'existant*, qui semble dépendre de la fin, et que la finalité est donc « matérielle », la finalité envisagée ici reste *formelle* : il est bien évident en effet que l'existence du cercle n'est pas rendue possible par la solution du problème du triangle, mais qu'à l'inverse la fin (cette solution) est rendue possible par les propriétés structurelles de la figure. Nous sommes donc en présence d'un cas-limite dont l'étude préalable ménage la transition entre la notion de finalité subjective, dont il était question dans l'analytique du jugement esthétique, et celle de finalité objective, dont l'analytique du jugement téléologique va interroger les conditions de pensabilité.

106. La critique que Kant adresse ainsi aux interprétations dogmatiquement finalistes est fort élégante, parce qu'elle est discrètement ironique : le Groenlandais, le Lapon, etc., ces « misérables créatures », peuvent-ils vraiment être posés comme des « fins de la nature » ? Comprendre : pourquoi eût-il été nécessaire que ces peuples existent là où ils vivent, et de la façon dont ils vivent ? Le jugement téléologique, posé comme une affirmation, serait ici absurde, car comment imaginer une telle existence inscrite dans un plan *cohérent* de la nature ? Le thème sera repris au paragraphe 67, où Kant généralise l'objection en indiquant que faire de l'homme « la fin dernière de la nature » ne peut consister qu'en un jugement hypothétique – car « on ne voit pas pourquoi il est nécessaire que des hommes existent », surtout si l'on songe aux habitants de la Nouvelle-Hollande ou aux Fuégiens.

107. Le bilan de cette analyse de la finalité objective (externe) paraît donc très négatif : finalité relative et non absolue, seulement hypothétique, la finalité objective est en outre d'un usage souvent inutile (puisque même l'existence du Groenlandais sur sa banquise se pourrait expliquer mécaniquement, comme un effet de la stupidité de l'homme qui, engendrant continuellement des guerres, a conduit certains, pour fuir ces désastres, à se réfugier dans de telles contrées). Ce bilan négatif permet de comprendre pourquoi presque tous les interprètes ont estimé, à la façon de Bergson dans *L'Évolution*

créatrice, que Kant niait résolument la finalité externe. Philonenko est à peu près le seul à rappeler (*L'Œuvre de Kant*, Vrin, II, p. 80 *sq.*) que « pourtant la philosophie kantienne de l'histoire suppose une philosophie de la finalité externe », puisque toute la pensée de l'histoire comme progrès, aux paragraphes 83-84, suppose que l'on puisse maintenir un usage du principe de finalité externe *après sa critique*. On peut ajouter que, si tel n'était pas le cas, l'antinomie de la faculté de juger téléologique, qui va se mettre en place *après cette critique*, n'aurait rigoureusement aucun sens.

108. La critique de la théorie de l'éduction (*Théodicée*, I, paragraphe 88) vise la position qui entend tirer les formes de la matière. La conception kantienne de la matière, telle qu'elle a été exposée en 1786 dans les *Premiers Principes métaphysiques de la science de la nature*, consiste à définir la matière uniquement par le fait d'occuper un espace et par l'impénétrabilité – soit par deux déterminations qu'explicitent les notions de force d'attraction et de force de répulsion : si l'attraction agissait seule, la matière serait réduite au point, mais si la répulsion agissait seule, chaque portion de matière serait sans cesse repoussée par chaque autre, et la matière occuperait tout l'espace – de telle manière que sa densité tendrait vers zéro. Pour rendre compte de la matière telle qu'elle est (ni infiniment condensée en un point, ni infiniment raréfiée dans la totalité de l'espace, mais à densité variable), il faut donc poser les *deux* forces – mais elles seulement : ce qui revient à dire que, puisque l'analyse transcendantale du concept de matière ne livre que deux forces, il n'y a pas de matière qui, *en tant que telle*, soit organique ou animée – bref : la distinction entre organique et inorganique ne peut être rendue intelligible à partir de la matière elle-même, mais ne concerne que l'organisation ou l'in-formation de la matière. Thèse qui prend strictement le contrepied de celle de Leibniz, pour qui, toute réalité étant monadiquement structurée, on trouvait dans la matière la plus simple une forme, même rudimentaire, de cette subordination des parties au tout qui est la marque de l'organicité. Cette rupture avec Leibniz a évidemment une portée considérable :

– dans la troisième Critique elle-même, tout d'abord : il est clair en effet que, si l'on ne peut déduire la différence entre organique et inorganique de la matière elle-même, le mécanisme ne peut suffire à expliquer les êtres organisés ; d'où la nécessaire réintroduction du finalisme et, par là, la possibilité que se mette en place l'antinomie entre mécanisme et finalisme ;

– au-delà même de la Critique, ensuite : réassumant les positions de Leibniz, l'idéalisme allemand, à partir de Schelling, entendra déduire l'organique à partir de la matière et s'adonnera dès lors à la construction d'une philosophie de la nature, au sens d'une déduction ou d'une genèse a priori de l'organique comme simple moment dans le déploiement même de la matière ; inversement, chez Kant, le criticisme, en affirmant l'indifférence de la matière à l'organisation, court-circuitait le projet foncièrement idéaliste d'une philosophie de la nature comme déduction a priori de la nature en sa diversité. Par là s'expliquent les critiques adressées par Schelling, mais aussi bien l'hostilité constante de Fichte à ce projet d'une philosophie de la nature, où il voyait à juste titre la ruine de l'idéalisme transcendantal.

109. Dans tout ce développement, Kant insiste sur la manière dont l'organisation, pour laquelle l'exemple prototypique lui apparaît être la plante, occupe, au sein des ordres du réel, une position intermédiaire, entre la nature inorganisée, dominée entièrement par le mécanisme, et la vie, caractérisée à la fois par des effets de finalité et par l'individualité absolue. Intermédiaire est la plante, dans la mesure où elle ne peut certes être comprise sans recours à la finalité, mais n'accède pas encore au registre de l'individualité proprement dite : dans l'ordre de l'organisation, l'individualité n'est en effet que *relative* – la marque de cette relativité étant la possibilité de la « greffe ». Car, que l'on puisse greffer un arbre, cela prouve que l'arbre qui reçoit la greffe n'existe pas véritablement comme un individu, puisqu'il tolère que vienne s'adjoindre à lui une greffe qui va en modifier la nature ; inversement, le fait que l'on puisse en détacher un rameau et le greffer sur un autre arbre prouve que le rameau détaché n'était pas une partie indissociable – donc, là encore, que l'arbre dont on l'a détaché n'est pas vraiment, entendu de façon littérale, un individu, un tout dont on ne saurait soustraire une partie sans le détruire comme tout. Faut-il alors considérer comme un individu plutôt chaque rameau, chaque feuille – ce qui peut, de fait, être tentant, puisque, greffé, l'élément se reproduit ? Reste que cette individualité du rameau ou de la feuille n'est elle-même que relative, puisque, détachée de l'arbre, la feuille ne subsiste pas par elle-même, de façon autonome, mais doit, pour continuer à vivre, être entée ou écussonnée sur un autre arbre.

110. Cette note est d'une extrême importance du point de vue de la philosophie politique. Kant y perçoit en effet le danger de l'image du « corps politique ». Comme l'a rappelé Philonenko (*Jean-Jacques Rousseau et la pensée du malheur*, t. I, Vrin, 1984, p. 246 *sq.*), la totalité politique est définie chez Rousseau par l'image du corps – par exemple dans ce passage célèbre du *Discours sur l'économie politique* : « Le corps politique, pris individuellement, peut être considéré comme un corps organisé, vivant et semblable à celui de l'homme », dont le souverain « représente la tête » et « les citoyens les membres qui font mouvoir, vivre et travailler la machine » (*OC*, Bibliothèque de la Pléiade, III, p. 244). Pour de multiples raisons, on peut redouter qu'ainsi représentée l'organisation politique induise une conception despotique de la société civile comme « société close » régie par des relations de finalité interne absolue. La position de Kant est autrement nuancée. Certes, cette note du paragraphe 65 estime « fort appropriée », par allusion à la Révolution française, l'utilisation récente du terme d'« organisation » pour désigner « le corps politique tout entier ». Pour autant, il ne faut pas se hâter de conclure que Kant répète Rousseau et s'engage ainsi sur la voie, redoutable, d'une définition de la communauté politique comme totalité vivante : selon cette note, il n'y a en effet, entre la liaison politique et la finalité interne absolue qui caractérise l'organisation du vivant, qu'une analogie – ce qui suggère que, si l'utilisation de la notion d'« organisation » est appropriée à la désignation de la communauté politique, il faut toutefois réfléchir aux limites de l'analogie. En ce sens, il est permis de penser – du moins est-ce ce que Fichte, aux paragraphes 16-17 de son *Fondement du droit naturel*, a retenu de ces textes – que l'image de l'arbre, que Kant vient d'analyser au

paragraphe 64, permet de corriger ce que l'image du vivant a d'excessif et de dangereux en gommant toute autonomie des parties de la communauté à l'égard du tout. Il suffit, pour s'en convaincre, de se reporter aux premières pages du *Projet de paix perpétuelle* où, évoquant l'abolition de l'indépendance d'un État par un autre, Kant pose immédiatement le problème en termes de « greffe » et compare l'État à « un tronc indépendant (qui) a ses propres racines ». Lorsque, dans le « Premier article définitif en vue de la paix perpétuelle », la constitution républicaine est présentée comme la meilleure protection contre le despotisme, il faut donc voir dans le républicanisme le « système politique » où l'unité des parties au sein du tout se peut concevoir sur le modèle de la plante, et non sur celui de l'animal.

111. *Endzweck* – là où, selon les tenants d'une distinction rigoureuse entre *letzter Zweck der Natur* et *Endzweck*, on attendrait plutôt le premier des deux termes. Je renvoie sur ce point de traduction (et d'interprétation) à ma Présentation.

112. *Endzweck*.

113. Tout ce paragraphe est difficile. Il faut d'abord voir avec précision pourquoi la faculté de juger déterminante ne peut pas avoir d'antinomie. Le jugement déterminant intervient uniquement pour indiquer comment la catégorie peut s'appliquer à un donné sensible : en ce sens, le fondement de l'application de la catégorie au donné se trouve hors du jugement, dans la règle a priori elle-même et dans la déduction transcendantale de sa sphère d'application – ce pourquoi Kant écrivait, au paragraphe V de l'Introduction, que la faculté de juger déterminante n'est pas « autonome » (nomothétique), à la différence de l'entendement, qui produit lui-même les concepts qu'il prescrit à la nature, et est donc législateur. Dès lors, la faculté de juger déterminante ne peut avoir d'antinomie, puisqu'une antinomie suppose deux principes opposés et que, la faculté de juger n'ayant pas de principes en elle-même, nulle antinomie ne pourra naître *en elle*. Au contraire, la faculté de juger réfléchissante devant subsumer le particulier sous l'universel sans qu'il lui soit donné, elle ne peut emprunter son critère à la règle (laquelle est seulement postulée) et il lui faut donc trouver *en elle-même* le principe légitimant son fonctionnement – ce pourquoi l'Introduction la disait, non pas « autonome », mais « héautonome » : elle ne constitue pas une classe d'objets (elle ne légifère pas), mais elle se prescrit *à elle-même* les principes de sa réflexion – selon une structure d'héautonomie qui peut alors, comme va l'expliquer le paragraphe 70, faire surgir un conflit entre les principes que se donne le jugement téléologique, c'est-à-dire entre les divers points de vue qui légitiment l'opération même du jugement téléologique.

114. Plutôt que le contenu de ces paragraphes 72-73 consacrés aux diverses positions philosophiques sur la finalité, c'est sans doute leur fonction qui a besoin d'être explicitée. En fait, au fil de l'Analytique de la faculté de juger téléologique, Kant établit en trois étapes le statut purement *méthodique* de la finalité objective :

– la première étape correspondait au paragraphe 63 et à la critique d'une utilisation dogmatique de la finalité objective externe : ainsi ne subsistait-il déjà, à la fin du paragraphe 63, que la possibilité d'un usage *hypothétique* de la notion, quand le mécanisme s'avérerait insuffisant pour rendre intelligible un phénomène ;

– la deuxième étape s'accomplit dans les paragraphes 72-73 et réside dans la critique ou la déconstruction des divers systèmes métaphysiques ayant pris des positions-types sur la finalité objective interne, c'est-à-dire sur la question de savoir si les êtres organisés sont des « fins naturelles » ;

– l'ultime étape, aux paragraphes 75-77, élaborera plus complètement, quant à ses conditions ultimes de pensabilité, le statut criticiste de la finalité objective, tant externe qu'interne.

115. *In der Einheit des letztern.* Depuis Barni, on comprenait qu'il s'agissait de l'unité de la nature – ce qui imposerait pourtant que le génitif soit un féminin.

116. *Etwas, das nicht empirisch erkennbare Natur (übersinnlich), mithin für uns gar nicht erkennbar ist.* Le membre de phrase a été mal construit depuis Gibelin, qui comprend : « quelque chose qui n'est pas la nature connaissable empiriquement (suprasensible) que nous ne pouvons donc connaître ». Barni restait très loin du texte.

117. *Verständlich.* On n'a jamais noté, à ma connaissance, que Kant est bien près, dans tout ce passage, de mettre en place la distinction entre « explication » et « compréhension » à travers laquelle, près d'un siècle plus tard, Dilthey fondera l'autonomisation des « sciences de l'esprit ». Pour le moins Kant isole-t-il, dans la démarche générale de l'explication, une dimension spécifique, où il s'agit non plus d'expliquer selon la loi du mécanisme, mais de rendre « compréhensible » par référence à l'Idée d'une causalité intentionnelle.

118. *Dem Begriffe vom Zwecke der Vernunft.* Plutôt que de rapporter *der Vernunft* à *aufstellen*, comme le faisaient les traductions antérieures (« présenter à l'étude de la raison »), il m'a semblé possible, et plus conforme au mouvement de la phrase, de comprendre que Kant présentait le concept de fin comme « fin de la raison », au sens où toute la Dialectique explique que nous ne pouvons nous représenter la causalité (finale) que par référence à l'Idée d'un entendement archétypique et que nous ne pouvons nous représenter à son tour un tel être infiniment raisonnable que « d'après la constitution de notre raison » (Remarque du paragraphe 76).

119. Le passage à la Méthodologie, amorcé par le paragraphe 78, obéit à la logique suivante : une fois l'antinomie résolue (par la mise en évidence que finalité et causalité mécanique ne sont pas contradictoires en soi, ni même pour un entendement architectonique, mais pour la faculté de juger), il faut maintenant montrer que les deux démarches ne sont pas contradictoires dans la pratique.

120. *Endzweck.*

121. *Letzter Zweck.*

122. *Der letzte Zweck der Schöpfung.* Nouvel exemple qui montre qu'une interprétation trop rigide du dédoublement terminologique intervenant dans les titres des paragraphes 83-84 relève davantage d'un kantisme scolaire, voire scholastique, que de la pensée de Kant. Je comprends mal que Philonenko, dans la version la plus récente de sa traduction, ait cru bon d'intégrer l'objection qui lui avait été faite, au point de corriger ici le texte de Kant et de traduire, dans cette phrase, *der letzte Zweck der Vernunft* par : « fin ultime de la création », tout en expliquant au contraire en note que « Kant introduit le concept de fin *dernière* – *letzter Zweck* – qu'il oppose au but *final* (ou *ultime*) – *Endzweck* » – (Vrin, 1993, p. 373) !

123. C'est-à-dire par une décision de son « arbitre » (*Willkür*).

124. *Endabsicht.*

125. *Bürgerliche Gesellschaft.* Conformément à l'usage qui s'était établi dans la tradition jusnaturaliste, Kant entend encore par « société civile », en opposition à « société naturelle », ce que nous appelons l'État (voir ma Présentation de la *Métaphysique des Mœurs*, traduction citée, t. I, p. 35 *sq.*).

126. On lit à nouveau, ici : *von dem letzten Zwecke der Schöpfung.*

127. Même observation que dans la note précédente.

128. Depuis Barni, *sie*, qui reprend visiblement *Idee*, a été traduit par : « la raison ».

129. H. Reimarus (1694-1768) était un des représentants les plus connus de l'*Aufklärung.* L'allusion est à son ouvrage de 1754, *Die vornehmsten Wahrheiten der natürlichen Religion.*

130. *Dem letzten Endzweck.* Plus belle pièce, en même temps qu'ultime, à verser au dossier, Kant synthétisant les deux expressions qu'on veut lui faire « opposer ».

ORIENTATION BIBLIOGRAPHIQUE

1. Édition et traductions de la *Critique de la faculté de juger*

L'édition utilisée est celle de l'Académie de Berlin, tomes V (*Critique de la faculté de juger*) et XX (*Première Introduction à la Critique de la faculté de juger*).

La troisième Critique a donné lieu à quatre traductions françaises : J. Barni (Germer-Baillière, 1846) ; J. Gibelin (Vrin, 1946) ; A. Philonenko (Vrin, 1965, rééd. révisée, 1993) ; J.-R. Ladmiral, M.-B. de Launay et J.-M. Vaysse, in *Œuvres philosophiques de Kant*, sous la direction de F. Alquié, Bibliothèque de la Pléiade, II, 1985.

La *Première Introduction* a été traduite chez Vrin (2ᵉ éd. revue, 1975) par L. Guillermit, puis par A. Delamarre, in *Œuvres philosophiques de Kant, loc. cit.*

2. Ouvrages et articles portant en partie ou en totalité sur la *Critique de la faculté de juger*

ARENDT Hannah, *Juger. Sur la philosophie politique de Kant*, Paris, Seuil, 1991.

BASCH Victor, *Essai critique sur l'esthétique de Kant*, 1897, édition augmentée, Paris, Vrin, 1927.

BÄUMLER Alfred, *Das Irrationalitätsproblem in der Ästhetik und Logik des 18. Jahrhunderts bis zur Kritik der Urteilskraft*, Halle, Niemeyerr, 1923.

BIEMEL Walter, « Die Bedeutung von Kants Begründung der Aesthetik für die Philosophie der Kunst », *Kant-Studien*, Cologne, 1959.

CASSIRER Ernst, *Kants Leben und Lehre*, Berlin, B. Cassirer, 1911.

CASTILLO Monique, *Kant et l'avenir de la culture*, Paris, PUF, 1990.

CHÉDIN Olivier, *Sur l'esthétique de Kant*, Paris, Vrin, 1982.

COHEN Hermann, *Kant's Theorie der Erfahrung*, 2ᵉ éd., Berlin, Dümmler, 1889.

COHEN Hermann, *Kant's Begründung der Ästhetik*, Berlin, Dümmler, 1889.

DECLÈVE Henri, *Heidegger et Kant*, La Haye, M. Nijhoff, 1970.

FERRY Luc, « Sublime et système chez Kant. Essai d'interprétation du sublime mathématique », *Études philosophiques*, Paris, 1975.

FERRY Luc, *Homo Aestheticus. L'invention du goût à l'âge démo-cratique*, Paris, Grasset, 1990.

GRONDIN Jean, *Kant et le problème de la philosophie : l'a priori*, Paris, PUF, 1989.

GRONDIN Jean, *Emmanuel Kant*, Paris, Critérion, 1991.

LEBRUN Gérard, *Kant et la fin de la métaphysique*, Paris, A. Colin, 1970.

LONGUENESSE Béatrice, *Kant et le pouvoir de juger*, Paris, PUF, 1993.

MAKKREEL Rudolf A., *Imagination and Interpretation in Kant. The Hermeneutical Import of the Critique of Judgment*, Chicago/Londres, The University of Chicago Press, 1990.

MARTY François, *La Naissance de la métaphysique chez Kant. Une étude de la notion kantienne d'analogie*, Paris, Beauchesne, 1980.

PAREYSON Luigi, *L'estetica di Kant*, Milan, 1968.

PHILONENKO Alexis, *L'Œuvre de Kant*, II, Paris, Vrin, 1972.

PHILONENKO Alexis, *Études kantiennes*, Paris, Vrin, 1982.

RENAUT Alain, *Kant aujourd'hui*, Paris, Aubier, 1997, rééd. « Champs-Flammarion », 1999.

ROUSSET Bernard, *La Doctrine kantienne de l'objectivité*, Paris, Vrin, 1967.

WEIL Éric, *Problèmes kantiens*, 1963, éd. augmentée, Paris, Vrin, 1970.

CHRONOLOGIE

1724 : Naissance à Königsberg d'Emmanuel Kant.

1727 : Mort de Newton.

1732-1740 : Études au Collegium Fredericianum, collège piétiste.

1737 : Mort de la mère de Kant.

1740 : Kant s'inscrit à l'Université de Königsberg. Avènement de Frédéric II.

1744 : Naissance de Herder.

1746 : Mort du père de Kant.

1747 : Premier ouvrage de Kant : *Pensées sur la véritable estimation des forces vives, et examen des preuves dont se sont servis M. de Leibniz et autres mécaniciens dans cette controverse.*

1749 : Naissance de Goethe.

1754 : Mort de Wolff. Kant publie, dans les *Königsbergschen Frag- und Anzeigungsnachrichten*, « Recherche sur la question : la Terre a-t-elle subi quelques modifications dans sa rotation autour de son axe ? », ainsi que : « La question : " La Terre vieillit-elle ? " examinée au point de vue physique ».

1755 : *Histoire universelle de la nature et théorie du ciel*. Thèse latine qui donne à Kant l'habilitation et lui permet de devenir privatdocent à l'Université de Königsberg : *Nouvelle explication des premiers principes de la connaissance métaphysique.*

1755 : Tremblement de terre de Lisbonne (Kant publiera en 1756, dans les *Nachrichten*, « Sur les causes des tremblements de terre, à l'occasion du sinistre qui a atteint les régions occidentales de l'Europe vers la fin de l'année dernière », ainsi que « Histoire et description du tremblement de terre de l'année 1755 et Considération sur les tremblements de terre observés depuis quelque temps »).

1756 : Début de la guerre de Sept Ans. L'armée russe occupe Königsberg. Publication d'une traduction allemande des *Essais* de Hume. Dissertation latine de Kant : *Monadologie physique, exemple de l'usage de la métaphysique unie à la géométrie dans la science de la nature.*

1757 : E. Burke publie ses *Recherches philosophiques sur l'origine de nos idées du sublime et du beau.*

1758 : *Conception nouvelle du mouvement et du repos.*

1759 : *Essai de quelques considérations sur l'optimisme.*

1762 : Naissance de Fichte. Rousseau publie *Le Contrat social* et *L'Émile*. Publication de Kant : *De la fausse subtilité des quatre figures du syllogisme*.

1763 : Kant présente au concours de l'Académie de Berlin : *Recherche sur l'évidence des principes de la théologie et de la morale*, qui obtient l'accessit (publié en 1764). *Unique fondement possible d'une démonstration de l'existence de Dieu. Essai pour introduire en philosophie le concept de grandeur négative.*

1764 : *Essai sur les maladies de la tête. Observations sur le sentiment du beau et du sublime.*

1766 : *Rêves d'un visionnaire expliqués par des rêves métaphysiques.*

1768 : *Du premier fondement de la différence des régions de l'espace.*

1770 : Kant devient professeur ordinaire à l'Université de Königsberg avec une dissertation latine : *De la forme et des principes du monde sensible et du monde intelligible* (dite : *Dissertation de 1770*). D'Holbach publie son *Système de la nature*. Naissance de Hegel.

1771 : « Compte rendu de l'ouvrage de Moscati sur la différence de structure des animaux et de l'homme », dans les *Königsbergschen gelehrte und politische Zeitungen*.

1772 : Lettre du 21 février à Marcus Herz, où Kant donne la première formulation du problème critique de la représentation et annonce la parution prochaine d'un ouvrage sur « les limites de la sensibilité et de la raison » (première annonce de la *Critique de la raison pure*).

1775 : *Des différentes races humaines*. Naissance de Schelling.

1776 : Mort de Hume. Début, en Amérique, de la guerre d'indépendance ; premières déclarations des droits de l'homme (Virginie). Kant publie (*Königs. Zeitungen*) ses remarques pédagogiques *Sur l'institut philanthropique de Dessau*.

1778 : Mort de Voltaire et de Rousseau.

1780 : Avènement de Joseph II.

1781 : Mort de Lessing. Publication, à Riga, de la *Critique de la raison pure*.

1783 : *Prolégomènes à toute métaphysique future qui voudra se présenter comme science.*

1784 : *Idée d'une histoire universelle d'un point de vue cosmopolitique. Réponse à la question : « Qu'est-ce que les Lumières ? »*

1785 : *Fondation de la métaphysique des mœurs*. « Compte rendu de l'ouvrage de Herder : *Idées sur la philosophie de l'histoire de l'humanité*. » *De l'illégitimité de la contrefaçon des livres. Définition du concept de race humaine. Sur les volcans de la lune*. Début de la « querelle du panthéisme », qui oppose Jacobi aux Lumières (en la personne de Mendelssohn).

1786 : Mort de Frédéric II, avènement de Frédéric-Guillaume II. Kant devient membre de l'Académie de Berlin. *Premiers principes métaphysiques de la science de la nature. Conjectures sur les débuts de l'histoire de l'humanité. Sur le : « Principe du droit* *naturel »*, de Hufeland. Kant intervient dans la querelle du panthéisme : *Qu'est-ce que s'orienter dans la pensée ?*

1787 : Seconde édition, remaniée, de la *Critique de la raison pure.* Jacobi publie son *David Hume.*

1788 : *Critique de la raison pratique. Sur l'usage des principes téléologiques en philosophie. Sur une médecine philosophique du corps.* Édit religieux du ministre Wöllner, chargé d'organiser la réaction contre les pratiques libérales du règne précédent.

1789 : Révolution française. Kant rédige la *Première Introduction à la Critique de la faculté de juger.*

1790 : *Critique de la faculté de juger* (Pâques). *Sur une découverte selon laquelle toute nouvelle critique de la raison pure serait rendue superflue par une plus ancienne* (= *Réponse à Eberhard*). *Sur le mysticisme et les moyens d'y remédier* (en appendice à l'ouvrage de Borowski, *Cagliostro*). En octobre, E. Burke publie à Londres ses *Réflexions sur la Révolution française*, première mise en cause sévère des événements survenus en France.

1791 : *Sur l'échec de toute tentative philosophique en matière de théodicée. Sur la question mise au concours pour l'année 1791 par l'Académie de Berlin : « Quels progrès effectifs a accompli la métaphysique depuis l'époque de Leibniz et de Wolff ? »*

1792 : Début de la publication de l'essai *Sur le mal radical* (dans le *Berlinische Monatsschrift*). La censure interdit de publier la suite. Fichte fait paraître, sans nom d'auteur (à la suite d'une maladresse de l'éditeur), sa *Critique de toute révélation* : on attribue l'ouvrage à Kant, qui doit publier un démenti.

1793 : *La Religion dans les limites de la simple raison. Sur le lieu commun : cela est bon en théorie, mais en pratique ne vaut rien* (où Kant répond à Rehberg, qui venait de publier à Hanovre ses *Recherches sur la Révolution française*). Deuxième édition de la *Critique de la faculté de juger.*

1794 : Fichte, *Principes de la Doctrine de la science.* Schelling, *Sur la possibilité d'une forme de la philosophie en général.* Kant, nommé membre de l'Académie de Saint-Pétersbourg, publie *La Fin de toutes choses, De l'influence de la lune sur le temps,* et autorise Beck à inclure *Sur la philosophie en général* (écrit en 1790 pour servir de Préface à la *Critique de la faculté de juger,* puis écarté en raison de sa longueur) dans ses *Extraits des ouvrages critiques de Kant* (Riga). Sur ordre du roi, promesse de ne plus écrire sur les matières religieuses.

1795 : *Projet de paix perpétuelle.* Schelling, *Du Moi comme principe de la philosophie, Lettres sur le dogmatisme et le criticisme* (1795-1796). Schiller, *Lettres sur l'éducation esthétique de l'homme.*

1796 : Fichte, *Fondement du droit naturel.* Schelling, *Nouvelle déduction du droit naturel.* Schelling, Hölderlin, Hegel (à Tübingen) : *Le plus ancien programme systématique de l'idéalisme allemand.* Kant suspend ses cours. Il publie *Sur l'organe de l'âme. À propos de l'ouvrage de Sömmering* ; *Sur un ton supérieur* *récemment pris en philosophie* ; *Annonce de la prochaine conclusion d'un traité de paix perpétuelle en philosophie* ; puis (dans les derniers jours de 1796 ou les premiers de 1797) la *Doctrine du droit*, première partie de la *Métaphysique des mœurs*. Le 23 juillet, dernier cours de Kant (sur la logique).

1797 : Hölderlin achève de publier son *Hypérion*, qui avait commencé à paraître dans *Thalia*, la revue de Schiller, depuis 1794. Kant publie la seconde partie de sa *Métaphysique des mœurs* : *Doctrine de la vertu* ; *Sur un prétendu droit de mentir par humanité*. Mort de Frédéric-Guillaume II, avènement de Frédéric-Guillaume III (qui relève Wöllner de ses fonctions).

1798 : *Conflit des Facultés, Anthropologie du point de vue pragmatique, Sur la fabrication des livres.* Fichte publie son *Système de l'éthique*. Deuxième édition de la *Doctrine du droit*.

1800 : Publication, par Jäsche, de la *Logique* de Kant. Schelling, *Système de l'idéalisme transcendantal*.

1801 : Fichte, *Doctrine de la science.* Hegel, *Écrit sur la différence des systèmes de Fichte et de Schelling*.

1802 : Publication, par Rink, de la *Géographie physique de Kant*.

1803 : Publication, par Rink, de la *Pédagogie de Kant*. Deuxième édition de la *Doctrine de la vertu*.

1804 : Mort de Kant (12 février). Fichte, qui a 42 ans, donne un nouvel exposé de sa *Doctrine de la Science*. Hegel a 34 ans et est privatdocent à Iéna. Schelling a 29 ans et publie *Philosophie et religion*, qui s'inscrit dans le cadre de sa polémique, alors à son point culminant, avec Fichte.

INDEX DES NOMS

INDEX DES MATIÈRES

TABLE

DERNIÈRES PARUTIONS

GF-CORPUS

GF - DOSSIER

BALZAC
Eugénie Grandet (1110)

BEAUMARCHAIS
Le Mariage de Figaro (977)

CHATEAUBRIAND
Mémoires d'outre-tombe, livres I à V (906)

CORNEILLE
L'Illusion comique (951)
Trois Discours sur le poème dramatique (1025)

DIDEROT
Jacques le Fataliste (904)
Paradoxe sur le comédien (1131)

ESCHYLE
L'Orestie (1125)
Les Perses (1127)

FLAUBERT
Bouvard et Pécuchet (1063)

FONTENELLE
Entretiens sur la pluralité des mondes (1024)

GOGOL
Nouvelles de Pétersbourg (1018)

HOMÈRE
L'Iliade (1124)

HUGO
Les Châtiments (1017)
Hernani (968)
Ruy Blas (908)

JAMES
Le Tour d'écrou (bilingue) (1034)

LESAGE
Turcaret (982)

MARIVAUX
La Double Inconstance (952)
Les Fausses Confidences (1065)
L'Île des esclaves (1064)
Le Jeu de l'amour et du hasard (976)

MAUPASSANT
Bel-Ami (1071)

MOLIÈRE
Dom Juan (903)
Le Misanthrope (981)
Tartuffe (995)

MONTAIGNE
Sans commencement et sans fin. Extraits des Essais (980)

MUSSET
Les Caprices de Marianne (971)
Lorenzaccio (1026)
On ne badine pas avec l'amour (907)

LE MYTHE DE TRISTAN ET ISEUT (1133)

PLAUTE
Amphitryon (bilingue) (1015)

RACINE
Bérénice (902)
Iphigénie (1022)
Phèdre (1027)
Les Plaideurs (999)

ROTROU
Le Véritable Saint Genest (1052)

ROUSSEAU
Les Rêveries du promeneur solitaire (905)

SÉNÈQUE
Médée (992)

SHAKESPEARE
Henry V (bilingue) (1120)

SOPHOCLE
Antigone (1023)

STENDHAL
La Chartreuse de Parme (1119)

WILDE
L'Importance d'être constant (bilingue) (1074)

ZOLA
L'Assommoir (1085)
Au Bonheur des Dames (1086)
Germinal (1072)
Nana (1106)

GF Flammarion

01/02/85488-II-2001 – Impr. MAURY Eurolivres, 45300 Manchecourt.
N° d'édition FG108802. – Janvier 2000. – Printed in France.